SOTILEZA

ASESORIA LITERARIA

NICASIO SALVADOR MIGUEL
SANTOS SANZ VILLANUEVA

José María de Pereda

Sotileza

Edición, estudio y notas
de
ENRIQUE MIRALLES

Alhambra

Primera edición, 1977

EDITORIAL ALHAMBRA, S. A.
R. E. 182
Madrid-1. Claudio Coello, 76

Delegaciones:

Barcelona-8. Enrique Granados, 61
Bilbao-14. Doctor Albiñana, 12
La Coruña. Pasadizo de Pernas, 13
Málaga. La Regente, 5
Oviedo. Avda. del Cristo, 9
Sevilla-12. Reina Mercedes, 35
Valencia-3. Cabillers, 5

Rep. Argentina
    Editorial Siluetas, S. A.
    Buenos Aires-1201. Bartolomé Mitre, 3745/49

Perú
    Editia Peruana, S. R. Ltda.
    Lima. José Díaz, 208

n c 27020060

ISBN 84-205-0384-3

Depósito legal: M. 33.820 - 1977

Impreso en España - Printed in Spain

Tordesillas, O. G. - Sierra de Monchique, 25 - Madrid-18

ÍNDICE

ESTUDIO PRELIMINAR

I. VIDA DEL ESCRITOR

Fueron sus padres don Juan Francisco de Pereda y Fernández de Haro y doña Bárbara Sánchez de Porrúa y Fernández de Castro, personas de rancio linaje montañés, como testimonian los mismos apellidos. Si el progenitor gustó siempre de vida tranquila y sedentaria, arropado en el paño solariego, la madre, por el contrario, estuvo siempre al quite de todas las dificultades que sobrevinieron a la familia, principalmente durante los primeros años del matrimonio. Mujer de arraigadas creencias religiosas educó a toda su prole en un espíritu de fervor y de prácticas piadosas, llegando a algunos extremos que rayan en la anécdota, como el obligar en su casa a que se rezara a cada hora del día. Su austeridad y firmeza de carácter, no exentas del cariño maternal, fueron siempre puerto seguro para las desazones que pudiera pasar en algún momento cualquiera de los seres queridos.

El matrimonio se fue a vivir a Polanco, lugar de residencia familiar del esposo. Su vida transcurría sin graves contratiempos hasta que un hecho luctuoso trajo la primera dificultad seria. Fue la muerte de la abuela materna, doña Bárbara, que siempre había sido una salvaguardia económica, pero cuya fortuna fue a parar en su mayor parte, por deseo de ella, a obras pías. Corría el año 1822. El trastorno económico que esto supuso motivó que el primogénito de don Juan Francisco, en un arranque de valor juvenil, propusiera a sus padres marchar a Cuba, paraíso de los emigrantes que querían probar fortuna. Aunque tenía dieciocho años, su talento, cultura y espíritu aventurero consiguieron pronto salir airosos en La Habana, y, al poco, los

primeros beneficios de sus negocios comerciales se dejaron
sentir entre todos los miembros de la familia.

El 6 de febrero de 1833, hacia las tres de la tarde, nació
don José María de Pereda. Era el último de una serie de
veintiún hermanos [1], de los que sólo vivían ocho. Fue bauti-
zado al día siguiente, en la iglesia de San Pedro Advíncula.
Posiblemente, por ser el hijo menor, su madre diera especiales muestras de cariño hacia él, a las que éste, tanto de niño
como de hombre, supo siempre corresponder. Muy feliz debió de ser la infancia del futuro novelista, que crecía edu-
cado bajo la férula cristiana de doña Bárbara. Amigo suyo
desde muy temprano fue Domingo Cuevas, su primo carnal,
con quien debió de corretear por las calles y campos de los
alrededores de la aldea. La familia vivía además en una posición desahogada gracias a la protección de Juan Agapito,
el hijo mayor, ocupando una casa amplia y cómoda, aunque
no señorial.

A instancias de éste se trasladó la familia más tarde a
Santander, el año 1843, y ocupó un piso de la Cuesta del Hospital, en pleno centro de la ciudad. José María acudía a la
escuela del maestro Rojí, afamada en la ciudad. Al año siguiente pudo ya ingresar en el Instituto Cántabro, empezan-
do sus estudios de bachillerato, que durarían siete años. Esta
mocedad fue para él especialmente grata, según nos deja
entrever en los primeros capítulos de *Sotileza*, al rememorar en las correrías de la pandilla de chicos por el Muelle
sus propias experiencias, y de manera más directa en los
tres artículos, «Reminiscencias», «Más reminiscencias» y
«El primer sombrero», incluidos en *Esbozos y rasguños*. En
ellos evoca, con la nostalgia horaciana de los tiempos pasados, aquellos arreos infantiles, el *de todos los días* y el del
estreno del domingo, que tantas desazones le había ocasionado la noche anterior; los juegos que tenían que industriar
con los objetos más rústicos: canicas, plomos, botones, la

---

[1]   Para los principales datos de esta biografía he seguido, fundamentalmente, a Ricardo Gullón, *Vida de Pereda*, Madrid, Edi-
tora Nacional, 1944; y J. M.ª de Cossío, «Estudio preliminar»,
Obras completas de Pereda, Madrid, Ed. Aguilar, 1964[8], vol. I.
Aunque sea detalle nimio, indicaré que R. Gullón habla de un
total de veintidós hermanos, contando a José María.

espada y el fusil de astilla, pulida a golpe de cortaplumas,
y hasta la misma pelota, fabricada de propia mano; el terrible desasosiego que le produjo el primer espectáculo teatral
que tuvo ocasión de contemplar, quedando tan entusiasma-
do que le «faltó poco para ir al despacho de billetes a preguntar si se habían equivocado al llevarme tan poco dinero
por tanta felicidad»[2]. Otras experiencias fueron menos felices, como el temor que le infundió el terrible don Bernabé
Sainz, su profesor de latín, «ejemplo vivo de dómines sin entrañas»[3], cuyo buen surtido de varas se dejaba sentir en las
espaldas de los bachilleres, aunque Pereda supo cumplir en
todo momento con sus tareas y librarse de tan peligroso
castigo. Su convivencia con los raqueros y demás pilletes
de los barrios de mareantes, a más de las horas felices que
le proporcionó en correrías por las calles del Muelle o por
los paseos de San Martín y la Alameda, le acarreó asimismo
algún disgusto, como sucedió en el estreno de su primer sombrero, jornada que fue un calvario para el endomingado
muchacho y que terminó con el destrozo del bombo bajo una
descarga cerrada de toda clase de proyectiles de manos de
estos «calaverillas», un ojo estropeado y rasgado el faldón
de la tuína. No pasó de ahí la refriega.

Cuando terminó los estudios secundarios, sus padres, ani-
mados por consejo del rico indiano, que ya había vuelto de
ultramar, decidieron que el chico siguiera los estudios superiores. Pidieron a José María su opinión y éste les expuso
su deseo de hacer la carrera militar de artillero, en Madrid.
La idea pareció buena al consejo de familia, de forma que
dispusieron los preparativos de la marcha.

El viaje a la capital de España fue largo e incómodo, en
una diligencia que necesitaba tres penosas jornadas para cubrir el trayecto[4]. Ya en la capital, se instaló en una casa de
la calle del Prado, próxima al teatro Español. Pronto se sen-

---

[2] *Obras completas* (desde ahora, *O. C.*), I, Madrid, Ed. Aguilar, 1964[8], p. 1278 *b*. Todas las cifras textuales, salvo las de *Sotileza*, van referidas a esta edición.

[3] *O. C.*, I, p. 1280.

[4] En *Pedro Sánchez* (cap. VIII), el novelista rememora estas jornadas, comunicándonos sus primeras impresiones al cruzar la árida llanura castellana.

tiría atraído por las diversiones propias de la juventud y, aunque asistía con regularidad a sus estudios en una Academia preparatoria, sus horas más placenteras las distribuía entre la lectura de los folletines románticos, las tertulias de café y la asistencia a los teatros. Sin que todavía despertase su vocación literaria, pero sí tentándolo el éxito de la escena, escribió por aquel entonces su primera obra, una comedia titulada *La fortuna de un sombrero* (febrero de 1854).

Ese mismo año fue fecha señalada en la historia de España. La insurrección militar de O'Donnell contra el Gobierno presidido por el conde de San Luis, el 28 de junio, que terminó en la batalla de Vicálvaro, fue el reactivo para una sublevación popular en Madrid el 19 de julio y que duró cuatro días. Esta fulgurante revolución fue aprovechada por los militares y políticos progresistas, que presionaron a la reina Isabel II para que solicitara de Espartero la formación de un nuevo gabinete [5]. Pereda recordó siempre aquellos días agitados que estuvieron a punto de costarle un disgusto, pues se lanzó a las calles ocupadas por las barricadas para contemplar con sus propios ojos el espectáculo, teniendo la suerte que no le alcanzara un balazo en la calle del Príncipe, según nos cuenta en *Pedro Sánchez* [6].

Tras estas experiencias, que debieron producirle un gran desengaño sobre la realidad social y política del país, unidas a su falta de vocación por los estudios, optó por abandonar definitivamente la carrera de las armas, regresando a su terruño natal. Fue a vivir a la vieja casona de Requejada (Polanco), que por aquellos meses su hermano mayor estaba adecentando convenientemente, sin escatimar ningún gasto. Pero esta vida placentera, sin preocupaciones por el futuro, le iba a durar poco, pues fue interrumpida por la tremenda desgracia que le supuso la muerte de la madre el 12 de marzo de 1855. Para superar el trance decidió marchar una temporada a Santander, a casa de su primo, pero una fuerte epidemia de cólera que asoló la comarca les atacó también a ambos; felizmente pudieron reponerse de la grave enfer-

---

[5] Raymond Carr, *España, 1806-1939*, Barcelona, Ed. Ariel, 1968, p. 247.
[6] *O. C.*, II, pp. 133-134.

medad. Este año fue, pues, uno de los más penosos en la vida de nuestro autor, dejándole, además, como lastre una neurastenia, que le provocaría en adelante frecuentes depresiones nerviosas.

Con el fin de reponerse, realizó un viaje en el invierno de 1857 por Andalucía, cuyas tierras calientes y acogedoras lograron mejorar notablemente su salud. Cuando regresó a la Montaña, su espíritu era otro, alegre y optimista. Empezó a ver entonces su región con ojos más amorosos, empapándose de sus hombres, sus costumbres tradicionales, su maravilloso paisaje, y evocando, ya sin aristas hirientes, los mejores recuerdos de la niñez.

Por aquel entonces apareció su primer escrito impreso, «La gramática del amor», en *La Abeja Montañesa*, diario fundado por don Cástor Gutiérrez de la Torre. A éste le siguieron otros artículos, que convirtieron a Pereda en colaborador fijo del periódico, con la tarea de comentar las recientes publicaciones literarias. Pero todos estos trabajos no llevaban firma, a lo sumo la P. inicial de su apellido o el anagrama de *Paredes*. Aunque el escritor parecía mostrar temor a darse a conocer, no hay duda de que su nombre empezaba a encontrar un hueco entre los círculos cultos de la ciudad. Precisamente estos breves escritos le habían granjeado la amistad de otros colaboradores del diario, como Juan Pelayo, Antonio L. de Bustamante y Sinforoso Quintanilla. Con ellos se lanzó rápidamente a la empresa, ese mismo año de 1858, de la fundación de una revista, *El Tío Cayetano*, de breve vida, cuyo primer número, del 5 de diciembre, ya dejaba a las claras el humor desenfadado de quienes lo habían patrocinado. Estas inquietudes literarias, que hermanaban a los mejores hombres de letras santanderinos, no solamente se vertían en la redacción de estos periódicos, sino que dieron paso a la formación de una tertulia en la guantería de Juan Alonso, cuyo lema fue la agudeza de la conversación y el comentario regocijante de las noticias del día. Es de suponer que entre todos los contertulios, buenos amigos de don José María, éste se animara a proseguir con sus proyectos, pues le vemos más empeñado que nunca en algunos tanteos dramáticos, y así consiguió que se representaran dos obras suyas, *Tanto tienes, tanto vales* y *Palos en seco*, en 1861, y *Mundo, amor y vanidad* y *Marchar con el siglo*, en 1863, obras que recogió en el volumen *Ensayos dramáticos* (1869).

Es en 1864 cuando, después de tantas pruebas de fuego y más confiado en las reacciones del público, dio los primeros pasos serios en su carrera literaria. En *La Abeja Montañesa* se decidió, por fin, a estampar su nombre en un artículo, «Los zánganos de la prensa» (20 de julio). Pero el escritor abrió fuego en otro frente más importante. A instancias de su hermano mayor, que después de la muerte del padre, ocurrida poco antes, en 1862, se había quedado como único consejero y guía suyo, reunió varios ensayos publicados anteriormente, junto a otros nuevos, en un librito que tituló *Escenas montañesas* y lo lanzó, lleno de esperanzas, a todo el público del país. Sin embargo, fuera de sus fronteras regionales, pocos hombres de letras conocían al escritor novel, así que no es de extrañar que la acogida del libro fuera poco calurosa. Con todo, entre las pocas felicitaciones que don José María recibió hubo una, la de Mesonero Romanos, encendida y sincera, que debió de compensarle de este amargor, por provenir del maestro en el género costumbrista.

En la Navidad de aquel mismo año marchó a París, prolongando su estancia allí algo más de un año. Esperaba a su regreso que sus paisanos le darían, si no una clamorosa acogida, al menos, el aplauso que merecían sus dotes de escritor. No hubo nada de eso; su ausencia lo había postergado a planos más discretos. Quizá por esta herida a su orgullo o porque confiaba más en sus propias fuerzas, puso fin a su colaboración en *La Abeja* y se lanzó a mayores alturas, escribiendo artículos en la *Revista de España*, editada en Madrid, que ya gozaba de gran prestigio en toda la nación. Al mismo tiempo siguió completando su formación literaria, ocupando el tiempo libre en la lectura de nuestros clásicos. No obstante, el escritor todavía tendría que atravesar una etapa gris, en un último compás de espera, hasta que saltaran ininterrumpidamente los que serían con el tiempo sus mejores éxitos literarios. Así, las actividades que le ocuparon en ese período no hicieron sino desengañarle de empresas para las que no había nacido, como el estreno de su última zarzuela, *Terrones y pergaminos*, el 15 de diciembre de 1856, o entretenerle el tiempo, como la polémica que suscitó con el señor de Caraveda a través de las páginas de *La Abeja Montañesa*.

Llegó el año 1868 y con él un acontecimiento político de capital importancia para la historia del país: los sucesos revolucionarios del mes de septiembre, que precipitaron, como ya es sabido, la caída de la monarquía de Isabel II, con el triunfo de las fuerzas progresistas que durante unos años ocuparían el poder, cubriendo una de las etapas más inquietantes y atractivas de nuestro pasado. Como cualquier español, Pereda se contagió de la pasión política y se sumó a las filas tradicionalistas, que desde la oposición empezaron a socavar el nuevo Régimen. Resucitó entonces *El Tío Cayetano*, el 9 de noviembre de 1868, pero su programa esta vez no fue tan jovial y risueño como el anterior, sino fuertemente crítico. En su labor tomó parte decisiva nuestro autor, encargándose de dos secciones que daban cuenta de los comentarios de la prensa y de los debates de las Cortes. Su compromiso político fue aún más lejos, cuando decidió presentarse a las elecciones como diputado por Cabuérniga en la convocatoria que hizo el rey Amadeo de Saboya. Para atraerse los votos necesarios tuvo que hacer un viaje en el año 1871 por toda la geografía de su distrito, soportando numerosas incomodidades derivadas del largo recorrido por las aldeas, intentando convencer a los astutos caciques. Si después de todo obtuvo así el éxito que deseaba, mejor fruto dio a la literatura este viaje electoral, pues lo trasladó más tarde a sus .páginas de *Los hombres de pro* y de *Peñas Arriba*. La casona de Tudanca, habitada por don Francisco de la Cuesta, fue lo que más le impresionó, y a ella le consagró excelentes pasajes en sendas publicaciones.

Una vez metido en las lides parlamentarias era previsible que don José María quedara muy pronto harto, dada su mentalidad y carácter, de las intrigas políticas y de la hueca oratoria que imperaban en el seno del organismo nacional.

Durante este tiempo ocurrieron en su vida otras vicisitudes de no menor importancia. En el año 1869 contrajo matrimonio con doña Diodora de la Revilla, que le sería compañera fiel y silenciosa hasta el fin de sus días. Fue, además, muy oportuno este enlace ya que al año siguiente murió su hermano Juan Agapito, el principal sostén de la familia, de forma que la desgracia de este suceso debió de ser, por lo ya indicado, más soportable.

Casi en los mismos días en que salió elegido diputado, en el año 1871, publicó *Tipos y paisajes*, serie de artículos aparecidos después de los *Ensayos* y centrados en el conocimiento de su región y que ya habían sido dados a conocer en las publicaciones periódicas. El éxito le acompañó esta vez y, gracias a ello, conoció a Galdós, que, aunque más joven, había despuntado ya en el terreno novelístico con *La Fontana de Oro*, obra importante a nuestro modo de ver. De tanto atractivo le resultó al escritor canario la comarca santanderina descrita en las páginas peredianas, que aquel verano decidió recorrerla. El encuentro entre los dos novelistas era algo irremediable, pero tuvo lugar de una forma cordial al coincidir ambos casualmente en una fonda. Pereda oyó el nombre de don Benito y entonces se presentó a él. Rápidamente brotaron mutuos lazos de simpatía, preludio de una firme y perdurable amistad, a pesar de sus diferencias radicales en materia religiosa y política, que no lograron nunca empañarla[7].

Hablando de amistades, es momento de mencionar otra, tanto o más perfecta que aquélla: la que mantuvo con Menéndez Pelayo. Tenía éste, a la sazón, quince años y era conocido en todos los medios culturales santanderinos por su precocidad. Su admiración por Pereda databa desde la aparición de las *Escenas*, hasta tal punto que recitaba de memoria párrafos enteros de ellas. «Fue el primer hombre de letras a quien conocí, mi amigo y consejero más íntimo; fue el amigo entrañable, honrado y bueno de todos los de mi casa», declararía don Marcelino años más tarde[8]. Uno y otro se profesaron mutua admiración en sus campos respectivos y fue precisamente el sabio investigador quien incitó a su amigo a que reemprendiera su tarea literaria[9], arrinconada en ese tiempo, según hemos visto.

---

[7] Sobre toda una serie de anécdotas que tejieron esta entrañable amistad, vid., en especial, Vicente Marrero, *Historia de una amistad*, Madrid, Ed. Magisterio Español, 1971, pp. 41-44, 125-134, 187-194 y *passim*.

[8] V. Marrero, ob. cit., p. 64.

[9] José M.ª de Cossío, «Estudio preliminar», ob. cit., p. 21.

En el año 1876, el librero Francisco Mazón, persona muy idealista, volvió a entusiasmar a los hombres de letras montañeses fundando una revista, *La Tertulia*, que encontró pronta colaboración en Pereda, quien había publicado en ese año *Bocetos al temple*, título que agrupaba tres novelas cortas, pero que tampoco logró el éxito apetecido, salvo los aplausos que le otorgaron sus amigos, Galdós y Menéndez Pelayo, este último aprovechando las páginas de dicha revista. La colaboración de don José María se centró en una serie de artículos, reunidos luego en un librito, *Tipos trashumantes* (1877), en donde hace una descripción de los tipos sociales que concurrían a la playa de Santander durante el verano, abandonando sus lugares del interior de la Península. La sátira del escritor contra estos turistas llega a ser cruel en muchos párrafos, lo que no fue del agrado de las partes afectadas.

Ese mismo año de 1877 fue uno de los más relevantes en su vida literaria, al lanzarse por primera vez, quizá contagiado por los éxitos que empezaban a cosechar contemporáneos suyos [10], a escribir una novela larga. Escogió como tema una cuestión que ya había planteado en algún artículo juvenil: el de la vida conyugal. Por otro lado, quiso darle visos de originalidad, pues en una carta al ilustre polígrafo le preguntó si sabía de precedentes literarios inmediatos [11].

---

[10] Galdós ya había publicado, además de la Primera serie y parte de la Segunda de sus *Episodios Nacionales, La Fontana de Oro* (1876-68), *El Audaz* (1871), *Doña Perfecta* (1876) y *Gloria* (1876-77); Juan Valera, *Pepita Jiménez* (1874), *Las ilusiones del doctor Faustino* (1874-75), *El Comendador Mendoza* (1876-77); P. Annio de Alarcón, *El escándalo* (1875). La novela española de la Restauración iba adquiriendo gran ímpetu, de día en día.

[11] «Me siento con fuerzas para pintar algo, no del todo vulgar, en ese género; pero no quisiera lanzarme a la empresa sin conocer, cuando menos, las exploraciones hechas hasta hoy en el mismo terreno; sería una triste gracia encontrarme plagiario por *adivinación*. No dejes de registrar el inmenso campo de tu memoria y de avisarme sobre lo que encuentres en él.» (Carta del 15 de febrero de 1877, en *Epistolario de Pereda y Menéndez Pelayo*, ed. M.ª Fernanda de Pereda y E. Sánchez Reyes, Santander, 1953). Le reitera la consulta a Mesonero Romanos, en carta del 3 de octubre de 1877. (En J. F. Montesinos, *Pereda o la*

La andadura del libro, no obstante, no cuajó hasta el año siguiente [12]. En el ínterim, Galdós había publicado la primera parte de *Gloria*, novela polémica en torno al problema religioso. La posición liberal que adoptó ante él, criticando sin ambages las posturas extremistas, en especial la de los ultras católicos, hirió los sentimientos de su amigo, que le replicó sobre la tesis planteada, tachándolo de volteriano. Sobre este motivo se cruzaron entre los dos varias cartas, que son una delicia para conocer sus opuestas mentalidades [13]. Como este afán polémico cuadraba de maravilla con el gesto nervioso de Pereda, no es de extrañar que, visto el ambiente novelístico, de marcado compromiso, con las principales cuestiones que preocupaban al país, se enzarzara en otra novela de tesis, *Don Gonzalo González de la Gonzalera*, esta vez sobre un asunto político: el recuerdo de la revolución del 68, todavía tema de actualidad. La postura que adoptó aquí nuestro autor es la misma que había mantenido cuando su actuación pública, condenando la revolución y defendiendo el orden tradicional, presidido por una política conservadora. La polémica suscitada por esta novela fue grande, y tirios y troyanos de la prensa del país aprovecharon la ocasión para definirse una vez más en el terreno ideológico. Y aunque Pereda ya había empezado a saborear la fama de es-

---

novela idilio, Madrid, Ed. Castalia, 1969, p. 55). Sobre la influencia de Balzac, vid. Sherman Eoff, «A Phase of Pereda's Writings in Imitation of Balzac», *Modern Language y Notes*, LIX, 1944, pp. 460-466.

[12] Parece que estaba terminado en septiembre u octubre de 1877. (Vid. *Epistolario*, carta de don Marcelino, el 2 de noviembre de 1877, y n. 40). También hay noticia en carta a Galdós del 3 de noviembre. (*Cartas a Galdós*, ed. Soledad Ortega, Madrid, Ed. Revista de Occidente, 1964). Sin embargo, la novela, *El buey suelto*, no salió a la calle hasta marzo del año siguiente, 1878.

[13] Vid. *Cartas a Galdós*, ed. cit., pp. 47-58; Carmen Bravo Villasante, *Galdós visto por sí mismo*, Madrid, Ed. Magisterio Español, 1970, pp. 79 ss. —con las respuestas inéditas de Galdós—; y P. Faus Sevilla, *La soledad española del siglo XIX en la obra literaria de D. José María de Pereda*, Santander, 1970, pp. 255 ss. La polémica empezó en febrero de 1877 y duró hasta finales del mes siguiente.

critor en todo el ámbito nacional, ésta se vio acrecentada después de tales controversias.

Siguió el novelista por esta ruta que se había trazado, ocupando el año 1879 en escribir otro libro de tesis, *De tal palo, tal astilla*, réplica, tanto en tema como en la figura de la heroína, a *Gloria* de Galdós. Estaba terminado en marzo del año siguiente, después que hubiera pasado su autor por una neurastenia aguda. Fue lástima, porque hasta entonces había disfrutado de largos períodos de tranquilidad en su aldea de Polanco y recibido agradables visitas de los amigos más íntimos. Consiguió sobreponerse al cabo y resistir a una nueva polvareda de críticas en torno a los presupuestos intransigentes de que había hecho gala en la novela ultimada.

Fue este final de década un período de intensa actividad literaria. Seleccionó algunos artículos entre los que conservaba guardados y añadió otros nuevos, reuniéndolos todos en un nuevo libro, *Esbozos y rasguños*, que salió a la luz en 1881. Eran de muy vario carácter y vinieron a completar sus experiencias costumbristas, recuerdos de juventud, más otras impresiones. Amós de Escalante, paisano suyo y maestro también en estas lides, puso algunos reparos, manifestando una vez más la indiscreta rivalidad que sentía hacia su colega. Justamente entonces, el novelista empezó a enderezar su mejor rumbo, el más idóneo a sus gustos y temperamentos. Hasta ahora, la visión amable e idílica de su tierra había sido ofrecida en la forma breve, aunque intensa. La novela larga había servido sólo para la polémica, pero a instancias de los editores catalanes, que habían percibido, como era evidente, la veta regionalista del escritor, empezó a fabricar un plan argumental que llevara como tema principal los encantos de su tierra, en un escenario muy estricto, Polanco, con un eje principal, el barrio de la Iglesia. El trabajo, por lo grato y entrañable, se hacía paradójicamente difícil y penoso. Comenzó, pues, a escribir *El sabor de la tierruca*, a principios del año 1881, en Santander, ya que llegado el invierno siempre iba a vivir a la capital, siendo interrumpido por algunos otros quehaceres, como el formar parte del Jurado del Certamen en conmemoración del centenario de Calderón. Se quejaba Pereda, habituado a ello como estaba, de no venirle a la mente más que cuadros, sin lograr conjuntarlos en una estructura novelesca, pero una vez en Polanco, disfrutando de la época estival, la escritura se hizo más rápida. Ya casi todo estaba terminado. Faltaban las ilustraciones del dibujante catalán Apeles Mestres, que había visitado el lugar de la acción, para tener documentación de primera mano. Galdós se encargaría del Prólogo, con lo que el éxito y la satisfacción del autor ya sería completa, pero el retraso de su colega y dificultades en la impresión retardaban la salida del libro con casi desesperación de su autor. Hasta el verano de 1882 en que, por fin, se expuso en las librerías. Si bien la crítica no acabó de captar en general la gran obra que se le ponía a su alcance, concentrándose en ella los valores más genuinos del escritor, el certero y justo prólogo de su amigo contribuyó a dar una consagración definitiva a su carrera literaria.

Con motivo de la injusta calificación que le había otorgado la Pardo Bazán en *La cuestión palpitante* (1882), comparando sus creaciones con las de un huerto florido, decidió Pereda cambiar el escenario de sus novelas, trasladándolo a la capital española, y de una sociedad fundamentalmente rural a la que se mueve en unos medios cortesanos. Así, durante el año siguiente se ocupó de redactar *Pedro Sánchez*, novela que discurre en torno a los acontecimientos revolucionarios de 1854, bien grabados en su memoria, de cuando su época de estudiante. A pesar de su desigual factura y de rememorar un ambiente no muy familiar para él, el libro, que salió ese mismo año de 1883, tuvo clamoroso éxito, inclinándose a su favor hasta los críticos que habían permanecido más recalcitrantes, como el caso de *Clarín*. Solamente su amigo y buen conocedor de sus repliegues temperamentales, don Marcelino, no le mostró una completa satisfacción, haciéndole ver que ése no era el camino acertado. De todas formas, satisfecho el novelista, en la primavera de 1884 decidió hacer un corto periplo, quizá buscando la satisfacción del agasajo que a todas luces se iba mereciendo. Se detuvo primero en Madrid, para que los médicos examinaran a su esposa, cuya salud empezaba a sufrir algunos contratiempos; continuó luego el matrimonio hacia Valencia, siendo obsequiado el escritor por Teodoro Llorente y por el periódico *Las Provincias*, y en mayo arribaron a Barcelona. En la capital catalana las congratulaciones fueron extraordinarias y se volcaron en la acogida el crítico y periodista Miquel y Badía, junto al gran escritor que empezaba por entonces a despuntar, Narcís Oller, con el que rápidamente don José María entabló una cordial amistad. Al cabo, regresó a Santander. Allí puso manos a la obra en otro proyecto que volvía a recoger velas en su trayectoria literaria. Estimulado por Menéndez Pelayo se animó a trazar una epopeya de su ciudad marítima, teniendo como protagonistas a los mareantes del Muelle, y con una historia sencilla y humana, que gira en torno de una gran figura femenina, logró dar fin a su tarea en el año 1884, intitulando el libro *Sotileza*. Si la acogida que obtuvo éste en toda la geografía peninsular fue inmensa, más aún quedó de relieve en su provincia, que supo mostrar su agradecimiento, no solamente con una prodigalidad de elogios a través de las páginas de los periódicos, sino obsequiándole con algunos recuerdos cariñosos. Así, a través de una suscripción le regalaron un cuadro de Fernando Pérez del Camino, que reproducía el pasaje de la galerna; la Corporación municipal aprovechó también la inauguración de una elegante avenida para darle el nombre de *Rampa de Sotileza*, que pervive en la actualidad. Igualmente los catalanes saludaron este éxito en beneficio de la causa regionalista y le obsequiaron con un precioso portalibros que llevaba grabadas las armas de las dos ciudades (Santander y Barcelona). Es de imaginar por todo ello la satisfacción del escritor de Polanco, que no pudo ocultarla a su amigo Menéndez Pelayo, tal como le confesaba en una carta: «Aquí ha caído el libro como del cielo: jamás he visto en este pueblo, ni en otro alguno, aplauso más ruidoso, ni más entusiástico ni más general. Parece que les ha dado a todos en mitad del corazón, o que ha sacado de él hasta el último detalle del libro»[14].

Después de la difícil tarea se tomó una corta temporada de descanso, aceptando la invitación de Galdós, para hacer en compañía de éste un viaje por tierras de Portugal. Una vez en Madrid, donde le esperaba su colega, se repitieron los parabienes de admiradores. Aprovechó allí la ocasión de una ceremonia organizada por la Sociedad de Escritores en conmemoración del tercer aniversario de la muerte de Mesonero

---

[14]   *Epistolario...*, 2 de marzo de 1885.

Romanos, para reafirmar en el discurso de agradecimiento al difunto maestro su temperamento de observador de las costumbres regionales. Luego, los madrileños le agasajaron con un banquete en el café Inglés.

Partieron, al fin, Galdós y Pereda en viaje hacia el país vecino, como turistas anónimos, donde visitaron con calma y como expertos observadores las principales ciudades; luego regresaron por la frontera de Galicia. Camino de Santander, en el mes de junio, se detuvo don José María en Oviedo para hacer una vista de cortesía a Leoplodo Alas, en agradecimiento a los elogios que éste le había prodigado últimamente.

Ya en su tierra, de momento le faltaron ánimos para seguir con las empresas novelísticas y se entregó al ocio, salvo en pequeños intervalos de trabajo consagrados a unas colaboraciones que le solicitaba *El Atlántico*, periódico de reciente aparición, dirigido por don Enrique Menéndez Pelayo. Disfrutaba Pereda de una economía holgada por el patrimonio familiar que habían forjado sus hermanos, al que él había prestado siempre toda su aportación. Sus libros, reeditados ahora en las *Obras completas* [15], le seguían rindiendo beneficios y su popularidad le permitía disfrutar del puesto de Consejero del Banco de Santander.

Hasta el verano de 1887, en su casa de Polanco, no reemprendió la tarea literaria. No deseaba reiterar el tema de su tierra y, quizá, con el afán de medir sus propias fuerzas, miró de nuevo a la sociedad madrileña y compuso *La Montálvez*, que se publicó al año siguiente. Pronto surgieron algunas críticas adversas que derivaron en fuerte polémica, en torno a dos puntos cuestionables: la moralidad del libro y la hostilidad del autor hacia la aristocracia madrileña, terreno, la verdad, en el que no pisaba muy firme. Respondió a unos y a otros, encontrando sobre todo en el primer reparo, el que más debió de dolerle sin duda, valiosos abogados defenso-

---

[15] Estas empezaron a publicarse en tomos sueltos, a partir de 1884. Acompañó a la colección un *Estudio preliminar* de Menéndez Pelayo, de capital importancia en la bibliografía perediana. Puede leerse hoy en sus *Estudios sobre la prosa del siglo XIX*, selección de José Vila Selma, Madrid, C. S. I. C., 1956, pp. 179-223.

res, como el P. Coloma, quien, en su calidad de sacerdote y novelista, recomendó su lectura a la sociedad elegante «con el mismo ahínco con que le recomendaría un sermón sobre los frutos del pecado» [16].

Dirigió otra vez el novelista su mirada hacia su terruño natal y en otoño de 1888 escribió *La Puchera,* cuyo escenario alterna entre la tierra y el mar. En su redacción, por deseo expreso del autor, no había intervenido el consejo de Menéndez Pelayo. Por ello fue grande la impaciencia de aquél por conocer la opinión del amigo, tan pronto salió el libro de la imprenta. Como don Marcelino guardara silencio durante unos días, don José María se temió lo peor [17]. La verdad es que no se acostumbraba el hombre a prescindir de la opinión ajena y más si, como en el presente caso, ésta era parte entrañable de su existencia. Sus temores eran, no obstante, infundados, pues este idilio tuvo una excelente acogida entre todo el público.

No logró un consenso tan unánime la novela siguiente, *Nubes de estío.* Parece que a Pereda le gustaba alternar los períodos de tempestad con los de bonanza, y al uno le seguía indefectiblemente el otro. En este libro siguen presentes los escenarios santanderinos, pero el idilio ha dejado paso a un tono agresivo y crítico contra los sectores comerciales de la capital. Aunque lo terminó en noviembre de 1890, no apareció en las librerías hasta enero de 1891. La respuesta no se hizo esperar, y el 3 de marzo salió en *El Aviso* un artículo de don Fermín Bolado Zubeldía, que creyó ver so capa de la ficción personas reales conocidas. Sin embargo, las arremetidas más dolorosas vinieron de Madrid, especialmente a raíz del capítulo «Palique», que era una sátira contra el periodismo de la Corte y los excesos de madrileñismo en medios provincianos. La voz más discordante de la polémica provino de la condesa de Pardo Bazán con su artículo «Los resquemores de Pere-

---

[16] En José M.ª de Cossío, *La obra literaria de Pereda,* Santander, 1934, p. 261.

[17] Carta del 6 de febrero de 1882, *Epistolario...* [80]. Una semana después, ya conocida la opinión entusiasta del crítico, Pereda se justificó ante él por sus infundados temores (14 de febrero, *Epistolario...* [82]).

da», al que contestó éste, irritado, con otro de título parejo: «Las comezones de la señora Pardo Bazán».

Cuatro meses después de esta publicación apareció en Barcelona *Al primer vuelo*, con el que su creador quiso satisfacer el deseo del crítico José Ixart de que aceptara el encargo de una editorial catalana. Había empezado Pereda a escribirla en el verano anterior y para ello tuvo que interrumpir *Nubes de estío*, con la circunstancia agravante de unas continuas molestias gástricas que le aquejaban. El librito, con ilustraciones de Apeles Mestres, pasó bastante inadvertido, en medio de la polvareda que rodeaba al anterior, pero los catalanes le quedaron muy agradecidos, como lo muestra la espléndida gratificación de 8.000 pesetas que le entregaron, añadida a una invitación para presidir los próximos Juegos Florales. Había en ambas partes un mismo deseo por defender y dar mayor vigor a los intereses regionales, bastante mermados por la acción de una política centralista. Y Pereda fue siempre un buen portavoz de los mejores valores de la periferia, aunque su actitud, por lo general, no alcanzara los extremos agresivos que algunos hubieran deseado.

De todas formas, ese año asumió posiciones más comprometidas. Por eso intentó volver de nuevo a la política, presentándose como senador por las Sociedades Económicas de León. Aparte del renombre adquirido como novelista, contaba con el apoyo de numerosos amigos de su provincia, más el de los compromisarios gallegos, interesados también en la causa regional. El Gobierno, incluso, veía con buenos ojos esta candidatura. Todo parecía estar a su favor, pero hubo mala fortuna y salió derrotado, reprochándose al gobernador la causa de ello.

Al año siguiente de 1892 acudió a Barcelona para sus fiestas, tal como lo había prometido, después de dar un rodeo pasando por Madrid para saludar a amigos y colegas. El día solemene fue el 8 de mayo de 1892 y en él le correspondió a Pereda leer el discurso *de gracias*, pero prefirió delegarlo en Sabot y Rovira, quien además lo había traducido al catalán, de acuerdo con los estatutos. Como era de esperar, puso todo su acento en el canto a los valores regionales. Disfrutó durante aquellos días de la hospitalidad catalana, recorriendo los lugares más pintorescos de la ciudad y la provincia. Días más tarde, la Lliga de Catalunya organizó una fiesta literaria en su honor y en ella dieron lectura a algunas páginas peredianas Mosén Cinto Verdaguer y Narcís Oller. No pudo ser más brillante el tributo al artista. Volvió don José María muy complacido después de tales agasajos a su terruño natal. Allí se ocupaba de los pequeños menesteres de su hacienda, con los cuales entretenía el tiempo. Aprovechó entonces para mostrar su agradecimiento a dos magníficos novelistas y amigos entrañables: el uno, Galdós, para quien organizó un homenaje, a sabiendas de las críticas de algunos santanderinos pacatos, que no vieron con buenos ojos esta solidaridad entre un conservador y un liberal; el otro, Oller, animoso por conocer directamente los hermosos paisajes de La Montaña, al que le brindó el calor de su hogar y le sirvió, además, de inmejorable guía de la región. Para remate, organizó en su honor el 27 de junio un banquete, al que acudió lo más granado de las letras santanderinas.

Mientras tanto, empezó a germinar en su mente una idea que ya le rondaba desde el invierno anterior: escribir un poema épico sobre los valles y atalayas inaccesibles de La Montaña y sobre los hombres que en ella habitaban. Se trataba de revivir una serie de recuerdos personales, en especial los que le había proporcionado aquel viaje electoral de su juventud, marcados por la impresión de la casona, que iba a ser el escenario de la nueva acción. Al comienzo del verano de 1893 puso manos a la obra de forma ininterrumpida, salvo algunas rápidas excursiones con don Angel de los Ríos, el Sordo de Proaño, para precisar, a la vista, los diferentes detalles. Había escrito ya las dos terceras partes de la novela cuando el 2 de septiembre, a un disparo de escopeta, el primogénito, Juan Manuel, puso fin a su vida, atacado de un rapto de locura. El dolor paterno fue inmenso y quedó grabado en el manuscrito con una cruz y una fecha. El escritor encontró más consuelo que nunca en la soledad de su creación artística, transparentando su tribulación en las serenas páginas de los últimos capítulos del libro, llenas de viva emoción, y más aún cuando a esta tragedia personal se sumó otra local, el día 3 de noviembre, con la explosión del «Cabo Machichaco», vapor que se encontraba atracado en el muelle de Maliaño. Las cifras de la catástrofe fueron escalofriantes, con más de quinientos muertos, un millar de heridos y el derrumbamiento de numerosas viviendas portuarias. Como último homenaje a su ciudad, una vez terminado *Peñas Arriba*, le consagró don José María *Pachín González*, escrito en 1895, cuyo tema perpetúa el recuerdo del lamentable suceso. No dejaron de manifestarle sus paisanos el agradecimiento que merecía, en solidaridad a un común pesar que tardaría en cicatrizarse.

Como último galardón a la meta de esta carrera literaria, obtuvo Pereda la satisfacción de ser nombrado académico de número, a propuesta de Menéndez Pelayo, Valera y Tamayo. Leyó el discurso de ingreso el 21 de febrero de 1897, que versó sobre las excelencias de la novela regional, contestándole Galdós, que se había anticipado a los deseos del polígrafo en disfrutar de este privilegio.

Los restantes años de vida fueron ocupados en satisfacer los numerosos compromisos con que a veces le asediaban sus amistades, en la nostalgia de los recuerdos y en el cuidado de la reedición de su obra acabada. Ya no escribiría más novelas, no se sentía con fuerzas, aunque llegó a concebir algún proyecto a raíz del desastre del 98. Quería así mostrar su indignación ante la apatía y disolución interna del país. «No es posible caer más abajo ni en charca más hedionda; porque hasta creo que no llegamos a tres docenas los españoles que nos avergonzamos de ello», escribiría, escandalizado, por aquellos días a su primo Cuevas [18].

Sus viejas amistades iban poco a poco desapareciendo de este mundo. La tertulia en la guantería de don Alonso ya no existía, después de la muerte del dueño; a las otras tertulias les faltaba el calor de antaño. Pereda, después de su cotidiano paseo, se sentaba en el Suizo, desde donde veía el bullicio de una sociedad alegre y despreocupada. Pocos restos, si no eran los petrificados, quedaban ya del viejo Santander.

Finalmente, la noche del 1 de marzo de 1906, después de despedir a unos amigos que habían hecho con él tertulia en su casa, un fuerte ataque de apoplejía puso fin a su existencia.

---

[18]   En R. Gullón, ob. cit., p. 257.

II. NOTAS A SU PRODUCCIÓN LITERARIA

ESCRITOS COSTUMBRISTAS

Antes de adentrarnos en este terreno, conviene hacer una breve consideración sobre las primeras páginas literarias de Pereda en el campo del periodismo y sobre sus intentos teatrales. Los primeros artículos aparecidos en colaboraciones, en *La Abeja Montañesa* y *El Tío Cayetano*, dan cabida a múltiples temas y formas, desde la breve factura costumbrista, como «Cosas de don Paco» a la manera de un Larra, pasando por el apunte dramático, como en «Cuadros del País», la crónica epistolar, la disquisición de un suceso o una costumbre baladí, hasta los comentarios políticos. En todos ellos preside el tono humorístico, a veces cáustico, que, si bien se suavizará con el paso de los años, en ocasiones salta con un ímpetu acorde al temperamento nervioso y al ingenio socarrón del escritor.

Los escritos políticos, que enjuician los acontecimientos del 68 desde posiciones conservadoras, ponen en solfa las declaraciones de un Castelar, López de Ayala o Romero Ortiz, ministro de Gracia y Justicia. Publicados en las columnas de *El Tío Cayetano*, cuando su segunda aparición están presididos por una postura antirrevolucionaria. Las andanadas van muchas veces por vía de la caricatura y, en este sentido, sobresalen las tres cartas de Patricio Rigüelta, modelos de proclama política, desfigurada hasta límites grotescos: «Me comprometo a no pedir sustipendios nacionales, si no es pa mi persona, pa el letrado hijo mío, pa mis parientes cercanos, pa los ensalzaos de esta vecindá y pa los que me voten en el ufragio, que bien lo merecemos si triunfamos.» Y así va todo.

Probó Pereda la invención dramática, impulsado por su afición a los espectáculos de candilejas. Sus piececitas están dictadas por pretensiones morales, con enredo y crítica desgastados. Alguna de éstas le sirvió, en el mejor de los casos, como boceto de creaciones futuras. Así, en *Tanto tienes, tanto vales*, cuyo arranque fue aprovechado en *Oros son triunfos*. Quizás, lo más digno de atención en este menester fue la zarzuela *Terrones y pergaminos*, estrenada el 15 de diciembre de 1866, con música de su amigo Máximo D. de Quijano, que trae a escena ciertos tipos y costumbres, preludio de posteriores éxitos costumbristas. Tras estos desafortunados intentos, sólo le restó a Pereda el consuelo de evitar que se perdieran, reuniéndolos en un tomo, intitulado *Ensayos dramáticos*, y distribuyendo sus veinticinco ejemplares a las amistades más íntimas.

También de esta época de labor periodística datan algunos artículos que luego incluyó en las *Escenas montañesas*, primer libro de factura costumbrista, con el que el escritor inició propiamente su trayectoria literaria. Apareció, como ya hemos dicho, en 1864, con prólogo de otro costumbrista, Antonio Trueba. Fue desafortunado este padrinazgo, pues el vasco se dejó llevar por un escrúpulo de objetividad, desenfundando sin delicadezas el realismo del montañés, que le llevaba a censurar las gentes de su tierra, cuando ésta necesitaba de una visión más amable, que hasta ahora se le había escatimado[1]. La verdad es que don José María puso siempre su arte al servicio de la observación y casi nunca quiso dar rienda suelta a los vuelos imaginativos. Hasta tal extremo se sometió a la realidad que, más adelante, algunos quisieron encajarle la calificación de naturalista, sin comprender que el movimiento zolesco era más ambicioso que la simple copia del natural.

Aunque los costumbristas de la primera mitad de siglo se acogieron a todo lo que tenía una existencia histórica, intentando ampararla muchas veces, si es que estaba en trance de desaparecer, hay que tener presente, por ejemplo, que en

---

[1] «Pereda [...] ha tenido el mal gusto de pasar de largo por delante de lo mucho que hay en la Montaña, y detenerse a fotografiar lo mucho malo que la Montaña tiene, como todos los pueblos.» (Prólogo a las *Escenas*, Santander, 1877[2], p. 17.)

1862, escribía Giner que «el arte consiste en el poder de realizar libre y hábilmente las ideas del espíritu»[2]; o que Valera defendía, en 1861, los esfuerzos conducentes a una sublimación de la Naturaleza misma[3]. Si añadimos, además, que Galdós, en su conocido artículo «Observaciones sobre la novela contemporánea en España», lanzó una proclama tenida por revolucionaria, de que la «novela moderna de costumbres ha de ser la expresión de cuanto bueno y malo existe en el fondo de la clase media»[4], podemos ya deducir que el objetivismo inmisericorde de Pereda era fórmula de poco uso, ya que el presunto realismo de los costumbristas comportaba un redescubrimiento de España[5] desde un ángulo muy abierto, sin localizaciones espaciales y temporales, precisando más el centro del tema que los perfiles de su contorno. No es paradójico, por tanto, como señala Montesinos, que, a pesar de esa patriótica tarea que éstos se habían impuesto, la revelación de la Montaña, por ejemplo, contaba con muy pocos precedentes, siendo prácticamente desconocida por vía literaria para el resto de los españoles[6].

Es cierto que Pereda mostró en algunos de estos primeros ensayos poco cariño hacia su tierra. A la postre de su carrera literaria todavía le duraba la comezón, según confesaría en carta a Menéndez Pelayo al recomendarle que advirtiera al estudioso montañés Amador de los Ríos que no se fijara en las *Escenas y Tipos*, y prestase más atención a no-

---

[2] En Iris M. Zavala, *Ideología y política en la novela española del siglo XIX*, Salamanca, Ed. Anaya, 1971, p. 168.

[3] «Qué ha sido, qué es y qué debe ser el arte en el siglo XIX», *Estudios críticos sobre Literatura, política y costumbres de nuestros días*, t. II, Madrid, Ed. Francisco Alvarez, 1884[2], pp. 165-181. Sobre la estética de Valera, cf. Manuel Bermejo Marcos, *Don Juan Valera, crítico literario*, Madrid, Ed. Gredos, 1968, pp. 42-72.

[4] *Revista de España* XV, 1870, pp. 162-172. Reproducción en el estudio citado de Iris M. Zavala, pp. 317-331.

[5] J. F. Montesinos, *Costumbrismo y novela*, Madrid, Ed. Castalia, 1960[2], p. 88. Sobre esta cuestión es indispensable también la consulta de Margarita Ucelay da Cal, *Los españoles pintados por sí mismos (1843-1844)*, México, Fondo de Cultura Económica, 1951.

[6] Vid., al respecto, una enjundiosa nota de J. F. Montesinos, *Pereda...*, p. 3, n. 3.

velas posteriores, más exultantes [7]. Posiblemente estaba pensando para lo primero en el antibucolismo que respiraban *Suum cuique* y *Los pastorcillos*, explicable por el interés urbano del novelista en aquel entonces, o en el excelente cuadro *La buena Gloria,* que se anticiparía por la sordidez de sus tipos a las piececitas esperpénticas de Valle-Inclán. Poco duraría, como sabemos, esta actitud hostil del autor hacia su provincia ya que evolucionó rápidamente en procurar resaltar los tesoros más ricos yentrañables de ella, mas siempre fiel a la verdad [8], sin ocultar defectos, cuando vinieran al caso. Esta actitud la razona sobradamente en el prólogo de *Tipos y paisajes.*

Encabeza las *Escenas* el escrito titulado *Santander (Antaño y hogaño),* en el que da cuenta de la desaparición en la ciudad de los viejos tipos y hábitos pintorescos. Como buen costumbrista se refugia en la añoranza de las antiguallas. Figuras de su infancia como *El raquero* o *Un marino,* sobre las que se centran sendos artículos, son rememoradas con cariño, pues en ellos se encerraba un espíritu, cifra de una fisonomía pintoresca de la urbe. Estos tipos no cayeron en el olvido del escritor y volverán sus trazas en páginas posteriores, como en el presente caso de *Sotileza.* Algunos cuadros, como *La robla, El día* 4 *de octubre, A las Indias,* y *Arroz y gallo muerto,* se enmarcan en unas escenas que, por su desarrollo, están cercanas al cuento; en ellas se revive un folklore de lo más vivo y genuino. Aparte el *Suum cuique* mencionado, de mayores dimensiones (en quince capítulos). Es éste un cuentecito moral, cargado de antibucolismo, cuando los españoles del XIX sólo veían en el campo un retraso económico y cultural, junto a la cazurrería de los aldeanos; no un paisaje que encierre una belleza y sea portador de un color local. Aun con todo, lo mejor de las *Escenas* se encuentra en la emoción que se nos transmite en *La leva* y en *El fin de una raza* [9]. En ambos el autor singulariza dramática-

---

[7] Carta a M. Pelayo, del 26 de octubre de 1891, *Epistolario...* [98].

[8] «... No escribo fuera de la verdad nunca», declaró rotundamente a Laverde, en carta del 30 de octubre de 1864. (En J. F. Montesinos, *Pereda...,* p. 25.)

[9] Este artículo fue publicado inicialmente en *Esbozos y ras-*

mente un suceso que se repite una y otra vez, como trágico sino, vivido por los sufridos mareantes. El uno es el injusto tributo al Estado para poder beneficiarse de ciertos derechos marítimos; el otro es el pago de vidas humanas que exige inesperadamente el embravecido mar, como en la horrible galerna del Sábado de Gloria de 1876.

Continuación de estas *Escenas* es el libro que le sigue, *Tipos y paisajes* (1871). Además de recurrir a una idéntica factura, el autor remueve en algunos de estos ensayos cuestiones conocidas, como en *Dos sistemas* (publicado primeramente en la prestigiosa *Revista de España*, 1869, VIII, páginas 189-205), en donde hace una confrontación entre el antiguo espíritu mercantil y el moderno, saliendo perdedor este último, a pesar de la conclusión ecléctica que se nos quiere hacer entrever al final; o como en *Los chicos de la calle*, hermanos menores de aquel *Raquero*. Todo es representativo de la tierra, ya lo enuncia el título, y con *La romería del Carmen, Las brujas, Ir por lana...*, etc., queda completo el mosaico de escenarios y costumbres, que no necesitan de individualidades ni argumento. La futura novela todavía queda muy lejos, si no en el tiempo, sí en la composición. Mención aparte merece *Blasones y talegas* (1869), donde Pereda prosiguió con su intento de abrirse un cauce en la novela corta. El tema planteado, que haría las delicias de un Balzac, es el conflicto entre la vieja hidalguía rural y la clase media enriquecida por su propio arrimo. La primera, representada en la figura de don Robustiano; la segunda, centrada en don Toribio Mazorcas [10]. La dialéctica, que encuentra su cifra en una anécdota amorosa, fenómeno que pocos años después será habitual en la novela de la Restauración, consiste en romper los baluartes inaccesibles de la vieja época y arribar a un maridaje del binomio, donde la astucia del aldeano, que sabe de talegas, juega un gran papel. Tema de actualidad, atrajo la atención de un Valera (*Doña*

---

guños (Madrid, Impr. Tello, 1881), pero posteriormente fue incluido en la edición de las *O. C.*, en el volumen de las *Escenas* (V).

[10] Cf. el apretado comentario, lleno de interés, que hace de este libro L. Bonet en el «Prólogo» a la edición de *La leva y otros cuentos*, Madrid, Ed. Alianza, 1970, pp. 31-33.

Luz), Alarcón (*El Niño de la Bola*), Galdós (*Miau*), Pardo Bazán (*Los pazos de Ulloa*), etc.

En fin, el volumen tuvo mejor acogida que el anterior, siendo lo más destacable la oportuna crítica de Galdós en *El Debate* (7 de febrero de 1872), que dio grandes ánimos al futuro novelista.

Los *Tipos trashumantes* es de lo más genérico en este quehacer costumbrista. Publicado el libro en 1877 contiene dieciséis retratos, algunos de los cuales ya habían sido dados a conocer en *La Tertulia*, la revista del librero Mazón, el año antes. En un principio su autor había proyectado dieciocho tipos, pero la pereza que a rachas le abrumaba le impidió alcanzar la cifra [11]. Lo más destacable en ellos es la otra faceta perediana del genio satírico al servicio de una aversión hacia todo lo foráneo, que trasluce el antimadrileñismo de que hará mejor gala en las novelas enmarcadas fuera de su región. De todas las caricaturas de veraneantes que invadían El Sardinero fue *El sabio* el ejemplar que dio más que hablar [12]. Si no hubiera sido por la controversia suscitada, esta colección de títulos habría pasado inadvertida.

Lugar más destacado ocupan los *Bocetos al temple* (1876), que reúnen tres relatos: *La mujer del César* (1870), *Los hombres de pro* (1871) y *Oros son triunfos* (1875) [13]. El segundo se sustenta en aquella campaña electoral que hiciera por los altos puertos, de Peña Sagra a Polaciones. Don José María adoptó en él una posición antiparlamentarista, juzgando de malos modos a todas aquellas personas inmiscuidas en las tareas del Estado sin que les corresponda. Lo que se le atragantaba, además, de los nuevos tiempos era no sólo que quedara sepultada una tradición bajo modernas fisonomías anti-

---

[11] Vid. carta del autor a Galdós, 9 de febrero de 1877, en *Cartas a Galdós*, p. 47.

[12] Suscitó fuerte polémica porque venía a incidir en la controversia que mantenían los krausistas con M. Pelayo sobre la ciencia española. Aquéllos se sintieron vejados por el artículo de Pereda. Para más detalles, vid. José M.ª de Cossío, *La obra literaria de Pereda*, pp. 88-89.

[13] En la edición de sus *Obras completas*, Pereda formó libro aparte con *Los hombres de pro*, que se sumó al Prólogo de Menéndez Pelayo (vol. I).

estéticas, sino esa profunda transformación social en la que la burguesía obtenía las mayores ganancias en plazos muy breves, sin estar preparada para asumir las nuevas responsabilidades. No es otro el caso de Simón Cerojo, el «hombre de pro», enriquecido de la noche a la mañana, incapaz de digerir esta precipitada ascensión. Debajo de su capa de levita se esconde aún la piel del patán, al igual que en el caso de su mujer, doña Juana, que «había de soltar bellotas en cuanto se la sacudiera un poco» [14]. Si no inmovilismo, el escritor pide una andadura más lenta al devenir histórico.

El mismo carácter satírico domina en los otros dos libros, aunque refiriéndose a otro orden de cosas. En *La mujer del César*, contra las costumbres aristocráticas de una sociedad madrileña; en *Oros son triunfos*, contra la cursilería provinciana. Hay una moraleja en ellas muy a las claras, al estilo de las comedias de costumbres, y más teniendo en cuenta que en el último relato había aprovechado el autor su antigua pieza *Tanto tienes, tanto vales*.

Con los *Esbozos y rasguños* se cierra prácticamente este ciclo del género en Pereda y, aunque el volumen apareció tardíamente, en 1881, recogió artículos que habían quedado sueltos durante casi veinte años de labor ensayística. Lo mejorcito de la colección [15] son los recuerdos personales, como los dos que llevan el título de *Reminiscencias* (1877), donde el escritor evoca los juegos de la infancia, sus primeras galas domingueras o aquel terrible dómine de latín, don Bernabé, espanto de los chicos del Instituto; o el de la *Guantería*, en el que recuerda la amena tertulia en casa de don Juan Alonso, donde imperaba siempre el buen humor. La composición de los *Esbozos* es heterogénea, recogiendo retales de diferente tejido y color, pues al lado de los mencionados aparecen los satíricos, como *Manías* (1880), contra los bibliómanos, o los dictados por un rígido sectarismo, como en *Las bellas teorías* (1863). Según indica el título, se trata de páginas y figuras inacabadas, cuentos a medio hacer, con unos tipos que no adquieren una entidad de personajes de ficción, véase *El tirano de la aldea*, quedándose en bocetos,

---

[14] *O. C.*, I, p. 651 *a*.
[15] *El fin de una raza* fue comentado más arriba, cf. n. 9.

según dice Montesinos, de «esa inmunda fauna de caciquillos e intrigantes de campanarios» [16] que madurarán en futuros logros novelísticos.

Y nos resta el lenguaje, indiscutible valor no sólo en estos cuadros, sino en toda la obra perediana. En este sentido, el escritor encabezó una galería de escritores montañeses —H. Alcalde, Díaz de Quijano, Domingo Cuevas, González Campuzano, M. Llano—, que empezaron a dar carta de naturaleza al habla popular pasiega. Frente al vigor que le imprimiera Pereda, los tanteos de los costumbristas se quedaron en mantillas. Bien es cierto que los recursos que le ofrecían a aquél los aldeanos y gente de la raza pejina sirvieron para caracterizarlos y, a los principios, más para mal que para bien, pero tampoco es menos cierto que toda la clase de aspiraciones, impropiedades léxicas, cambios vocálicos y de consonantes, anfibologías y una ristra de muletillas están dotados de gran expresividad estilística. En su uso hay una progresiva mejora y maestría del ensayista. Basta comparar los primeros intentos tímidos y esporádicos desde fechas muy tempranas, como en *La cruz de Pámanes*, donde leemos interlocuciones tan pintorescas como: «Mira, María: no escomiences a moquitear, porque me va a faltar el caráiter pa dempués» [17], hasta las parrafadas de Tremontorio, del más concentrado virtuosismo: «—¡Pintura digo yo a eso! —replicó el veterano con mucho retintín—; aunque bien desanimao el ite de este particular, ¿qué tenéis ya que recibir de naide? ¿Qué vus falta? Vusotros, el relós de plata; vusotros, la bota fina; vusotros, el camisolín de plegues; vusotros, la cachucha de *rasolis*... Pus ya, ¡retiña!, por poco más, echarvos el bastón y la casaca, y dirvos al Suizo con los señores del Muelle a tomar chocolate con esponjao y leer los boletines de arriba... Las rentas no han de faltarvos pa sostener el señorío, porque ya tenéis una ración de hambre y otra de necesidá... ¡Retiña con la piojera de tres gavias!» [18].

---

[16] *Pereda o la novela idilio*, p. 40.
[17] *O. C.*, I, p. 55 *a.*
[18] «El fin de una raza», *O. C.*, I, pp. 346-347.

EL AFÁN DE LA TESIS

Alentado por Menéndez Pelayo para empresas de más altos vuelos, se lanzó Pereda a pergeñar una serie de cuadros edificantes sobre un mismo asunto, no sin que le costara sudores la redacción de este trabajo. Pero instado diplomáticamente por su amigo, no conforme todavía con los resultados, decidió encadenar estas escenas con una urdimbre novelesca, aunque con sus trazas tan al descubierto que se quedará *El buey suelto* en una novela a medias. Es lógico, pues, considerar este libro como un producto híbrido, cabeza de puente para futuras empresas. Con una de cal y otra de arena, el escritor acusaba todavía cierta timidez antes de dar el salto que su vocación y el público exigían.

Más moralizante que nunca, procuró Pereda hacer tesis contra el celibato, trazando una aberrante caricatura de Gedeón, empedernido soltero, que no termina de dar traspiés por la vida. Como alguien dijo, su desgracia nacía más por tonto que por soltería. Efectivamente, el tipo no es de la mejor factura, pues, aparte de sus perfiles grotescos, la idea obsesiva de su autor por demostrar algo que sólo es casuístico, acabó por inmolarlo. Los tiros iban dirigidos como réplica a las *Petites misères de la vie conjugale*, de Balzac, y más remotamente a la *Physiologie du mariage*, del mismo escritor, por quien Pereda nunca había manifestado grandes simpatías [19].

Personajes, diálogos y evocación de ambientes carecen de trazos singulares, revistiéndose en todo momento de un carácter representativo, en el que se encierra toda la especie de la soltería, y, sin embargo, es tal el número de vicisitudes anómalas por las que pasa Gedeón, que se convierte en un caso extraordinario. Y esto no es lo que había pretendido el autor, con sus reiteradas llamadas al lector para que le acompañe a observar situaciones familiares, sino perfilar un «tipo en que se resumen todas las especies de egoístas» (capítulo I), en un tono más festivo que serio.

---

[19] J. F. Montesinos, *Pereda o la novela idilio*, p. 57.

De momento, Pereda no parecía todavía dispuesto a atacar el idilio, dejándole a flor de labios en *Don Gonzalo González de la Gonzalera*, novela que siguió a *El buey suelto*, el año siguiente de 1878. Nos referimos a los primeros capítulos, especialmente, en que las gentes de Coteruco viven casi una placidez bucólica, en torno al cacique don Román. El hermoso valle a la vista del pueblo, que se nos describe en el capítulo I, y la tertulia en la casona de don Román, reproducción fidelísima de la de Tudanca, van a servir de contraste al sórdido drama que aquejará repentinamente al pueblo. Por la naturaleza del conflicto, el lugar adquiere entonces una trascendencia geográfica, sobrepasando los límites regionales y convirtiéndose en exponente de la nación. Y con él, la naturaleza de los grupos rivales, las ideas que se debaten y los mismos vaivenes del desarrollo del conflicto. El libro está, pues, al servicio de una tesis, a pesar de las protestas de Pereda ante las críticas que rápidamente se opusieron a su postura reaccionaria: «Niego en redondo que ese libro haya sido engendrado con el intento de que naciese sátira política. A mis ojos y en mis propósitos, la política hace en él papel muy secundario y muy insignificante» [20]. Con esta declaración no pudo ocultar el bulto, a todas luces visible, de acontecimientos muy recientes, los que giraron en torno a la revolución del 68, una de las pocas excepciones en que en la historia del país consiguieron alcanzar el poder las fuerzas progresistas. En la novela, representadas éstas por personajes de variada tipología: el indiano don Gonzalo, el estudiante Lucas y el astuto Rigüelta, como más destacados, pero en el fondo cortados por el patrón de la marrullería, el egoísmo, y un sinfín de lacras. La cruel arremetida de Pereda contra los del contrario bando no puede ser más dolorosa para el lector moderno. En frente, los conservadores probos: don Román, cabeza de la tambaleante sociedad patriarcal; el cura de almas, don Frutos, y el hidalgo don Lope, aún con energías para levantarse de la desvencijada poltrona aristocrática. En medio de unos y otros, como preciado botín, los aldeanos, encarnados sobre todo por la pareja Carpio y Gorio, cuyos sabrosos diálogos hacen olvidar

---

[20] *El Aviso*, Santander, 30-I-70.

por unos momentos la tensión. En ese difícil trasvase del poder queda trazado el curso de la dialéctica política, constituyendo un argumento muy compacto, que, a nuestro juicio, es uno de los mayores logros de la novela. De una vez por todas Pereda consiguió penetrar en los dominios del género, cosa nada fácil para él ni para los contemporáneos, que todavía estaban en los primeros intentos.

Junto a la urdimbre política discurre la amorosa, como contrapunto idílico, en los sentimientos entre Magdalena y Alvaro. Pereda procuró conectarlos entre sí a través de las pretensiones de don Gonzalo por la hija de don Román, pero el indiano termina llevándose su merecido en la alianza con Osmunda, la hermana del estudiante. El autor puso en práctica un presupuesto suyo, que será machacón en muchas obras: la imposibilidad de cruzarse dos castas tan distintas entre sí, la del hidalgo y la del indiano, aquí como el sobrehaz y el envés de una moral.

La novela se sustenta sobre un realismo, primera cláusula en la ley del autor, al reflejar con fidelidad esta *rusticitas* de la gente del valle, en sus costumbres, en su lenguaje, en sus fisonomías, en la geografía local (donde se condensa toda la provincia) y en los mismos sucesos vividos.

Los acontecimientos revolucionarios habían puesto de ·manifiesto que las divergencias entre los españoles eran profundas a muchos niveles, y la novela de esos primeros años de la Restauración supo sacar partido de las dos viejas·e importantes cuestiones: la política y la religiosa [21]. Pereda,

---

[21] En un estudio, que espero salga próximamente, analizo diferentes aspectos de estos dos asuntos llevados a la novela de entonces. La cuestión política adquirió categoría argumental en *La Fontana de Oro* (1867-68), *El Audaz* (1871) y *Doña Perfecta* (1876), de Galdós; *La Tribuna* (1882), de Pardo Bazán; *Don Gonzalo...* (1878) y *Pedro Sánchez* (1883), de Pereda. La religiosa en *Doña Perfecta* (1876), *Gloria* (1876-77) y *La familia de León Roch* (1878), de Galdós; *Pepita Jiménez* (1874) y *Doña Luz* (1878-79), de Valera; *El escándalo* (1875), de Alarcón; *Marta y Maria* (1883), de Palacio Valdés; y *La Regenta* (1885), de L. Alas. De Pereda ya hemos señalado *De tal palo, tal astilla* (1880). Un estudio de conjunto sobre las tesis religiosas de estos y otros libros de generaciones siguientes puede verse en Brian J. Den-

,tan inmerso en la realidad, fue uno de los que estuvo en primera línea, tomando posiciones comprometidas. Con *Don Gonzalo*, la tesis política; con *De tal palo, tal astilla* (1880), su siguiente novela, la tesis religiosa. Verdad es que le había dado pie, como ya hemos indicado, *Gloria*, de Galdós, pero el problema estaba ahí y bien vivo. A don José María lo que más le irritaba era la prédica de contubernios y transigencias, como pactos unionistas que bien estaban para la política, pero no para unos fines que sobrepasaban el marco de lo terrenal. Por eso creó a la heroína, Agueda, portadora de una intransigencia, que él juzgaba ortodoxa, y mujer capaz de sacrificar sus sentimientos amorosos hacia Fernando, el intelectual escéptico, en aras de la salvación (o de la desesperación del amante, que termina en el suicidio). Porque el ateo, al ver infructuosos sus esfuerzos por convencer a la beata de que podía ser factible la disociación entre el amor y la religión, se suicida. Es una muerte romántica por la desesperación, pero el autor evitó darle este cariz, haciéndola resultado de la debilidad de espíritu del protagonista, precisamente por su falta de fe y por las insidias de un siniestro personaje, don Sotero, encarnación de la hipocresía religiosa. Esta sí que es condenada por el católico Pereda y no la de los «sepulcros blanqueados» que desfilaban por las páginas de *Gloria*, cuyas trazas denigratorias no habían sido muy convincentes para el escritor de Polanco.

Si la acción converge en esta dialéctica amoroso-religiosa a través de la controversia de los amantes, de las reflexiones del doctor y de los intercambios de ideas entre éste y su padre, la trabazón, a pesar de ello, no es tan fuerte como podía esperarse. Así, los dos primeros capítulos, que dan cuenta de la felicidad que reina en Valdecines no obstante la pobreza de sus moradores, y algún que otro suelto, como el cuadro de la hoguera de San Juan, desarticulan en cierta medida el relato. De lo mejorcito es la comparsa secundaria, con trazos más humanos [22] (léase Macabeo, con sus trapillos

---

die, *The Spanish novel of religious thesis* (1876-1936), Madrid, Ed. Castalia, 1966.

[22] Observación ya destacada por su contemporáneo Felipe Benicio Navarro en una reseña publicada en la *Revista de España*, 75, pp. 113-124. Puede leerse un extracto de ella en el libro

amorosos) o, si no, singulares, como don Sotero, que ocupa una plaza importante dentro de la galería de seres condenados por la pluma del autor, lo mismo que Rigüelta o don Gonzalo, nunca tan acartonados como los protagonistas.

Por reproducir una realidad, sin escatimar la crudeza de algunas escenas, lo que a veces provocó escrúpulos al autor, como la de la *bacanal* en *Don Gonzalo...* o la conversación ruda con marcados tonos sensuales entre don Sotero y su sobrino Bastián en *De tal palo...* (cap. XXI), a más del determinismo a que hace referencia el título del libro, fue tachado Pereda de naturalista, muy a pesar suyo y de sus amigos, quienes, para defenderlo, sacaron a colación la veta más descarnada de nuestros clásicos de la picaresca y la misma exactitud cervantina. Así lo entendería también Galdós en el Prólogo a *El sabor de la tierruca*, juzgando a su colega de revolucionario en lo que concierne a la reproducción del lenguaje de marineros y campesinos. Lo acerca así a la nueva escuela, si bien desenraizando a ésta de su baza principal, la del positivismo.

Provocó una fuerte reacción esta novela por parte de los librepensadores madrileños y de otras provincias, que no admitieron la tesis religiosa. Se la asoció, por ejemplo, en un artículo de *El Demócrata* (1 de abril de 1880) a *El escándalo* (1875), de Alarcón, situado en la misma línea, aunque aquí la labor catequística del cura tiene mejor fruto. No se amilanaba Pereda ante estos reproches, que él ya preveía; de todos modos, algún efecto le hicieron, pues abandonó esta ruta y se encaminó por otros derroteros.

DE LA MONTAÑA A MADRID. UN VIAJE DE IDA Y VUELTA

Las novelas siguientes están marcadas por el binomio de la aldea y de la corte, tratada la una en los tonos bucólicos y la otra en forma despectiva. Dejaremos aparte en este gru-

de Walter T. Pattison, *El Naturalismo español*, Madrid, Ed. Gredos, 1965, pp. 67-68.

po de novelas a *Sotileza*, cuyo estudio ocupará un puesto especial.

Sea por desánimo o por el desgaste de estos temas polémicos, el caso es, como decimos, que Pereda puso manos a la obra en un canto a su región, lo que, aparte de corresponder a los deseos de los catalanes, que le habían encargado la novela, le llenaba de íntima satisfacción. Pero una cosa era dedicar a los pasiegos, a sus quehaceres y a sus tierras un breve ensayo de costumbres, y otra, hilvanarlos en una materia de mayores proporciones. Por eso don José María se tuvo que desesperar a veces por la andadura del escrito. «Mi novela adelanta muy poco, pues encuentro dificultades para mover tanta gente sin un asunto *trascendental*. Voy haciendo esbozos de personajes y de capítulos a ratos perdidos», escribía a Menéndez Pelayo el 7 de abril de 1881 [23]. Efectivamente, *El sabor de la tierruca* resultó una sucesión de cuadros y escenas de los mejores salidos de su pluma, bien es cierto, pero con débiles articulaciones entre sí. A las claras se percibe, y algunas reseñas contemporáneas ya lo supieron destacar, este aspecto de la estructura [24]. Como en la técnica naturalista a la que Pereda se acerca inconscientemente, el centro del interés reside en las costuras de los personajes y de sus contornos: don Juan de Prezanes, hombre de carácter destemplado, que a ratos es trasunto del autor; don Pedro Mortera, con su figura de patriarca; don Valentín Gutiérrez de la Pernía, hidalgo de factura quijotesca; más los hijos de cada uno y criados. Entre todos constituyen una rica galería humana, cuyas vidas se resumen en un anecdotario intrascendente, sin sobresaltos que agiten el remanso de su espíritu. La pimienta en la existencia de Prezanes y Mortera son las disputas continuas sobre la materia política; aquél, a favor de los nuevos aires; éste, defensor a ultranza del aislamiento, recalcitrante a todo lo foráneo. Estas trifulcas no rompen estrechos y latentes lazos, y sólo ponen pequeñas dificultades a las relaciones amorosas de los hijos, en las que vemos, por otra parte, muy poco encanto, pues, ¡nota curiosa!, Pe-

---

[23] *Epistolario...*, p. 72.
[24] Vid., por ejemplo, la de M. García Romero, en la *Revista de Madrid*, junio de 1882.

reda, que supo despertar tan bien los sentimientos de amor al terruño y a las gentes, no quiso, o no pudo, plasmar las bellezas del amor de una pareja. Por lo demás, en Cumbrales se ha aposentado la paz idílica, por muy rústicos y pobres que sean sus moradores. La *epopeya*, así dudaba el autor en titular la novela, se reduce a la lucha de las faenas diarias. El poema discurre también en las graciosas costumbres, entre las que destacan el cuadro de la «derrota», la pintura del mercado y las rivalidades entre los dos pueblos vecinos, de Rinconeda y Cumbrales.

Este y otros cantos anteriores algunos trastornos le iban a causar a Pereda, a raíz de la crítica que le hizo Pardo Bazán, comparándole a huerto bien regado, como antes hemos recordado. El caso es que llevó a cabo su primera tentativa de trasladar su creación literaria a ambiente muy distinto, el de la capital de España, para probar a la crítica adversa que era capaz de componer una novela en esta nueva demarcación. Y emprendió la escritura de *Pedro Sánchez*, aprovechando como materia la que mejor conocía: sus recuerdos de juventud, cuando la revolución de 1854. Volvía en él, quizá por fuerza de los acontecimientos, al asunto político, con la moraleja del desengaño final del protagonista ante las venalidades de los hombres públicos y las caprichosas veleidades de la Fortuna. El libro estaba terminado en octubre de 1883 y alcanzó un éxito mayor del que hoy día podríamos presumir. Doña Emilia y Leopoldo Alas acogieron con grandes aplausos esta nueva singladura, sin percibir que el cambio de rumbo desvirtuaba lo mejor del novelista.

A pesar de su forma autobiográfica que podía dañar el objetivismo en aras de lo subjetivo [25], lo más destacable en el relato es la percepción gradual de este mozo montañés que decide un día probar suerte en medios más propicios. A sus ojos le van apareciendo sin tiempo para el discernimiento las tertulias de los mentideros, los teatros, los éxitos editoriales, las comidillas políticas, la *cursilería* de la clase

---

[25] «Temíamos que la forma autobiográfica, la forma de Memorias, perjudicase al fácil caudal de un ingenio exterior y tan objetivo, y tan poco amigo de refinamientos psicológicos.» (Menéndez Pelayo, «Prólogo» a las *O. C.*, en *Estudios sobre la prosa del siglo XIX*, ed. cit., p. 218.)

burguesa y, finalmente, la crisis con la revuelta de un pueblo rural mal gobernado; todo ello hilvanado con un sutil discurso amoroso entre Pedro y Clara, la jovencita remilgada, hija del pomposo don Augusto Valenzuela, encarnación del político que no debe ser, y ella en las antípodas de las otras hembras peredianas, dotadas de poderosa vitalidad. Metido el personaje en este maremágnum, extrae su lección final, una vez escapado de él. Por eso la historia pierde en el patetismo deseable, que sólo alcanza a figuras secundarias, como don Serafín Balduque, el cesante que abrigaba su última esperanza en las barricadas y que recibe como único premio un anónimo balazo. La culpa de Pedro Sánchez es, al entender del moralista montañés, el haber sacado ganancia del río revuelto, y ello mismo le trae el castigo en el adulterio de su mujer. Siempre fustigó Pereda estos ascensos repentinos en contra del orden tradicional de los que la rueda de la Fortuna política fue tan pródiga.

Después de *Sotileza*, en que le tocó el turno al litoral montañés, hizo Pereda nuevo intento con la sociedad madrileña, en *La Montálvez* (1888) [26]. Don José María de Cossío, gran conocedor de la obra del escritor y amante de espigar en sus fuentes literarias, no ha visto antecedentes a esta novela, a no ser algún pasaje de la *Vizcondesa de Armas*, del Marqués de Figueroa, o el carácter folletinesco del conjunto, que bien podía haber sido contagiado por títulos melodramáticos, como *Fe, Esperanza y Caridad*, de Antonio Flores; *Los misterios de Madrid*, de Martínez Villergas, o *María o la hija de nu jornalero*, de W. Ayguals de Izco [27]. Y esto por

---

[26] «No sé si elogias o censuras cuando me dices que la novela no se parece en nada a sus hermanas mayores; y *es nueva, muy nueva*. De cualquier modo te advierto que eso es lo que yo me he propuesto, que parezca *nueva*, todavía más *nueva* que *Pedro Sánchez*, hasta que se convenza la gente de que cuando nos da la gana dejamos de ser novelista *regional*, nos salimos del huerto paterno y caminamos por cualquier senda en que se nos coloque.» (Carta a José M.ª Quintanilla, 22 de diciembre de 1887; *apud* Cossío, ob. cit., pp. 216-217.)

[27] Sobre los folletines del s. XIX, vid. el estudio descriptivo de Juan I. Ferreras, *La novela por entregas* (1840-1900), Madrid,

la visión maniqueísta del vicio y la virtud, o lo que es lo mismo, de los buenos y los malos. Entre los últimos, «los marqueses, frágiles, duques viciosos, banqueros corrompidos, nobles jovenzuelos holgazanes...»[28] que componen la fauna de la alta sociedad de la Corte. El más destacado exponente es la Marquesa, colaboradora con el autor en el relato. Sus fallas morales ya estaban rotuladas por la educación, ambiente y familiares que rodearon su infancia. Con tales principios, entre los que tuvieron una gran parte de culpa los padres, el trato con el mundo de esta Verónica Montálvez no puede ser más desastroso. De esto se ocupa la primera parte del libro, y entre tanto infierno ni siquiera hace acto de presencia ningún ángel bueno. En este sentido, el autor se dejó llevar *in extremis* por sus prejuicios antimadrileños, polarizados por un pasadizo moral. Casada esta mujer a espaldas de sus sentimientos con un agiotista banquero, al pronto enviuda, y en el cuidado de la hija habida fuera del consorcio matrimonial con su amante José Guzmán, empieza su calvario, al intentar alejarla de este semillero de corrupción. El resultado es de prever: un cúmulo de casualidad traídas ex profeso por el autor derrumban de golpe el frágil valladar de la inocencia, cuando la hija, Luz, a punto de un bonito matrimonio, descubre la casta de la madre. La revelación es fulminante y la precipita a la muerte repetina, fenómeno común para los novelistas de esta centuria, que no quisieron renunciar a este motivo, romántico. Pensemos, por ejemplo, en las heroínas galdosianas, Gloria, Marianela o María Egipcíaca.

Es la más naturalista de las novelas peredianas, si bien la descomposición está enmarcada en las clases superiores. Al determinismo ambiental hay que añadir unas razones temperamentales, pues el mismo orgullo de Verónica contribuye a su depravación. En esta mixtificación del *fatum* no podemos olvidar los precedentes de los modelos picarescos, sobre los que revierte no sólo ésta sino otras características de las creaciones del último cuarto del siglo.

Ed. Taurus, 1972, y el de L. Romero Tobar, *La novela popular española*, Barcelona, Ed. Ariel, 1976.
[28] *O. C.*, II, p. 865 *b*.

Novela subrayada de analítica, no lo es tanto porque hay
menos introspección que un acusado deseo de sermonear,
convirtiéndola en tesis, no para la polémica sino para la de-
mostración *a priori*. Y ya sabemos que no le faltaron las réplicas retardadas desde su inmediata aparición, descalifi-
cándola críticos familiarizados con la labor de Pereda, como
Miquel y Badía (*Diario de Barcelona*, 8 de febrero de 1888),
aunque encontró incondicionales defensores entre sus fieles
Olaran, *Pedro Sánchez* e Ixart. Zanjó la cuestión otro moralista a ultranza, el P. Coloma, en carta privada a su autor,
que luego fue publicada.

LA SUPERACIÓN DE DOS CAMINOS

«Se diría que, mientras en los libros de su primera manera Pereda oponía lo idílico a lo novelesco, expresiones de
dos formas de vida en contraste, ahora trata de coordinarlas
en un mismo plano, sobre el que tienen diferente realce y
diversa calidad ciertamente, pero sin oponerse ni negarse.»
Estas palabras de Montesinos, dichas a propósito de *La Puchera* [29], creo que marcan perfectamente la última singladura
del escritor. Quedó definitiva su residencia en la tierra con
esta obra fechada en Polanco, agosto-octubre de 1888, una
de las más primorosas salidas de su pluma. Sobre la frase
«asegurar la puchera», ya pronunciada en páginas anteriores,
centra el autor el drama de sus personajes, los más genuinos del lugar, el cual no es otra cosa que los perpetuos afa-
nes cotidianos. Y aquí conviene resaltar algo que no ha
atraído la atención debida a muchos lectores de esta extensa producción perediana. Nos referimos a la exposición cruda
y desgarrada (¿por qué no?) de la pobreza, el dolor, las in-
justicias y demás amarguras, que son el pan de cada día de
esos hombres primitivos. Como contraste, quienes explotan
y edifican su bienestar sobre estas penurias. Pereda llegó a
calar aquí el fondo de la realidad, como ya lo había hecho en
algunos títulos anteriores.

---

[29] *Pereda...*, p. 212.

La andadura de la composición sigue siendo lenta, si bien los sucesos son más abundantes que en otros idilios montañeses, pero no alcanzan aquéllos una trabazón común, al integrar páginas de diversas especies: el conocimiento de los seres, el cuadro poemático y costumbrista (vid. caps. XVII y XXI), la intriga de Marcones y la Galusa en torno a Inés... Los diálogos revelan lo más nutrido del habla local; ya era experto Pereda en estas lides, pero aquí alcanza grados de virtuosismo.

Tan real es el escenario, dentro de un marco local que se ofrece a la atalaya del campanario de Polanco, como sus personajes, tomados de modelos vivos y con los contrastes de la vida misma. El senequismo del Lebrato, la avaricia del Berrugo, la bondad del cura don Alejo, la frescura aldeana de Pilara, la exaltación quijotesca de don Elías, que parece extraído de la galería galdosiana, componen un microcosmos dinámico, capaz de conjugar una existencia idílica con un apretado haz de emociones.

A pesar del mal estado de salud, con el sistema nervioso descompuesto, Pereda atacó simultáneamente en el año 90 dos novelas que le salieron más largas de lo que debían. La redacción de una, *Nubes de estío*, es interrumpida por el inicio de la otra, *Al primer vuelo*, para cumplir un compromiso, que no tenía por qué obligarle, con editores catalanes. Por otra parte, en ésta, aunque variando circunstancias y personajes, aprovechó el asunto de la primera al referirnos la vida insatisfecha de una mujer cuyos planes matrimoniales son tergiversados caprichosamente.

Nubes de estío trae a la memoria aquellos *Tipos trashumantes* que invadían las playas santanderinas, perturbando además el sosiego local, al contagiar con sus aires modernos, y no les faltaba la razón en gran parte, a la flor y nata de los comerciantes y hombres de negocios santanderinos. Por lo que se emparejan las dos vertientes causantes del encocoramiento de Pereda. Como el libro hace referencia a cosas muy concretas, algunos identificaron personas que salían malparadas, como en la figura del ambicioso don Roque Prezales, ingenuo remedador de relumbrones madrileños, o en las de Sancho Vargas y Pepe Gómez, calificados siempre de «buenos muchachos». Así, la moraleja se deja sentir desde un principio: que la ciudad vuelva a su ser invernal, dejándose de zarandajas foráneas.

Desde diversos puntos le llovieron las críticas a Pereda. En el ámbito local, don Fermín Bolado Zubeldía, en *El Aviso* de Santander (3 de marzo de 1891), se erigió en intérprete del disgusto del sector comercial malparado; Luis Alfonso, en *La Época* (20 de febrero de 1891), dolido por el antimadrileñismo, juzgó de malos modos al novelista; Carlos Osorio, en *El Resumen* (22 de febrero de 1891), se encargó de la defensa de los periodistas de la capital del país, tachados de menospreciar las inquietudes provincianas. Sin embargo, el que alcanzó mayores revuelos, como hemos indicado arriba, fue el juicio de Pardo Bazán. A unos y otros reparos fue contestando el de Polanco, aclarando posiciones bien consabidas, por lo que los debates terminaron en un punto muerto.

El «idilio vulgar» que subtitula *Al primer vuelo* reside más en la pintura de la naturaleza que en el conflicto localista sobre las diferencias generacionales. La mayoría de los pobladores de Villavieja, el pueblo marítimo, tampoco gozan de las simpatías de su creador, al acoger en sus vidas «los mismos instintos malos y las mismas concupiscencias que en las grandes capitales» [30]. Por lo demás, la prolijidad de detalles y la premiosidad de la acción, sin novedades de interés para el lector familiarizado con los mejores títulos, relegaron al libro a un segundo plano, hasta el punto de que algunos maliciosos insinuaron una decadencia en el porvenir literario del escritor. Nada más lejos de la verdad, pues estos dos libros menores, si cabe denominarlos así, fueron la antesala a la culminación de una carrera, que llegaría tres años más tarde con *Peñas Arriba*.

La concepción y escritura de esta novela le ocuparon cierto tiempo con frecuentes interrupciones, debidas a numerosas causas: los impulsos de fiebre estética, que se presentaban a golpes, con más aliento en Polanco que en Santander; el conocimiento directo de los lugares, sirviéndole de inestimable compañía el erudito local don Angel de los Ríos, después retratado en el personaje del señor de Provedaño;

---

[30] *O. C.*, II, p. 1001 *a*.

la muerte del hijo y la tragedia de la explosión del vapor «Cabo Machichaco», que ocasionó tantos destrozos a la ciudad. Lo cierto es que Pereda tenía conciencia, como en *Sotileza*, de haberse propuesto como meta difícil de alcanzar un poema épico consagrado a ensalzar esta vez a los seres más anónimos, los que habitaban en las aldeas perdidas de las altas cumbres del paisaje montañés. En estos lugares recónditos quedaba todavía el más puro patriarcalismo rústico, que hacía las delicias del autor. Está representado en el personaje de don Celso, dueño de la casona de Tablanca (en la realidad, Tudanca) y fiel trasunto de don Francisco de la Cuesta, muerto en 1883, pariente de Domingo Cuevas, primo y amigo del novelista, quien debió de proporcionarle a éste muchos datos sobre dicha figura.

A más de este don Celso, tuvieron modelos reales, tal como nos notifica Cossío, Chisco y el ya citado señor de Provedaño; algún episodio, como la caza del oso, y, sobre todo, la geografía del lugar, si bien ésta, a efectos artísticos, sufriera las pertinentes variaciones topográficas [31]. En este sentido se conjugan maravillosamente una vez más la ficción novelesca con la realidad, pie y soporte de ésta. Tanto es así que podría trazarse la semblanza, biografía y el entorno del autor con la atenta lectura de sus escritos. Concretamente, en *Peñas Arriba*, aparte ya la observación local, don José María de Pereda nos va a transmitir, a través de la experiencia de su criatura principal, Marcelo, esa filiación con su tierra. En un principio, los sentimientos de hastío, la ignorancia con respecto a las inquietudes internas de estos montañeses anónimos, e incluso la hostilidad hacia ese alrededor suyo es más de una desazón. Y cómo, sin clara conciencia de ello, van encarnándose en su piel el afecto y las ligazones hacia todo lo que hasta hace poco le había sido indeseable. Es entonces cuando la vida burguesa de la capital civilizada se le antoja fastidiosa e insípida, mientras que los riscos, la neblina de las altas cumbres y las profundidades del valle, más sus hombres y mujeres, se tornan idílicos, en un remanso de paz sobre el que acaba por anegarse el espí-

---

[31] José M.ª de Cossío, *La obra literaria...*, pp. 350 ss. Sobre el pasaje de ésta y demás novelas peredianas, vid. el excelente estudio de Anthony H. Clarke, *Pereda, paisajista*, Santander, 1969.

ritu del hombre moderno. Esta es la historia, y la tesis si
cabe, que por su sencillez, y salvando las barreras del tiempo y las ideas, gana en la actualidad un atractivo indiscutible.

Lo que es contingente y ha envejecido son esas circunstancias históricas que transportan el planteamiento socio-
político regidor de la comunidad. Si los sucesos se circuns-
criben al año 1870, dos después del éxito revolucionario,
no es por pura casualidad. Y tampoco el que veamos reaparecer durante el entierro de don Celso figuras conocidas, como
el ex cacique don Román o el hidalgo don Lope, vivo ejemplo
de lo que fracasó en el decurso de *Don Gonzalo*. Aquí no ha
arrancado el progreso los vestigios de la tradición; la aldea
rinde vasallaje a su jefe paternal y todos se sienten agradecidos y satisfechos. Bien es verdad que en comarcas muy
próximas, como en Robazío (Rozadío), corren otros vientos,
y que en esta misma hay sus matices, aunque muy ligeros,
entre un Neluco, por ejemplo, retrógrado por convicción, y
el señor de Provedaño, menos intransigente. La lección que
se desprende, a fin de cuentas, es la defensa de intereses propios, sin intervenciones ajenas, siempre nocivas, en un can-
tonalismo donde la servidumbre al guía es imagen del principio vital: «La casa y el pueblo han llegado a formar un
solo cuerpo sano, robusto y vigoroso, cuya cabeza es el señor de aquélla. Todos son para él y él es para todos, como
la cosa más natural y necesaria» [32].

Un hilillo amoroso circula por el enredado de esta égloga
moral. Son las relaciones entre Lituca y Marcelo. Ella, una
entre tantas heroínas peredianas, con algunas quiebras en
su exceso, pues su despejo natural no cuadra bien con su
exceso de conformismo aldeano, dispuesta a permanecer de
por vida en aquellos aledaños. Es la mujer mansa y traba-
jadora, tan familiar para los lectores del tiempo [33], cuyos
perfiles íntimos no acaban de dibujarse con la integridad

---

[32] *O. C.*, II, p. 1175 *a*.

[33] Baste recordar a algunas hembras galdosianas, como Clara
(La Fontana de Oro), Rosario *(Doña Perfecta)*, Irene *(El amigo
Manso)*, Amparo *(Tormento)*; Gabriela *(El escándalo*, de Alarcón);
Pastora *(Pascual López)* y Lucía *(Un viaje de novios)*, ambas de
Pardo Bazán.

debida. Si bien estas relaciones acusan fallas notorias, como la inusitada admiración que le produce al galán dicha criatura, siendo el hombre tan corrido de mundo, o al menos así lo parece, este idilio, paralelo al de la tierra, discurre por cauces primorosos, donde los sucesivos contactos de una amistad se vierten al fin en una emotiva confesión amorosa, a nuestro modo de ver de las mejores logradas por el autor, que en estas lides nunca se mostró muy fuerte.

Peñas Arriba es, en suma, obra de madurez, donde nos es dado encontrar plenamente potenciado aquello de más exquisito que el autor supo arropar y proteger a lo largo de su existencia literaria, aunque la empresa le desbordara en algunos momentos, arrollando temas que quizá hubieran encontrado mejor medida en otras publicaciones.

Para terminar, unas últimas palabras sobre *Pachín González*, *opus minor*, y, como sabemos, de factura circunstancial. El dolor y la angustia colectiva por la catástrofe se cifran en Pachín y su madre. Supo Pereda dar su debida proporción a este documento humano, logrando páginas conmovedoras y evitando con una esmerada contención caer en el peligro de la grandilocuencia retórica. Por su agilidad narrativa la novela se lee con interés. El hombre y su ciudad se rindieron aquí un último y recíproco tributo.

III. BREVE ANÁLISIS DE *SOTILEZA*

«Pereda no sólo había escrito su mejor novela, sino una de las mejores novelas españolas del siglo XIX»[1]. Estas palabras de Cossío, aunque pequen quizá de exageradas, subrayan por sí solas el valor que ha alcanzado *Sotileza* en nuestras letras. Su redacción no fue tan laboriosa como en otros casos. Se ve que el autor se sintió ganado por el tema y la escribió sin descanso en unas pocas e intensas etapas. «Es, pues, el caso —escribe a Laverde el 12 de octubre de 1884— que desde que llegué a esta su casa me puse a trabajar en *Sotileza* con tal ahínco que en tres semanas despaché cerca de trescientas cuartillas»[2]. Tuvo que interrumpirla durante unos días a causa del agotamiento producido, que había llegado a amenazar su sistema nervioso. Luego del descanso, reemprendió la tarea y, al cabo de dos meses, la novela había quedado prácticamente ultimada. Así, el 3 de noviembre le comunicó a Menéndez Pelayo por carta desde Santander que todavía seguía trabajando en el libro, y el 5 de diciembre ya le anunció el pronto remate de éste: «Estoy escribiendo

---

[1] Cossío, ob. cit., p. 219.

[2] En J. F. Montesinos, *Pereda...*, p. 150. En una carta a Galdós nos da Pereda noticia de esta labor, cuanto estaba totalmente enfrascado en ella y las cosas no le salían tan fáciles: «Desde que llegué a esta casa [Polanco] estoy trabajando en *Sotileza*, sin plan, sin esperanza de tenerle. No hago más que sacar gentes y cosas a la escena, y tiemblo la hora en que necesite *sacar el argumento*. A tal extremo ha llegado la pobreza de mis recursos, que me da gana de echar por el balcón todos los trastos del oficio.» (18 de julio de 1884.) *(Cartas a Galdós*, pp. 93-94).

las últimas cuartillas del último capítulo de *Sotileza*» [3]. Cuatro días después sabemos por carta a Galdós que ya le había dado fin: «El día 9 escribí la 682 y última cuartilla de *Sotileza* y el 9 me vine a esta casa [Polanco], con Juan el guantero y su cuñado Fernando, abrumado, muerto de cansancio y con horror a la tinta y al papel [...]. Sumando la tarea de entonces con la de ahora, salen diez semanas para las setecientas cuartillas mal contadas» [4]. El volumen terminó de imprimirse a mediados de febrero de 1885.

El libro respondía al deseo de Menéndez Pelayo: «Si quieres elevar un verdadero monumento a tu nombre y a tu gente, cuenta la epopeya marítima de tu ciudad natal» [5]. Ya la idea había empezado a rondarle por la cabeza cuando estaba escribiendo *Pedro Sánchez*, a finales de 1883 [6]. Contaba el autor con otros precedentes, salidos de su misma pluma, en aquellas páginas costumbristas dedicadas a la vida marinera [7]; en particular *El fin de una raza* (1880), con un Tremontorio, encarnación viva de una lucha desesperada contra la pobreza y los elementos, perpetuador de viejos hábitos marineros. En *Sotileza*, cuyos sucesos transcurren por los mismos años, rondando la mitad del siglo, son varios los personajes que asumen esta significación: la familia Mechelín, Cleto, Andrés, el dueño del patache, don Pedro Colindres...; cada uno en su puesto y escala social, pero todos del mismo oficio. En muchos de ellos refundió el autor viejos materiales, elevándolos a mayor perfección estética. Bien podemos decir, pues, que aquí no fue Pereda nada original, de manera que, con paciencia, se pueden destrenzar hilos que sirvieron para otras telas.

---

[3]   *Epistolario...* [57].
[4]   *Cartas a Galdós*, p. 94. En esta carta se contienen otros detalles de interés, como el siguiente: «Creo haberle dicho que pensaba publicar un vocabulario al fin del libro. ¿Tendría V. inconveniente en que se pusiera allí la curiosa etimología de la palabra *limonaje*, que V. me ofrece en su carta, citando, por supuesto, la fuente en que yo la he bebido?» [Procedencia que no llegará a citar].
[5]   *La Epoca*, 27 de marzo de 1885. Puede leerse en los *Estudios sobre la prosa del siglo XIX*, ed. cit., pp. 224-230.
[6]   Vid. *Epistolario...* [50].
[7]   Cf. notas al texto, *infra*.

Figuras y temas conocidos son don Pedro, prefijado en
Un marino; don Venancio Liencres, tipo representativo del
comerciante santanderino, que, si supo dar buena cuenta
de la vieja tradición mercantil, con sus activos cubiertos de
todo riesgo en un apergaminado libro de cuentas, también
sabrá amoldarse perfectamente a las primeras empresas ca-
pitalistas, desde la aparición del ferrocarril; los rapaces que
hacen sus correrías por el Muelle, evocadores de los años
infantiles del autor, cuyos juegos y demás andanzas fueron
descritos en *El raquero* y *Los chicos de la calle;* las hembras
de Mocejón, trasunto de las reñidoras, que escupían sus palabras a los cuatro vientos, las cuales rememoran cuadros
como el de *La leva* o *La buena Gloria.* En otro orden, algunos sucesos, desde los minúsculos, como los pesares de Cole
a manos de don Bernabé, hasta la galerna, en el momento
culminante de la historia, ya rememorada en el citado *El fin
de una raza.* Para qué seguir. En las notas, a pie del texto,
hemos hecho las referencias oportunas, y hasta el mismo
novelista no se recató en informar también de estos antecedentes en alguna ocasión.

Todas estas figuras y fragmentos dispersos quedan con-
juntados maravillosamente en la feliz creación, fruto maduro de una realidad vivida y resguardada con el cariño y la
nostalgia de los recuerdos. Así, la crítica supo entrever la
existencia de algunas de estas criaturas de ficción. Por ejemplo, la del padre Apolinar, huésped en casa de «La Chata»,
panadera de la calle del Rubio y muerta en extrema pobreza [8]. Quizá también los mismos pilotos, a las órdenes de
Bitadura, según hizo constar don José A. del Río. Aparte de
esto, sin duda a los lectores del lugar les debían de resultar
familiares los trazos de la pequeña comunidad de seres que
transitan por las páginas del libro. La absorción de la realidad es, pues, intensa, y en ella se dan cita lo bueno y lo
malo, reafirmando Pereda su principio de antaño, cuando
salía al paso de críticas adversas a las *Escenas,* que él co-
piaba del natural, «y como éste no es perfecto, sus imper-
fecciones salieron en la copla» (Prólogo a *Tipos y paisajes*).

---

[8] R. Gullón, ob. cit., p. 158. La noticia del sepelio apareció
en *El Complutense,* Alcalá (15 de febrero de 1885), en un artículo
de Manuel Pardo (J. M.ª de Cossío, *La obra...,* p. 237).

Así, el olor a la parrocha y los dejos de las sardineras se mezclan con el candor y la sencillez natural del pueblo humilde. Si aquello, en lo que tiene de más sórdido (vb. gr., la vida familiar de las hembras de Mocejón, la suciedad del barrio, ciertas mezquindades aireadas en las reuniones del Cabildo), se aproxima peligrosamente a la corriente naturalista, el idilio, presente en el paisaje, la espontaneidad de la infancia, la sencillez del clérigo de misa y olla, la amistad de los jóvenes, la bondad de la familia Mechelín, la confesión amorosa de Cleto y muchos elementos más se convierten en poderosa fuerza que sublima esa vulgaridad, hasta tal punto que más de una vez el novelista hace caso omiso de los soportes reales, escapando a vuelos ciertamente poéticos. Tal enajenamiento es debido a los propósitos épicos, tradúzcanse en literarios, de que hablábamos al principio. De un género de vida rudo y prosaico supo extraer el material conveniente para el canto épico: «¿Ha cantado jamás la poesía cosa más grande y más épica que aquellas pequeñeces?», confiesa, consciente, el escritor al final de uno de esos capítulos *intrascendentes*.

Dentro de la habitual técnica del autor, se nota que al libro le faltan ataduras más sólidas, desanudándose la acción hacia escapes digresivos, sea el patache, la marinería u otros motivos náuticos. El narrador, luego de estas fugas expresas, vuelve a la derechura del camino, tras las oportunas disculpas: «Caigo en la cuenta de que ni esta pregunta ni mucho de lo que la precede eran de necesidad para el fin que me propuse, sacando a relucir el patache de este cuento» (cap. X). No faltan tampoco los cuadros costumbristas, bien encajados, eso sí, en el curso del relato, como el del Cabildo o la competición de las regatas, pero la ambientación de ellos es desproporcionada con respecto al mínimo suceso del decurso argumental, el cual queda arrinconado al final de la secuencia.

Empero, más que todo eso, cuyos cuidos son poco perceptibles, la integridad de la pieza es menoscabada por un factor más grave: las dos vertientes en que se fragmenta el desarrollo. No nos extrañaría que las trecientas cuartillas que dejó reposar el autor cuando su cansancio correspondieran a la primera parte, la del mundo infantil. El descanso se imponía, pues además no era fácil continuar. Desde luego que tendría previsto el salto temporal que vendría a continuación, junto con el drama amoroso entre Andrés y Sotileza; pero los que todavía no estaban perfilados eran los papeles de Muergo y Cleto, y, desde luego, otras cosas menores. Por otra parte, todavía no ha surgido el asunto propiamente dicho y todo lo referido en los once primeros capítulos parece una introducción en cuyas dimensiones se ha excedido el novelista. En fin, si es que se presentaron estas dificultades, como sospechamos, Pereda las supo resolver con habilidad técnica: por un lado, a través del puente metamórfico en los epígrafes de los capítulos I y XII, *crisálidas*→ *mariposas;* y, por otro, remedando los lapsos acaecidos en las vidas de cada cual durante ese paréntesis. Al final del capítulo XIV ya podrá declarar: «Así estaban las personas, las cosas y los lugares de esta puntual historia cuando Muergo y el hijo de Mocejón se dieron aquella mano de *morrás* en el portal de Sotileza». Limitaciones de la novela en esta centuria, que no disponía de otras fórmulas dentro de su sistema literario. Saltos y remedos parecidos los encontramos en títulos de otros autores por esas calendas; así en *La familia de León Roch, Las ilusiones del doctor Faustino, La Tribuna* o *El escándalo,* por citar unos pocos. En definitiva, es a partir del capítulo XV cuando la trama se proyecta hacia el centro de la acción, ocupando desde ese momento todos los papeles su definitivo lugar.

Aún nos queda por destacar otro hecho en este esbozo estructural y es referente al desenlace, resuelto en un santiamén. Si holgaba una continuación después del episodio de la galerna, razón de más para considerar la convergencia del libro en torno a un suceso y no al trozo de vida de una heroína o a una página en la historia de antaño. La tempestad se coloca, pues, en el vértice de la tensión dramática, siendo recurso externo y providencial para resolver un conflicto humano y amoroso que había alcanzado a la pequeña colectividad de los dos barrios marítimos.

Discurre el relato por unos cauces mesurados, evitando cuidadosamente los peligros folletinescos que se cernían sobre él. La historia no era para menos: una niña huérfana, crecida en la pobreza y que se ve, de joven, solicitada por el galán de buenas prendas y acomodado; el peligro de la tentación, la endiablada sociedad ávida de escándalo y el por-

venir terrible e incierto. Pereda, que sabía de estos argumentos, fue capaz, no obstante, de contenerse, perfilando a
sus personajes de otra manera, la de la vida misma, menos
estilizada y tremebunda. Por ello, Sotileza no es la frágil
muchacha, víctima de unas circunstancias, sino mujer de
bríos y dejos de sardinera cuando conviene, hermosa y de
carnes apretadas, pero esquiva como los mismos gatos. Andrés es lo suficientemente ingenuo para no saber seducir a
la hembra, y tan noblote y *parcial* para reparar un daño que
no se ha producido. Cleto, que va a significar el remedio de
la chica, tiene la suficiente timidez como para convertirse él
mismo en centro de atención del novelista y de los lectores;
y la bestialidad de Muergo es capaz de arrancar el humor a
los repliegues del drama, al tiempo que su desbordante naturaleza se convierte en contrapunto del primitivismo aún
presente en las rudezas y miserias de un pueblo que tiene
que arrancar con tesón y valentía su alimento de las aguas.
Ahí está el centro del drama y en esta órbita encajan todos
los demás personajes: los Mechelín y los Mocejón, el haz
y el envés de una misma raza; a su servicio el padre Apolinar; don Pedro, en el vértice de la escala social, como patrón
equivalente al cacique de las aldeas, protector de necesidades (la barquía de Mechelín) y a quien rinden fervor sus
gentes. Todos ellos forman una comunidad con entrañables
valores para su creador. En otro lugar, la burguesía mercantil, nueva sociedad refinada e inocua de la Restauración,
más adelante merecedora de las críticas del 98, representada
por don Venancio Liencres y familia. Su señora e hija, enco-
petadas y orgullosas, junto a Tolín, dado a los *pinturines*,
sirven de contraste, como negativa faceta para el autor, a la
espontaneidad y frescas energías de los mareantes, criados
al abrigo de la naturaleza. Así vio las cosas Pereda, a nuestro juicio, y huelga todo comentario.

Por eso se explica el supuesto enigma de los mutuos afec-
tos entre Muergo y Sotileza. Si bien el mito de la bella y la
bestia tiene precedentes tan cercanos como la novela de
Víctor Hugo *Notre Dame de París*, a la que hace referencia
el escritor, es en este orden natural donde se encuentra la
causa de la extraña atracción: el uno, feo y monstruoso, es
un desorbitado producto de los elementos naturales, pero
nunca falso; la otra, obra bien acabada, adquiere mayor re-

salte en la comparación, pues la base es la misma en ambos. La palma de la victoria se la llevará, sin embargo, Cleto, lo cual es lógico en la idiosincrasia de nuestro autor. A más de la armonía natural se añade la armonía social: ambos al mismo nivel. Que hubiera casamiento de Andrés con Sotileza era inadmisible para el equilibrio que comportaba el idilio. Y si no, valga el precedente de *Pedro Sánchez*, de *Don Gonzalo* o los también infundados deseos de Nisco hacia María en *El sabor de la tierruca* [9].

En lo que la crítica no escatimó elogios ni planteó discusión alguna fue sobre el lenguaje que puso el autor en boca de sus personajes, vertiéndose en él una plétora de localismos, dialectales los muchos y otros simplemente del dominio de lo vulgar y coloquial, extendidos por toda la geografía peninsular. Como su lectura podía ofrecer quizás dificultades, Pereda procuró subrayarlas con la adición, al final, de un glosario de voces marítimas, la mayoría de uso local. Sin embargo, como decimos, el repertorio es mucho más amplio y está repleto de riqueza expresiva. El acervo lingüístico de estos pescadores, a más de retratar su peculiar manera de ser, es muestra de un primor artístico con el que Pereda supo dar categoría literaria al habla popular, y mejor, castiza, de un pueblo. Aquí reside uno de los grandes triunfos de la novela del pasado siglo, en ese encuentro con la realidad regional y española. Y entre todos los escritores de su generación fue, sin duda, don José María, quien alcanzó los mejores logros en esta renovación estética hacia un concepto más democrático de las letras hispanas.

Cuando el narrador toma la palabra, su estilo se viste de la pucritud lingüística que corresponde al oficio. Es de sobra conocida su maestría descriptiva, tanto en el paisaje como en la semblanza de personajes o en el pormenor de un cuadro. La sintaxis, por lo general, fluye en períodos amplios de estructura hipotáctica, donde el apretado haz de ramificaciones hace perder a veces de vista el hilo conductor.

---

[9] Asiento con Montesinos (*Pereda...*, p. 303), en hacer caso omiso de la declaración perediana al crítico catalán Joan Sardá (carta del 15 de septiembre de 1885), donde aquiesce con la interpretación de éste sobre si Sotileza rechazó a Andrés por no dificultar el porvenir del joven.

Una ulterior corrección hubiera evitado estos pequeños defectos, pero Pereda no se preocupaba en el esmero de estos detalles finales. Asimismo incurre casi por norma en leísmos y loísmos, que ediciones modernas han rectificado debidamente. A pesar de todo, tales incorrecciones no llegan jamás a desvirtuar la buena prosa que lo ha consagrado como excelente escritor.

Sotileza tuvo una calurosa acogida tanto por parte de la prensa santanderina como de la madrileña [10], compensando los temores de su creador ante el «silencio aterrador» de los primeros días [11]. Sus amigos, Menéndez Pelayo y L. Alas, dieron buena cuenta de los méritos del libro, con lo que aquél quedó completamente satisfecho. También los críticos catalanes, como Miquel y Badía y J. Sardá, prodigaron sus elogios. No faltaron, empero, algunos reparos en otros sueltos, que iban dirigidos al carácter de la protagonista, a la falta de unidad de la novela y al recuerdo de páginas zolescas, acusación esta última injusta, pero bienvenidas hubieran sido para un hombre que, si fue recalcitrante en ideas, nunca las disfrazó, y, lo que tiene más valor, procuró insertarlas en su tiempo, comprometido y dialogante con éste. Aunque discrepemos del pensador, reciba el hombre y el artista nuestro respeto.

---

[10]   Para más detalles, vid. J. M.ª de Cossío, *La obra...*, ed. cit., pp. **224 ss.**
[11]   Carta a M. Pelayo, 2 de marzo de 1885. *(Epistolario...* [60)].

EDICIONES PRINCIPALES DE «SOTILEZA»

Sotileza, Madrid, Imprenta de M. Tello, 1885, 501 pp.
Sotileza, Madrid, Imprenta de M. Tello, 1888, 501 pp.
Sotileza, Madrid, Viuda e Hijos de Tello, 1894, 568 pp.
Sotileza, Madrid, Hijos de Tello, 1911, 268 pp. (*Obras comple-tas*, t. IX).
Sotileza, Madrid, Hijos de Tello, 1916, 568 pp. (*O. C.*, t. IX).
Sotileza, Madrid, Librería Victoriano Suárez, 1920, 568 pp. (*O. C.*, t. IX).
Sotileza, Madrid, Librería Victoriano Suárez, 1927, 574 pp. (*O. C.*, t. IX).
Obras completas. Con un estudio preliminar de José María de Cossío, Madrid, Ed. Aguilar, 1934, XXXV + 1245 pp. (Hay varias eds., 1940, 1943, 1948 [dos vols.], 1954 [dos vols.], 1964 [dos vols.].)
Sotileza, Madrid, Ed. Aguilar, 1940, 334 pp. (*O. C.*, t. XII).
Sotileza, Buenos Aires, Ed. Gladium, 1944, 336 pp.
Sotileza, Madrid, Espasa-Calpe, Col. Austral, núm. 436, 1966³.

BIBLIOGRAFÍA

ALAS, LEOPOLDO *(Clarín)*: *Nueva campaña*, Librería de Fernando Fe, Madrid, 1887.

Boletín de la Biblioteca de Menéndez Pelayo, año XV, enero-marzo 1933, número extraordinario.

CABARGA, JOSÉ SIMÓN: «El Padre Apolinar: un retrato velazqueño de Pereda», *Altamira*, Santander, núms. 1-3, 5, p. 176.

Cartas a Galdós, Ed. Soledad Ortega, Madrid, Ed. «Revista de Occidente», 1964, pp. 48-206.

COSSÍO, JOSÉ MARÍA DE: *La obra literaria de Pereda*, Santander, Publicación de la Sociedad Menéndez Pelayo, 1934.

— *Rutas literarias de la Montaña*, Diputación Provincial, Santander, 1960, pp. 273-347.

— «Estudio preliminar», *Obras completas* de José María de Pereda, Madrid, Ed. Aguilar, 1964[8], vol. I, pp. 11-45.

CAMP, JEAN: *José María de Pereda. Sa vie, son oeuvre et son temps*, París, 1938.

CLARKE, ANTHONY H.: *Pereda, paisajista (El sentimiento de la naturaleza en la novela española del siglo XIX)*, Santander, Diputación Provincial, 1969.

DENDLE, BRIAN J.: *The Spanish novel of religious thesis* (1876-1936), Madrid, Ed. Castalia, 1968, pp. 34-38.

EOFF, SHERHAN H.: «A Phase of Pereda's Writings in imitation of Balzac», *Modern Language Notes*, LIX, 1944, pp. 460-466.

— «Pereda's Conception of Realism as related to his Epoch», *Hispanic Review*, XIV, 1946, pp. 281-303.

— «Un mundo patriarcal, estable y armónico», *El pensamiento moderno y la novela española*, Barcelona, Ed. Seix Barral, 1962, pp. 29-59.

Epistolario de Pereda y Menéndez Pelayo, Ed. de María Fernanda de Pereda y E. Sánchez Reyes, Santander, C. S. I. C., 1953.

FERNÁNDEZ-CORDERO Y AZORÍN, CONCEPCIÓN: *La sociedad españo-*

la del siglo XIX en la obra literaria de D. José María de Pereda, Santander, Diputación Provincial, 1970.

FERNÁNDEZ MONTESINOS, JOSÉ: *Pereda o la novela idilio*, Madrid, Ed. Castalia, 1969.

GARCÍA-LOMAS, ADRIANO: *El lenguaje popular de las montañas de Santander*, Santander, Diputación Provincial, 1949.

MARRERO, VICENTE: *Historia de una amistad*, Madrid, Ed. Magisterio Español, 1971.

MENÉNDEZ PELAYO, MARCELINO: *Estudios sobre la prosa del siglo XIX*, Madrid, C. S. I. C., 1956, pp. 179-237.

MENÉNDEZ PIDAL, RAMÓN: «Un inédito de Pereda. Observaciones sobre el lenguaje popular de la montaña», *Boletín de la Biblioteca de Menéndez Pelayo*, XV, 1933, pp. 144-155.

OUTZEN, GERDA: *El dinamismo en la obra de Pereda*, Santander, Imprenta J. Martínez, 1936.

PATTISON, WALTER T.: *El naturalismo español*, Madrid, Ed. Gredos, 1965, pp. 63-84.

PEREDA, J.: «Cartas de Pereda a Palacio Valdés», *Boletín de la Biblioteca de Menéndez Pelayo*, 1957, XXIII, núms. 1-2.

PÉREZ GALDÓS, BENITO: «Prólogo» a *El sabor de la tierruca* [1882], en *Obras completas de José María de Pereda*, Madrid, Ed. Aguilar, 1964⁸, pp. 1321-1326.

— *Discurso ante la Real Academia Española*, Madrid, Viuda de Hijos de Tello, 1897.

QUALIA, CHARLES B.: «Pereda's naturalism in 'Sotileza'», *Hispania*, XXXVIII, 1954, pp. 409-413.

SÁNCHEZ REYES, ENRIQUE: «Sobre 'Sotileza', por José María de Pereda, traducida al itailano por Carlo Boselli», *Boletín de la Biblioteca de Menéndez Pelayo*, Santander, XVII, 1935, pp. 191-192.

SIEBERT, K.: *Die naturschilderungen in Peredas romanen*, Hamburg, 1932.

TANNENBERG, BORIS DE: «José María de Pereda. Écrivains castillans contemporains», *Revue Hispanique*, 1898, V, pp. 330-364.

VAN HORNE, JOHN: «La influencia de las ideas tradicionales en el arte de Pereda», *Boletín de la Biblioteca de Menéndez Pelayo*, I, 1919, pp. 254-267.

NUESTRA EDICIÓN

He seguido como texto base el de la primera edición (Madrid, Imprenta M. Tello, 1885), pero incluyo los pocos añadidos (muy breves, por otra parte), que figuran a partir de la segunda edición (Madrid, Imprenta M. Tello, 1888), imputables, presumiblemente, al autor, quien, aunque no con escrupuloso esmero, acostumbraba cuidarse de algunas rectificaciones en la reedición de sus obras. De todas formas, todas estas variantes que se presentan frente al texto base han sido especificadas en notas. Se observará que las de mayor interés pertenecen a las páginas finales del libro, y se trata de adiciones con sentido religioso, reveladoras de la escrupulosidad del autor en esta materia.

He corregido la puntuación, adaptándola a criterios más modernos, pero he respetado fielmente el texto, sin imprimir ninguna modificación en cuanto a vocablos (muy contados), cuya forma es hoy día inusual. Asimismo, he dejado intactos algunos errores lingüísticos, tales los leísmos, loísmos y laísmos, en que el autor incurre frecuentemente. Sólo me he permitido modificar algún error morfológico de impresión, cuando no había duda respecto a él.

En cuanto al vocabulario, las palabras que figuran en el *Glosario* final, labor del autor, han sido destacadas con un asterisco, para guía cómoda de nuestros lectores. Sin embargo, tal apéndice no cubre todas las dificultades léxicas del texto. Para ello, en nota, consigno los significados de aquellos vocablos dialectales que no constan en el *Diccionario de la Real Academia Española. El lenguaje popular de las montañas de Santander*, de A. García-Lomas (Santander, 1949; en adelante cito G.-Lomas) y el *Diccionario crítico eti-*

mológico de la lengua castellana (*DCELC*), de Joan Corominas (Ed. Franke, Berna, 1954, cuatro vols.), han sido obras
de imprescindible consulta en esta tarea. Cuando se trata de
simples vulgarismos de uso extendido a todo el ámbito nacional, he creído innecesaria la correspondiente aclaración.

SOTILEZA

A MIS CONTEMPORÁNEOS DE SANTANDER QUE AÚN VIVAN

Así Dios me salve como no he pensado en otros lectores que vosotros al escribir este libro. Y declarado esto, declarado queda, por ende, que a vuestros juicios le [1] someto y que sólo con vuestro fallo me conformo. Perdone, pues, la crítica oficiosa si, por esta vez, la [2] pierdo el miedo [3]. No se fatigue arrastrando el microscopio y metiendo las pinzas y el escalpelo entre las fibras de estas páginas; déjese, por Dios, de invocar nombres de *extranjis* para ver a qué obras y de quién de ellos y por dónde arrima mejor la estructura de la mía; no se canse en meterme por los ojos la medida que dan ciertos doctores de allende en el arte de presentar casos y cosas de la vida humana en los libros de imaginación; considere una vez siquiera que cada cual en su propia casa, siendo hacendosito y cuidadoso, pue-

---

[1] *Le.* Leísmo. Empleo indebido del pronombre personal *le* como complemento directo, en lugar de *lo.* Como hemos indicado en el *Estudio preliminar,* Pereda incurre con mucha frecuencia, a lo largo del libro, en inadecuados empleos pronominales.

[2] *La.* Laísmo. Uso incorrecto del pronombre personal *la* como complemento indirecto, en lugar de *le.*

[3] Pereda fue hombre muy temeroso de las críticas a sus escritos, especialmente en los primeros días que seguían a la publicación de éstos. Así, sobre *Sotileza,* escribió a su amigo Menéndez Pelayo: «Desde que se puso a la venta en Madrid *Sotileza,* parece que se han conjurado amigos y periódicos para aterrarme con el más absoluto silencio.» (Santander, 2 de marzo de 1885.) Vid. también las cartas al mismo del 11 y 30 de marzo de 1885, en *Epistolario de Pereda y Menéndez Pelayo,* Santander, 1953.

Sotileza. 5

de arreglárselas con los recursos que tiene a mano, vivir tan guapamente y campar por sus respetos como el más runflante de sus vecinos, sin copiarle el modo de andar ni pedirle un real prestado; y entienda, por último, que este libro, de la misma veta que algún otro que llegó al mundo con muy buena suerte y mucho antes de que en España se gastaran mares de tinta en encomiar modelos que ya apestan de tanto no venir al caso los encomios, es como es, no por parecerse a otros en su hechura sino porque no puede ser de otra manera; porque, al fin y a la postre, lo que en él acontece no es más que un pretexto para resucitar gentes, cosas y lugares que apenas existen ya [4] y reconstruir un pueblo, sepultado de la noche a la mañana, durante su patriarcal reposo, bajo la balumba de otras ideas y otras costumbres, arrastradas hasta aquí por el torrente de una nueva y extraña civilización [5]; porque ciertos toques y perfiles que desde lejos pudieran parecer alardes de sectario de una escuela determinada, no son otra cosa que el jugo y la pimienta del guisado; lo que da el estudio del natural, no lo que se toma de los procedimientos de nadie; lo que pide la verdad dentro de los términos del arte, los cuales han de estar en la mente y en el corazón del artista y no en las cláusulas de los métodos de escribir novelas (que a estos fines iremos a parar extremando otro poquito la pasión por los modelos); porque lo que se busca, en una palabra, es que reaparezcan aquí aquellas generaciones con los mismos cuerpos y almas que tuvieron [6].

---

[4] Son muchas las páginas peredianas donde el autor revive con nostalgia los tiempos pasados, viendo en ellos la armonía de una tradición incólume, no hollada por el progreso. Vid., por ej., declaraciones suyas en «El raquero», «Un marino», «El fin de una raza» (*Escenas montañesas*) y «La romería del Carmen» (*Tipos y paisajes*).

[5] Otras duras críticas al progreso se encuentran en «El espíritu moderno» (*Escenas montañesas*), «Santander» y «Dos sistemas» (*Tipos y paisajes*). Es interesante observar que los marinos, según Pereda, eran el único sector social apegado a los viejos usos. Vid. *O. C.*, I, Madrid, Ed. Aguilar, 1964[8], pp. 301, 342-343.

[6] José A. del Río corroboró en *El Correo de Cantabria* (9 de

Y tratándose de esto, ¿a quién sino a vosotros, que las conocisteis vivas, he de conceder yo la necesaria competencia para declarar con acierto si es o no su lengua la que en estas páginas se habla; si son o no sus costumbres, sus leyes, sus vicios y sus virtudes, sus almas y sus cuerpos los que aquí se manifiestan? ¿Y quién sino vosotros podrá suplir con la memoria fiel lo que no puede representarse con la pluma: aquel acento en la dicción pausada; aquel gesto ceñudo sin encono; aquel ambiente salino en la persona, en la voz, en los ademanes y en el vestir desaliñado? Y si con todo esto que yo no puedo representar aquí, porque es empresa superior a las fuerzas humanas, y con lo que os doy representado resultan completas, acabadas y vivas las figuras, ¿quién sino vosotros es capaz de conocerlo? Y si lo conocéis y lo decláis así, ¿qué aplauso puede resonar al fin de mi tarea que mejor me cure del espanto de haberla acometido?

Ved aquí por qué doy tanta importancia a vuestro fallo en la ocasión presente y por qué, y a pesar del grandísimo respeto que yo tengo a la crítica y a sus fueros indiscutibles, he de atreverme esta vez a mirarla sereno, cara a cara, por muy ceñudo que me la ponga.

Cierto que las obras de arte ofrecen, amén del aspecto indicado, otros muy principales también y cuya apreciación estética, por ser de sentimiento y no de seco raciocinio, cae bajo la jurisdicción de la crítica, por ignorante que sea en el asunto que haya inspirado la obra juzgada; pero si es cosa resuelta ya, a lo que parece, que en la novela que de *seria* presuma no han de admitirse otros *horizontes* que aquéllos a que estén avezados los ojos de la *buena sociedad;* si no han de aceptarse como asuntos de *importancia* otros que los que giren y se desenvuelvan en los grandes centros urbanizados a la moderna[7]; si la levita y el *boudoir* y el banquero agiotista y el político venal y el joven docto en todas

---

marzo de 1885) la historicidad de algunos personajes, tomados de modelos vivos.

[7] Fuerte resquemor de Pereda contra la novela de ambiente urbano, en especial el madrileño, aplaudida por la burguesía de la Restauración. Lo paradójico es que *Sotileza* se sitúa entre dos novelas de capital: *Pedro Sánchez* (1883) y *La Montálvez* (1888).

las ciencias, pero desdeñado de la fortuna, el majadero elegante y el *problema* del adulterio y el *problema* de la prostitución y el de la virtud con caídas y tantos otros problemas..., y hasta los indecentes galanteos del chulo del *Imperial* han de ser los temas obligados de la *buena* novela de costumbres [8], ¿cómo he de aspirar yo a la conquista del aplauso general y al veredicto de la crítica militante con un cuadro de miserias y virtudes de un puñado de gentes desconocidas, con accesorios de poco más o menos y fondos de la Naturaleza, ya en su grandiosa tranquilidad, ya en sus cóleras desatadas?

Y vaya observando el lector distinguido y elegante cómo, anticipándome a su fallo y acomodándome a su modo de ver y de sentir, confieso humildemente que no aspiro a escribir un libro al gusto de todos, con materiales sacados de las canteras de su huerto [9]; y cómo me voy aproximando a declarar, si se me aprieta un poco, que importa menos en una estatua la obra del escultor que la nombradía del monte en que se arrancó la piedra.

Así, pues, y en virtud de esto y de lo otro y de todo lo demás que se entiende sin que lo puntualice, decidme vosotros, cuando hayáis leído la última palabra de esta novela: «Choca esos cinco, porque eres de nuestra calle», y vengan penas después...

Y hasta puede que me atreviera entonces, con los alientos de ese aplauso, contando con que el público me niegue el suyo, a exclamar para mis adentros, puestos los ojos en las desdeñadas páginas del libro:

«Pues por más que ustedes digan, no es para todos la tarea de hinchar perros de esta catadura.»

Santander, diciembre de 1884.

J. M. DE PEREDA

---

[8] Alusión a la corriente naturalista, tachada de inmoral por los defensores de la tradición a causa de su procedencia francesa, de la buena acogida que tuvo en los medios liberales y de sus propósitos por reflejar lacras de la sociedad. Vid. W. T. Pattison, ob. cit., pp. 99-126.

[9] No olvidó Pereda la displicente afirmación de doña Emilia Pardo Bazán, comparando su talento con un huerto bien regado. (*La cuestión palpitante*, Madrid, 1891[4], pp. 268-269). La imagen, por desgracia, hizo fortuna en los medios literarios.

POSDATA. Al reimprimir esta novela, año y medio después de agotada la copiosa edición primera —marzo de 1885—, lugar era éste bien a propósito, en mi entender, para decir yo cómo respondieron a la precedente dedicatoria los aludidos y hasta los no aludidos en ella; pero, como la enumeración de los honores tributados a la humilde callealtera en tantas formas, desde tantas partes y por tantas y tan diversas gentes, pudiera traducirse por la malicia en pueril artificio de vanagloria, quédese, bien a pesar mío, esa cuenta sin ajustar en público y válgales la advertencia a mis acreedores nobilísimos como la más solemne declaración de lo muchísimo que les debo.

J. M. DE P.

Junio de 1888 [10].

---

[10] Postdata añadida en la segunda edición. El libro tuvo, en efecto, un gran éxito en toda España. Sobre las críticas que suscitó, vid. J. M. de Cossío, La obra..., pp. 224 y ss.

I. CRISÁLIDAS

El cuarto era angosto, bajo de techo y triste de luz; negreaban a partes las paredes, que habían sido blancas, y un espeso tapiz de roña, empedernida casi, cubría las carcomidas tablas del suelo. Contenía una mesa de pino, un derrengado sillón de vaqueta y tres sillas desvencijadas; un crucifijo con un ramo de laurel seco, dos estampas de la Pasión y un rosario con pluma de ave, un viejo breviario muy recosido, una carpetilla de badana negra, un calendario y una palmatoria de hoja de lata, encima de la mesa; y, por último, un paraguas de mahón azul con corva empuñadura de asta, en uno de los rincones más oscuros. El cuarto tenía una alcoba, en cuyo fondo y por los resquicios que dejaba abiertos una cortinilla de indiana, que no alcanzaba a tapar la menguada puerta, se entreveía una pobre cama, y sobre ella un manteo y un sombrero de teja [11].

Entre la mesa, las sillas y el paraguas, que llenaban lo mejor de la estancia, y media docena de criaturas haraposas, que, arrimadas a la pared o aplastando las narices contra la vidriera o desconyuntadas entre dos sillas y la mesa, ocupaban casi el resto, trataba de pasearse, con grandísimas dificultades, un cura de sotana remendada, zapatillas de cintos negros y gorro de terciopelo raído. Era alto, algo encorvado, con los ojos demasiado tiernos, de lo cual, por horror a la luz, era obra la encorvadura del cuello; y tenía un poco abul-

---

[11] Descripción que ofrece cierto parecido con la de la estancia del cura de Valdecines (*De tal palo, tal astilla, O. C.*, I, p. 1128). Entre otros muebles y objetos se encuentran también en ésta: una mesa de nogal, cuatro sillas de paja, estampas de un *Vía Crucis* de papel en las paredes; y en el dormitorio, un viejo sillón de roble, avíos de escribir sobre una mesita y un jergón sostenido por sogas entrelazadas. Hay, en este sentido, un cuidado del autor por destacar la pobreza de estos clérigos de misa y olla.

tada y rubicunda la nariz, gruesos los labios, áspero y moreno el cutis y negra la dentadura.

Entre todos aquellos granujas no había señal de zapato ni una camisa completa; los seis iban descalzos y la mitad de ellos no tenían camisa; alguno envolvía todo su pellejo en un macizo y remendado chaquetón de su padre; pocos llevaban las perneras cabales; el que tenía calzones no tenía chaqueta; y lo único en que iban todos acordes era en la cara sucia, el pelo hecho un bardal y las pantorrillas roñosas y con *cabras* [12]. El mayor de ellos tendría diez años. Apestaban a perrera.

—Vamos a ver —dijo el cura, dando un coquetazo [13] al del chaquetón, que se entretenía en resobar las narices contra los vidrios del balcón; el cual muchacho era morrudo, cobrizo, bizco y de cabeza descomunal—, ¿quién dijo el *Credo?*

Se volvió el rapaz, después de largar un hilo sutil de saliva a la vidriera por entre dos de sus incisivos, y respondió, encogiéndose de hombros:

—¡Que sé yo!

—¿Y por qué no lo sabes, animalejo? ¿Para qué vienes aquí? ¿Cuántas veces te he repetido que los apóstoles? Pero *ab asino, lanam...* ¿Cuántos Dioses hay?

—¿Dioses? —repitió el interpelado, cruzando los brazos atrás, con lo que vino a quedar en cueros vivos por delante, porque el chaquetón no tenía botones ni ojales en que prenderlos, aunque los hubiera tenido. Reparó el cura en ello y dijo, echando mano a las solapas y cruzando la una sobre la otra:

—¡Tapa esas inmundicias, puerco!... ¿Y los botones?

—No los tengo.

—Los habrás jugado al bote [14].

---

[12] *Cabras:* «Llaga con postilla o costra». (G.-Lomas).

[13] *Coquetazo* o *cosquetazo:* «Golpe dado en la cabeza con los nudillos de la mano cerrada». (G.-Lomas).

[14] *Bote:* Juego de chicos popular en Santander y parecido al juego del *bolo,* pero empleando un bote de conservas. (G.-Lomas.) El del *bolo* consiste en derribar, a una distancia determinada, una piedra colocada sobre otra mayor. Cf. «Reminiscencias», *Esbozos y rasguños, O. C.,* I, p. 1275 *a.*

—Tenía una escota * y la perdí esta mañana.

El cura fue a la mesa y sacó del cajón un bramante, con el que a duras penas logró sujetar las dos remendadas delanteras del chaquetón, de modo que taparan las carnes del muchacho. En seguida le repitió la pregunta:

—¿Cuántos Dioses hay?

—Pues habrá —respondió el interpelado, volviendo a cruzar los brazos atrás—, a todo tirar, ocho o nueve.

—*¡Resurge de profundis!*... ¡Ánimas benditas, qué pedazo de animal!... Y personas, ¿cuántas?

Miró el bizco, a su manera, de hito en hito al cura, que también le miraba a él como podía, y respondió, con todas las señales de estar poseído de la mayor curiosidad:

—¡Personas!... ¿Qué son personas, usté?

—¡San Apolinar bendito! —exclamó el sencillo clérigo haciéndose cruces—. ¿Conque no sabes qué son personas..., lo que es una persona?... Pues ¿qué eres tú?

—¿Yo?... Yo soy *Muergo* *

—Ni tanto siquiera, porque lo hay en la playa con más entendimiento que tú... ¿Qué son personas? —repitió el cura, encarándose con el muchacho que seguía a Muergo por la derecha, también descamisado, pero con calzones, aunque escasos y malos, menos feo que Muergo y no tan bronco de voz.

Este muchacho, no sabiendo qué responder, miró al más inmediato, el cual miró al que le seguía, y todos fueron mirándose unos a otros, con las mismas dudas pintadas en la cara.

—¿De modo —exclamó el cura, volviendo a encararse con el que seguía a Muergo— que tampoco sabes que eres tú?

—¡Eso sí, corflis! —respondió el muchacho, creyendo ver una salida franca para sus apuros.

—Pues ¿qué eres?

—*Surbia* *.

—¡Eso te diera yo para que reventaras, animal! Y tú, ¿qué eres? —añadió el cura, dirigiéndose a otro, de media camisa, pero sin chaqueta y muy poco pantalón.

—Yo soy *Sula* * —respondió el interpelado, que era rubio y delgadito, por lo cual descollaba en él, más que en el fondo tostado de sus camaradas, la roña de sus carnes.

De esta manera, y tratando de responder a la misma pregunta, fueron diciendo sus motes los otros tres muchachos que había en el cuarto, o séanse, Cole *, Guarín y Toletes *. Acaso ninguno de ellos conocía su propio nombre de pila. El cura, que los tenía bien estudiados, no acabó de perder la paciencia por eso. Los [15] descerrajó cuatro improperios y media docena de latines, y después les dijo en santa calma:

—Pero la culpa me tengo yo, que me empeño en varear el árbol, sabiendo que no puede soltar más que bellotas. El que menos de vosotros lleva dos meses asistiendo a esta casa... ¿A qué, santo nombre de Dios?... ¿Y por qué, Virgen María de las Misericordias?... Pues porque el padre Apolinar es un bragazas que se cae de bueno.

«Pae Polinar, que este hijo está, fuera del alma, hecho una bestia; pae Polinar, que este otro es una cabra montuna...; pae Polinar, que esta condenada criatura me quita la vida a disgustos; que yo no puedo cuidar de él; que en la escuela de balde no le hacen maldito el caso...; que éste, que el otro, que arriba, que abajo...; que usté que lo entiende y para eso fue nacido...; que enséñele, que dómele, que desásnele...» Y tres que me ofrecen y cuatro que yo busco, cata la casa llena de muchachos, y aguanta su peste y explica y machaca..., y cébalos para que vuelvan al día siguiente, porque yo sé lo que sucediera de otro modo...; y hazlo de buena gana, porque ésa es tu obligación, pues eres lo que eres, sacerdos Domini nostri Jesuchristi, por lo cual digo con Él: sinite pueros venire ad me, dejad que los niños se acerquen a mí...; y ríase usté de la vecina de abajo y del padre de éste y de la madre del de más allá, que murmuran y corren y propalan que si salís de mis manos más burros de lo que vinisteis a ellas, como salieron otros muchos que vinieron a mí antes que vosotros... ¡Linguae corruptae, carne mísera y concupiscente!... Ríase usted de eso, como yo me río, porque debo reírme... Pero vosotros, alcornoques, más que alcornoques, ¿qué hacéis para corresponder a los esfuerzos del padre Apolinar? ¿Cómo estamos de silabario al cabo de dos meses?... ¡Ni la O, cuerno, ni la O se conoce en estas aulas, si os la pinto en la pared! Pues de doctrina cristiana, a la vista está... Y como no quiero enfadarme, aunque

---

[15] Los. Loísmo. Empleo indebido del pronombre personal lo como complemento indirecto masculino, en lugar de le.

motivos había para echaros uno a uno por el balcón abajo...,
vamos a otra cosa y alabado sea Dios *per omnia saecula sae-
culorum,* que lo demás es chanfaina.

Tras este desahogo pasó fray Apolinar, sin dejar de pasearse, casi en redondo, con las manos cruzadas atrás, a lo
que él llamaba lo llano y de todos los días: a preguntar a
los granujas las oraciones más usuales y sencillas, para que
no las olvidaran; lo único que había logrado meterles en la
cabeza, aunque no bien del todo. Muergo no necesitó remolque más que tres veces en el *Avemaría;* Cole dijo tal
cual el *Padrenuestro,* y el que mejor sabía el *Credo,* entre
todos ellos, no pasó sin apuntador del «su único Hijo».

En vista de lo cual, fray Apolinar no le dio a Sula más
que media galleta dulce, un botón del Provincial de Laredo
a Toletes y un higo paso a Guarín.

—Del lobo un pelo [16], hijos —les dijo en seguida el pobre
exclaustrado—; otra vez será menos... y peor. Y ahora...,
¡hospa, canalla!... Pero, aguárdate un poco, Muergo.

Los muchachos, que se disponían a salir, se detuvieron
todos. Y dijo el fraile a Muergo, alzándole las haldillas del
chaquetón:

—¡Esto no puede continuar así! Sin camisa, cuando hay
chaqueta, vaya con Dios; pero sin calzones... ¿Adónde han
ido a parar los tuyos?

—Los puso antier mi madre a secar en las Higueras —respondió Muergo a tropezones.

—¿Y no han secado todavía, hombre de Dios?

—Los royó una vaca mientras mi madre destripaba una
merluza que agolía mal.

—¡Castigo de Dios, Muergo, castigo de Dios! —dijo fray
Apolinar, rascándose el cogote—. Las merluzas que huelen
mal, porque están podridas, se tiran a la mar y no se lim-
pian lejos de las gentes para vendérselas después a medio
precio a los pobres como yo, que tienen buenas tragaderas.
Pero ¿no quedó nada de los calzones, hombre?

—La culera —respondió Muergo—, y ésa, *en banda* [17].

---

[16] *Del lobo un pelo:* «Refrán que enseña que del mezquino se
teme lo que diere.» *(DRAE, 1884.)*

[17] *En banda:* «Se dice de cualquier cosa que pende en el aire
sin sujeción.» *(DRAE, 1884.)*

—Poco es —repuso el exclaustrado, revolviéndose dentro de su ropa, movimiento que era muy habitual en él—. ¿Y no hay otros en casa?

—No, señor.

—¿Ni barruntos [18] de dónde puedan venir?

—No, señor.

—¡Cuerno con el hinojo! [19]... Pues así no puedes continuar, porque, aun cuando te sobra paño para envolverte, a lo mejor se rompe la driza *; tú no reparas en ello y, si reparas, lo mismo te da... De modo que lo de siempre, hijo, lo de siempre; tú, que no puedes, llévame a cuestas, padre Apolinar. ¿No es eso? ¿No es la purísima verdad? ¡Cuerno si lo es! Muergo se encogió de hombros y fray Apolinar se metió en la alcoba. Oyósele pujar allá dentro y murmurar entre dientes algunos latinajos, y no tardó en aparecer, alzando la cortina, con un envoltorio negro entre manos, el cual puso en seguida en las de Muergo.

—No son cosa mayor —le dijo—, pero al fin son calzones. Dile a tu madre que te los arregle como pueda y que no los ponga a secar en las Higueras cuando tenga que lavarlos; y si le parecen poco todavía, que se consuele con saber que a la hora presente no los tiene mejores ni tantos como tú el padre Apolinar... Conque, ¡vira, canalla, por avante! *

Otra vez se revolvió el concurso, gruñendo y respingando

---

[18] *Barruntas*, en primera edición.

[19] Exclamación que será usual en este personaje; también otros dispondrán de «tics» lingüísticos propios: *¡ñules!, ¡puño!, ¡uva!...* Tal fenómeno idiolectal como definitorio de un personaje es un recurso del que se sirven otros novelistas contemporáneos. El marqués de Tellería solía encabezar sus razonamientos con: «Es de lamentar...» (Galdós, *La familia de León Roch*); la exclamación de Amparo es: «¡repelo!» (Pardo Bazán, *La Tribuna*). Otros ejemplos peredianos son: Bastián, con «¡Dios!» *(De tal palo, tal astilla)*, y Pedro S., con «¡calabaza!» *(Pedro Sánchez)*. En ocasiones, los escritores previenen al lector sobre esta particularidad expresiva, que podía extenderse hasta una frase o una estructura sintáctica. Cf., por ejemplo, Pardo Bazán, *O. C.*, I, Madrid, Ed. Aguilar, 1964³, pp. 112-3; Palacio Valdés, *O. C.*, II, Madrid. Ed. Aguilar, 1965³, p. 23; L. Alas, *La Regenta*, Madrid, Ed. Alianza, 1966, p. 377 Galdós, *La desheredada*, p. II, cap. VII, IV.

como piara de cerdos que huelen el *cocino* [20] al salir de la pocilga, y se pintaba en todos los roñosos semblantes el ansia de llegar a la escalera para examinar la dádiva de fray Apolinar, el cual conservaba aún el calorcillo que le había chocado a Muergo en ella al entregársela el pobre exclaustrado, cuando se abrió la puerta y se presentaron en el cuarto dos nuevos personajes. El uno era un muchacho frescote, rollizo, de ojos negros, pelo abundante, lustroso y revuelto, boca risueña, redonda barbilla y dientes y color de una salud de bronce; representaba doce años de edad y vestía como los hijos de los señores.

Traía de la mano a una muchachuela pobre, mucho más baja que él, delgadita, pálida, algo aguileña, el pelo tirando a rubio, dura de entrecejo y valiente de mirada. Iba descalza de pie y pierna, y no llevaba sobre sus carnes, blancas y limpias en cuanto de ellas iba al descubierto, más que un corto refajo de estameña, ya viejo, ceñido a la flexible cintura sobre una camiseta demasiado trabajada por el uso, pero no desgarrada ni pringosa, cualidades que se echaban de ver también en el refajo [21]. Hay criaturas que son limpias necesariamente y sin darse cuenta de ello, lo mismo que les sucede a los gatos. Y no se tache de inadecuada la comparación, pues había algo de este animalejo en lo gracioso de las líneas, en el pisar blando y seguro, y en el continente receloso y arisco de la muchachuela [22].

En cuanto la vio Muergo, se echó a reír como un estúpi-

---

[20] *Cocino:* «Especie de dornajo o artesa, generalmente construida de un tronco de árbol ahuecado en su longitud, que sirve para dar de comer a los cerdos.» (G. Lomas.)

[21] Esta primera presentación del personaje, como la de casi todos los restantes, se acomoda a la fórmula descriptiva usual: un retrato con los rasgos más sobresalientes, alguna insinuación de la etopeya y mención del atavío.

[22] Repetirá el autor otras dos veces, más adelante, esta comparación de Silda con el gato, apuntalando firmemente dos rasgos: su limpieza y su carácter reservado y arisco. Una fórmula que no es rara en el autor. En *Peñas arriba* compara a don Celso con el roble; el don Hermenegildo de «Un tipo más» *(Tipos y paisajes)* le recuerda a una hiena; don Pedro Nolasco *(Peñas Arriba)* se parece a un coloso paquidermo; y Muergo, ya lo veremos, a un oso polar.

do; Cole soltó un taco de los gordos y Sula otro de los medianos. La recién llegada remedó a Muergo con otra risotada falsa, poniendo la cara muy fea, sin hacer caso maldito de los otros dos granujas ni del mismo padre Apolinar, que alumbró un coquetazo a cada uno de los tres.

—¿A qué vienen esas risotadas, bestia, y esas palabrotas sucias, puercos? —dijo el fraile, mientras largaba los coscorrones.

—Es la callealtera [23]..., ¡ju, ju, ju! —respondió Muergo, rascándose el cogote, machacado por los nudillos de fray Apolinar.

—La conocemos nosotros —expuso Cole, palpándose la greña.

—Que de poco se ajuega [24], si no es por Muergo —añadió Sula.

Muergo volvió a reírse estúpidamente y la muchacha tornó a hacerle burla.

—¿Y por eso te ríes, ganso? —dijo el fraile, largándole [25] otro coquetazo—. ¡Pues el lance es de reír!

—Es callealtera... —repitió Cole—, y estaba haciendo barquín-barcón * en una percha que anadaba [25] en la Maruca... Yo y Sula estábamos allí tirándola piedras desde la orilla. Dimpués, allegó Muergo..., la acertó con un troncho y se fue al agua de cabeza.

—¿Quién? —preguntó el fraile.

—Ella —respondió Cole—. Yo pensé que se ajuegaba, porque se iba diendo [27] a pique... Y Muergo se reía.

—Y yo —saltó Sula— le dije: «¡Chapla, Muergo, tú que anadas bien, y sácala, porque se está ajuegando!» Y entonces se echó al agua y la sacó. Dempués la ponimos quilla arriba y, a golpes en la espalda, largó por la boca el agua que había embarcao.

---

[23] *Callealtera:* vecina de la calle Alta.
[24] *Se ajuega:* dial., se ahoga. (Aspiración de la *f-* latina.)
[25] *Enderezándole,* en la primera edición.
[26] *Anadaba:* nadaba, flotaba.
[27] *Diendo:* yendo. La *d-* protética es fenómeno dialectal también de otras áreas hispánicas. Cf. A. Rosenblat, «Notas de morfología dialectal», *Biblioteca de dialectología hispanoamericana,* B. Aires, II, p. 299.

—¿Y eso es verdad, muchacha? —preguntó a ésta el exclaustrado.

—Sí, señor —respondió la interpelada, sin dejar de remedar a Muergo, que volvió a reír como un idiota.

—Corriente —dijo el exclaustrado—. Pero ¿a qué vienes aquí y a qué vienes tú, Andresillo, y por qué la traes de la mano? ¿En qué bodegón habéis comido juntos y qué pito voy a tocar yo en estas aventuras?

—Es callealtera —respondió muy serio el llamado Andresillo.

—Ya me voy enterando, ¡cuerno! Tres veces con ésta me lo han dicho ya. ¿Y qué hay con eso?

—La conozco del muelle Anaos * —continuó Andrés—. Baja casi todos los días allá. Yo no sabía lo de la Maruca... ¡que si lo sé! —y enderezó a Muergo un gestecillo avinagrado—, porque también conozco a éstos.

—¿Del muelle Anaos? —preguntó fray Apolinar, sin pizca de asombro.

—Sí, señor —respondió Andrés—. Van muy a menudo.

—Y él a la Maruca —añadió Guarín.

—¡Cuerno con el rapaz, y qué veta saca!... Pero vamos al caso. Resulta, hasta ahora, que esta niña es callealtera y que tú y esta granujería, a pesar de las respectivas vitolas, sois... tal para cual... ¿Y qué más?

—Que esta mañana avisó a mi madre el *talayero* [28] que quedaba a la vista la *Montañesa*..., y yo salí de casa para ir a San Martín a verla entrar..., y llegué al muelle Anaos.

—¡Al muelle Anaos!... ¿No vivís ya en la calle de San Francisco?

—Sí, señor.

—¡Pues buen camino llevabas para ir a San Martín!

—Iba a ver si estaba allí *Cuco* y me quería acompañar.

—¡Cuco! ¿También eres amigo de Cuco, de ese raquerazo descortés y grosero, que me canta coplas indecentes en cuanto me columbra de lejos? ¡Cuerno con la cría!

—Yo nunca le oigo esas cosas... Malo, algo malo es, pero no hace daño a nadie. Anda en el bote del Castrejo y me enseña a remar y a echar *coles* y *tapas* *, y a descansar de espaldas y de pie...

---

[28] *Talayero:* uso familiar de *atalayero;* vigía del faro.

—Sí, y a birlar los puros a tu padre, para regalárselos a él, y a *correr* la escuela [29] y a andar en las *guerras*..., y a muchas cosas más que me callo... ¡Pues buenas tripas se le pondrían a tu padre si al entrar hoy con la corbeta te veía en las peñas de San Martín en compañía de tan ilustre camarada! ¡Cuerno, recuerno del hinojo!

Andrés se puso muy colorado y dijo, con la cabeza algo gacha:

—No, señor... Yo no hago nada de eso, pae Polinar.

—¡Como que te vas a confesar conmigo ahora!... —repuso el fraile con mucha sorna—. Pero ¡a mí de esas cosas, Andresillo!... En fin, ya hablaremos de esto en mejor ocasión. Ahora sigue con el cuento. ¿Qué te dijo Cuco en el muelle Anaos?

—A Cuco no le vi porque andaba de flete con unos señores. Pero estaba ésta comiendo un zoquete de pan que le habían dado unos calafates, de pura lástima, y me dijo que había dormido anoche en una barquía, porque la habían echado de casa por la tarde.

—¿Y por qué?

—Porque le gusta mucho la bribia [30], y la pegaron.

—¡Guapamente, cuerno!... ¡Eso es lo que se llama una escuela de órdago para una mujer! ¿Cómo te llamas, hija?

—Silda me llamo —respondió secamente la interpelada.

—Es callealtera —añadió Andrés.

—¡Dale, y van cuatro! —exclamó el presbítero.

—No tié padre..., ¡ju, ju, ju! —graznó el salvaje Muergo.

La niña le remedó, según costumbre.

—Se ajuegó en San Pedro del Mar en la última costera * del besugo —dijo Cole.

—Ni madre tampoco tiene —añadió Sula.

—La recogió de lástima un callealtero que se llama tío Mocejón * —expuso Andrés.

—¡Ta, ta, ta, ta! —exclamó el padre Apolinar al oírlo—.

---

[29] *Correr la escuela:* «Faltar a la escuela.» (G.-Lomas.) «*Correría*, entre nosotros, equivalía a pasar las horas de la cátedra jugando al paso en el *Prado de Viñas*, o pescando *luciatos* en el *Paredón*, o acometiendo alguna empresa inocente en el *Alta*.» («Un marino», *Escenas montañesas*, O. C., I, p. 327 *a*.)

[30] *Bribia:* briba; es decir, holgazanería picaresca. *(DRAE*, 1884.)

Luego esta muchacha es hija del difunto Mules, viudo hacía dos años cuando pereció este invierno con aquellos otros infelices... ¡Pues pocos pasos di yo, en gracia de la Virgen, para que te recogieran en esa casa!... ¡Hija, no te conocía ya! Verdad que no recuerdo haberte visto más de dos veces y ésas mal, como lo veo yo todo con estos pícaros ojos que no quieren ser buenos... Corriente; pero ¿de qué se trata ahora, caballero Andrés?

—Pues yo —respondió éste, dando vueltas a la gorra entre sus manos— la dije, al oír lo que me contó: «Vuélvete a casa». Y ella me dijo: «Si vuelvo, me desloman; y no quiero volver por eso». Y dije yo: «¿Qué vas a hacer aquí sola?». Y dijo ella: «Lo que hagan otros». Y yo dije: «Puede que no te peguen». Y dijo ella: «Me han pegado muchas veces... Todos son malos allí y por eso me he escapado para no volver». Y yo, entonces, me acordé de usté y la dije: «Yo te llevaré a un señor que lo arreglará todo, si quieres venir conmigo». Y ella dijo: «Pues vamos». Y por eso la traje aquí.

A todo esto, la niña, cuando no hacía gestos a Muergo, recorría con los ojos suelo, muebles y paredes, tan serena y tranquila como si nada tuviera que ver con lo que se trataba allí entre el padre Apolinar y el hijo del Capitán de la *Montañesa*.

—Es decir —exclamó el bendito fraile, cruzándose de brazos delante del protector y de la protegida—, que éramos pocos y parió mi abuela. ¡Cuerno con las gangas que le caen al padre Apolinar! Desavénganse las familias, descuérnense los matrimonios, escápense los hijos de sus casas, aráñense los dos Cabildos, enamórese Juan sin bragas de Petra con mucha guinda..., húndase el pico de Cabarga y ciérrese la boca del puerto...; aquí está el padre Apolinar que lo arregla todo. Como si el padre Apolinar no tuviera otra cosa que hacer que enderezar lo que otros tuercen y desasnar bestias como las que me escuchan. ¿Y quién te ha dicho a ti, Andresillo, que basta con querer yo que se recoja a esta muchacha en una casa honrada, para darla por recogida ya? ¿Y qué sabes tú si, aunque eso fuera posible, querría yo hacerlo? ¿No lo hice ya una vez? ¿Ha servido de algo? ¿Me lo han agradecido siquiera? Pues sábete que negocios ajenos matan al alma; y de negocios ajenos estoy yo hasta la

corona, ¡hasta la corona, hijo..., y más arriba también!...
¡Cuerno con el hinojo de mis pecados...!

Aquí se dio dos vueltas el fraile por el cuarto, mientras las ocho criaturas se miraban unas a otras o se desperezaban algunas de ellas o se aburrían las más; y después de retorcerse dos veces seguidas dentro del vestido, detúvose delante de Silda y de Andresillo, y les dijo:

—De modo que lo que vosotros queréis es que ahora mismo os acompañe a casa de Mocejón y le hable al alma y le diga: «Aquí está el hijo pródigo, que vuelve arrepentido al hogar paterno...»

—A mí no —interrumpió Andrés con viveza—; a ésta es a quien ha de acompañar usté. Yo me voy ahora mismo a San Martín a ver entrar a mi padre, que debe estar[31] ya si toca o llega.

—Y yo me voy contigo —dijo Silda con la mayor frescura—. Me gusta mucho ver entrar esos barcos grandes...

—Entonces, cabra de los demonios —replicóla fray Apolinar, cuadrándose delante de ella—, ¿para quién voy a trabajar yo? ¿Qué voy a meterme en el bolsillo con ese mal rato? Si a ti no te importa lo que resulte del paso que me obligáis a dar, ¿qué cuerno me ha de importar a mí?... ¡Pues no voy, ca!

—¡A que sí, pae Polinar- —le dijo Andrés, mirándole muy risueño.

—¡A que no! —respondió el fraile, queriendo ser inexorable.

—¡A que sí! —insistió Andrés.

—¡Cuerno! —replicó el otro, casi enfurecido—. ¡Pongo las dos orejas a que no, y a rete que no!

Entonces, como si se hubieran puesto instantáneamente de acuerdo los ocho personajes que le rodeaban, gritaron unísonos y con cuanta voz les cabía en la garganta:

—¡A que sí!

Y como vieron al fraile rascarse nervioso la cabeza y alumbrar un testerazo a Muergo, lanzáronse todos en tropel a la escalera, que, angosta y carcomida, retemblaba y crujía, y no pararon hasta el portal, donde se examinó el regalo del padre Apolinar.

---

[31] Empleo incorrecto por *debe de estar*.

Después de convenir todos en que no era cosa superior,
dijo Andrés a Silda:

—Para cuando volvamos de San Martín, ya habrá estado
pae Apolinar en casa de tío Mocejón o en otra casa... De un
brinco subo yo a preguntarle lo que haya pasado. Tú me
esperas aquí y bajo y te lo cuento. No te dé pena, que lo
arreglaremos entre todos. Ahora, vámonos.

La niña se encogió de hombros y Muergo, apretándose el
nudo de la driza del chaquetón, dijo, enseñando los dientes
y revirando mucho los ojos:

—Yo voy también, en cuanto deje estos calzones a mi
madre.

—Y yo tamién— añadió Sula.

Silda llamó burro a Muergo; Guarín, Cole y los demás dijeron que se iban, quién al muelle Anaos, quién a las lanchas, quién a otros quehaceres y Muergo a dejar los calzones en su casa; y se separaron a buen andar [32].

...., ...

Todo esto acontecía en una hermosa mañana del mes de
junio, bastantes años..., muchos años hace, en una casa de
la calle de la Mar, de Santander, de aquel Santander sin es-
colleras ni ensanches; sin ferrocarriles ni tranvías urbanos;
sin la plaza de Velarde y sin vidrieras en los claustros de la
catedral; sin *hoteles* en el Sardinero y sin ferias ni barraco-
nes en la Alameda segunda; en el Santander con dársena y
con pataches hasta la Pescadería; el Santander del *muelle
Anaos* y de la *Maruca;* el de la Fuente Santa y de la cueva
de tío Cirilo; el de la Huerta de los Frailes en abertal y del
Provincial de Burgos envejeciéndose en el cuartel de San
Francisco; el de la casa de Botín, inaccesible, sola y deshabi-
tada; el de los Mártires en la Puntida y de la calle de Tum-
batrés; el de las gigantillas el día 3 de noviembre, aniversario de la *batalla de Vargas,* con luminarias y fuegos artifi-
ciales por la noche, y de las corridas en que mataba *Chabiri,*
picaba el *Zapaterillo,* banderilleaba *Rechina* [33] y capeaba el

---

[32]   En *La desheredada* (P. I, cap. VI). Galdós trazó un episodio parecido, en cuanto a andanzas de una pandilla de chiquillos.
[33]   De estos nombres taurinos sólo he podido localizar a Fran-

Pitorro, en la plaza de Botín, con música de los Nacionales; el Santander de los Mesones de Santa Clara, del Peso Público y de *Mingo,* la *Zulema* y *Tumbanavíos;* del *Chacolí* de la Atalaya y del cuartel del Reganche en la calle de Burgos; del parador de Hormaeche y de la *casa del Navío;* el Santander de aquellos muchachos *decentes,* pero muy mal vestidos, que, con bozo en la cara, todavía jugaban al bote en la plaza Vieja y hoy comienzan a humillar la cabeza al peso de las canas, obras, tanto como de los años, de la nostalgia de las cosas veneradas, que se fueron para nunca más volver; del Santander que yo tengo acá dentro, muy adentro, en lo más hondo de mi corazón y esculpido en la memoria de tal suerte que a ojos cerrados me atrevería a trazarle con todo su perímetro y sus calles y el color de sus piedras y el número y los nombres y hasta las caras de sus habitantes; de aquel Santander, en fin, que a la vez que motivo de espanto y mofa para la desperdigada y versátil juventud de hogaño, que le conoce de oídas, es el único refugio que le queda al arte cuando con sus recursos se pretende ofrecer a la consideración de otras generaciones algo de lo que hay de pintoresco, sin dejar de ser castizo, en esta raza *pejina* * que va desvaneciéndose entre la abigarrada e insulsa confusión de las modernas costumbres [34].

II. DE LA MARUCA A SAN MARTIN

Estaba tentadora la Maruca cuando pasaron junto a ella los cuatro muchachos que se encaminaban a San Martín.

---

cisco Rechina, banderillero de mediados del siglo, que toreó con con alguna frecuencia agregado a la cuadrilla de *Cúchares.* (*Apud* José M.ª de Cossío, *Los toros. Tratado técnico e histórico,* Madrid, Ed. Espasa-Calpe, 1943, t. III.)

[34] El intento de revivir tipos y costumbres pintorescas de un pasado cercano en trance de desaparecer es herencia del costumbrismo romántico. Vid., J. F. Montesinos, *Costumbrismo y novela,* cit., pp. 43-45.

Salía el agua a borbotones por el boquerón de la trasera del Muelle y regueros de espuma iban marcando el creciente nivel de la marea en el muro de la calzada de Cañadío y en la playa de la parte opuesta, cerrada por la fachada de un almacén que aún existe y un alto y espeso bardal que empalmaba con ella en dirección al este, espacio ocupado hoy por la casa de los Jardines y la plaza del Cuadro, con cuantos edificios y calles les siguen por el norte hasta la pared de la huerta de Rábago. Esto era la Maruca de entonces, que comunicaba con la bahía por el alcantarillón que desembocaba en la punta del Muelle, antro temeroso que muy pocos valientes se habían atrevido a explorar, cabalgando en un madero flotante. Cuco aseguraba haber acometido esta empresa, es decir, entrar por el boquerón de la Maruca y salir por el del Muelle a media marea; pero tales cosas contaba de tinieblas espesas, de ruidos espantosos, de ratas como cabritos y de ayes lastimeros, como de ánimas en pena, que me han hecho dudar después acá que fuera verdad la hazaña. Meter la cabeza en el negro misterio, pero sin abrir los ojos por no ver horrores, eso lo hicieron muchos y yo entre ellos; pero lo de Cuco... ¡bah! ¿Por qué no citaba testigos cuando lo afirmaba? Y bien valía la pena de acreditarse así tal empresa, por ser la única que podía, ya que no compararse, ponerse cerca siquiera de otra, tan espantable de suyo, que ni en broma se atrevió entonces ningún muchacho a decir que la hubiera acometido: dar cuatro pasos no más en la senda misteriosa que conducía al abismo en cuyo fondo *flotaba* el barco de piedra en que vinieron a Santander las cabezas de sus patronos, los mártires de Calahorra, San Emeterio y San Celedonio; caverna cuya puerta de entrada, baja y angosta, manchada de todo género de inmundicias y cerrada siempre, contemplaban chicos y grandes con serios recelos en el muro del Cristo, cerca ya de San Felipe, al pasar por la embovedada calle de los Azogues. Según la versión popular, lo mismo era penetrar allí una persona que caer destrozada a golpes y desaparecer del mundo para siempre. Se habían dado casos y nadie los ponía en duda, aunque sobre los *quiénes* y los *cuándos* no hubiera toda la claridad que fuera de apetecer.

Repito que estaba tentadora la Maruca para los cuatro chicos que caminaban hacia San Martín.

La marea, a más de dos tercios (y eran *vivas* a la sazón), y todos los maderos flotando; y además de las perchas de costumbre (porque siempre había allí alguna), dos vigas que no estaban el día antes: dos vigas juntas, amarradas una a otra y fondeadas con un arpón, cerca de la orilla del bardal.

—¡Cosa de nada! —como dijo Andrés, respingando de gusto en cuanto las vio—. Descalzarme, remangar las perneras hasta los muslos y, en un decir «Jesús», atracar un poco las vigas, halando del cabo del arpón; saltar encima de ellas, y con el palo que tengo escondido donde yo sé, bien cerca de aquí... ¡Recontra, qué *barco* más hermoso!... ¡Y qué marea!

Lo mismo opinaban Sula y Muergo, y bien le tentaron para que no pasara de allí; pero la fuerza que le movía hacia San Martín era más poderosa que la que trataba de detenerle en la Maruca; y por eso y porque Silda, acaso recordando el remojón consabido al ver la percha, que ya le había señalado Muergo con sus ojos bizcos y su risa estúpida, le apoyó con vehemencia, fue sordo a las seducciones de sus astrosos compañeros y ciego a los atractivos que tenía delante.

Así es que duró poco la detención allí y muy pronto se les vio trepar a los prados en busca del camino de la Fuente Santa. Aunque Andrés había visto, al asomarse al Muelle en sitio conveniente, que aún no se había puesto el gallardete amarillo sobre la bandera azul en el palo de señales de la Capitanía, prueba de que la corbeta avistada no abocaba todavía al puerto, llevaba mucha prisa; porque, resuelto a ver la entrada de su padre desde San Martín, creía que andaba el barco más que su pensamiento y temía llegar tarde.

Mientras caminaba, siempre delante de los demás, éstos le acribillaban a preguntas o le detenía alguno de ellos para ver cómo se revolcaba Muergo sobre los prados o se bañaba algún chico entre las peñas cercanas a la Cueva del tío Cirilo o rendía la bordada * un patache buscando la salida con viento de proa o remedaba Silda el mirar torcido y el reír estúpido de Muergo.

—¡Buenas cosas traerá tu padre! —dijo la muchachuela a Andrés.

—A veces las trae tal cual —respondió Andrés, sin volver la cara.

—¿Para ti también?

—Y para todos. Una vez me trajo un loro.

—Mejor eran cajetillas —expuso Sula.

—U jalea —añadió Muergo.

—Para él las trae a cientos de *Las tres coronas* —dijo Andrés, respondiendo a Sula.

—¡Bien sé yo lo que es jalea, puño! —insistió Muergo, relamiéndose—. Una vez la caté......, ¡ju, ju, ju! Se lo dio a mi madre una señora del Muelle... Yo creo que lo trincó *, ¡ju, ju, ju! También yo se lo trinqué a ella una noche y me zampé media caja... ¡Puño, qué taringa ³⁵ endimpués que lo supo!

—Puede que tamién traiga mantones de seda —dijo Silda, apretando la jareta de la saya sobre su cintura—. Si trae muchos, guárdame uno, ¿eh, Andrés?

Volvióse éste hacia Silda, asombrado del encargo que acababa de hacerle, y vio a Sula cabeza abajo, agarrado con las manos a la yerba y echando al aire ora una pierna, ora la otra; pero nunca las dos a la vez. Cabalmente, el hacer pinos pronto y bien era una de las grandes habilidades de Andrés. Sintióse picado del amor propio al ver la torpeza de Sula y, alumbrándole un puntapié en el trasero, díjole, para que se enteraran todos los presentes:

—Eso se hace así.

Y en un periquete hizo el pino perfecto, con zapateta y perneo, y la Y, y casi la T, y cuanto podía hacerse, sin ser descoyuntado volatinero, en aquella incómoda postura. Y tanto se zarandeó, animado por el aplauso de Silda y de Muergo, que se le cayó en el prado cuanto llevaba en los bolsillos, lo cual no era mucho: tres cuartos en dos piezas, un pitillo, un cortaplumas con falta de media cacha y unos papelejos.

En cuanto Muergo vio el pitillo le echó la zarpa y se apartó un buen trecho; y antes que Andrés hubiera deshecho el pino y recogido del suelo los cuartos, papeles y navaja, ya él había sacado un fósforo de cartón, que conservaba en el fondo insondable de un bolsillo de su chaquetón, y resobado el mixto contra un morrillo y encendido el cigarro y dádole tres chupadas tan enormes, sin soltarle de la boca, y tan bien *tapadas* * que, cuando se le fue encima el hijo del capitán de la *Montañesa*, reclamando a piña * seca lo que era suyo, Muergo, envuelto en humo la monstruosa cabeza, porque le

---

³⁵ *Taringa:* paliza. (G.-Lomas.)

arrojaba por todos los agujeros de ella y hasta parecía que por las mismas crines de su melena, sólo pudo entregar medio pitillo, y ése puerco y apestando. Así y todo, le consumió Andrés en pocas chupadas, pues si a Sula le vencía en hacer pinos, a *taparlas* no le ganaba Muergo. ¡Como que le había enseñado a fumar Cuco, que era el fumador más tremendo del muelle Anaos, lo cual es tanto como decir el fumador más valiente del mundo! Pues todavía alumbró Sula un par de *bofetadas* buenas a la colilla impalpable que tiró Andrés.

En la Fuente Santa se encaramaron en el pilón y bebieron agua, sin sed los más de ellos; y Silda se lavó las manos y se atusó el pelo. Después echaron por el empinado callejón de la fábrica de sardinas y salieron a los prados de Molnedo. Allí intentó Muergo hacer su poco de pino, quedándose rezagado para que no le vieran la prueba si le salía mal. En la brega para enderezar no más que el tronco sobre la cabeza, pues en cuanto a los pies no había que pensar en despegarlos del prado, se le volvieron las faldas del chaquetón hasta taparle los ojos. En tan pintoresco trance le hallaron dos de sus camaradas, advertidos por Silda, que fue la primera en notar la falta del salvaje rapaz. Llegáronse todos a él muy queditos; y uno con ortigas y otro con una vara y Silda con la suela entachuelada de un zapato viejo que halló en el prado le pusieron aquellas nalgas cobrizas, que echaban lumbres.

—¡Págame el tronchazo, animal! —le gritaba Silda, mientras le estampaba las tachuelas en el pellejo, cuando le dejaban sitio y ocasión la vara de Andrés y las ortigas de Sula.

Bramidos de ira y hasta blasfemias lanzaba Muergo al sentirse flagelado tan bárbaramente; pero sólo cuando imploró misericordia logró que sus verdugos le dejaran en paz y rascarse a sus anchas las ampollas, que le abrasaban.

Sula, ya que estaba allí, quiso acercarse al *Muelluco*. Andrés le dijo que hartas detenciones iban ya para la prisa que él llevaba, pero Sula no tomó en cuenta el reparo y se bajó al Muelluco. En seguida empezó a gritar:

—¡Congrio [35], qué hermosura!... ¡Cristo, qué marea! ¡Madre de Dios, qué cámbaros!... ¡Atracarvos, congrio!

---

[36] *¡Congrio!:* «Interjección que equivale a ¡caramba!» (G.-Lomas.)

Y no hubo más remedio que atracarse todos al Muelluco. Buena era, en efecto, la marea, mas no para tan ponderada; y en cuanto a los cámbaros, los pocos que se veían no pasaban de lo regular. Pero Sula estaba en *lo suyo* y no podía remediarlo. El sol calentaba bastante; el agua, verdosa y transparente, *cubría* en aquel sitio más de dos veces y se podían contar uno a uno los guijarros del fondo.

—Échame dos cuartos, Andrés —le dijo el raquero *, piafando impaciente sobre el Muelluco—. ¡Te los saco de un cole!

—No los tengo —contestó Andrés, que deseaba continuar su camino sin perder un minuto.

—¡Que no los tienes! —exclamó, admirado, Sula—. ¡Y te los cogí yo mesmo del prao, cuando te se caeron de la faldriquera endenantes!

Andrés se resistía; Sula apretaba.

—¡Congrio!... ¡Échame tan siquiera el cuarto! ¡Vamos, el cuarto solo, que tamién tienes!... ¡Anda, hombre!... Mira, le engüelves en uno de esos papelucos arrugaos que te metí yo mesmo en la faldriquera...

Y Andrés que nones. Pero terció Silda a favor del suplicante y, al fin, la roñosa moneda, envuelta en un papel blanco, fue echada al agua. Los cuatro personajes de la escena observaron con suma atención cómo descendía en rápidos zigzags hasta el suelo y cómo se metió debajo de un canto gordo, movedizo, pero sin quedar enteramente oculta a la vista.

—¡Cóntrales! —dijo Sula, rascándose la cabeza y suspendiendo la tarea que había comenzado, de quitarse su media camisa sin despedazarla por completo—. ¡Puede que haiga *pulpe* [37] allí!

Cosa que a Muergo le tenía sin cuidado, puesto que en un abrir y cerrar de ojos desató el bramante de su cintura, largó el chaquetón, que le envolvía hasta cerca de los tobillos, y se lanzó al agua, de cabeza, con las manos juntas por delante. Tan limpio fue el cole que apenas produjo ruido el cuerpo al caer y sólo unas burbujitas y una ligera ondulación en la superficie indicaban que por allí se había colado aquel animalote bronceado y reluciente, que buceaba como

---

[37] *Pulpe:* pulpo. Forma primitivamente leonesa. *(DECLC).*

una tonina, meciéndose, yendo y viniendo alrededor del canto gordo, con la greña flotante, cual si fueran manojos de porreto *; se le vio en seguida remover la piedra, mientras sus piernas continuaban agitándose blandamente hacia arriba; coger el blanco envoltorio, llevársele a la boca, invertir su postura con la agilidad de un *bonito* y, de dos pernadas y un braceo, aparecer en la superficie con la moneda entre los dientes, resoplando como un hipopótamo de cría.

—¿Echas la mota? —dijo a Andrés, después de quitarse el cuarto de la boca y sosteniéndose derecho en el agua solamente con la ayuda de las piernas.

—Ni la mota ni un rayo que te parta —respondió Andrés, consumido por la impaciencia—. ¡Ni os espero tampoco más!

Y como lo dijo, lo hizo, camino de las Higueras, sin volver atrás la cara.

Cuando la volvió, cerca ya de los prados de San Martín, observó que no le seguía ninguno de sus tres camaradas. En el acto sospechó, no infundadamente, que el cuarto adquirido por Muergo era la causa de la deserción. Sula y la muchacha querrían que se *puliera* * en beneficio de todos.

No le pesó verse solo, pues no le hacía mucha gracia andar en sitios públicos con amigos de aquel pelaje [38].

Menos le pesó cuando, al atravesar por el podrido tablero el foso del castillo, vio su *batería* llena de gente que le había precedido a él con el mismo propósito de asistir desde allí a la entrada de la *Montañesa;* gente que le era bien conocida en su mayor parte, pues había entre ella marinos amigos de su padre, prácticos libres de servicio aquel día, a quienes había visto mil veces, no sólo en el Muelle sino en su propia casa; el mismo dueño y armador de la corbeta, comerciante rico, que le infundía un respeto de todos los diablos; las mujeres de algunos marineros de ella; el mismísimo don Fernando Montalvo, profesor de náutica, maestro de su padre y de todos los capitanes y pilotos jóvenes de en-

---

[38] Tema preliceto en Pereda, éste de las correrías de los niños por el Puerto o por las calles de Santander. Está presente en «El raquero» (*Escenas montañesas*), «Los chicos de la calle» (*Tipos y paisajes*) y «Las tres infancias» (*Esbozos y rasguños*). Es, además, signo nostálgico de otros tiempos.

tonces, personaje de proverbial rigidez en cátedra, al cual temía mucho más que al amo de la *Montañesa*, porque sabía que estaba destinado a caer bajo su férula en día no remoto; Caral, el conserje del Instituto Cántabro, que no perdía espectáculo gratis y al aire libre; su amigo el *Conde del Nabo*, con su casacón bordado de plata, resto glorioso de no sé qué empleo del tiempo de sus mocedades, y la sempiterna queja de que no le alcanzaba la jubilación para nutrir el achacoso cuerpo, que ya se le quebrantaba por las *choquezuelas;* don Lorenzo, el cura loco de la calle Alta, tío de un muchacho, amigo de Andrés, que se llamaba *Colo* y estaba abocado a matricularse en latín por exigencia y con la protección de aquel energúmeno; *Ligo*, mozo que iba a hacer ya su segundo viaje de piloto y a cuya munificencia debía él algunos puñados de picadura... y no pocos coscorrones; Aniceto, el sastre inolvidable; Santoja, el famoso zapatero del portal del marqués de Villatorre..., y muchos curiosos más de diversas cataduras, algunos con sus catalejos enfundados y no pocos con sus sabuesos de caza o su borreguito domesticado... Porque en aquel entonces la entrada de un barco como la *Montañesa*, de la matrícula de Santander, de un comerciante de Santander, mandado y tripulado por capitán, piloto y marineros de Santander, era un acontecimiento de gran resonancia en la capital de la Montaña, donde no abundaban los de mayor bulto. Además, la *Montañesa* venía de la Habana y se esperaban muchas cosas por ella: la carta del hijo ausente, los *vegueros* de regalo, la caja de *dulces surtidos*, el sombrero de jipijapa, la letra de 50 pesos, la revista de aquel mercado, las noticias de tal o cual persona de dudoso paradero o de rebelde fortuna, y, cuando menos, las memorias para media población y algunos indianos de ella, de retorno. La misma curiosidad y por las mismas razones excitaban la *Perla*, la *Santander* y muy pocas fragatas más de aquellos tiempos. Nadie ignoraba en la ciudad cuándo salían, qué llevaban, adónde iban ni por dónde andaban, como fuera posible saberlo. Sus capitanes y pilotos eran popularísimos, y sus dichos y sus hechos se grababan en la memoria de todos como glorias de familia. ¿Quién de los que entonces tuvieran ya uso de razón y vivan hoy habrá olvidado aquella tarde inverniza y borrascosa en que, apenas avistada *al puerto* una fragata, se oyó de pronto el tañido retumbante, acompasado, lento y fúnebre del campanón de los Mártires?

—¡A barco! —exclamaron cientos y cientos de personas que conocían el toque.

—¡La *Unión!* —añadían consternadas, echándose a la calle las que aún no habían salido de casa.

Porque no ignoraba nadie, desde por la mañana, que la *Unión* era la fragata avistada y que venía corriendo un temporal furioso.

Yo me hallaba en la escuela de Rojí al sonar el campanón y ninguno preguntó allí: «¿Qué fragata es ésa?», cuando se nos dijo: «¡La *Unión* se va a las *Quebrantas!*». Todos la conocíamos y casi todos la esperábamos. Con decir que en seguida se nos dio suelta, pondero cuanto puede ponderarse la impresión causada en el público por el suceso. Medio pueblo andaba por la calle y el otro medio se desparramaba desde el astillero de San Martín al de Hano, viendo consternado, primero, cómo se salvaba la tripulación casi por milagro de Dios y, después, cómo daba a la costa el hermoso buque y se despedazaba a los golpes del embravecido mar y caía sobre sus despojos una nube de aquellos rapaces costeños, de quienes se contaba, y aún se cuenta, que ponían una vela a la Virgen de Latas siempre que había temporal, para que fueran hacia aquel lado los buques que abocaran al puerto. No cabe en libros lo que se habló en Santander de aquel triste suceso, que hoy no llevaría dos docenas de curiosos al Polvorín de la Magdalena. Y aún fue, pasados los años, tema compasible de muchas y muy frecuentes conversaciones; y todavía hoy, como se ve por la muestra, sale a colación de vez en cuando.

Y con esto vuelvo a las personas que dejamos en San Martín, esperando la llegada de la *Montañesa*.

A pesar de ser muchas, se hablaba muy poco entre ellas, lo cual acontece siempre que se aguarda un suceso que interesa por igual a todos los circunstantes o están las gentes a cielo descubierto, delante de la Naturaleza, que habla por los codos sin dejar que nadie meta su cuchara en la conversación... ¡Y qué elocuente estaba aquel día! La mar, verdosa y fosforescente, rizada por una brisa que yo llamaría juguetona, si el término no estuviera tan desacreditado por copleros chirles y por *impresionistas* cursis, que quizá no han sa-

lido nunca de los trigos de tierra adentro; el sol, despilfa-
rrando alegre sus haces de luz, que centelleaban entre los
pliegues de la bahía y en los rojos traidores arenales de las
Quebrantas. Allá, en el fondo del paisaje, los azulados picos
de Matienzo y Arredondo, y más cerca, las curvas elevadas,
y los senos sombríos de la cordillera, que iba perfilando la
vista desde el cabo Quintres y las lomas de Galizano hasta
los puertos de Alisas y la Cavada, transparentándose en una
bruma sutil y luminosa, como velo tejido por hadas con hilos impalpables de rocío; y allí, al alcance de la mano, los
cerros del Puntal, recibiendo en sus cimientos arenosos los
besos amargos de la creciente marea. Por todo ruido, el incesante rumor de las aguas al tenderse perezosas en la playa
contigua o al mojar con sus rizos, agitados por el aire, las
asperezas del peñasco. No se veía el pulmón bastante henchido nunca de aquel ambiente salino ni la vista se hartaba de
aquella luz reverberante, parlanchina y revoltosa, que se co-
lumpìaba en la bruma, en las aguas y en las flores [39].

No sé si irían precisamente por este lado todos los pensamientos de aquellas personas cuando discurrían de una a
otra parte por la explanada del castillo o se encaramaban en
la paredilla del parapeto, o se tumbaban sobre la yerba de
la braña exterior, sin hablar más de tres palabras seguidas y
con la vista errabunda por todos los términos del paisaje;
pero puede apostarse a que, si por arte de la hechicería se
les hubiera [40] puesto delante, en lugar del miserable castille-
jo, los mayores prodigios de la industria humana o las maravillas de los palacios de Aladino, los hubieran contempla-
do sin el menor asombro, señal, aunque sin darse cuenta de
ello, de que a sus ojos valían mucho más las maravillas de
la Naturaleza. Andrés era el único de los espectadores que
no paraba mientes en estas maravillas ni las hubiera parado
tampoco en las de la misma Pari-Banú, si allí se hubiera pre-

---

[39] Descripción habitual en la técnica paisajística perediana.
El autor se sitúa en una atalaya, desde la que, como en un cuadro, divisa el panorama, recortándolo en dos planos: el horizonte, que adquiere el máximo interés, y el primer término. Cf. A. H.
Clarke, ob. cit., p. 135.
[40] Mala concordancia del número verbal. Corregido en ediciones modernas, por *hubieran*.

sentado para transformar de repente el castillo en un alcá-
zar de oro con puertas de esmeraldas. Pensaba en la llegada
de su padre y del barco de su padre y, a lo más, en que toda
aquella gente estaba allí para ver eso mismo que tanto le
interesaba a él, por ser hijo de quien era, es decir, del héroe
de la fiesta. ¡Si estaría hueco y gozoso y preocupado! Ligo
le había tomado por su cuenta; y después de andar con él
de un lado para otro, haciéndole reír o ponerse colorado, con
las cosas que preguntaba al Conde del Nabo sobre la floje-
dad de sus choquezuelas o a Caral acerca de su *canoa* (sombrero), se habían acomodado juntos en lo más alto y sa-
liente del promontorio.

Al fin se oyeron muchas voces que exclamaron a un
tiempo:

—¡Ahí está!

Y allí estaba, en efecto, la *Montañesa*, que abocaba orzando *, cargada de trapo hasta los topes, el pabellón ondeando en el pico de cangreja * y con el práctico a bordo
ya, pues que llevaba la lancha al costado. Apenas arribó sobre la Punta del puerto, ya se la vio pasar rascando la Horadada por el sur del islote y tomar en seguida, como dócil
potro bien regido, el rumbo de la canal. La brisa la empuja-
ba con cariño y sobre copos de blandos algodones parecían
mecerse sus amuras * poderosas.

Cada movimiento del barco arrancaba un comentario de
aplauso a los inteligentes de San Martín y producía un tu-
multo en el corazón de Andrés, que era el más interesado de
todos en las valentías de la corbeta y en la llegada de su
capitán.

Así se fue acercando poco a poco, siguiendo inalterable su
derrotero como quien pisa ya terreno conocido, que es, además, camino de su casa; y tanto y con tal destreza atracaba
la costa de los espectadores que cualquier ojo ducho en estas maniobras hubiera conocido que el práctico que la gobernaba se había propuesto demostrar a los *contramaestres
de muralla* que allí no se trabajaba a lo zapatero de viejo,
sino que se hilaba mucho y por lo fino. ¡Y vaya si tío Cudón,
que era el práctico que había tomado a la corbeta en el Sardinero, sabía, como el más guapo, *meter* como una seda el
barco de mayor compromiso!

Y en esto continuaba arribando, con un andar de siete

millas; y llegó a oírse el rumor de la estela y el crujir de la
jarcia, al rehenchirse la lona, y el resonar de la cadena, al
ser sacada de sus cajas y plegadas a proa las brazas suficientes de ella para dar fondo en el momento oportuno. Algún espectador creía distinguir caras conocidas sobre el
puente. Llegó a verse claro y distinto al piloto *Sama* sobre
el castillo de proa, con sus botas de agua, su chaquetón oscuro y su gorra de galón dorado... Y Andrés, exclamando:
«¡Mírale!», apuntó, con el brazo tendido, a su padre, de pie
sobre la toldilla de popa, junto a la rueda del timón, y la
diestra en la driza de la bandera, con la cual, momentos
después y al hallarse la corbeta casi debajo de la visual de
los espectadores de San Martín, respondió a las aclamacio-
nes y saludos de éstos, izándola tres veces seguidas, mientras se llenaba la borda de estribor de tripulantes y pasajeros que agitaban al aire sus gorras y jipijapas. Entonces
pudieron gozarse a la simple vista todos los detalles de la
corbeta... ¡La muy presumida! ¡Cómo había cuidado, antes
de abocar al puerto, de sacudirse el polvo del camino y arreglarse todos sus perifollos! Sus broncos parecían oro bruñido; traía las vergas limpias de palletería * y sin sus forros
de lona, burdas * y cantos de cofa *, oscilaba en la batayola * el cataviento de pluma, que sólo se luce en el puerto,
y flameaban en los galopes * de la arboladura la grímpola
azul con el nombre del barco en letras blancas, la contraseña
de la casa, y la bandera blanca y roja de la matrícula de
Santander.

Otra vez saludó el pabellón de la *Montañesa* y otra vez
más volvieron a cruzarse vítores, hurras y sombreradas entre la gente de a bordo y la de tierra; y como si el barco
mismo hubiera participado del sentimiento que movía tantos
ánimos, haciendo crujir de pronto todo su aparejo, hundió
las amuras en el agua hasta salpicar las anclas, que ya venían preparadas sobre capón * y boza *, y se tendió sobre el
costado de babor, dejando al descubierto en el otro, por encima de las lumbres de agua *, más de una hilada de reluciente cobre.

En esta posición gallarda, meciéndose juguetona en el
lecho de hervorosa espuma, que ella misma agitaba y producía, se deslizó a lo largo del peñasco, rebasó en un instante
el escollo de las *Tres Hermanas,* cargáronse en seguida sus

mayores y se arriaron gavias, foques * y juanetes; y muy poco más allá, a la voz resonante y varonil de *¡fondo!*, que se dejó oír perceptible y clara sobre el puente, caía un ancla en el agua y se percibía el áspero sonido de los eslabones, al filar * por el escobén * más de cuarenta brazas de cadena. Con lo que la airosa corbeta, tras un fuerte estremecimiento, quedó inmóvil sobre las tranquilas aguas del fondeadero de la *Osa*, como corcel de bríos parado en firme por su jinete a lo mejor de su carrera.

III. DÓNDE HABÍA CAÍDO LA HUÉRFANA DE MULES

Tío Mocejón, el de la calle Alta (porque había otro Mocejón, más joven, en el Cabildo de Abajo), era un marinero chaparrudo, rayano con los sesenta, de color de hígado con grietas, ojos pequeños y verdosos, de bastante barba, casi blanca, muy mal nacida y peor afeitada siempre, y tan recia y arisca como el pelo de su cabeza, en la cual no entraba jamás el peine y rara, muy rara vez, la tijera. Tenía los *andares* como todos los de su oficio, torpes y desaplomados, lo mismo que la voz, las palabras y la conversación. El mirar, en tierra, oscuro y desdeñoso. En tierra digo, porque en la mar, como andaba en ella, o por encima o alrededor de ella venía cuanto en el mundo podía llamarle la atención, ya era otra cosa. El vil interés y el apego instintivo al mísero pellejo le despertaban en el espíritu los cuidados, y no hay como la luz de los cuidados para que echen chispas los ojos más mortecinos. En cuanto a genio, mucho peor que la piel, que la barba, las greñas, los andares y la mirada; no por lo fiero precisamente, sino por lo gruñón y lo seco y lo áspero y lo desapacible. Unos calzones pardos, que, al petrificarse con la mugre, el agua de la mar y la brea de la lancha, habían ido tomando la forma de las entumecidas piernas; unos calzones así, atados a la cintura con una correa; unos zapatos bajos, sin tacones ni señal de lustre, en los abotargados pies; un *clásico* de *cobertor*, o manta palentina, sobre la camisa de estopa, y un gorro catalán, puesto de cualquier modo encima de las greñas, como trapo sucio tendido en un bardal, componían el sempiterno envoltorio de aquel cuerpo, pasto resignado de la roña y muy capaz de pactar alianzas con la lepra, pero no de dejarse tocar del agua dulce [41].

Pues con ser así tío Mocejón, no era lo peor de la casa, porque le aventajaba en todo la *Sargüeta* *, su mujer, cuyo genio avinagrado y lengua venenosa y voz dilacerante eran el espanto de la calle, con haber en ella tantas reñidoras de primera calidad. Era más alta que su marido, pero muy delgada; pitarrosa, con hocico de merluza, dientes negros, ralos y puntiagudos; el color de las mejillas, rojo curado, y lo demás de la cara, pergamino viejo; el pecho hundido, los brazos largos; podían contarse los tendones y todos los huesos de sus canillas, siempre descubiertas, y apestaba a *parrocha* * desde media legua. Nunca se le conoció otro atalaje que un pañuelo oscuro, atado debajo de la barbilla, muy destacado sobre la frente y caído hacia los ojos, para que no los ofendiera la luz; un mantón de lana, también oscuro y también sucio y hasta remendado, cruzadas sobre el pecho las puntas y amarradas encima de los riñones; un refajo de estameña parda, y en los pies unas chancletas con luces a todos los vientos.

Sin embargo, hay quien asegura que era más llevadera esta mujer inaguantable que su hija *Carpia*, moza ya metida en los diecinueve, tan desaliñada y puerca como su madre, pero más baja de estatura, más morena, más chata, tan recia de voz y tan larga de lengua, y, además, *cancaneada* *. Era, de oficio, sardinera, y cosa de taparse la gente los oídos y los ojos y aun las narices, cuando ella pasaba con el carpancho * lleno encima de la cabeza, chorreando la pringue sobre hombros y espaldas, cerniendo el corto y sucio refajo al compás del vaivén chocarrero de sus caderas, y pregonando a gañote limpio la mercancía. Ninguna sardinera ponía la nota

---

[41] La suciedad de Mocejón es nota genérica de los mareantes del Muelle. Cf. «La leva» y «El fin de una raza» (*Escenas...*) y «Pasacalles» (*Tipos y paisajes*).

final más alta y tan bien sostenida; se llegaba a perder la esperanza de que aquel grito áspero y penetrante tuviera fin. Pero que algún transeúnte le diera a entender esta sospecha con el menor gesto o mostrara su desagrado con la más leve palabra, que cualquier fregona inexperta, después de preguntarle desde el balcón de la cocina: «¿A cómo?», no replicara a su respuesta o replicara con malos modos, o que después de haber replicado, por ejemplo: «A tres», y de haber dicho la sardinera: «Abaja», la fregona no bajara o tardara en bajar..., ¡era cuanto había que oír y que ver lo que decía y hacía Carpia entonces, con el carpancho en el suelo, en mitad de la calle, y la vista unas veces en su agresor o en el sitio que éste había ocupado, si se retiró prudente a lo escondido, temiendo la granizada, y otras en el primer transeúnte que cruzara a su lado o en todos los transeúntes o en todos los balcones de la calle! Mirándola en aquel trance, se dudaba cuál era en ella más asombroso, entre la palabra, la idea, el gesto, la voz y los ademanes; y todo ello junto parecía imposible que cupiera en una criatura humana y del mismo sexo, en el cual se vinculan el aseo y la vergüenza. Y, sin embargo, Carpia no estaba enfadada de veras; aquello no era más que un ligero desahogo que se permitía entre burlona y despechada; porque cuando se enfadaba, es decir, cuando reñía con todo el ceremonial del caso entre el gremio, que ha llegado a formar escuela y va a la hora presente en próspera fortuna..., ¡Dios de bondad!... En fin, casi tan terrible como su madre, de quien tomó el estilo, ora oyéndola en la vecindad, ora aprendiendo con ella a correr la sardina[42], llevando por las asas el carpancho entre las dos.

Carpia tenía un hermano, llamado Cleto, de menos edad que ella. Salía este hermano más a la casta de su padre que a la de su madre. Era sombrío y taciturno, pero trabajador. Andaba ya a la mar y no se llevaba bien con su hermana. La daba patadas en la barriga o donde la alcanzaba, cuando llegaba el caso de responder a las desvergüenzas de la sardinera. No sabía hablarla de otro modo.

Esta apreciable familia habitaba el quinto piso de una casa de la calle Alta (acera del sur), que tenía siete a la

---

[42] Correr la sardina: «Vender este pescado por las calles.» (G.-Lomas.)

vista y cuya línea de fachada se extendía muy poco más que el ancho de sus balcones de madera. Digo que tenía siete pisos *a la vista*, porque entre bodega, cabretes [43], subdivisiones de pisos y buhardillas, llegaban a catorce las habitaciones de que se componía; o, si se quiere de otro modo más exacto, catorce eran las familias que se albergaban allí, cada una en su agujero correspondiente, con sus *artes* * de pescar, sus *ropas de aguas* *, sus cubos llenos de *agalla* con arena, para *macizo* *, sus astrosos vestidos de diario y toda la pringue y todos los hedores que estas cosas y personas llevan consigo necesariamente. Cierto que los inquilinos que tenían balcón le aprovechaban para destripar en él la sardina, colgar trapajos, redes, mediomundos * y sereñas [44], y que tenían la *curiosidad* de arrojar a la calle o sobre el primero que pasara por ella las piltrafas inservibles, como si el goteo de las redes y de los vestidos húmedos no fuera bastante lluvia de inmundicias para hacer temible aquel tránsito a los *terrestres* que por su desventura necesitaran utilizarle; y en cuanto a los cubiles que no tenían estos desahogaderos, allá se las componían tan guapamente sus habitadores, engendrados, nacidos y criados en aquel ambiente corrompido, cuya peste les engordaba. De todas maneras, ¿cómo remediarlo? No vivían mejor los inquilinos de las casas contiguas y siguientes, ni los de la otra acera ni todo el Cabildo de Arriba... Lo propio que el de Abajo en las calles de la Mar, del Arrabal y del Medio.

Volviendo a tío Mocejón, añado que era dueño y patrón de una *barquía* *, por lo cual cobraba de la misma dos *soldadas* y media: una y media por *amo* y una por patrón, o lo que es lo mismo (para los lectores poco avezados a esta jerga), de todo lo que se pescara, hecho tantas partes como fueran los *compañeros* de la barquía, se tiraba él dos y media. Procedía de abolengo esta riqueza (mermada en la mitad en manos de Mocejón, puesto que lo heredado por éste fue una lancha) y nadie sabe la importancia que esta propiedad le daba entre todo el Cabildo, en el cual era rarísimo el

---

[43] *Cabrete:* «Entresuelo interior o piso que hay dentro de las plantas bajas de algunas casas.» (G.-Lomas.)
[44] *Sereña* o *sedeñar:* «Cuerda del aparejo de pescar.» (G.-Lomas.)

marinero que tenía una parte pequeña en la embarcación
en que *andaba;* ni lo que influyó en la Sargüeta y en su
hija Carpia para que llegaran a ser las más desvergonzadas
y temibles reñidoras del Cabildo.

Como tío Mocejón era bastante torpe en números y se
mareaba en pasando la cuenta de la que él pudiera echar
por los dedos de la mano bien agarrados, uno a uno, con
la otra, la *patrona,* es decir, su mujer, era quien cobraba
cada sábado el pescado vendido durante la semana al costado de la barquía, al volver ésta de la mar; lances en los cuales había acreditado, principalmente, la Sargüeta, el veneno
de su boca, lo resonante de su voz, lo espantoso de su gesto,
lo acerado de sus uñas y la fuerza de sus dedos enredados
en el bardal de una cabeza de la Pescadería. Por eso, del
cepillo de la Ánimas sacara una revendedora los cuartos, si
no los tenía preparados el viernes por la noche, antes que
pedir a la Sargüeta diez horas de plazo para liquidar su
deuda. Aunque *patronas* se llaman todas las mujeres de los
patrones de lancha, cobren o no por su mano las ventas de
la semana, en diciendo «la patrona» del Cabildo de Arriba,
ya se sabía que se trataba de la Sargüeta. ¡Qué tan patrona
sería! [45].

Ya se irá comprendiendo que no le faltaban motivos a la
muchachuela Silda para resistirse a volver a la casa de
que huyó. En cuanto a las razones que se tuvieron presentes para que la recogieran en ella cuando se vio huérfana
y abandonada en medio de la calle, como quien dice, no
fueron otras que la de ser Mocejón marinero pudiente y,
además, compadre de Mules, por haber éste sacado de pila
al único hijo varón de la Sargüeta. Que costó Dios y ayuda
reducir a Mocejón y toda su familia a que se hicieran cargo
de la huérfana, no hay necesidad de afirmarlo, ni tampoco
que el padre Apolinar y cuantas personas anduvieron con
él empeñadas en la misma empresa caritativa oyeron verdaderos horrores, particularmente de Carpia y de su madre,

---

[45] La familia Mocejón es representativa en la visión del autor, de una parte del vecindario del Muelle santanderino. Varios
ensayos costumbristas anteriores, como *La leva, El fin de una
raza, La buena Gloria* y *Pasacalle,* habían puesto de relieve la
pobreza, suciedad, riñas y miserias de este medio ambiente.

antes de lograr lo que intentaban; lo cual no aconteció hasta que el Cabildo ofreció a Mocejón una ayuda de costas de vez en cuando, siempre que la huérfana fuera tratada y mantenida como era de esperar. Mocejón quiso, por consejo de su mujer, que la promesa del Cabildo «se firmara en papeles por quien debiera y *supiera* hacerlo», pero el Cabildo se opuso a la exigencia; y como ya había más de una familia dispuesta a recoger a Silda por la ayuda de costas ofrecida sin que se declarara en papeles la oferta, tentóle la codicia a la Sargüeta, convenció a los demás de su casa, contando con que a un mal dar del cuero le saldrían las correas a la muchacha, y dióle albergue en su tugurio, y poco más que albergue, y mucho trabajo.

Por de pronto, no hubo cama para ella; verdad que tampoco la tenían Carpia ni su hermano. Allí no había otra cama, propiamente hablando, y por lo que hace a la forma, no a la comodidad, ni a la limpieza, que el catre matrimonial en un espacio reducidísimo, con luz a la bahía, el cual se llamaba sala, porque contenía también una mesita de piso, una silla de *bañizas*, un escabel de cabretón [46] y una estampita de San Pedro, patrono del Cabildo, pegada con pan mascado a la pared. Carpia dormía sobre un jergón medio podrido, en una alcoba oscura con entrada por el *carrejo* *, y su hermano encima del arcón en que se guardaba todo lo guardable de la casa, desde el pan hasta los zapatos de los domingos. A Silda se la acomodó en un rincón que formaba el tabique de la cocina con uno de los del carrejo, es decir, al extremo de éste y enfrente de la puerta de la escalera, sobre un montón de redes inservibles y debajo de un retal de manta vieja. ¡Si la pobre chica hubiera podido llevarse consigo la tarimita, el jergón, las dos medias sábanas y el cobertor raído a que estaba acostumbrada en su casa!... Pero todo ello y cuanto había de puertas adentro no alcanzó para pagar las deudas de su padre. Después de todo, aunque Silda hubiera llevado su cama a casa de tío Mocejón, se habrían aprovechado de ella Carpia o su hermano y, al fin, la misma cuenta le saldría que no teniendo cama propia.

---

[46] *Cabretón:* «Tabla de calidad inferior, mal aserrada y con nudos.» (G.-Lomas.)

No sé si discurría Silda de esta suerte [47] cuando se acostaba
sobre el montón de redes viejas del rincón de la cocina, pero
es un hecho averiguado que tenderse allí, taparse hasta donde le alcanzaba la media manta y quedarse dormida como
un leño eran una misma cosa.
Algo más que la cama extrañaba la comida. No era de
bodas la de su casa, pero la que había, buena o mala, era
abundante siquiera, porque entre dos solas personas, repar-
tido lo que hay, por poco que sea, toca a mucho a cada
una. Luego, como hija única de su padre, que no se parecía
en el genio ni en el arte a Mocejón, era relativamente niña
mimada; por lo cual, de la parte de Mules siempre salía
una buena tajada para aumentar la de su hija; al paso que
desde que vivía con la familia de la Sargüeta nunca comía
lo suficiente para acallar el hambre y lo poco que comía,
malo y nunca cuando más lo necesitaba y, de ordinario, entre gruñidos e improperios, si no entre pellizcos y sopla-
mocos. Siempre era la última en meter la cuchara común
en la tartera de las berzas con alubias y sin carne, y todos
los de la casa tenían un diente que echaba lumbres, de
modo que por donde ellos habían pasado ya una vez era
punto menos que perder el tiempo intentar el paso. ¡Tenían
un arte para cargar la cuchara!... Cada cucharada de Mocejón parecía un carro de yerba. Solamente su mujer le
aventajaba, no tanto en cargarla como en descargarla en
su boca, que le salía al encuentro con los labios replega-
dos sobre las mandíbulas angulosas y entreabiertas, y los
dientes oblicuos hacia afuera como puntas de clavos roñosos; luego..., luego nada, porque nunca pudo averiguar Silda, que no dejaba de ser reparona, si era la boca la que se
lanzaba sobre la presa o si era la presa la que se lanzaba
desde medio camino dentro de la boca: ¡tan rápido era el
movimiento, tan grande la sima de la boca, tan limpia la

<hr />

[47] No es raro encontrar aclaraciones como ésta en las novelas de la época. Se trata de un pretexto de autor para encu-
brir la mediatización a que somete a sus personajes como narrador omnisciente. Así parecía conjurarse un peligro que amenazaba el futuro novelístico, limitando sus grandes posibilidades.
Sobre esta cuestión, vid. L. Bonet, *De Galdós a Robbe-Grillet*,
Madrid, Taurus, 1972.

dentellada y tan enorme el tragadero, por donde desaparecía lo que un segundo antes se había visto, chorreando caldo, a media cuarta sobre la tartera! [48]. No eran tan *limpios* en el comer Carpia y su hermano, aunque sí tan voraces, pero lo mismo los hijos que los padres tenían la buena costumbre, antes de soltar en la tartera la cuchara que acababan de tener en la boca, de darla dos restregoncitos contra los calzones o contra el refajo, a fin de quitar escrúpulos al que iba a tomar con ella su correspondiente cucharada por riguroso turno.

Porque Silda no lo hizo así el primer día que comió en aquella casa, la llamó puerca la Sargüeta y le dio Carpia un testarazo.

Cuando no había olla, cosa que no dejaba de ocurrir a menudo si abundaban las sardinas, Silda consolaba el hambre con un par de ellas, asadas con un gramo de sal encima de las brasas. Si no había sardinas o agujas o panchos o raya [49] o cualquier pescado de poca estimación en la plaza, de lo cual le daba la Sargüeta una pizca mal aliñada o un par de pececillos crudos, una tira de bacalao o un arenque por todo compaño para el mendrugo de pan de tres días, o el pedazo de borona, según los tiempos y las circunstancias. Tal era su comida; fácil es presumir cómo serían sus almuerzos y sus cenas.

Entre tanto tenía que andar en un pie a todo lo que se le mandara, si quería comer eso poco y malo con sosiego; y lo que se le mandaba era demasiado, ciertamente, para una niña como ella [50]. Por de pronto, ayudar a las mujeres de casa dentro o alrededor de ella en el *aparejo de la barquía*, es decir, componer las redes, secarlas, hacer otro tanto

---

[48] Nótese el estilo hiperbólico, de sabor clásico, en un tema de raigambre picaresca. Cf. Francisco de Quevedo, *Vida del Buscón*, lib. I, cap. III; Mateo Alemán, *Guzmán de Alfarache*, p. II, lib. III, cap. IV. En los retratos Pereda hace gala también de la hipérbole con reminiscencias quevedescas; lo comenta J. F. Montesinos, *Pereda...*, pp. 221-222.

[49] *Sic*, en sing. Rectificado en ediciones posteriores por *rayas*.

[50] Este tema de la huérfana recogida por una familia, de la que recibe un trato inhumano, se encuentra también en *Marianela* (cap. IV), de Galdós.

con las velas y con las *artes* de pescar, etc., etc. Cuando toda
la familia, hombres y mujeres, iban a la pesca de bahía,
especialmente a la boga (pescado que entonces abundada
muchísimo y que desapareció por completo años después,
debido, según dice la gente de mar, a la escollera de Maliaño, porque precisamente el espacio que ella encierra era
donde las bogas tenían su pasto), a la pesca de bahía tenía que ir Silda también y a trabajar allí, aunque niña, tanto o más que las mujeres o que Carpia, pues la Sargüeta
rara vez iba ya a la bahía con su marido. A ella se encomendaba preferentemente la engorrosa tarea de sacar la
ujana *, hundiendo en la basa las dos manos con los dedos
extendidos, como las *layas* de los labradores, y virar luego
la *tajada* y deshacerla en pedacitos para dar con las *gusanas*, que iba echando en una cazuela vieja o en una cacero-
lilla de hoja de lata con arena en el fondo. Otras veces se
la veía con un cestito al brazo, picoteando el suelo con un
cuchillo, a bajamar, para dar con las escondidas *amayue-
las* *; o en las playas de arena, sacando muergos con un gan-
chito de alambre. Pero, al cabo, estas tareas y otras semejantes, aunque penosas, sobre todo en invierno, le daban
cierta libertad y a menudo pasaba ratos muy entreteni-
dos con niñas y muchachos de su edad, que también andaban al muergo y a la amayuela y a la gusana y al chicote [51]. Esto fue siempre lo preferible para ella: coger la es-
portilla y largarse a la Dársena, al *raqueo* [52] del chicote, de
la chapita y del clavo de cobre. Allí conoció a Muergo y a
Sula y a otros muchos raqueros de la calle de la Mar, y sobre todo, al famoso *Cafetera* [53] (cuya biografía en libros anda
años hace), que, aunque de la calle Alta, no asomaba por ella

---

[51] *Chicote:* colilla, punta de cigarro. Cabo o punta de cuerda
en un navío, o pedazo separado de la misma. Caben en la lectura
las dos acepciones, mejor la primera. Como voz santanderina
significa también «calabrote» [cabo grueso] (*DCELC*).
[52] «La palabra *raquero* viene del verbo *raquear;* y éste, a su
vez [...], del latino *rapio, is,* que significa *tomar lo ajeno contra
la voluntad de su dueño.*» («El raquero», *Escenas montañesas.*)
Según Corominas, el origen es incierto, quizá germánico
(*DCELC,* s. v. *raque*).
[53] Figura descrita por extenso en *El raquero.*

jamás, y a Pipa y a Michero y a más de una chicuela que andaban con ellos a todo lo que salía. Siguiendo a esta tropa menuda, se aficionó al muelle Anaos y a la vida independiente y divertida que hacía en aquel terreno famoso, en que cada cual campaba por sus respetos, como si estuviera a cien leguas de la población y de todo país civilizado. Insensiblemente fue retardando la hora de volver a casa siempre siempre con la espuerta vacía. En ocasiones no volvió hasta por la noche; y como lo mismo la sacudían el polvo por faltar una hora que por faltar todo el día, optó serenamente por lo último; y al muelle Anaos acudía casi diariamente, aunque la mandaran a la Peña del Cuervo, y con los del muelle Anaos aprendió a la Maruca. Así la conoció Andrés.

Es de advertir que Silda, aunque asistía a todas las empresas y a todos los juegos de la pillería del muelle Anaos, rara vez tomaba parte en ellos más que con la atención, no por virtud, seguramente, sino porque era de ese barro: una naturaleza fría y muy metida en sí. Sabía dónde se *ufaba* * el cobre y el cacao y el azúcar, y de qué manera, y dónde se vendía impunemente y a qué precio; sabía dónde se gastaban los cuartos, así adquiridos, en tazas de café con copa, y lo que se daba por un ochavo y por un cuarto y por dos cuartos y hasta por un real; sabía cómo se jugaba al cané..., y sabía muchísimas cosas más que se enseñaban en aquella escuela de cuantos vicios pueden arraigar en criaturas vírgenes de toda educación física y moral; pero jamás en su espuerta entró cosa que no pudiera cogerse a vista de todo el mundo, ni vendió en el barracón del tío Oliveros un triste clavo ni una hebra de cáñamo, ni tomó en sus manos un naipe para el cané ni una piedra en las *guerras* de bajamar entre raqueros y terrestres, o entre raqueros de la calle Alta y raqueros de la calle de la Mar. Satisfacíase con asistir a todo y enterarse de todo cuanto hacían los pilletes, impávida e insensible [54] por carácter, como se ha dicho ya, no por virtud.

Andrés tampoco tomaba parte en las empresas *raqueri-*

---

[54] Rasgo temperamental sobre el que se conjugan sus reacciones en los caps. V y XX.

les de los muchachos del muelle Anaos, pero sí en sus pedreas, en sus zambullidas, en sus juegos de agilidad, en sus intentos, casi siempre logrados, de atrapar un perro y arrojarle al agua con un canto al pescuezo. Sus diversiones de preferencia allí eran remar con Cuco en su bote y pescar con un aparejillo que tenía desde las escaleras del Paredón. Esto le gustaba mucho también a Silda; y en cuanto Andrés calaba la sereña, ya estaba ella a su lado, muy calladita y con los ojos clavados en el aparejo.

—¡Que pican! —solía decir alguna vez que otra, muy por lo bajo, viendo que la sereña se estremecía.

—Es picada falsa —respondía Andrés, sin halar el aparejo.

Y así se pasaban los dos larguísimos ratos. Cuando se *trababa* algún pancho, Silda ayudaba a Andrés a encarnar los anzuelos y, si los panchos eran dos, ella destrababa el uno.

Y a todo esto calladita, impasible, y siempre con la cara, las manos y los pies limpios como un sol. Era como la señorita de aquella sociedad de salvajes, y a Andrés le hacía por eso mismo mucha gracia y tenía con ella consideraciones y miramientos que jamás usaba con las otras niñas desarrapadas que solían andar por allí. En cambio, ella no mostraba mayor inclinación al vestido y a los modales de Andrés que a la basura y a la barbarie de los raqueros. Al contrario, el objeto de sus visibles preferencias parecía ser el monstruoso Muergo, el más estúpido, el más feo y el más puerco de todos sus camaradas; mas estas peferencias no se revelaban en el hecho solo de acercarse a él muy a menudo, pues a otros muchos se acercaba también, siempre que le daba la gana, sino en que con ninguno era tan cariñosa como con Muergo.

—¡Límpiate los mocos y lávate esa cara, cochino! —solía decirle; o—: ¿Por qué no te esquilas esa greña?... Dile a tu madre que te ponga una camisa.

Entre tantos puercos y descamisados como andaban por allí, solamente se dolía de la roña y de la desnudez de Muergo. Y Muergo correspondía a estas relativas delicadezas de Silda riéndose de ella, dándola una patada o arrimándola un tronchazo, como el de la Maruca. ¡Y la preferencia con-

tinuaba por parte de Silda! ¿Por qué razón? ¡Vaya usted
a saberlo! Acaso la fuerza del contraste, la misma monstruosidad de Muergo, un inconsciente afán, hijo de la vanidad
humana, de domar y tener sumiso lo que parece indómito
y rebelde, y de embellecer lo que es horrible; hacer con
Muergo lo que algunas mujeres de las llamadas elegantes
en el mundo hacen con ciertos perros lanudos y muy feos:
complacerse en verlos tendidos a sus pies, gruñendo de cariño, muy limpios y muy peinados, precisamente porque
son horribles y asquerosos y no debieran estar allí[55].
    Más fácil de explicar es la inclinación de Andrés al mue-
lle Anaos y a la pillería que en él imperaba. Hijo de marino
y llamado a serlo, los lances de la bahía le tentaban, y el
olor del agua salada y el tufillo de las carenas le seducían;
y escogió aquel terreno para satisfacer sus apetitos marineros, porque allí había botes de alquiler y lanchas abando-
nadas y barcos en los careneros, y ocasión de bañarse impunemente y en cueros vivos a cualquier hora del día, y correr la escuela y fumar con entera tranquilidad, y muy principalmente porque otros chicos de su pelaje andaban también por allí muy a menudo; ventajas todas que no podían
hallarse reunidas ni en la Dársena ni en los *cañones* del
Muelle. Sólo la Maruca las ofrecía alguna vez y por eso iba
también de tarde en tarde a la Maruca.
    Por lo que hace a su amistad con los raqueros, no ha-

---

[55] La extraña atracción de la huérfana hacia Muergo llamó
la atención de los contemporáneos. Algunos apuntaron que el
tema hundía sus raíces en el naturalismo, pero, como la filiación
de esta escuela no agradaba al autor, salieron otros críticos
en su defensa, negando estos supuestos. (Vid. W. T. Pattison,
ob. cit., pp. 75 y ss.) M. Pelayo, fiel amigo de su paisano, también los rechazó. (*Estudios sobre la prosa del siglo XIX*, Madrid,
en la ed. del C. S. I. C., 1956, p. 229); tampoco quiso ver en las
preferencias de *Sotileza* ninguna aberración fisiológica (*ibid.*,
p. 229). *Clarín* no observó ninguna anomalía, tocante a este punto, en *Nueva campaña*, edición de S. Beser, en *Leopoldo Alas:
Teoría y crítica de la novela española*, Barcelona, Ed. Laía, 1972,
p. 212), aunque sí lo explica como tema de regusto zolesco. En la
actualidad, J. F. Montesinos invita a la crítica a no tocar esta
espinosa cuestión, si bien la juzga de extracción naturalista
(ob. cit., pp. 170-172).

bía otro remedio que elegir entre ella y la fatiga de entrar
en su terreno por la fuerza de las armas, lo cual era algo
pesado y expuesto para hecho diariamente. Por lo común
se hacía la primera vez; después se firmaban las paces y
se vivía tan guapamente con aquella pillería, cuidando de
tenerla engolosinada con cigarros y cualquier chuchería de
la ciudad, especialmente a Cuco, que por su corpulencia
y barbarie era el más temible en sus *bromas*, aunque, a su
modo, fuera sociable y cariñosamente.

Y como Silda iba apegándose más y más a la vida regalona del muelle Anaos y sus ausencias de casa eran más
largas cada día y el Cabildo no parecía acordarse de dar
la ofrecida ayuda de costas y la familia de Mocejón estaba
resuelta a no mantener en balde a una chiquilla tan inútil
y rebelde, ocurrió una noche lo de la tunda aquella, que
obligó a Silda, que tantas había sufrido ya, a largarse a la
calle y a dormir en una barquía por no querer aceptar la
oferta que, al bajar, la hizo al oído el bueno de tío Mechelín,
marinero que, con su mujer, tía Sidora, ocupaba la bodega,
o sea, la planta baja de la casa.

Y como es preciso hablar algo de esta nueva familia que
aparece aquí y el presente capítulo tiene ya toda la extensión que necesita, quédese para el siguiente, en el cual se
tratará de ese asunto... y de otros más, si fuere necesario [56].

IV. DÓNDE LA DESEABAN

Todo lo contrario de Mocejón y de la Sargüeta, así en
lo físico como en lo moral, eran Mechelín y la tía Sidora.

---

[56] Es frecuente tropezar en las novelas de Pereda con este
género de comentarios desenfadados al final de capítulo. Sólo de
los títulos anteriores a *Sotileza* anoto los siguientes: *Don Gonzalo González de la Gonzalera*, caps. III, IX, XV; *De tal palo, tal
astilla*, caps. I. II; *El sabor de la tierruca*, cap. IV. De *Sotileza*,
cf. caps. XI y XXII.

Mechelín era risueño, de buen color, más bien alto que bajo, de regulares carnes, hablador y tan comunicativo que frecuentemente se le veía, mientras echaba una pipada a la puerta de la calle, referir algún lance que él reputaba por gracioso, en voz alta, mirando a los portales o a los balcones vacíos de enfrente o a las personas que pasaban por allí, a faltas de una que le escuchara de cerca. Y él se lo charlaba y él se lo reía, y hasta replicaba con la entonación y los gestos convenientes a imaginarias interrupciones hechas a su relato. También era algo caído de cerviz y encorvado de riñones; pero como andaba relativamente aseado, con la cara bastante bien afeitada, las patillas y pelo grises, no precisamente hechos un bardal, y era tan activo de lengua y tan alegre de mirar, aquellas encorvaduras sólo aparentaban lo que eran: obra de los rigores del oficio, no dejadez y abandono del ánimo y del cuerpo. Entonaba, no muy mal, a media voz, algunas canciones de sus mocedades y sabía muchos cuentos.

Su mujer, tía Sidora, también gastaba ordinariamente muy buen humor. Era bajita y rechoncha; andaba siempre bien calzada de pie y pierna, vestida con aseo, aunque con pobreza, y gastaba sobre el pelo pañuelo *a la cofia*. Nadie celebraba como ella las gracias de su marido y, cuando la acometía la risa, se reía con todo el cuerpo; pero nada le temblaba tanto al reírse como el pecho y la barriga, que, tras de ser muy voluminosos de por sí, los hacía ella más salientes en tales casos, poniendo las manos sobre las caderas y echando la cabeza hacia atrás. Pasaba por regular curandera y casi se atrevía a tenerse por buena comadrona.

Nunca había tenido hijos este matrimonio ejemplarmente avenido. Tío Mechelín era *compañero* en una de las cinco lanchas que había entonces en todo el Cabildo de Arriba, en el cual abundaron siempre más las barquías que las lanchas, y tía Sidora estaba principalmente consagrada al cuidado de su marido y de su casa, a vender por sí misma el pescado de su quiñón, cuando no hubiera preferido venderlo al costado de la lancha, y acompañar, a jornal, en la Pescadería, a alguna revendedora de las varias que la solicitaban en sus faenas de pesar, cobrar, etc. El tiempo sobrante lo repartía en la vecindad de la calle, recetando cocimientos aquí, restañando heridas allá, cortando un refajo para Nisia o frunciendo unas mangas para Conce... o «apañando una criatura» en el trance amargo.

Como no había vicios en la casa ni muchas bocas, tía Sidora y su marido se cuidaban bastante bien y hasta tenían ahorradas unas monedas de oro, bien envueltas en más de tres papeles y guardadas en lugar seguro, para «un por si acaso». Los domingos se remozaban, ella con su saya de mahón azul oscuro, medias azules también y zapatos rusos; pañolón de seda negra, con fleco, sobre el jubón de paño, y a la cabeza otro pañuelo oscuro. Él, con pantalón acampanado, chaleco y chaqueta de paño negro fino, corbata a la marinera, ceñidor de seda negra y boina de paño azul con larga borla de cordoncillo negro; la cara bien afeitada y el pelo atusado... hasta donde su aspereza lo consintiera.

Todas estas prendas, más una mantilla de franela con tiras de terciopelo, que usaban las mujeres para los entierros y actos religiosos muy solemnes, las conservaron hasta pocos años ha como traje característico y tradicional las gentes de ambos Cabildos de mareantes [57] *.

Con una moza del de Abajo llegó a casarse (¡raro ejemplar!) un hermano de Mechelín, que era callealtero como toda su casta. ¡Bien se lo solfearon deudos, amigos y comadres! «¡Mira que eso va contra lo regular y no puede parar en cosa buena! ¡Mira que *ella* tampoco lo es de por suyo ni de casta lo tɪae!... ¡Mira que Arriba las tienes más de tu parigual y conforme a la ley de Dios, que nos manda que cada pez se mantenga en su playa!... ¡Mira que esto y que lo otro, y mira que por aquí y que por allá!»

Y resultó, andando el tiempo, lo anunciado en el Cabildo de Arriba; no, a mi entender, porque la novia fuera del de Abajo, sino porque realmente no era buena «de por suyo», y se dio a la bebida y a la holganza, hasta que el pobre marido, cargado de pesadumbres y de miseria, se fue al otro

---

[57] Vid. «La buena Gloria», en *O. C.*, ed. cit., p. 301 *b*, con una descripción en casi idénticos términos. En la novela decimonónica la indumentaria de los personajes adquiere una relevancia, asumiendo una triple función: caracteriológica, social y folklórica. Pereda prefiere la última, al permitirle ofrecer al lector un aspecto más de su región montañesa.

mundo de la noche a la mañana, dejando en éste una viuda sin pizca de vergüenza y un hijo de dos años, que parecía un perro de lanas, de los negros. Mechelín y su mujer amparaban, en cuanto podían, a estos dos seres desdichados; pero al notar que sus socorros, lo mismo en especie que en dinero, los traducía la viuda en aguardiente, dejando arrastrarse por los suelos a la criatura, desnuda, puerca y muerta de hambre, amén de echar pestes contra sus cuñados, por roñosos y manducones, y de que el chicuelo, a medida que crecía, se iba haciendo tan perdido y mucho más soez que su madre, cortaron toda comunicación con sus ingratos parientes. Así pasaron cuatro años, durante los cuales creció el rapaz y llegó a ser el Muergo que nosotros conocemos. Muergo, pues, era sobrino carnal del tío Mechelín, en cuya casa no recordaba haber puesto jamás los pies; y su madre, la *Chumacera* *, sardinera a ratos, había obtenido por caridad de los que fueron compañeros de lancha de su difunto la peseta diaria que gana una mujer por el trabajo de madrugar para la compra de *carnada* * (cachón [58], magano * etc.) para la lancha a los pescadores o boteros de la costa de la bahía. El miedo a perder la ganga de la peseta la obligaba a ser fiel y puntual en este encargo, único que supo desempeñar honradamente en toda su vida.

¡Con cuánto gusto tío Mechelín y su mujer hubieran llevado a su lado al niño, huérfano de tan buen padre, si hubieran creído posible sacar algo, mediano siquiera, de aquella veta montuna y bravía, y muy particularmente sin los riesgos a que les exponía este continuo punto de contacto con la sinvergüenza de su madre! Porque el tal matrimonio se perecía por una criatura de la edad, poco más o menos, del salvaje sobrino, para que llenara algo la casa, como la llenan los hijos propios, tan deseados de todos los que no los tienen. Así es que, cuando comenzaron las negociaciones del padre Apolinar con tío Mocejón para que éste recogiera a Silda en su casa, los ojos se les iban a los inquilinos de la bodega detrás de la niña que jugaba en la calle y muy tentados estuvieron más de una vez, viendo bajar al fraile de mal humor, a tirarle del manteo para llamarle adentro

---

[58] *Cachón:* «Molusco adulto.» (G.-Lomas.)

y decirle por lo bajo: «Tráigala usté aquí, pae Polinar, que nosotros la recibiremos de balde y muy agredecidos todavía.» Pero el acuerdo era cosa del Cabildo, que bien estudiado le tendría; y, además, no querían ellos que en casa de Mocejón llegara a creerse que el intento de apandarse «la ayuda de costas» ofrecida [59] era lo que les movía a recoger a la huérfana.

—¡Cuidao —decía Mechelín a la tía Sidora— que ni pintá en un papel resultara más al respetive de la comenencia!... ¡Finuca y limpia es como una canoa de rey!

—En verdá —añadía tía Sidora— que pena da considerar la vida que la aguarda *allá arriba*, si Dios no se pone de su parte.

—¡Uva! —añadía el marido, que usaba esta interjección siempre que a su entender un dicho no tenía réplica.

Cuando Silda fue recogida en el quinto piso, tío Mechelín, que la vio subir, dijo a la tía Sidora:

—¡Enfeliz!... ¡No tendrás tan buen pellejo cuando abajes!... ¡Y eso que has de abajar pronto!

—Lo mismo creo —respondió la mujer, muy pensativa y con las manos sobre las caderas—. Pero tú y yo, agua que no hemos de beber, dejémosla [60] correr; y la lengua, callada en la boca, que más temo a esa gente de arriba que a una galerna * de marzo.

—¡Uva! —concluyó Mechelín, con una expresiva cabezada, guiñando un ojo, dándose media vuelta y poniéndose a canturriar una seguidilla, como si no hubiera dicho nada o temiera que le pudieran oír los de arriba.

Pero desde aquel momento no perdieron de vista a la pobre huérfana, que, a juzgar por su impasible continente, parecía ser la menos interesada de todos en la vida que arrastraba en el presidio a que se la había condenado, creyendo hacerla un favor. Se condolían mucho de ella, viéndola en los primeros meses de invierno rigoroso entrar en casa tiritando y amoratada de frío, con el cesto de los muergos al brazo o con la cacerola de *gusanas* entre manos, o bajar del piso con cardenales en la cara o con el pañuelito del cuello

---

[59] «*El ayuda de costas*» *ofrecido*, en la primera edición.
[60] *Agua que no has de beber, déjala...*, en la primera edición.

por venda sobre la frente. Nunca la vieron llorar ni señales de haber llorado, ni pudieron sorprender entre sus labios una queja. En cambio, la lengua se le saltaba de la boca a tía Sidora con las ganas que tenía de sonsacar pormenores a la niña, pero el miedo que tenía a los escándalos de la familia de Mocejón la obligaban[61] a contenerse. En ocasiones, al sentir que bajaba Silda, se atravesaba el pescador o la marinera a la puerta de la calle con un zoquete de pan, haciendo que comía de él, pero, en realidad, por tener un pretexto para ofrecérsele.

—¡Bien a tiempo llegas, mujer! —le decía con fingida sorpresa—. A volver iba al arca este pan, porque no tengo maldita la gana. Si tú le quisieras...

Y se le dejaba entre las manos, preguntándole al oído:

—¿Qué tal andamos hoy de apetito?

—Una cosa regular —decía la niña, revelando en el afán con que apretaba el zoquete las ganas que tenía de devorarle.

Pero no podían conseguir que se detuviera allí un instante ni que al pasar les dijera una sola palabra de las que ellos querían oír. ¿Era miedo que tenía la niña a las venganzas de sus *protectores*? ¿Era dureza y frialdad de carácter?

Ellos achacaban la reserva a lo primero y esta consideración doblaba a sus ojos el valor de las prendas morales de aquella inocente mártir.

Vieron, días andando, cómo ésta volvía tarde a casa y averiguaron la vida que hacía fuera de ella y los castigos que se le daban por su conducta y las veces que había dormido a la intemperie, en el quicio de una puerta o en el panel de una lancha.

—¡Y acabarán con la enfeliz criatura, dispués de perderla! —exclamaba tío Mechelín al hablar de ello—. Tan tiernuca y polida, déla usté carena por la mañana, lapo al megodía y taringa por la noche, con poco de boquiblis[61]; y no digo yo ella, un navío de tres puentes se quebranta... ¡Fuérame yo, en su caso, pa no golver más!

---

[61] Concordancia defectuosa. El sujeto gramatical es *miedo*.
[62] *Boquiblis:* «Comida.» (G.-Lomas.)

—Como llegará a suceder —añadió la marinera—, si Dios antes no lo remedia. Eso tiene el poner, sin más ni más, la carne en boca de tiburones.

—¡Uva!

Una noche, después de haber resonado hasta en la bodega los horrores que vomitaban en el quinto piso las bocas de la Sargüeta y de Carpia contra la niña, que poco antes había llegado a casa, y dos ayes de una voz infantil, penetrantes, agudos, lamentosos, como si inopinadamente una mano brutal arrancara de un tirón a un cuerpo lleno de salud todas las raíces de la vida; después de haberse asomado a la puerta de cada guarida algún habitante de ella, no obstante lo frecuentes que eran en aquella vecindad, más arriba o más abajo, las tundas y los alborotos, tío Mechelín y su mujer vieron a Silda que bajaba el último tramo de la escalera con igual aceleramiento que si la persiguieran lobos de rabia. La salieron al encuentro en el portal, tía Sidora con el candil en la mano, y observaron que la niña traía las ropitas en desorden, el pelo enmarañado, los ojos humedecidos, la mirada entre el espanto y la ira, la respiración anhelosa y el color lívido.

—¡Déjeme pasar, tía Sidora! —dijo la niña a la marinera, al ver que ésta le cerraba el camino de la calle.

—Pero ¿aónde vas, enfeliz, a tales horas? —exclamó la mujer de Mechelín, tratando de detenerla.

—Me voy —respondió Silda, deslizándose hacia la puerta, no cerrada todavía— para no volver más. ¡Todos son malos en esa casa!

—¡Métete en la mía, ángel de Dios, siquiera hasta mañana! —dijo el pescador, deteniendo con gran dificultad a la niña.

—¡No, no! —insistió ésta, desprendiéndose de la mano que blandamente la sujetaba—, que está muy cerca de la otra.

Y salió del portal como un cohete.

—¡Pero escucha, alma de Dios!... ¡Pero aguarda, probetuca!...

Así exclamaba tía Sidora viendo desaparecer a Silda en las tinieblas de la calle, sin resolverse a dar dos pasos en ella detrás de la fugitiva, porque el mismo Mechelín, con tener buena vista, entre los mejores de los de su oficio, no pudo saber, por ligero que anduvo, si la niña había seguido calle adelante, hacia Rúa Mayor, o había tirado hacia el Paredón o por la cuesta del Hospital.

El lector sabe lo que fue de ella aquella noche y a la mañana siguiente, por habérselo oído referir a Andrés y haberla visto tan descuidada y campante en casa del padre Apolinar, junto a la Maruca, en la Fuente Santa y en los prados de Molnedo.

No habría llegado a la Maruca con Andrés y su séquito de raqueros, cuando ya el padre Apolinar, con el sombrero de teja caído sobre los ojos, la cabeza muy gacha por miedo a la luz y los embozos del pelado manteo recogidos entre sus manos cruzadas, restregando alguna vez que otra el cuerpo contra la camisa (si es que no la había dado también, desde que salimos de su casa con el relato) y carraspeando a menudo, atravesaba los mercados del Muelle con rumbo a la calle Alta.

Sin ser visto, ¡cosa rara!, de la tía Sidora, cuando menos, pues estaba abierta de par en par la puerta de su bodega, llegó al quinto piso y llamó con los nudillos de la mano, diciendo al mismo tiempo:

—¡Ave María!

Una voz de mujer respondió una indecencia desde allá dentro, pero con tal dejo que el exclaustrado, sin soltar de sus manos cruzadas los embozos del manteo, se rascó dos veces seguidas las espaldas por el procedimiento acostumbrado y murmuró, después de carraspear:

—¡Mucha mar de fondo debe haber aquí!

En seguida volvió a carraspear y a resobarse, empujó la puerta como la voz se lo había ordenado y entró.

Mocejón estaba a la mar, pero estaban en casa, destorciendo filástica de chicotes viejos, la Sargüeta y su hija, las cuales, aunque no esperaban seguramente la visita del bendito fraile, en cuanto le vieron delante sospecharon el motivo que le llevaba allí; porque, con tener todavía entre dientes el suceso de la noche anterior, recordaron las insistencias del padre Apolinar para que se cumplieran los intentos del Cabildo respecto de la huérfana de Mules; las torres y montones que les había ofrecido en cambio del amparo que les pedía; las veces que le había reclamado infructuosamente el cumplimiento de las ofertas... En fin, que les dio el corazón que venía *a lo de Silda*, y sin esperar a que acabara de darles los buenos días, ya temblaba la casa.

Tío Mechelín no había ido a la mar aquel día porque había pasado la noche con un ladrillo caliente, envuelto en bayeta amarilla, en el costado de estribor [63], para matar un dolorcillo que se le presentó poco antes de meterse en la cama; obra, en su opinión y en la de su mujer, del disgusto que tomó en seguida de la cena con el suceso de Silda. El dolor calmó mucho a la madrugada y en dudas estuvo el enfermo, al oír en la calle el grito de *¡arriba!* del *deputao*, que tiene esa obligación y por ella cobra, de levantarse como todos los demás compañeros; pero no se lo consintió su mujer y se aguantó en la cama hasta bien entrado el día.

Entonces se vistió; desayunóse con una mediana ración de cascarilla con leche y, por no aburrirse, se puso a torcer *a la teja* unos cordeles de merluza. No le llenaba del todo este procedimiento, pues era más recomendado, por más seguro, el de torcer *a la pierna*, es decir, sobre el muslo con la palma de la mano, en lugar de atar un casco de teja al extremo de la cuerda y hacerle dar vueltas en el aire. Pero notó tío Mechelín, al ponerse a trabajar, que al continuo sobar la cuerda con la palma de la mano sobre el muslo se le despertaba el dolor con más crudeza que del otro modo y optó por el cascote. Así estuvo trabajando hasta muy cerca del mediodía.

Mientras él remataba la última braza de las noventa que pensaba dar al cordel que tenía entre manos, su mujer colocaba, pues sabía hacerlo primorosamente, un anzuelo grande, el único que lleva el aparejo de merluza, al extremo de la *sotileza* *, o alambre fino en que debía terminar el cordel, y tenía convenientemente dispuesto el *chumbao* *, o peso del plomo que se amarra en el empalme de la sotileza con el cordel, para que el aparejo, al ser calado, se vaya a pique.

Por tales alturas andaba ya este negocio, cuando en las

---

[63] Obsérvese la imagen marítima, usada en abundancia y bajo diversas formas a lo largo de la novela. Sobre este rasgo del estilo patrediano, vid. A. H. Clarke, ob. cit., cap. X, pp. 185-197.

de la escalera oyeron las voces de la Sargüeta y de Carpia, que respectivamente decían a gritos:

—¡Pegotón!

—¡Magañoso!

Y al mismo tiempo, el zumbar de otra voz áspera y varonil, y los golpes sonoros en los inseguros peldaños, como de zancas torpes que bajaran por ellos, saltándolos de tres en tres.

El matrimonio de la bodega salió despavorido al portal, adonde no tardó en llegar, haciéndose cruces con una mano, agarrándose con la otra a la sucia barandilla y murmurando latines y fulminando conjuros, el padre Apolinar.

—*De ira proterva..., de iniquitatibus earum..., libera me..., libera me, Domine, et exaudi orationem meam!*... ¡Jesús, Jesús!... ¡Jesús, María y José!... ¡Furias, furias del averno!... ¡Uff!... *¡Fugite..., fugite!* ¡Carne mísera!... ¡Tu palabra impía escandalizará a la tierra, pero el Señor te confundirá..., te confundirá!... ¡Alabado sea su santísimo nombre!

Así bajaba, exclamando, el aturdido fraile, y así llegó al último peldaño, sin dejar de oírse otras voces que desde allá arriba le apedreaban con amenazas y con improperios.

—¡Farfallón!

—¡Piojoso!

Esto fue de lo más blando y de lo último que se le dijo al pobre hombre... desde lo alto de la escalera; porque, apenas callaron allí las voces, aparecieron en el balcón más venenosas y desvergonzadas, contando las voceadoras con dar al fraile una corrida en pelo a todo lo largo de la calle. Mirándolas con espanto se quedó el infeliz, al oírlas de nuevo por allí, con los pies clavados en el portal y un latín cuajado en la entreabierta boca. ¡Salir entonces! ¡Quién se lo mandara!

Pero no hubiera salido de nigún modo, porque para que no saliera sin hablar con ellos se le habían puesto delante tía Sidora y su marido, los cuales, haciéndole señas para que callara, le cogieron cada uno por un embozo del manteo y le condujeron a la bodega, cuya puerta cerraron después de entrar.

Tenía esta habitación una salita con alcoba a la parte del sur, con una ventana enrejada que la llenaba de luz y aún sobraba algo de ella para alumbrar un poco una segunda alcoba, separada de la primera por un tabique con un ventanillo en lo alto y entrada por el carrejo, que conducía a la sala desde la puerta del portal. Cuando esta puerta se abría, se notaban ciertas señales de claridad en la cocina y dos mezquinas accesorias que caían debajo de la escalera. Cerrada la puerta, todo era negro allí y no tenía otro remedio tía Sidora que encender el candil, aunque fuera al mediodía. Las puertas de las alcobas tenían cortinas de percal rameado; las paredes estaban bastante bien blanqueadas y en las de la sala había tres estampas: una de la Virgen del Carmen, otra de San Pedro apóstol y otra del arcángel San Miguel, con sus marcos enchapados de caoba. Debajo de la Virgen del Carmen había una cómoda con su espejillo de tocador encima, algo resobado todo ello y marchito de barniz, pero muy aseado, como las cuatro sillas de perilla y los dos escabeles de pino y el cofre de cuero peludo con barrotes de madera claveteada, y hasta el cesto de los aparejos, que estaba encima de uno de los escabeles, y el suelo de baldosas, que sostenía todos estos muebles y cachivaches. La cama, que se veía por entre las cortinas recogidas sobre sendos clavos romanos algo magullados ya y contrahechos, llenando dos tercios muy cumplidos de la alcoba, no estaba mal de mullida, a juzgar por lo mucho que abultaba lo que cubría una colcha de percal, llena de troncos entretejidos, de gallos encarnados y azules, y de otros volátiles pintorescos. El tufillo que se respiraba allí algo trascendía a dejo de pescado azul y humo reconcentrado, pero, así y todo, una tacita de plata llena de pomada de rosas parecía aquella bodega, comparada con todas y cada una de las viviendas de la escalera [64].

Y vamos al caso: Fray Apolinar fue conducido, del modo susodicho, hasta la salita. Allí se dejó caer en una silla que le preparó muy solícito el tío Mechelín y, después de quitarse el sombrero, que puso sobre otra silla, y de pasarse por la cara un arrugado pañuelo de hierbas, continuó así sus interminables lamentaciones:

---

[64] Una descripción de las viviendas de la calle Alta puede leerse en «Pasacalle» (*Tipos y paisajes*).

—¡Carne..., carne mísera, frágil y pecadora! ¡Buff!... ¡Qué sinvergüenzas!... ¡Ni consideración al hombre de bien ni respeto al sacerdote... ni temor de Dios! ¡Y seguirá el improperio a la luz del día! ¡Lenguas de serpiente! A bien que yo nada debo y con nada pago. ¡Magañoso!... Corriente: el hombre más honrado puede serlo como yo lo soy... y como lo es ella, ¡cuerno!, que bien magañosa es... ¡Farfallón!..., porque ofrezco en nombre de otro lo que otro se resiste a dar..., porque no debe darlo... ¿Es merecido el epíteto?... Pues dígote: ¡pegotón!, ¡pegotón! ¿Por qué? ¿De quién? Cierto que nadie lo creerá del padre Apolinar... Pero los que no le conozcan... ¡Y en qué ocasión! Mira hombre..., ¡y Dios me confunda si lo hago por bambolla!... (Y se levantó la sotana más arriba de las rodillas dejando ver que sólo cubría sus largas piernas con unos calzoncillos de algodón y unas medias negras y recosidas, de estambre.) Y perdona el modo de señalar, Sidora, pero una hora hace tenía yo pantalones, aunque malos... ¡Mira si he prosperado de entonces acá!... ¡Si seré pegotón!... ¡Carne, carne concupiscente y corrompida!... Pero, en fin, más pasó Cristo por nosotros, con ser quien era... ¡Desvergonzadas!... *Et dimite nobis, Domine debita nostra sicut nos dimitimus debitoribus nostris*... Porque yo os perdono con todo mi corazón, y si otra me queda, que con ella reviente... ¡Picaronazas!... ¿Sigue el infierno vomitando escorias todavía, Miguel?... ¿Oyes sus voces protervas en el balcón, Sidora, tú que tienes buen oído?

—Y a usté, ¿qué le importa que griten o que se callen? —respondió la marinera, queriendo echar a broma aquel paso, que trascendía a prólogo de tragedia—. Hágales la cruz como al demonio y témplese los nervios, que cuanto más solimán echen ahora, menos tendrán en el cuerpo para la otra vez.

—¡Uva! —añadió tío Mechelín, que no quitaba ojo al exclaustrado ni perdía una palabra de las pocas, pero buenas, que llegaban a sus oídos desde el balcón del quinto piso, no obstante estar cerrada la puerta de la bodega—. ¡Esa es la fija: proba [65] a la cellisca y vira por avante!

---

[65] *Proba:* vulg., proa.

—Es que si declaro mi verdad, ni en este puerto cerrado me creo seguro contra esos huracanes... ¡Si huelen que estoy aquí!... ¡Cuerno!... Y no es que tiemble mi carne flaca, sino que temo más a una mala lengua que a un bote de metralla.

—Si agüelen que está usté aquí, pae Polinar —repuso en voz solemne tío Mechelín, preparándose como para decir una gran cosa—; si agüelen que está usté aquí..., será como si no lo agolieran, porque a mi casa no atraca naide cuando yo hago una raya en la puerta.

—¡Bah!... —añadió tía Sidora con muchísimo retintín—. ¿No hay más que querer asomar el bocico [66] en casa de naide para salirse con la suya?... Échese, échese a la espalda, pae Polinar, esos cuidaos y díganos, con dos pares de rejones que las entren de pecho a espalda, ¿qué mil demonios ha tenido con ellas? ¿Qué mala ventisca le llevó hoy, santo de Dios, a caer entre las uñas de esas gentes?

—¡Uva, uva!... Eso es lo que hay que saber.

—Pues, hijos de mi alma —dijo el exclaustrado, después de enjugar blandamente los sanguinolentos bordes de sus párpados con un retal de lienzo fino que traía guardado para esos lances—, con dos palabras os mataré la curiosidad... Que se presenta en mi casa la niña...

—¿Qué niña?

—La del difunto Mules.

—¿Silda?

—Así creo que se llama.

—¿Cuándo se presentó?

—No creo que hace una hora todavía.

—¿De ónde venía? ¿Ónde está?

—Cállate esa boca, hombre, que todo irá saliendo cuando deba salir... Y después, pae Polinar, ¿qué resultó?

—Digo que se me presenta la niña o, para que el demonio no se ría de la mentira, me la presentan y se me dice: «Padre Apolinar, que anoche la golpearon y la maltrataron en su casa y se escapó de ella y durmió en una barquía, y que ya no tiene más casa que la calle, con el cielo por tejado..., y que a ver cómo arregla usted este negocio...» Por-

---

[66] *Bocico:* vulg., hocico.

que ya sabéis, hijos míos, que al padre Apolinar se le encomienda en los dos Cabildos el arreglo de todas las cosas que no tienen compostura... Esa es mi suerte. No es cosa mayor, pero las hay peores... y, sobre todo, a mí no me toca escoger... Que el padre Apolinar oye esto y que, en bien de la niña desamparada, piensa acudir a casa de Mocejón para oír... para saber, para implorar, si convenía... Y que vengo y que llamo y que me mandan entrar y que entro... y que, en lugar de oírme, me injurian y vilipendian, porque intercedí para que recogieran a la muchacha y el Cabildo no les ha dado lo que les ofreció por otras bocas y por la mía; y que me lo habré comido yo y que me harán y que me desharán... y, ¡cuerno!, que tuve que salir ahumando, por que no me devoraran aquellas furias... Y ya sabéis del caso tanto como yo.

Tía Sidora y su marido cambiaron entre sí una mirada de inteligencia y, no bien acabó el padre Apolinar su relato, díjole aquélla:

—¿De modo que a la hora presente Silda está sin amparo?

—Como no sea el de Dios... —respondió el fraile.

—Eso a naide falta —replicó la marinera—; pero ayúdate y te ayudaré... ¿Y qué es de ella, la enfeliz?

—No te lo puedo decir. De mi casa salió para ir a ver entrar la *Montañesa* con el hijo del capitán. ¡Mira si la acongoja bien lo que le pasa! ¡Recuerno con la cría!

—Cosas de inocentes, pae Polinar. Dios lo hace. Y usté, ¿qué rumbo piensa tomar?

—El de mi casa en cuanto salga de aquí.

—Digo yo respetive a la muchacha.

—Pues respetive a la muchacha digo yo también. Después daré cuenta de todo al alcalde de mar de este Cabildo, para que sepa lo que ocurre, y allá se descuernen ellos... Yo *lavo inter inocentes manus meas.*

—Y si en tanto le saliera a la probe desampará un buen refugio —preguntó tía Sidora, mientras su marido confirmaba las palabras con expresivos gestos y ademanes—, ¿por qué no le había de aprovechar?

—¡Uva! —concluyó tío Mechelín, acentuando la interjección con un puñetazo al aire.

—¡Un buen refugio! —exclamó el fraile—. ¡Que más quisiera ella, qué más quisiera yo! Pero ¿dónde está él, Sidora
de mis pecados?

—Aquí —respondió con vehemencia cordialísima la marinera, sacando más pecho y más barriga que nunca—, en
esta misma casa.

—¡Uva! —exclamó tío Mechelín—. En esta misma casa.

—¡Aquí! —exclamó asombrado fray Apolinar—. Pero ¿estáis dejados de la mano de Dios? ¡Tenéis la paz y buscáis
la guerra!

—¿Por qué la guerra?

—¿Sabéis que es una cabra cerril esa chiquilla?

—Porque no ha tenido buenos pastores; ahora los tendría.

—¿Y las del quinto piso?... ¿Pensáis que os darán hora
de sosiego?

—Ya nos entenderemos con esas gentes; por buenas, si
va por las buenas; y si va por malas..., hasta para la mar
hay conjuros, bien lo sabe usté.

—Pues hijos —exclamó fray Apolinar, levantándose de
la silla y calándose el sombrero de teja—, con tan buena voluntad no ha de faltaros el auxilio de Dios. Mi deber era poneros en los casos; y ya que os puse y no os espantan, digo
que me alegro por el bien de esa inocente; y como no digo
más que lo que siento, ahora mismo me largo en busca de
de su rastro, sin más miedo a los demonios del balcón que
a los mosquitos del aire... Bofetones, afrentas y cruz sufrió Cristo por nosotros... Ánimo y a sufrir por Él.

Y salió acompañado del honradote matrimonio. Al pasar
por delante de la alcoba del carrejo, tía Sidora, alzando las
cortinillas de la puerta, dijo, deteniendo al fraile:

—Mire y perdone, pae Polinar. Aquí pensamos ponerla.
Se llevarán estas ropas de aguas * y todos estos trastos de
la mar, que ocupan mucho y no agüelen bien, al rincón de
ajunto la cocina; se arreglará como es debido la cama, que
ahora no tiene más que el jergón, y hasta el dormir la oiremos nosotros desde la otra alcoba. ¡Verá qué guapamente
va a estar! Como hubiera estado el lichón [67] de mi sobrino,
si fuera merecedor de ello.

---

[67] *Lichón:* vulg., lechón.

—¿Qué sobrino? —preguntó el fraile, andando hacia la puerta del portal.

—El hijo de la Chumacera, de *allá abajo.*

—¡Ah, vamos..., Muergo!... ¡Buen pez! Si va de la que va, te digo que hará buena a su madre. ¡Carne, carne también, mordida del gusano corruptor!... ¡Bueno, bueno, bueno! Conque, hasta luego. Vaya, adiós, Miguel; ¡ea!, adiós Sidora.

Los cuales le oyeron claramente murmurar estas palabras en cuanto puso los pies en el portal:

—*¡Domine, exaudi orationem meam!*

Porque, sin duda, iba pidiendo al Altísimo que le librara de las injurias que las del quinto piso quisieran lanzarle desde el balcón.

Si hace la salida un minuto antes, el haber pasado, como pasó, desde aquel punto de la calle hasta la esquina de la cuesta del Hospital sin oír una injuria, hubiera sido un verdadero milagro, pues aún estaban entonces, de codos sobre la barandilla, echando pestes por la boca, la Sargüeta y su hija Carpia.

V. CÓMO Y POR QUÉ FUE RECOGIDA

No se le olvidaban a Andrés, con las glorias, las memorias. Había prometido a Silda ver al padre Apolinar al volver de San Martín, y, para cumplir su promesa, dejó el camino derecho que llevaba, un poco después del mediodía, por detrás del Muelle, y se dirigió a la calle de la Mar, atravesando una galería de los Mercados de la Plaza Nueva.

Sentada en el primer peldaño de la escalera del padre Apolinar halló a Silda, muy entretenida en atarse al extremo de su trenza de pelo rubio un galón de seda de color de rosa. Tan corta era la trenza todavía que, después de pasada por encima del hombro izquierdo, apenas le sobraba lo necesario para que los ojos alcanzaran a presidir las operaciones de las manos; así es que éstas y la trenza y el galón y la barbilla, contraída para no estorbar la visual de los ojos entornados, formaban un revoltijo tan confuso que Andrés no supo, de pronto, de qué se trataba allí.

—¿Qué haces? —preguntó a Silda en cuanto reparó en ella.

—Ponerme esta cinta en el pelo —respondió la niña, mostrándosela extendida.

—¿Quién te la dio?

—La compramos con el cuarto que le echastes [68] a Muergo. Él quería pitos y Sula caramelos, pero yo quise esta cinta que había en una tienduca de pasiegas y la compré. Después me vine a esperarte aquí, para saber *eso*.

—¿Está en casa pae Polinar?

—No me he cansado en preguntarlo —respondió Silda con la mayor frescura.

—¡Vaya, contra! —dijo Andrés, puesto en jarras delante de la niña, dando una patadita en el suelo y meneando el cuerpo a uno y otro lado—. Pues ¿a quién le importa saberlo más que a ti?

—¿No quedemos en que subirías tú y yo te esperaría en el portal? Pus ya te estoy esperando, conque sube cuanto antes.

Andrés comenzó a subir de dos en dos los escalones. Cuando ya iba cerca del primer descanso le llamó Silda y le dijo:

—Si pae Polinar quiere que vuelva a casa de la Sargüeta, dile que primero me tiro a la mar.

—¡Recontra! —gritó desde arriba Andrés—. ¿Por qué no se lo dijistes a él cuando estuvimos en su casa antes?

—Porque no me acordé —respondió Silda de mala gana, entretenida de nuevo en la tarea de poner el lazo de color de rosa en su trenza de pelo rubio.

No habría transcurrido medio cuarto de hora cuando ya estaba Andrés de vuelta en el portal.

—Estuvo en casa de tío Mocejón —dijo a Silda, jadeando todavía— y de por poco no le matan las mujeres.

---

[68] *Echastes*. La adición de la -s, por analogía de la forma del plural, es un vulgarismo en el que incurren con frecuencia estos personajes de condición humilde.

—¿Lo ves? —exclamó Silda, mirándole con firmeza—. ¡Si son muy malas!... ¡Pero muy malas!

—Te van a llevar a una buena casa —continuó Andrés en tono muy ponderativo.

—¿A cuál? —preguntó Silda.

—A la de unos tíos de Muergo.

—¿Cómo se llaman?

—Tío Mechelín y tía Sidora.

—¿Los de la bodega?

—Creo que sí.

—¿Y ésos son tíos de Muergo?

—Por lo visto.

—Buenas personas son..., pero ¡están tan cerca de *los otros!*

—Dice pae Polinar que no hay cuidado por eso.

—¿Y cuándo voy?

—Ahora mismo bajará él para llevarte. Yo me marcho a casa a esperar a mi padre, que desembarcará luego, si no ha desembarcado ya... ¡Contra, qué bien entraba la *Montañesa!*... ¡Lo que te perdistes!... ¡Más de mil personas había mirándola desde San Martín!... Adiós, Silda, ya te veré.

—Adiós —respondió secamente la niña, mientras Andrés salía del portal y tomaba la calle a todo correr.

Bajó pronto fray Apolinar; pero antes de que Silda le viera, ya le había oído murmurar entre golpe y golpe de sus anchos pies sobre los escalones.

—¡Cuerno del hinojo con la chiquilla! —decía al bajar el último tramo de la escalera—. ¡Muy tumbada a la bartola, como si no la importara un pito lo que a mí me está haciendo sudar sangre!... Corra usté medio pueblo en busca de ella para que se averigüe que no ha ido a San Martín, sino que la han visto en la Puntida con dos raqueros...; vuélvale usté a casa y fáltele el apetito para comer la triste puchera de cada día y díganle a lo mejor que lo que busca y no halla, y por no hallarlo se apura, lo tiene en el portal, hace rato, sin penas ni cuidados... ¡Cuerno con el moco este!... ¿Por qué no has subido, chafandina?

—Porque esperaba a Andrés, que era quien había de subir.

—¡Había de subir!... ¿Y quién es la que está a la intemperie de Dios y necesitada de un mendrugo de pan y de una familia honrada que se le dé con un poco de amor? ¿No eres tú?... Y siéndolo, ¿a quién le importa más que a ti subir mi casa y preguntarme: «Pae Polinar, ¿que hay de eso?...» ¡Moco, más que moco!... Vamos, deja ese moño de cuerno y vente conmigo.

Mientras caminaban los dos hacia la calle Alta, pae Polinar iba poniendo en los casos a la chiquilla. Entre otras cosas la dijo:

—Y ahora que has encontrado lo que no mereces, poca bribia y mucha humildad...; se acabó la Maruca y se acabó el muelle Anaos...; porque si das motivo para que te echen de esa casa, pae Apolinar no ha de cansarse en buscarte otra. ¿Lo entiendes? Tu padre, bueno era; tu madre no era peor; conmigo se confesaban. Pues tan buenas o mejores que ellos son las personas que te van a recoger... De modo que si sales mala, será porque tú quieres serlo o lo tengas en el cuajo... Pero conmigo no cuentes para enderezar lo que se tuerza por tus maldades..., ¡cuerno!, que harto crucificado me veo por ser tan a menudo redentor... Porque ¡mira que lo de esta mañana!... Y escucha, a propósito de eso: iremos por Rúa Menor a la cuesta del Hospital. En cuanto lleguemos al alto de ella, te asomas tú a la esquina con mucho cuidado y miras, sin que te vean, a la casa de la Sargüeta. Si hay alguno asomado al balcón, te echas atrás y me lo dices; si no hay nadie, pasas de una carreruca a la otra acera; yo te sigo y, pegados los dos a las casas y a buen andar, nos metemos en la de Mechelín, que nos estará esperando... ¿Entiendes bien?... Pues pica ahora.

No sospechaba Silda que se quisieran tomar tantas precauciones por lo que al mismo fray Apolinar interesaban, pues no tenía otra noticia que la muy lacónica que le había dado Andrés de lo que le había ocurrido en casa de Mocejón; pero como a ella le importaba mucho pasar sin ser vista, cuando llegó el momento oportuno cumplió el encargo del fraile con una escrupolosidad sólo comparable al terror que la infundían las mujeres del quinto piso; y no hallándose éstas en el balcón ni en todo lo que alcanzaba a verse de la calle, atravesáronla como dos exhalaciones el exclaustrado y la niña y se colaron en la bodega de tío Me-

chelín cuya mujer *barciaba* [69] la olla en aquel instante para
comer, creyendo, pues era ya muy corrida la una de la tarde, que Silda no parecería tan pronto como había creído el
padre Apolinar.

No podía llegar la huéspeda más a tiempo. Recorrió serenamente con la vista cuanto en la casa había al alcance
de ella y se sentó impávida en el escabel que le ofreció con
cariño tía Sidora, delante del otro sobre el cual humeaba
el potaje dentro de una fuente honda, muy arranciada de
color y algo cuarteada y deslucida de barniz, por obra de los
años y del uso no interrumpido un solo día. Tío Mechelín,
por su parte, y mientras le bailaban los ojos de alegría, ofreció a Silda un buen zoquete de pan y una cuchara de esta-
ño, porque en aquella casa cada cual comía con su cuchara. La oferta fue aceptada como la cosa más natural y corriente, y se dio comienzo a la comida, sin que se notara en
la muchachuela la menor señal de extrañeza ni de cortedad;
aprovechaba rigurosamente el turno que le correspondía
para meter en la fuente su cuchara y oía, sin responder más
que con una fría mirada, las palabras cariñosas de aliento
que tía Sidora o su marido la dirigían.

Fray Apolinar creyó muy oportuna la ocasión para repetir a Silda lo que le había dicho por el camino y aun para
añadir algunos consejos más, y comenzó a ponerlo por obra;
pero tía Sidora le cortó el discurso, diciéndole:

—Todo eso y otro tanto hará ella sin que se lo manden,
por la cuenta que la tiene. ¿No verdá, hija mía? Ahora come
con sosiego; llena esa barriguca, que bien vacía debes de
tenerla; duerme en buena cama y dispués ya habrá tiempo
para todo: tiempo pa trabajar y tiempo pa divertirte como
Dios manda.

—¡Uva! —exclamó tío Mechelín—. Al cuerpo no hay que
pedirle más rema * que la que puede dar de por sí... Y usté,
pae Polinar, que tiene buen pico y mano en todas partes,
bueno sería que diera cuenta, a quien debe tomarla, de los
mases y los menos que ha habido en este particular.

—¡Vaya si estoy yo en eso, por la responsabilidad que me

---

[69] *Barciar:* ¿limpiar de desperdicios o ahechadoras? *Barcia*
consta en *DRAE*, 1884.

alcanza! —respondió el fraile—. ¡Si me mamaré yo el dedo!
—¡Uva!... Hoy es sábado... Mañana habrá Cabildo motivao
a socorros y otros particulares.
—Mejor entonces —dijo el padre Apolinar—. Yo pensaba ver solamente al Sobano cuando volviera de la mar esta
tarde; pero ya que tú me haces ese recuerdo, me acercaré
mañana por acá y haré que el caso sea tratado en Cabildo.
—¡Uva!... Pero na de sustipendio [70] ni de socorro pa el
caso. Aquí no se quiere más que autoridá y mano contra
todo mal enemigo de lo que se hace con buen corazón...
—Entendido, Miguel, entendido... ¡Recuerno! ¡Pues no
me va a mí poca parte en ello! Cuando a ti te desuellen por
lo que haces, buena me pondrían a mí la pelleja... ¿Tantas
horas hace que lo has visto?... ¿Eh?... ¿Lo olvidastes ya?
Pues a mí todavía me tiemblan las carnes y me zumban
los oídos. ¡Lenguas, lenguas de sierpe y almas de perdición!
—Vaya —dijo medio en broma tía Sidora—, que tiene
usté menos correa de lo que yo creía, pae Polinar. ¿Quién
se acuerda ya de eso, si no es para hacerlo la cruz y pensar
en otra cosa?
—Cierto, Sidora, cierto —respondió apresuradamente el
fraile—; que no por lo que son ellas ni por lo que yo soy debiera haber vuelto a tomarlas en boca. Pero somos barro
frágil, carne mísera, y se cae, se cae cien veces cada hora.
Mi ejemplo debiera ser de fortaleza y lo es de... de chanfaina, Sidora, de chanfaina, porque no valemos un cuerno...
¡Domine, ne recorderis peccata mea! Y con esto, si no man-
dáis otra cosa, me vuelvo a mis quehaceres... Silda, lo dicho,
lo dicho: has caído de pie, te ha tocado la lotería. Si lo arro-
jas por la ventana, no merecerás perdón de Dios ni cuentes conmigo, por mal que te vaya... Conque Miguel; conque,
Sidora, a la paz de Dios... Creo que se podrá salir..., digo
yo, sin avería gruesa, ¿eh?... ¿Os parece a vosotros?
Tía Sidora se levantó, sonriéndose maliciosamente; salió, llegó a la misma puerta de la calle, miró y escuchó desde allí y volvió a la salita, diciendo al padre Apolinar:
—No se ve un alma ni se oye un mosquito.

---

[70] *Sustipendio:* estipendio.

—No tomes tan a pechos mi pregunta, mujer —dijo el fraile, algo pesaroso de haberla hecho—, porque ya sabes que, cuando llega el caso, fray Apolinar tiene piel de hierro para las injurias, pero, de todos modos, se te agradece la precaución y Dios te lo pague.

Tornó a despedirse y se marchó.

Momentos después preguntaba tía Sidora a Silda:

—Y de equipaje, ¿cómo estás, hijuca? ¿No tienes más que lo puesto?

—Y otra camisa limpia que se quedó *allá* —respondió Silda.

—Pues no hay que pensar en sacarla, aunque juera [71] de rasolís [72]. Pero ya parecerá otra, ¿no verdá, Miguel?

—Y lo que de menester juere —respondió tío Mechelín—, que para cuando llegan los casos son los agorros.

De pronto dijo Silda:

—El que no tiene hilo de camisa es Muergo.

—Buena la tendría si la mereciera —respondió tía Sidora.

—Esta mañana —añadió Silda— tampoco tenía calzones y pae Polinar le dio los suyos.

—¡Bien de sobra los tenía! —dijo la marinera con enojo visible hacia su sobrino.

A lo que replicó en seguida la chica:

—Le dio los que llevaba puestos y yo creo que no le quedaron otros.

Tía Sidora y su marido se miraron, recordando haber visto al fraile en calzoncillos.

—Y bien, ¿y qué? —preguntó a la niña tía Sidora.

—Que más falta le hace a Muergo la camisa que a mí.

Volvieron a mirarse Mechelín y su mujer, y preguntó aquél a la niña:

—¿Y cuando te laven ésa, que buena falta le hace ya...?

—Me estaré en la cama hasta que seque —respondió Silda, encogiéndose de hombros.

---

[71] *Juera:* fuera. Con aspiración de la *f-* latina, típico del habla santanderina. Cf. A. Zamora Vicente, *Dialectología española*, Madrid, Ed. Gredos, 1960, p. 90.

[72] *Rasolís:* rasoliso. En sentido fig., bambolla. (G.-Lomas.)

—Pero ¿de qué conoces tú a ese lichón de Muergo? —preguntó la marinera.

—De *allá abajo*.

—¿Y por qué me cuentas a mí que anda sin camisa y sin calzones?

—Porque me dijo Andrés que era sobrino de usté.

—¿Quién es Andrés?

—Un c... tintas, hijo del capitán de la *Montañesa*.

—¿Le conoces tú?

—Él me llevó a casa de pae Polinar cuando yo estaba sola en el muelle Anaos esta mañana.

—¿Para qué te llevó?

—Para que hiciera por mí lo que ha hecho. Es bueno ese c... tintas de Andrés.

—¿Conoce él a Muergo?

—Mucho le conoce.

—¿Y por qué no le da la camisa, ya que es rico?

—Le tiene enquina porque me tiró a mí a la Maruca de un tronchazo.

—¿Quién te tiró?

—Muergo.

—Y ¿cómo salistes?

—Me sacó Muergo, porque se lo mandaron Sula y otro que se llama Cole.

—De modo que si no se lo mandan ésos, ¿te ahogas?

—Puede que sí.

—¿Y con too y con eso pides camisa para él? ¡Un rejón que le parta!

—¡Da asco verle, de cómo anda! Pero si le dan aquí camisa, que no la lleve si no se corta las greñas y se lava las patas. Es muy lichón, muy lichón!... ¡y muy burro!... ¡y muy malo!

—Entonces, ¿por qué mil demonios te apuras tanto por él?

—Por eso, porque da asco verle... y su madre no tiene vergüenza.

Al llegar aquí Silda con la respuesta, una voz que de pronto se dejó oír hacia el extremo del carrejo, como si tuviera la fuerza material de una catapulta, la arrojó hasta lo más escondido de la alcoba. La voz era vibrante, desgarrada, con matices aguardentosos, entre provocativa y fiera, con unos altibajos y unos retintines que estaban pidiendo camorra.

—¡Ahí va! —decía—, pa que se mude los piojos mañana, que es domingo..., o pa rueños del carpancho, que en mi casa están de sobra..., o pa gala del día que la caséis con un marqués de cadena de oro... ¡caraspia!... Porque las Indias nos van a caer en la bodega con esa inflanta que echemos ayer a la barredura con la escoba... ¡Puaa!... ¡Toma, pa ella y pa el magañoso que vos vino con la princesa y con el cuento!... ¡Indecenteeees!...

Cuando la voz se fue alejando hacia la calle, salió de su escondite tía Sidora con muchas precauciones y halló en mitad del carrejo un envoltorio blanco. Recogióle, le deshizo y vio que era una camisa de niña, sin duda, la de Silda. Atreviéndose después a llegar al portal y a sacar la cabeza fuera de la puerta, vio a Carpia que se alejaba por el medio del arroyo, hacia abajo, los brazos en jarras, descalza de pie y pierna, cerniendo el refajo, y con dos carpanchos vacíos sobre la cabeza.

«Ya lo saben —dijo para sí—. Mejor que mejor; eso tenemos adelantado. Les pica y empiezan a morder. Pues que muerdan; ellas se cansarán. ¡Bribonazas! ¡Borrachonas! Sinvergüenzas!»

VI. UN CABILDO

Lo que entonces se llamaba Paredón de la calle Alta existe todavía con el mismo nombre, entre la primera casa de la acera del sur de esta calle y la última de la misma acera de Rúa Mayor. Solamente faltan el pretil, que amparaba la plazoleta por el lado del precipicio, y la ancha escalera de piedra, que descendía por la izquierda hasta bajamar [73], atracadero de las embarcaciones de aquellos mareantes, hoy parte de un populoso barrio, con la estación de ferrocarril en el centro. Allí, en el Peredón, celebraba sus cabildos el de Arriba, al aire libre, si el tiempo lo permitía, y si no, en la taberna del tío Sevilla, que era, como la *zanguina* para el Cabildo de Abajo: su holgadero, su lonja, su banco, su fonda, su tribuna y, más tarde o más temprano, el pozo de sus economías.

Ya se sabe, porque lo dijo tío Mechelín en su casa, que al día siguiente habría Cabildo «motivao a socorros y otros particulares». Y le hubo, en efecto, concurridísimo. No faltaba un mareante, con voz y voto, al sonar el reló [74] del Hospital las nueve y media de la mañana. El Sobano, alcalde de mar, o si se prefiere, presidente del Cabildo, dio el ejemplo, acudiendo de los primeros. Era hombre de pocas palabras y mucha sentencia; y como había sido dos veces regidor del Ayuntamiento de la ciudad en representación de ambos gremios de mareantes, aunque iba a la mar como cualquiera de ellos y no los aventajaba mucho en rentas ni en calzones, había adquirido ese desparpajo o aire de suficiencia que da, entre ignorantes y pelones como él, el roce frecuente con personas de viso y de pesetas; y más si estas personas están constituidas en autoridad; y mucho más todavía si, como le ocurría al Sobano, había sido tan autoridad como cada una de ellas y participado de sus honores y magnificencias. Cierto que cuando los gremios le diputaron para tan alta magistratura ya habrían visto en él prendas de entendimiento y de juicio, y modales que no abundaban entre la gente de mar. Pero ¿y lo que había observado y aprendido aquel hombre mientras ejerció dos veces, a dos años cada una, el cargo de regidor? ¿Quién de los mareantes santanderinos dejó de verle en la procesión del Corpus

---

[73] «Actualmente es todo esto una espaciosa y elegante avenida, a la que, por acuerdo unánime de la Corporación municipal, se ha dado el nombre de *Rampo de Sotileza;* inmerecida honra, tanto más agradecida cuanto nunca fue soñada por las modestas ambiciones del autor de este libro.» (Nota de la segunda edición, 1888.)

[74] Pereda usa siempre esta forma. En el *DRAE*, 1884, se consigna sólo *reloj.*

o en las de Semana Santa o en los bancos *curales* de la Catedral, con su traje negro de rigorosa etiqueta, con su medalla de concejal sobre el pecho y sus guantes blancos... de algodón, porque no hubo modo de calzarle los de cabritilla en sus manazas encallecidas [75] por el remo?

Pues ¿y cuándo, durante la semana de turno, presidía el teatro desde aquel palco con colgaduras de terciopelo y oro, arrellanado en su sillón de seda, con sus policías de respeto detrás de la cortina del antepalco, y era dueño de enviar a la cárcel al primer caballerete que hiciera méritos para ello y de complacer o no a aquella muchedumbre de gentes principales, volviendo o no volviendo cara abajo, sobre la barandilla del palco, el cartel de la función, para que se repitiera o no se repitiera alguna parte de ella muy aplaudida por el público? ¿Qué mareante de Arriba no vio esto desde la *cazuela* [76] alguna vez o no lo supo siquiera por relatos de los dichosos que lo habían visto?

Pero quizá diga algún boquirrubio de los de hogaño, imberbe aspirante a gobernador, si no a ministro, que ninguna de esas prerrogativas es cosa del otro jueves. Cierto; y bien sé yo que, por ver, se han visto, como dice Mesio, hasta sastres con reló; pero véngase acá ese boquirrubio; acérquese al Cabildo que yo le resucito ahora en el Paredón de la calle Alta; fíjese en aquel hombre atezado, áspero de barba, rudo de greña, cargado de espaldas, torpe de movimientos, abultado y velloso de manos, y no muy aventajado de calzones; que le diga yo, apuntando al hombre aquel: «Ése es el que ha hecho todas esas cosas que a ti no te parecen del otro jueves»; y a ver si no hay motivo sobrado para que se asombre y para que las personas del mismo pelaje del héroe que le rodean se juzguen diez codos por debajo de él. Que es a donde íbamos a parar con el propósito, aunque el camino haya sido algo más largo de lo conveniente a la impaciencia de los lectores boquirrubios.

Se reunía el Cabildo de Arriba:

Porque de un momento a otro iba a sacarse una leva y, sacándose una leva, había que socorrer con ciento cin-

---

[75] *Encalleadas*, en la primera edición.
[76] *Cazuela:* paraíso de un teatro.

cuenta reales a cada matriculado de los comprendidos en ella, por orden riguroso de matrícula.

Porque el reparto de cuarenta reales por mareante, cabeza de familia, y de diez por cada viuda, que debió haberse hecho en la semana anterior a causa de no haber podido salir las lanchas a la mar en cerca de quince temporales, no se hizo en ocasión oportuna ni por completo.

Porque, de dos meses a aquella parte, había muchos descubiertos en el tesoro del Cabildo, a consecuencia de no haber ingresado en él todas las *soldadas* que semanalmente habían de ingresar, a razón de una por cada lancha de pesca o de pasaje, pinaza *, barquía, etc.

Porque el boticario del gremio había advertido que no admitiría nuevo *asalareo* cuando terminara el vigente, si no se le daban cuarenta duros más al año o se asalariaba el Cabildo con otro médico que recetara menos.

Porque se acercaba el día de San Pedro y urgía saber si, por la vez primera, desde tiempo inmemorial, dejaba el Cabildo de pagar el gasto de las fiestas, así religiosas como profanas: misa de tres, con música y sermón, y, entre otras menudencias de rúbrica, novillo de cuerda y el tamborilero de la ciudad durante dos días y tres noches.

Porque había cinco enfermos, socorridos por el Cabildo, que ni sanaban ni se morían.

Y, por último y sobre todo, porque el tesorero se declaraba incapaz de acudir a tantas necesidades, si los que más gritaban por no cobrar a punto los socorros no pagaban lo que debían al tesoro o no se le autorizaba para meter mano a las reservas existentes para los grandes apuros y necesidades del gremio.

Tales eran los principales puntos que iban a tratarse aquel día en Cabildo. La Junta, digámoslo así, compuesta de dos alcaldes de mar (primero y segundo), tesorero y recaudador, ocupaba [77] el sitio más visible, esparrancada en lo alto de la plazoleta, cerca del pretil, en cuyo lomo cabalgaban raqueros o apoyaban ligeramente sus posaderas los congregados más viejos o más perezosos. Los demás se extendían en grupos por la explanada; grupos que se hacían

---

[77] *Ocupaban*, en la primera edición.

o se deshacían, según que no hablara o que hablara la presidencia, o fuera menos interesante o más interesante lo que expusiera un orador de la masa.

Entre tanto se oía un rumor incesante de conversaciones a media voz y, sobre este rumor, el zumbido de Mocejón, que parecía un tábano por lo tenaz y molesto. Todo cuanto allí se decía o se acordaba provocaba sus gruñidos; y con su pipa rabona entre los dientes, los brazos cruzados sobre el pecho, la cabeza gacha y torcida, el gesto de ira y de tedio, y puerco y sin afeitar, iba, torpe y perezoso, de acá para allá, respondiendo a todo sin hablar con nadie y renegando hasta del sol que caldeaba la escena.

Aunque no con la brusquedad salvaje de este hombre, abundaban allí los recelosos y descontentadizos; y era muy curioso observar cómo aprovechaban precisamente la ocasión en que debían ser explícitos y dar la cara, para volverse de espaldas o, cuando menos, de costado, y murmurar una excusa maliciosa o una barbaridad cualquiera hacia un colateral que no había desplegado sus labios.

Decía el Sobano, por ejemplo, que blanco.

—¡Yo digo que negro! —respondía, empinándose, un vejete.

—¿Por qué? —replicaba el alcalde de mar.

—¡Porque sí! —decía el otro, virando de costado; y luego, haciendo un poco de barquín-barcón con la encorvada espalda, añadía, encarándose con los de atrás: —¡A mí con esas!— ¡Si cuando tú vas, ya estoy yo de vuelta, probetuco..., rasolís!

Otra vez era un mozo de piel lustrosa, pelo encrespado, corto de labio y largo de dientes, que se había atrevido a apuntar un reparo, con voz airada, desde lo más trasero del concurso.

—¿Y qué hay con eso? —le preguntaba desde la paredilla alguien de la Junta.

—Pos... ¡lo dicho! —respondía el mozo, volviendo la cara a su derecha.

—¿Y qué es lo dicho? —le replicaban.

—Pa saberlo está usté ahí —reponía el del labio corto y los dientes largos, acabando de dar la media vuelta hacia atrás—; pa eso, pa saber lo que yo digo y hacer lo que nosotros quieramos que pa eso semos Cabildo.

Palabras que recogía con gusto un cincuentón desaliñado, diciendo, con la cara vuelta al costado de babor:

—Pa largar sereña semos Cabildo nusotros; que pa comerse la ujana, como si no juéramos naide.

—Ande va eso —exclamaba, un poco más allá, un mareante caído del hombro derecho y guiñando un ojo al preopinante—; ande va eso, bien lo sé yo... Angunos güen pellejo van echando de un tiempo acá... ¡Mejor que el mío, zonchos *!

Por donde se murmuraba tan recio solía andar Mocejón.

—La barredera..., ¡la barredera, hijos! —añadía por su parte, con la cabezona gacha y el ojo de cerdo—. ¡La barredera!... Aquí no se gasta menos... a pie ensuto [78] y cuerpo regalón. ¡Y tú, probe mareante, arrevienta allá juera jalando del remo, y vengan julliscas!... [79]. Siempre largando lastre y nunca mus sale la cuenta... ¡Cómo ha de salir, ñules, si angunos hombres no tienen calo! *.

No era opinión muy corriente esta del malévolo Mocejón en el concurso ni, en honor de la verdad, existían razones para que lo fuera; pero, en cambio, abundaba, entre los que nunca habían podido lograr la tesorería, la de que el tesorero no sabía serlo [80]; que todos los achaques del tesoro consistían en la falta de un hombre que supiera administrarle como era debido y que el Sobano, con todo su saber, no alcanzaba a enderezar lo que torcían *otros* en punto a intereses del gremio.

Éstas eran las notas de color sombrío que salpicaban aquel cuadro tan alegre y pintoresco, y la base del rumor incesante que se observaba entre sus personajes. Porque el verdadero peso de la discusión le llevaban, en nombre de la Junta, el Sobano y, entre el concurso, hombres de buena voluntad, como tío Mechelín y otros compañeros, que, aunque también trataban los puntos de medio lado, al fin los trataban racionalmente. Por lo común, el alcalde de mar era

---

[78]   *Ensuto:* dial., enjuto.
[79]   *Jullisca:* «Cellisca.» (G.-Lomas.)
[80]   *Y que...,* en la primera edición.

quien encauzaba y dirigía los discursos, cortanto extravíos ociosos y razones impertinentes; llevaba los remates a donde debían y cuando debían llevarse, y formulaba los acuerdos, a los cuales no se oponían, al cabo, ni los más díscolos. Sin esta especie de dictadura jamás hubiera sido posible en aquel Cabildo ni en el de Abajo, ni en ningún concurso por el estilo, resolver cosa alguna.

Y se resolvió entonces, al cabo de hora y media de sesión al aire libre, bastante respetada de curiosos y transeúntes y, lo que es más raro, de las hijas y mujeres de los congregados allí, hembras capaces de todo, menos de desacatar los preceptos tradicionales, que eran leyes para el gremio; se resolvió, digo:

Primero. Que pagaran, a contar desde aquel día, soldada y media por semana las embarcaciones deudoras en este concepto al tesoro del Cabildo, hasta la extinción de las respectivas deudas.

Segundo. Que se advirtiera al boticario del gremio que no se le darían los cuarenta duros de aumento que pedía para el nuevo asalareo, ni se despediría al facultativo, ni se pondría coto a sus recetas.

Tercero. Que cuando llegara el caso de marchar al servicio de la Armada los matriculados comprendidos en la leva, cobraría puntualmente cada uno los ciento cincuenta reales de socorro a que tenían derecho.

Cuarto. Que en la taberna del tío Sevilla se pondrían de manifiesto, acabado el Cabildo, las cuentas de tesorería y que, con el remanente que arrojaran y a medida que fueran recaudándose los créditos, se irían levantando todas las cargas pendientes, sin tocar el fondo de reserva; pues si sagrada era la obligación que tenía el Cabildo de dar socorros a los pescadores en épocas de temporal, no lo era menos la de pagar los pescadores las soldadas semanales al tesoro del Cabildo.

Quinto. Que se gastara la cantidad de costumbre en las fiestas de San Pedro.

Y por último. Que los enfermos que ni sanaban ni se morían continuaran percibiendo el socorro que se les pasaba, hasta que Dios dispusiera de ellos, según fuera su santísima voluntad.

Proclamados estos acuerdos a la luz del sol y estampados
en el fondo azul de los cielos bajo la fe de la palabra honrada de los mareantes constituidos en Cabildo, libro que no
admite raspaduras ni malicias de redacción y por eso nunca dieron de hacer sus cláusulas a la Justicia, tosió el Sobano, cuando ya el concurso comenzada a disgregarse, alzó
el brazo derecho y la cabeza, y dijo así, sobre poco más o
menos:

—¡Alto, señores!..., que falta un punto por arreglar y hay
que arreglarle antes de irnos de aquí.

La curiosidad movió a todas las gentes aquellas y, poco
a poco, fueron acercándose al alcalde de mar hasta ence-
rrarle en compacto círculo. Mocejón y el otro mareante, el
mozo de labio corto y de los dientes largos, se quedaron fuera de la línea, pero con mucho oído y refunfuñando.

El Sobano comenzó a hablar entonces, con gran parsi-
monia y pulsando mucho las palabras, para que ofendieran
menos, de cierto compromiso adquirido siete meses antes
por el Cabildo, pero fuera de Junta, de socorrer con una ayuda de costas a la familia que recogiera y tratara como era
debido *en justicia y caridad* —esto lo recalcó mucho— a la
huérfana del llamado Mules, «perecido en las rompientes de
San Pedro del Mar, con todos sus compañeros, en la última costera del besugo.»

Tío Mocejón, barruntando que aquel asunto iba con él,
recibió las palabras del Sobano y las miradas codiciosas de
la gente como un mastín el palo con que le hurgan los muchachos por debajo de la puerta.

Añadió el alcalde de mar que si el Cabildo no había cumplido lo que ofreció por bocas de hombres de bien, era porque no se creía obligado a ello, visto que de sobra estaban
pagados el escaso alimento que recibía la huérfana y el montón de guiñapos que se le daba por cama, con el trabajo y
los castigos bárbaros que se le imponían por la familia que
le había recogido.

—¡Uva! —exclamó una voz.

—¡Choba... [81], ñules! —bramó la aguardentosa de Mocejón—. ¡Que se haga bueno eso!

---

[81] *Choba:* «Embuste, bola.» (G.-Lomas.)

—¡Se hará! —dijo con firmeza el Sobano—. Y todo lo
que sea menester. Pero más le valiera a anguno que me
oye aguantarse al remo, mientres pasa esta noruestá, que
isar tanta vela.

—¡Uva! —volvió a exclamar la voz de Mechelín.

—Y ese que me provoca —gruñó Mocejón—, ¿isa vela u
no la isa? ¿Sopla aquí el norueste pa toos por igual u sopla de otro modo?... ¡Ñules!... Y mia tú, chaquetín de la
bodega, si quies decir algo, lo dices claro y a la cara, y no
escondío entre el porreto como los pulpes... ¡Ojo!

Hubo un poco de movimiento, como hervor de resaca,
en el concurso, al oír a Mocejón, cuyo descomedimiento animó al Sobano, curado de escrúpulos ociosos, a contar en
pocas palabras lo acontecido a Silda en casa de la Sargüeta hasta que fue recogida en la de Mechelín.

Se preguntó al Cabildo si consideraba bastante aquella
casa para refugio y amparo de la huérfana y el Cabildo respondió que sí, entre los gruñidos, *bandazos* y manoteos del
salvaje Mocejón, que no cerraba boca ni paraba un punto,
mientras el mozo del pelo crespo, de labio corto y de los
dientes largos iba con los ojos airados de Mocejón a los de
adentro y de los de adentro a Mocejón, sin saber a quién
arrimarse con su parecer.

Tío Mechelín tomó entonces la palabra y dijo:

—Se hace saber que por el amparo de la desvalida no
se quiere sustipendio ni cosa anguna de naide; pero se pide
al Cabildo mano y autoridá para que se deje hacer por ella
a quien quiere hacerlo de buena voluntá lo que *otros* no
han querido o no han podido hacer. ¿Vale u no vale esto
que se dice? ¿Se me entiende u no se me entiende? ¿Hay
seguranza [82] o no hay seguranza de que la cosa se haga como
se pide?

—¡La hay! —respondieron muchas voces.

Y el Sobano añadió en seguida, con la proa puesta a
Mocejón:

—El Cabildo ampara a esa muchacha... ¿Se oye bien lo
que se dice?... Pues no se dice más, porque no es de menester más para que angunos entiendan lo que se quiere decir.

---

[82] *Seguranza:* seguridad, confianza.

Mocejón, que no cesaba de rutar, protestando de todo y contra todo, al ver que el concurso se deshacía, fue soltando voz según iban creciendo los rumores de los que se dispersaban; y todavía, cuando, arrollado por ellos y estorbando a la mayor parte, estaba cerca de la taberna del tío Sevilla, se le oía decir:

—¡Pos míate el otro..., piojucos..., chumpaoleas! ¡Ñules!... Se ha de ver si sirve ser un cuentero, lambecaras, como tú, pa disfamar a naide que vale más que tú y la perra sarnosa que ha de volver a parirte a ti y toa esa gatuperia[83] que saca la cara por ti... ¡Reñules!...

VII. LOS «MARINOS» DE ENTONCES

Aunque el lector de ultrapuertos quisiera permanecer un ratito en el Paredón después de terminado el Cabildo, para dar recreo a los ojos contemplando el panorama que se descubre desde allí, describiendo con la vista un arco desde el monte Cabarga hasta el llano de las Presas, deteniéndola en el cercano fondeadero del *Pozo de los Mártires,* verdadero bosque de arboladuras, o en el más próximo aún del *Dueso,* salpicado de lanchas y barquías del Cabildo, bien ajeno éste[84] a creer que su axioma tradicional de *por mucho que apañes no fundarás en el Dueso,* había de ser desacreditado por el genio emprendedor de las siguientes generaciones, plantando en el Dueso mismo la estación del ferrocarril, emblema del espíritu revolucionario y transformador de las modernas sociedades[85]; haciendo por curiosidad

---

[83] *Gatuperia:* gatuperio: embrollo, intriga. (*DRAE,* 1884.)
[84] El antecedente es *Dueso.*
[85] La aparición del ferrocarril fue uno de los temas machacones de Pereda, cifrando en él el signo indicador de los nuevos tiempos. Por eso, siempre que habla el autor en sus páginas de la transformación de la sociedad, hace alusión, y nunca en buenos términos, a esta empresa humana. Valga, entre muchos, el

desde lo alto de la escalera algunas preguntas (que no que-
darán sin sabrosa respuesta) a los *muchachos de lancha*,
que canturrian o vocean debajo del Paredón mientras *achi-
can* o desatracan las que están a su cuidado; o dando un
vistazo, desde el crucero del alto de la cuesta del Hospital,
a las dos filas de casas altas, angostas, desvencijadas, adhe-
ridas unas a otras para sostenerse mejor, cargadas de balcones derrengados y de aleros podridos, y los balcones de
redes y de trapajos, con *rabas* de pulpo y artes de pescar
secándose en las paredes del fondo, y tripas de sardina y
piltrafas de bonito por los aires, y madres desgreñadas y
sucias espulgando a sus hijos medio desnudos a la puerta
de la calle; que todo eso y mucho más que no digo, porque
se adivina y porque no cabe en la pulcritud del arte [86], era
el barrio de los mareantes de Arriba y en la misma forma
continuó siendo durante muchos años. Aunque en la contemplación de éste y del otro espectáculo quiera detenerse,
repito, el susodicho lector de ultrapuertos y aunque se pare
un instante a la puerta de la taberna del tío Sevilla, atestada de marineros, que más se ocupan en tomar la mañana
que en examinar las cuentas del Cabildo, aún nos queda
tiempo sobrado para llegar, poco a poco, a la calle de San
Francisco, por la cual discurrían los elegantes de entonces
con sus tuinas de mezclilla verdosa, prenda recién introdu-
cida en la indumentaria al uso, y penetrar, con la debida
licencia, en casa del capitán de la *Montañesa*, don Pedro Colindres, más conocido entre la gente de mar por su mote de

---

siguiente párrafo: «Conste que allí donde el camino de hierro o
las industrias minera o fabril han penetrado, las costumbres
clásicas montañesas no existen ya, o existen muy ajustadas al
espíritu moderno.» (*O. C.*, I, p. 358 *b*).

[86] Afirmación con la que el autor sale al paso de quienes lo
motejaban de naturalista por ofrecer en sus escritos una descripción fiel de la realidad. En el Prólogo a *De tal palo, tal astilla* había calificado al naturalismo como un movimiento «hediondo, que pinta al desnudo los estragos del alcohol, la inmun-
dicia de los lavaderos y las obscenidades de las mancebías», aludiendo con ello a *L'assommoir*, de Zola. Cf. W. T. Pattison, ob.
cit., cap. V.

Bitadura *, en el instante de llegar con su señora y su hijo
de la misa de once de la Compañía.

Y quiero que sea éste el momento de nuestra presentación a él, para que le vean con todas sus *empavesadas* * de
señor los que hayan podido verle a bordo o desembarcar al
día siguiente con su ropaje del oficio, sin *arrastraderas* *,
macizo y basto.

No era este personaje de mucha talla, quizá no pasaba
de la regular; pero, en cambio, era doble, sobre todo de espaldas, de brazos y de manos...

Perdone la impaciencia del lector, pero necesito tomar
esta figura desde más atrás, *ab ovo* casi, para que resulte
con todo el relieve que debe tener en el momento de aparecer en el cuadro [37]. Procuraré ser breve, pero, aunque no
lo consiga, no se apure, pues esta digresión, además del fin
inmediato que lleva, ha de ahorrarnos otras por el estilo,
despejándonos el terreno en que vamos a entrar; porque la
especie abunda en ejemplares y *ab uno disce omnes* [88].

De cepa marinera por todos sus cuatro costados, apenas
salió de la Escuela de don Valentín Pintado, ingresó a estudiar en el Consulado [89] con don Fernando Montalvo; pero
ya para entonces, aunque sólo contaba trece años, fumaba
valientemente de lo pasiego, si no había tabaco más suave
a sus alcances; nadaba de espaldas y se sostenía derecho
en el agua sin mover los brazos; se hacía el muerto y, en
fin, echaba un *cole* desde el paredón del muelle Anaos; daba
torno [90] a cualquiera de su parigual remando en un bote,
había capitaneado dos *guerras* y en la bofetada limpia era

[87] Sigue Pereda la fórmula al uso de entonces, al dar una información completa en la presentación de sus personajes.

[88] En «Un marino» (*Escenas...*) ya se anticipan los rasgos de
este personaje, que, por su carácter representativo, participa del
tipo costumbrista. Para un conocimiento del *tipo*, vid. J. F. Montesinos, *Costumbrismo y novela*, pp. 110-112.

[89] «Hasta el año de 1834, en que se inauguró el Instituto
Cántabro, se estudiaba esta asignatura y otras de la carrera mercantil en el *Consulado del Comercio*.» (Nota del autor.)

[90] *Dar tono:* «Hacer virar un bote hacia un lado, porque uno
de los remeros tiene más fuerza que el compañero, y la embarcación gira sin avanzar.» (G.-Lomas.)

una reputación en la plaza de las Escuelas, en la Maruca, en el Prado de Viñas y en otros holgaderos por el estilo; le temían de lumbre [91] muchísimo zapateros del portal; tenía buenas amistades en el Paredón de la calle Alta, y en la mesa de la *Zanguina* llegó a dar las tres bolas y el cangrejo a un cabo de la guarnición que había sido pinche de billar en su tierra, y así y todo le ganó la partida.

Pero todavía conservaba en el vestir y el andar y el decir el aire terrestre; todavía era vivaracho, desorejado de borceguíes; gastaba cachucha, tiraba a rubio, decía *¡coila!* cuando se enfadaba y comía mucho pan, pellizcando, sin sacarle, el zoquete que llevaba siempre en el bolsillo.

En cuanto fue *náutico* se asimiló poco a poco los aires y el estilo de aquella raza especialísima de estudiantes, que no parecían nacidos de madre como toda la descendencia de Adán, sino construidos de roble en las gradas de un astillero. De ellos tomó la rudeza del acento, el apóstrofe crudo, el mirar osado, la falta de respeto a todo profesor que no fuera el suyo, el andar oscilante con los hombros levantados, el horror a los faldones, la chaqueta abrochada, la gorra con galón dorado y visera de charol, muy pegada a la frente..., y hasta la tez empañada.

Cuando concluyó los cursos de náutica necesitó hacer, en calidad de *agregado*, dos viajes redondos a la isla de Cuba. Y los hizo en un barco que mandaba un amigo de su padre. En estos viajes tuvo la categoría de *mozo de a bordo*, es decir, la de marinero principiante. Después se examinó en El Ferrol y, allí, aprobados sus ejercicios, obtuvo el título de *tercero*, con el cual se embarcó en Santander en una fragata, para hacer los tres viajes que se le exigían en aquella segunda etapa de su carrera. Los hizo también en poco más de un año, a ratos navegando como en una palangana y a ratos con la vida en un hilo.

Del último de estos viajes volvió, aunque crisálida todavía, apuntándole las alas de mariposa. Ya el espeso pelambre de su cara, afeitada de quijadas arriba, era algo más que sombra de patilla a la catalana; sus manos comenzaban

---

[91] *De lumbre:* «Frase para expresar la excesiva carestía de las cosas.» (G.-Lomas.)

a ponerse velludas, su voz a embronquecerse y sus espaldas
a encorvarse; era muy atezado y formaba con los *marinos*
en sus parrandas y *rumantelas*.

Preparóse, repasando con Montalvo una temporadita;
fuese a El Ferrol por segunda vez, aprobándole en el rígido examen a que fue sometido, y se le extendió su título, en
toda regla, de *segundo*, o sea, de *piloto de derrotas*, que es
lo que iba buscando Pedro Colindres, ya para entonces conocido entre la gente del oficio con el mote de Bitadura,
no sé por qué... Y aprovecho esta oportunísima ocasión
para advertir a los lectores de tierra adentro, persuadidos
quizá de que es un capricho mío la coincidencia de que
casi todos los personajes que van apareciendo hasta ahora
en este libro tengan un mote por nombre, que no hay tal
capricho ni cosa que lo parezca. Tan frecuente es el mote
entre las gentes de mar de este puerto y tan avezadas están
a oírse llamar por él que en el gremio de pescadores ha
habido quien desconocía su propio nombre de pila y muchos que no le conocieron hasta que le necesitaron para
inscribirle en el libro de mátriculas de mar. Lo mismo entre estas gentes ignorantes y zafias que entre las más elevadas y cultas, de carrera, el mote aparece sin saberse por
dónde ni cómo. Generalmente procede de un dicho o de un
hecho o de una circunstancia cualquiera de la persona, que
se le halla encima de la noche a la mañana; pero quién se
le puso y cuándo no es fácil de averiguar.

Bitadura tardó bastante en colocarse después de recibir el título de *segundo*, porque estas plazas no abundaban,
con ser entonces tan numerosa la marina mercante de vela;
pero, al fin, halló barco y en él hizo su primer viaje de
piloto.

A la vuelta de este viaje fue cuando apareció en Santander en perfecto carácter de «marino»; ya era... como todos. Porque yo no sé cómo diablos sucedía eso, pero sucedía: que fueran rubios o delgados o altos o bajos los *náuticos* del Instituto o los *agregados* en su primer viaje poco
a poco iban transformándose; y cuando volvían de segundos todos eran iguales: todos tenían mucha espalda, con
mucha mano y muy velluda; todos eran morenos, con patilla corrida, muy espesa; abiertos de brazos, ásperos de voz,

lentos en el andar, duros de ceño, secos de frase, pero pintorescos de palabra, y de gustos pueriles y espíritu regocijado. Por último, todos vestían el mismo traje: la gorra con galón de oro y botón de ancla sin corona, el chaquetón pardo, las botas de agua sobre pantalón pardo también y la corbata negra a la marinera; y acaso esta rigurosa uniformidad de vestido y de modales contribuyera a darles la extraordinaria semejanza que se notaba entre ellos [92].

Bitadura fue uno de los más populares de su tiempo y cuando, después de haber corrido borrascas en todos los mares de los dos mundos, dio en antojársele que no le *llenaban* por entero, al llegar a Santander, los entretenimientos del café de la *Marina*, las parrandas nocturnas, las *culebras* [93] en las romerías y otras hazañas de rigor en el gremio, algunas de ellas harto pueriles, se armó un día de valor, él, que no se amilanaba entre los abismos del mar embravecido; se atusó un poco la greña, se puso camisa limpia y unas botas de charol debajo de las perneras y se fue a pedir a un corrida de eslora *, recia y levantada de amuras, airosa de años, la única hija que tenía, moza a la sazón, en la flor de su primavera y, como decía el mismo Bitadura al describírsela a un amigo, después de confesarle su proyecto, «bien corrida de eslora *, recia y levantada de amuras airosa de rasel * y alta de guinda* ».

Estaba hecha a poco la pretendida, porque en aquel tiempo aún no había *clases* y apenas gastaban seda las chicas solteras de más de siete familias de Santander. Era bien afamado el pretendiente, porque no se tomaban a pecado las calaveradas temporeras, digámoslo así, de aquellos mozos tan honrados en el fondo de sus almas y tan valientes y sufridos en la mar. Le estimaba mucho el padre, y la hija le había visto, por tres veces, barrer a bofeta-

---

[92] «Un *marino* significa, precisamente, un joven de veinte a treinta años, con patillas a la catalana, tostado de rostro, cargado de espaldas, de andar tardo y oscilante, como bosque entre dos mares, con chaquetón pardo abotonado, gorra azul con galón de oro y botón de anda, corbata de seda negra al desgaire, botas *de agua*, mucha greña y cada puño como una mandarria.» («Un marino», *O. C.*, p. 236.)

[93] *Culebra*: desorden, alboroto.

das la acera de enfrente para quedarse él solo echándola requiebros, mentalmente, desde allí; de modo que, aunque todavía no había pasado de piloto y era tan desmañado en *finiquituras* y voquibles que sudó brea para dar a entender lo que quería en aquel trance (porque claro de todo no acertó a decirlo), concediéronle la chica, que se llamaba Andrea y tenía dos ojos como dos soles, un pelo que relucía de negro y tan abundante que no le cabía en la cabeza, y una boca y un color...; en fin, una buena moza en toda la extensión de la palabra.

Casóse con ella andando los días; y antes de un mes de casado se embarcó para hacer su último viaje de piloto. Porque a la vuelta, habiéndose desembarcado el capitán por una larga temporada, le dieron a él el mando del buque, que era un bergantín bien afamado. Y hete aquí ya a Periquito hecho fraile. Ya era capitán, ya tenía una paga de sesenta pesos al mes y no tardaría en disfrutar de los beneficios que generalmente conceden los fletadores o dueños del barco al capitán que le manda con celo e inteligencia... Pero, en cambio, ¡qué peso tan molesto el de los deberes que le imponía su repentina transformación! ¡Cómo le costaba amoldarse al ritual de su nueva categoría! Por de pronto, fuera chaquetones y botas de agua, y todo cuanto ésta y las demás prendas del hábito de un piloto representaban en su vida pública: la independencia, la holgura, la vida alegre de mozo descuidado, el lenguaje convencional y pintoresco...; ¡y hágase usted hombre formal y hable en serio con mercaderes y corredores, y, sobre todo, vístase usted de paño fino, con alas y arrastraderas..., y meta el corpachón macizo debajo de una levita, los pies dentro de unas botas de charol, las manazas, gruesas y velludas, en guantes de cabritilla, y..., ¡horror de los horrores!, sobre la cabeza, arreglada por la hoz del peluquero, encájese el oprobio de la *castora*... y échese usted con ese aparejo a la calle, sin atreverse a andar ni a revolverse mucho por temor de que salten los botones o revienten las costuras; y salude a la moda en los escritorios y consulados; y mientras habla o le despachan, siéntese, *por lo fino*, en una silla y mátele la duda de si pondrá la *canoa* en el suelo o la tendrá entre las manos o la arrojará por el balcón, que es lo que él preferiría!

La primera vez que se vio ataviado así delante de un espejo soltó la carcajada.

—Con esto y un bastón —exclamó—, un matasanos de aldea.

—¿Por qué no le compras? —le dijo su mujer.

Bitadura la miró con el asombro pintado en la cara.

Decir a un capitán de aquellos que saliera con bastón equivalía a aconsejar a un coracero que llevara en la mano un abanico.

Pero, en fin, se fue acostumbrando a la librea, aunque no la usaba más que en actos *oficiales*, digámoslo así, o en momentos muy solemnes; fuera de esos casos, un traje holgado, de medio aparejo, entre piloto y capitán; cómodo sin dejar de ser serio.

Cuando ya tenía un hijo de tres años, le dieron el mando de la *Montañesa*, uno de los mejores barcos de la matrícula de Santander. Como no era lerdo, se acostumbró primero al trato de gentes que al uso de las prendas finas. Llegó a ser un capitán de los más atractivos para los pasajeros y el armador de la *Montañesa* no tuvo motivos para arrepentirse de haberla puesto bajo su mando. Como además era un marino consumado y un administrador celosísimo, abriósele ancha mano, comenzando por concedérsele los *abarrotes* *, con lo cual, llevando por su cuenta pacotillas de frutos peninsulares y trayéndolas de ultramarinos, se granjeó muy buenas ganancias en pocos viajes; y señalósele más tarde un buen interés en los cargamentos que se le encomendaban. A pesar de ello y de tener muy rebasados los cuarenta cuando el lector le ha conocido, continuaba siendo, *fuera de servicio*, el Bitadura de siempre, el muchacho grande, dado con pasión a las cosas chicas de su tierra, a los placeres sencillos, a la frase pintoresca y al vestido cómodo.

Andrea, que no tuvo más hijos que el que conocemos, se había ido ajamonando poco a poco y era, en la ocasión en que aparece aquí, una mujer de gran estampa: blanca y apretada de carnes, rica de formas y de rostro alegre y bello.

Había ido a misa de once aquel día *del bracete* de su

marido con vestido de gro negro, chal de Manila, mantilla
de blonda, abanico de nácar y mitones de seda calados. Él,
con levita y pantalón de paño negro finísimo, con trabillas
de bolín, chaleco de raso, sobre el oro de su reló; chalina
de seda, de cuadros oscuros, con dos alfileres de brillantes,
unidos por una cadenilla de oro; sombrero de copa, muy
reluciente; botas de charol y guantes de seda de color de
ceniza. Sudaba el hombre de calor y de molestia debajo
de aquellas galas que le oprimían por el cuello, por la cintura y por las manos y por los pies; y relucía su atezado rostro, encuadrado entre las patillas, algo grises ya, y las alas
del sombrero, mientras el almidonado cuello de la camisa
se resblandecía y arrugaba con el sudor del pescuezo.

Todo aquello lo esperaba él y bien sabe Dios lo que le
desazonaba, pero la salida era de necesidad, porque su mujer había estado soñando con ella meses enteros; no conocía
satisfacción más grande y él quería demasiado a su mujer
para no complacerla, sin regatear, en cosa tan hacedera.
Por otra parte, ¿a qué negarlo?: si Andrea se creía más alta
que una corregidora por ir del brazo de marido como el
suyo, Bitadura pensaba que, en opinión de cuantos pasaban
a su lado, no había princesa que valiera en estampa lo que
su mujer.

Y así marchaban los dos, calle de San Francisco arriba
y Plaza Vieja adelante, recibiendo a cada paso bienvenidas y
apretones de manos él, y felicitaciones y saludos ella, mientras Andrés, que caminaba a la derecha de su madre con su
vestido de los domingos, compuesto de chaqueta entallada,
con cuello de moaré, pantalón de mezclilla de lana, chaleco jaspeado, corbata de mariposa, borceguíes nuevos y go
rra de felpilla imitando piel de tigre, saludaba muy ufano
a los amigos de su mismo pelaje o se hacía el desconocido
cuando le guiñaba el ojo algún granuja, su camarada de hazañas del muelle Anaos.

Al salir de misa, nuevos y más numerosos saludos, nuevas detenciones y bienvenidas; y vuelta a casa con el posible apresuramiento, porque no faltarían visitas que recibir
en ella, amén de que había convidados a la mesa. Se comía
a la una en punto y Andrea no se fiaba ni de la *guisandera*
que había tomado para aquel lance, superior a los recursos
culinarios de su criada.

El lector y yo llegamos en el momento[94], en que el capitán largaba los guantes y la *cacimba*[95] sobre una cómoda, y su mujer, después de plegar la mantilla y el pañolón de seda, los guardaba en un tirador del propio mueble. De buena gana hubiera cambiado Andrea su vestido de gro por otro más modesto, de raso de lana, y el capitán sus arreos de «señor de Ayuntamiento» por el atalaje de a bordo; pero, como ya se ha dicho, aguardaban visitas, por ser de rigor en aquellas circunstancias, y las visitas de entonces no las recibía un recién llegado como Bitadura sin echarse encima el fondo del baúl, máxime siendo día de fiesta y teniendo una mujer tan escrupulosa en estos particulares y tan guapota y apuesta como la que él tenía.

Mientras ésta se daba una vuelta por la cocina, se oyeron golpes a la puerta de la escalera y Bitadura salió corriendo a la sala..., sala de capitán de entonces, con los retratos de todos los barcos en que había navegado, desde piloto inclusive; un espejo de marco de papel dorado y dos o tres cuadritos de bordados de felpilla, obras de la capitana cuando iba al colegio, colgados en las blancas paredes; sobre las rinconeras y la consola de caoba, caracoles de la china, ramilletes de coral, monigotes de especial, una bandeja grande, puesta de canto, detrás de una caja de música; y entre dos fruteros de cera, con sendos fanales, y debajo de otro ovalado, un barco que se bamboleaba sobre una mar contrahecha en cuanto se tocaba un resorte que tenía la peana; sillería de cerezo; una alfombra delante del canapé; cortinillas de muselina rameada en las vidrieras del balcón, en las de la alcoba, carrejo y gabinete; el suelo de tabla de pino, muy fregado..., y paren ustedes de contar. Las sillerías de caoba con embutidos de *limoncillo* y asientos de tejido de cerda, el reló de sobremesa, los candelabros de plata, los espejos de vara y media de altos con marco de pasta dorada, el retrato de cuerpo entero, obra del pincel de Salvá o de Bardeló, el papel aterciopelado en las paredes, las cortinillas de tafetán encarnado en las vidrieras de las alcobas, y la alfombrita delante de cada puerta y de cada mueble

---

[94] Fórmula que pretende acercar la ficción a la realidad.
[95] *Cacimba:* pipa.

importante de la sala quedábanse para un puñadito de familias, cuyas mujeres torcían el gesto cuando se rozaban con el vulgo de los mortales y cuyos muchachos gastaban las únicas levitas forradas de seda que se vieron entre sus coetáneos [96]; no bebían agua en las fuentes públicas aunque se murieran de sed, jugando *finamente* al marro con sus *congéneres*, y antes se hubieran dejado desollar que descalzarse en la Maruca para navegar un poco en sus flotantes perchas...

Y perdone otra vez el lector, que me marcho por los trigos nuevamente; puede más que mi propósito de no extraviarme con el relato la fuerza de los recuerdos que vienen enredados a cada detalle que apunto de aquellas gentes y de aquellos tiempos que se grabaron en las tablas vírgenes de la memoria.

Vuelvo, pues, al asunto y digo que la primera visita al recién llegado capitán fue la del matrimonio del cuarto piso con la mayor de sus hijas, apreciable familia de tenderos por juro de heredad, pero harto insípida para unos gustos tan especiales como los de Bitadura. Algo más le entretuvo después el jubilado capitán Arguinde con sus alegrías de carácter y su desatinada sintaxis de vizcaíno impenitente; no tanto doña Sinforiana Cantón, viuda desde muy joven, y ya pasaba de los cuarenta y cinco, de un piloto que murió de calenturas en la costa de África; mucho menos la señora y las hijas de un comandante retirado, amigas de su mujer, y menos todavía otras personas que acudieron también a verle por razón de parentesco remoto o de gratitud o de interés. Porque con los amigos y camaradas, con *la gente del aligote* [97], como él llamaba a los del oficio, ya se había visto despacio y en lugar conveniente para hablar sin trabas y reír sin medida.

De esta gente eran los tres convidados que aguardaba, además de su piloto Sama, y fueron llegando uno tras otro.

---

[96] Pereda censuró a menudo estas manifestaciones de vanidad humana. Vid. «El espíritu moderno» (*Escenas montañesas*); «Blasones y talegas» *(Tipos y paisajes);* «Las de Cascajares», «El Barón de la Rescoldera», «Un joven distinguido» *(Tipos trahumantes).* Criaturas ridiculizadas son, por ejemplo, Juana (*Los hombres de pro*) y Pilita (*Pedro Sánchez*).

[97] *Aligote:* «Pez marino.» (G.-Lomas.)

Uno solo de ellos era capitán. De los dos pilotos, sin contar a Sama, uno se llamaba Madruga, prototipo de la especie; el otro era Ligo, el mozo que vimos en San Martín con Andrés. Éste era el más joven de todos y quería ser el más elegante y culto; desde luego era el más aparatoso y el más desatinado. Madruga y él formaban un delicioso contraste. Madruga era impasible de fisonomía, hablaba bajo, poco y como de mala gana, pero lo que hablaba salía forrado en cobre de sus labios, cuya expresión de burla estaba tan cerca de la del enojo que se confundían muy a menudo; de aquí el interés singularísimo de su pintoresca palabra. Ligo, al contrario, era locuaz, con grandes presunciones de *hombre de mundo* o de ser capaz de serlo; hablaba de todo en el estilo y con la brusquedad de lo que era, con términos finos que él fabricaba a su gusto cuando la necesidad se lo exigía; de este modo, resultaban unos potajes, unas finezas tan burdas y unas groserías tan finas que era todo lo que había que oír.

Había señoras todavía en casa de Bitadura cuando él llegó, y llegó el último. Madruga se había portado tal cual, quitándose la gorra y haciendo su poco de reverencia antes de sentarse. Sama tampoco se había metido en muchos dibujos, porque no los conocía, y se había achantado muy calladito en un rincón, donde se entretenía en dar vueltas a la gorra entre sus manos, mientras silbaba, casi mentalmente, una *sopimpa* [98] de allá.

El capitán *Nudos*, algo más joven que Bitadura y tan bien vestido como él y cortado por el mismo patrón que él, no le aventajaba un ápice en perfiles de cortesía y ceremoniales de sociedad: verdaderamente estaba casi rapado a navaja en esos particulares; pero, al cabo, había tenido trato de gentes por razón de su empleo y tenía oído que en una casa la señora debe ser siempre la persona más atendida de propios y extraños; por lo cual, viendo desocupado un hueco en el canapé donde se sentaba entre otras amigas la capitana, allá se coló y allí dio fondo junto a ella, sin más trabajo que el de removerse algo para agrandar la plaza en que no encajaban bien sus anchas posaderas. Y allí se

---

[98]   *Sopimpa:* «Baile afrocubano». Cf. F. J. Santamaría, *Diccionario general de americanismos*, México, Ed. P. Robredo, 1942.

estaba, algo oprimido y molestando un poco a sus colaterales, pero, al cabo, como un señor y sin meterse con nadie.

Cuando entró Ligo con gran estruendo de tacones y resoplidos y mucho zarandeo de arboladura, el amo de casa entretenía, como Dios y su impaciencia le daban a entender, aquellos ratos fastidiosos; Andrea hablaba con las señoras; Sama, cansado de voltear la gorra, se había puesto de codos sobre los muslos y se divertía en meter *escupitinas*, a plomo, por la juntura de dos tablas del suelo; Madruga, con el pie izquierdo descansando sobre la rodilla derecha, muy tirado el cuerpo hacia atrás, con una mano entre las solapas del chaquetón y en la otra la gorra, escuchaba con una atención tan afectadamente grave que resultaba cómica lo poco que en serio se le ocurría a Bitadura, y el capitán Nudos, a juzgar por la cara que ponía, le estaba pidiendo a Dios que le inspirara un modo de salir cuanto antes de aquellas estrecheces.

Por entrar Ligo y observar el cuadro, se ratificó en su creencia de que aquellos hombres no valían para el trance en que estaban metidos y sospechó que las señoras se aburrían. Él lo iba a arreglar todo dando una lección de cortesía y travesura elegante a sus camaradas y un poco de amenidad a la visita, para recreo de las señoras. ¡Y allá va! Apóstrofe a éste, palmoteo sobre la espalda del otro, indirectas a Bitadura, chicoleos a la capitana, fineza por aquí, galantería por allá, cómo se las arreglaría el bueno de Ligo y de qué calidad serían sus discreciones y amenidades que, antes de que pensara en sentarse en la silla que arrastraba de un lado para otro mientras hablaba y se revolvía dentro del corro, ya no quedaba en la sala una señora y salía detrás de la última la capitana con las mejillas coloradas y mordiéndose los labios de risa.

En cuanto se vieron solos los cinco marinos, Bitadura cayó sobre su compañero, el del sofá, que comenzaba a desarrugar la faz y a desentumecerse, diciéndole, mientras le abrumaba a resobones:

—¡Osio, Macario..., desínflate ya, hijo, que tienes la cara como una *ufía* *!

A lo que añadió Ligo:

—¡Si él no se metiera en *manipulencias* que no entiende!...

—Para manipulencias y *pitiflanes* [99], tú —objetó Madruga muy serio.

—Ya se ve que sí —repuso Ligo—. Aquí hay aparejo para navegar en todas aguas, lo mismo de aligote que de pitiminí. Y si no, mira cómo se desguarnían * de risa las señoras, que estaban cuando yo entré como en el cuarto de oración... ¡Na, hombre, que sois toninas de la mar y no más que eso!...

Y por aquí siguió la porfía; y al ruido del tiroteo y de las carcajadas perdió Sama el respetillo que le infundía la presencia de Bitadura, que, al cabo, era su capitán; largó una sopimpa de cornetín, remedándole con los puños y con la voz, y cata a los cuatro restantes bailándola como los mismos negros de Cuba. Y no jugaron después a *paso* [100] o al *soleto* [101] porque llegó la capitana, avisó que estaba la sopa en la mesa y se fueron todos al comedor.

Cinco meses había estado fuera de su patria Bitadura y cerca de dos de ellos acababa de pasarlos en la mar sin comunicación alguna con el mundo. Lo primero que se le ocurriría hoy a un hombre en esas mismas condiciones, al volver a su casa y sentarse a la mesa entre amigos, sería preguntarles: «—¿Quién manda en España? ¿Qué hay de política? ¿Cuándo se hizo el último pronunciamento? ¿Qué revolución se prepara? [102] ¿Qué gobernador tenemos?...»

A Bitadura y a todos los Bitaduras de entonces les tenían estas cosas sin cuidado. Lo que preguntó con grandísimo interés, tan pronto como se sentaron todos a la mesa y mientras servía a Madruga un plato de fideos encogollado, porque acababa de oírle decir que todavía *estibaba* tal cual en la bodega, fue del tenor siguiente:

---

[99] *Pitiflanes:* «Cosas delicadas que, en general, necesitan mucho cuidado y tiempo para hacerlas.» (G.-Lomas.)

[100] *Jugar a paso:* Consiste este juego infantil en saltar por encima de un compañero, apoyándose en su espalda.

[101] *Jugar al soleto:* «Juego del zurriago.» (G.-Lomas.) Los muchachos se pasan disimuladamente unos a otros un zurriago y golpean al que lo anda buscando.

[102] Ironía del autor contra las preocupaciones políticas del ciudadano medio. Don José María defendió la idea de un paternalismo político, del que hizo tesis en *Don Gonzalo González de la Gonzalera* (1879).

—¿Y qué hace Nerín?... ¿Y *Caparrota*?... ¿Cómo está la
Sietemuelas? ¿Y *Tumbanavíos*?

Estos y otros tales fueron los temas de la conversación,
interrumpida a menudo para decir, por ejemplo, Madruga
a Sama, que estaba enfrente de él: «*atraca* esos *abarrotes*»,
señalando unas aceitunas que deseaba; o Ligo a Andresillo:
«pica esa bomba, *motil*», para que le escanciara el vino de
una botella en la copa que le presentaba; y así por el estilo.

Hacia los postres se habló un poco, casi en serio, de
los propósitos del capitán con respecto a la carrera de su
hijo. Ya iba siendo éste muy grandullón y deseaba su padre que se matriculara en náutica en pasando un año, para
que hiciera a su lado las prácticas, antes que él se cansara
de navegar o le recogiera el mismo Dios la patente, dándole
sepultura en el «campón de las merluzas»; con lo que a la
pobre madre, cuya cruz más pesada era pensar incesante-
mente en ese mismo riesgo mientras su marido andaba navegando, se le oprimió el corazón. No podía resignarse, sin
protesta, a que su hijo siguiera la carrera azarosa de su
padre.

Viendo Bitadura que por aquel lado se enturbiaba el horizonte, torció el rumbo de la conversación; y con esto y
con haberse acabado los postres, y con aparecer en la mesa
la ginebra y el marrasquino y los avíos de hacer café, como
se hacía allí, a taza de polvo por barba, colado en agua hirviendo por manga de franela, y con retirarse Andrea y su
hijo con sus correspondientes raciones en una bandeja «para
no estorbar a nadie», quedáronse los marineros mejor que
querían.

Una hora después Madruga bailaba el *Cucuyé* con Ligo
y, un poco más tarde, a instancias del anfitrión, su piloto,
provisto de un cuchillo y una servilleta retorcida, cantaba
y representaba el *Sama-la-culé* (precisamente por representar esto tan a la perfección se le había puesto el mote que
llevaba), haciéndole el coro y ayudándole en la escena todos
los demás...

Y en estas y en otras tales, hasta la hora de irse a *correr
un largo* a la Alameda de Becedo.

¡Y aquellos niños grandes eran los hombres que sabían
conducir un barco a todos los puertos del mundo y, con
una plegaria ferviente y una promesa a la Virgen, afrontar

cien veces la muerte, con faz serena y corazón impávido, en medio del furor de las tempestades! ¿Ha cantado jamás la poesía cosa más grande y más épica que aquellas *pequeñeces?* [103]

VIII. EL ARMADOR DE LA *MONTAÑESA*

—Perfectamente, señor don Pedro; todo lo que usted me cuenta, todas las noticias que me da, junto con los resultados obtenidos, prueba de nuevo que la *Montañesa* es una finquita más que regular, en lo que no tiene poca parte la mano de su administrador, que la trae y la lleva por esos mares de Dios con una suerte rara. Verdaderamente tiene usted mano de ángel. Hasta los huracanes, una vez empujándole y otras deteniéndole, parece que están a su servicio, a fin de que el buque llegue a puerto en hora de sazón para el negocio de la casa... Que siga unos cuantos años todavía alumbrándole tan buena estrella... Y a propósito de azares de la mar: ¿persiste usted en hacer marino al único hijo que tiene?

Decía así don Venancio Liencres, comerciante rico y armador de la *Montañesa*, hablando con su capitán al día siguiente de lo narrado en el capítulo anterior, en el triste y empolvado departamento señorial del mezquino escritorio que tenía en un entresuelo de una casa del Muelle. Rato hacía que estaban solos allí los dos: el comerciante, mal vestido y peor sentado en el sillón de paja de su pupitre, sobrecargado de fajos de cartas sin contestar y de muestras de azúcar, harinas y cacao, y el capitán, en el sofá roñoso de enfrente, debajo del retrato de la *Montañesa*, igual al que tenía él en su casa, y de un papel con los *Días de correo a*

---

[103] Respuesta a la invitación de M. Pelayo: «Si quieres elevar un verdadero monumento a tu nombre y a tu gente, cuenta la epopeya marítima de tu ciudad natal.» (*La Epoca,* 27 de marzo de 1885.)

la semana, clavado en la pared con tachuelas amarillas, sobre un ribete de ligueta encarnada.

Mientras el comerciante hablaba así, manoseaba con notorio cariño, después de haberle plegado cuidadosamente, el *extracto de cuenta* del último viaje de la fragata, que apresuradamente y para gobierno suyo le habían hecho en el contiguo departamento, cuya puerta de comunicación había cerrado el capitán por encargo de don Venancio, después de entrar por ella.

Bitadura se quedó un poco suspenso con la pregunta del comerciante, tan inesperada como extraña para él. Inesperada, porque era la primera vez que aquel hombre le hablaba de su hijo; extraña, porque jamás se le había ocurrido que Andrés pudiera seguir otra carrera que la de marino. Por eso, sin salir de su medio asombro, respondió con esta otra pregunta:

—Y si no le hago marino, ¿qué va a ser?

—Cualquier cosa... Todo es preferible a esa carrera de azares en que el hombre de mejor corazón y de más suerte no puede conseguir jamás lo que logra sin esfuerzo cualquier perdulario que no sea marino: la vida de familia. Bien lo sabe usted.

—Cierto es eso —respondió el capitán, devorando un suspiro y frunciendo el entrecejo, como si el comerciante le hubiera acertado en el rinconcito en que él guardaba el único secreto de su corazón.

—Además —añadió don Venancio Liencres—, no se halla usted, con respecto al porvenir de su hijo, en el caso de otros compañeros de profesión; usted, por haber obtenido buenos frutos de su carrera y por no tener más que un hijo, puede darle a escoger entre lo que más le guste.

—Nada le gusta tanto como la carrera de marino —se apresuró a replicar el capitán.

—O escoger usted mismo —continuó el comerciante, fingiendo no haber oído la réplica— lo más conveniente para él, porque las inclinaciones de los niños obedecen, por lo común, a caprichos del momento..., a fantasías pasajeras de la imaginación, al contagio de los entusiasmos de otro... Ya usted me entiende.

—Sí que le entiendo, señor don Venancio —dijo Bitadura con una fuerza de atención y una seriedad poco imaginables en el descuidado marino que el día antes bailaba la sopimpa en su casa con Madruga—. Pero puesto a escoger carrera para Andrés, ¿qué escojo? ¿La de picapleitos?

—¡Bah!

—¿La de matasanos?

—¡Buf!

—¿La de procurador?... ¿La de escribano?... ¿La de catedrático?

—¡Horror!... Nada de eso, don Pedro, amigo, nada de eso. Eso es la peste del mundo y además una miseria... ¡Abogados, médicos..., curiales, literatos! ¡Puá!... Bambolla y hambre... A cosa más sólida debe aspirar un padre para un hijo... Y ríase de los que le digan que no sólo de pan viven las gentes, que esto suelen decirlo los que nunca han logrado hartar el estómago. ¡Pan, pan ante todo, mi Señor don Pedro!, es decir, ¡pesetas, muchas pesetas!, que lo demás ello solo se viene a la mano. Mire usted, hombre: mi padre guardaba ganado en el monte y mi madre sallaba maizales a jornal; yo no tuve otros estudios que los que pudo darme el maestro del pueblo: las cuatro reglas, una bastardilla mediana y el Catecismo. Pues con esto solo y mucha paciencia, y hoy barriendo el almacén y andando a escobazos con los ratones que mordían los sacos de harina, y después haciendo casi lo mismo en el escritorio, y luego corriendo las hojas y copiando algunas cartas y llevando muchas al correo y ¡aguantando y aguantando! y ¡adelante y adelante!, hoy dependiente, mañana un poquito más, al otro día mucho más alto... y, en fin, aquí me tiene usted. Me dieron la mujer que pedí cuando se me antojó casarme; cónsul del Tribunal de Comercio he sido no sé cuantas veces; alcalde, siempre que me ha dado la gana; y no gasto coche porque no le necesito y el único que hay en el pueblo no sale más que los días que repican fuerte. ¿En qué se me conoce que no he resobado de muchacho los bancos de las aulas con el trasero? o, por lo menos, ¿qué diferencia de cultura halla usted entre las dos docenas de personas que pasan aquí por principales y yo? Quiero decir con esto que el comercio es el alma de los pueblos, la miga de todas las cosas, la mejor y más digna carrera para la juventud, con doble motivo cuan-

do ésta no necesita pasar por las estrecheces por que yo
pasé para llegar a donde he llegado. ¿Me entiende el señor
don Pedro? [104].

El señor don Pedro entendía perfectamente al señor don
Venancio y, porque lo entendía, se permitió apuntar algunas
observaciones no desprovistas de fundamento, tales como la
del riesgo de pasarse la vida empeñado en las ingratas tareas del escritorio y llegar a viejo sin haber salido de pobre,
ni visto el mundo ni aprendido cosa alguna de lo que hay o
de lo que se enseña en él.

—¡Desatinos, desatinos! —decía don Venancio Liencres
a cada reparo que, a su manera, le hacía Bitadura, deseoso,
evidentemente, de ponerse de acuerdo con el modo de discurrir del comerciante; el cual remachó sus argumentos con
la fuerza de este otro:

—El comercio de Santander es, hoy por hoy, pan de
flor: poco, pero bueno; y oro molido llegará a ser, si la codicia no nos ciega, si no hacemos locuras... como esa que
se ha echado a volar estos días con referencia a no sé quién,
que habló del caso no sé dónde: la de que podrían ser convenientes un camino de hierro entre Alar y Santander, a imitación del que se está haciendo entre Aranjuez y Madrid, y
una línea de vapores entre este puerto y la isla de Cuba.
¡Caminos de hierro! ¡Vapores! Aventuras de loco, calaveradas de gente levantisca que tiene poco que perder y quiere
probar fortuna con [105] caudales de los incautos, para venir
a parar a aquello de «aquí yace un español que estando bueno quiso estar mejor». Y vuelvo a mi tema: si nos arregla-
mos con lo que tenemos y no nos lanzamos en aventuras
descabelladas, como esa del ferrocarril y de los vapores, que,
a Dios gracias, no pasa de una idea de estrafalario comen-
tada por cuatro desocupados, el maravedí que aquí se siem-
bre en el comercio con un poco de cariño y de inteligencia
da la peseta bien cumplida en el primer agosto. ¿Se va usted enterando, señor don Pedro?

[104] Sobre este tema del progreso del comercio, vid. «Dos sistemas» (*Tipos y paisajes*), «Los hombres de pro» (*Bocetos al
temple*) y *Nubes de estío*.
[105] *Con los caudales...*, en la primera edición.

Don Pedro se iba enterando, en efecto, y, por lo mismo, se atrevió a decir al comerciante que, aun aceptando todo lo que exponía como el Evangelio, quedaba la dificultad material de poner a Andresillo en ese rumbo. ¿Qué entendía Bitudura de esas cosas, aunque andaba tan arrimado a ellas por razón de su oficio? ¿Quién le daba la mano? ¿Qué valederos tenía? ¿Adónde se arrimaba su hijo? ¿Por qué puerta le metía?

—Vamos a eso —respondió don Venancio, que hablando de aquellas cosas estaba en su púlpito natural, porque no entendía pizca de otras, amén de que, por las trazas, había tomado con empeño el asunto de la carrera de Andrés—. Entrégueme usted su chico. Yo no tengo más que dos hijos: el varón será de su edad; próximamente pienso traerle al escritorio, en cuanto pase el verano. Que trabajen juntos y se hagan buenos amigos; un mismo estímulo puede animar a los dos, pues si el hijo de don Venancio Liencres trabajaría en la viña de su padre, en esa viña tiene muy buenas cepas en producto el padre de Andrés Colindres. Que pasaban los años y los niños aplicados llegaban a comerciantes entendidos y usted y yo a retirarnos a descansar, aquí quedaba su caudal de usted, acrecentado por los intereses o por el beneficio de los negocios, si había preferido usted que ese caudal pasara de la humilde categoría de una cuenta corriente con interés a la más respetable de un socio comanditario... ¿Acaba usted de comprenderme, señor don Pedro?

—Sí, señor —respondió éste, sin disfrazar el vivo interés con que trataba el punto—. Pero, y si después de metido en el comercio, resulta que no le toma ley o no sirve para el paso, ¿qué hago yo de mi hijo?

—Pues, ¡canastos! —replicó el comerciante—, si después de hecho marino resulta que se marea o se ahoga o sale un perdido y vende el barco, ¿hará usted de él cosa mejor que un pinche de escritorio, holgazán y torpe, como hay muchos?

—Tiene usted razón, señor don Venancio —respondió con prontitud Bitudura, que no disimulaba jamás sus impresiones.

—¡Vaya si la tengo! —exclamó el comerciante, repantigándose en el sillón completamente satisfecho de su triunfo, aunque sin extrañarse de él.

—Creo que hemos de entendernos —añadió Bitadura levantándose—. Por lo pronto, le agradezco a usted con todo corazón el interés que se toma por la suerte de mi hijo y la oferta que me hace... No tardaré en responderle con mayor claridad... No lo extrañe usted. Las cosas que mejor suenan son las que más quiero yo ver de lejos; se marca mejor así el rumbo que traen que atracándose a ellas.

En esto, oprimía con su diestra la mano que le había tendido el comerciante; y como estaba conmovido, al decir por despedida: «a la orden de usted, señor don Venancio», don Venancio vio las estrellas, por una razón que se le alcanzaría al más torpe al observar cómo, momentos después de salir Bitadura, se soplaba el comerciante los dedos cárdenos y como pegados unos a otros; detalle que prueba, a lo sumo, que es un poco peligroso dar la mano a hombres como aquél, si están algo conmovidos.

Pero ¿por qué mil demonios se interesaba tanto el señor don Venancio Liencres por la suerte de Andresillo? ¿Qué se le daba al rico comerciante, duro de epidermis como las talegas que amontonaba en su caja de hierro, de que al hijo del capitán Bitadura le tocara la lotería o se le comieran los tiburones? ¿De cuándo acá reparaba tanto el hombre del daca y toma en que los marinos gozaban poco las delicias del hogar doméstico? ¿Por qué se mostraba ahora tan sensible a esas *pequeñeces*, de las cuales jamás le había oído hablar, como si las considerara género de mal comercio para su corazón? ¿Por qué en lo referente a ellas discurría lo mismo que Andrea?... ¡Tate!... ¡Andrea!... Este nombre fue un punto luminoso en la oscuridad de los razonamientos del capitán mientras iba camino de su casa... «¿Apostamos dos cuartos —se dijo— a que mi mujer ha andado conspirando por aquí? ¿Serán de ella también las razones de conveniencia que don Venancio me ha expuesto, combatiendo mi propósito de hacer marino a su hijo? De cualquier modo, y sean de quienes fueren las razones, están muy en su lugar y yo no debo desatenderlas porque no se me hayan ocurrido a mí».

Efectivamente, la capitana había conspirado contra los planes de su marido en el escritorio de don Venancio Liencres. Cada pena negra que pasaba, y pasaba muchas la infeliz durante las larguísimas ausencias de su marido, temiendo por su vida entre las veleidades del mar o los rigores de extraños climas y, ¿por qué ocultarlo?, por su cariño de esposo amante (que lo era, en verdad y a toda prueba, el bueno de Bitadura); cada pena de estas, repito, que pasaba Andrea, volvía los ojos del alma a su hijo y otra pena mayor le resultaba de ello al considerar que a las ausencias del capitán habría que añadir pronto las del agregado... ¡y las dos ausencias a un tiempo!... ¡y ella sola, enteramente sola, en su casa, temiendo por la vida de los dos!

Muchas veces había intentado hablar con este tema a su marido y hasta conseguido fijar su atención por unos instantes, pero de allí no pasó nunca, porque Bitadura, que todo lo metía a barato, le salía al encuentro con una cuchufleta, pegándola una papuchadita [106] y mordiéndola luego los carrillos o tapándole la boca con un beso, después de haberla dado tres vueltas en el aire entre sus brazos de hierro, en la misma postura que coloca un padrino a su ahijado mientras el cura le pone la sal en los labios. Pero Andrés iba creciendo, se acercaba la hora de decidirse y Andrea seguía temiendo lo peor. Se armó de voluntad, después de meditarlo mucho, y tres días antes de la llegada de su marido pidió una audiencia en el escritorio a don Venancio Liencres; y con esa sencilla y poderosa elocuencia del corazón, tan común en todas las madres cuando abogan por la causa de los hijos, expuso al comerciante sus temores, sus deseos y su fervientes súplicas para que, guardando, mientras fuera posible, el secreto de aquellas gestiones, tratara de desarraigar en su marido la idea que tanto la atormentaba a ella...

Don Venancio Liencres era un hombre completamente insignificante *intus et foris*, pero en los casos dudosos tenía el buen instinto de inclinarse a lo mejor, porque su madera, aunque tosca, era sana; además, como todas las nulidades de suerte, que son hechas de esta madera, careciendo de materiales propios para hacer algo regular siquiera, tomaba los que le ofrecían en cualquier parte; y los tomaba

---

[106] *Papuchadita*: dim. de *papuchada*, «golpe con las dos manos a un tiempo en ambos carrillos a otra persona que los tenga inflados.» (G.-Lomas.)

con amor, porque se pagaba muchísimo de que las gentes le tuvieran en algo, haciendo algo que no hicieran los demás. Estimaba cordialmente al capitán, conocía de vista a su hijo y hasta le parecía guapo y dispuesto; tuvo en mucho aquel acto de consideración hacia él de una mujer tan guapota y honrada como la capitana; pareciéronle naturalísimos sus temores y muy fundados sus deseos, y aun se conmovió un poquitillo con sus sentidas palabras; y no sólo la prometió de todas veras servirla en cuanto deseaba sino que, de cuenta propia, llegó con su amparo hasta donde ha visto el curioso lector; y todavía hubiera llegado más allá, si mayor esfuerzo hubiera necesitado para conseguir con la virtud sola de sus razonamientos (pues cabalmente el razonar bien era la manía del señor don Venancio Liencres), el triunfo sobre la obstinación del capitán.

Esta vez fue Bitadura quien sacó, tan pronto como llegó a casa, la conversación sobre la carrera de Andrés, y como la capitana no ignoraba de dónde venía su marido, a las primeras palabras de éste se le puso la cara que ardía. Esto la delató y Bitadura se hizo el enfadado, pero se le veía la mentira por el rabillo del ojo y por los extremos de la boca. Andrea, haciendo como que no veía nada, confesó el hecho con todos sus pormenores y un aire de resignación bastante falsificado también.

—¡Nos veremos sobre ese particular! —exclamó Bitadura, paseándose por la sala, siempre de espaldas a su mujer, braceando mucho y taconeando más—. ¡Ir con los secretos de familia a casa de los vecinos!... ¡Eso no se hace!

Andrea, que le miraba a hurtadillas y le vio tan empeñado en no dar la cara, comenzó a pasear detrás de él, pero muy cerquita, y le dijo, según iba andando, con acento de estudiada humildad:

—Pues, hijo, si tan mal he obrado creyendo acertar, ya lo sabes: el cuchillo eres y la carne soy; conque corta por donde quieras.

—¡Sí, señora! —respondió Bitadura, volviéndose de pronto—. ¡Sí que cortaré!... ¡Y ahora mismo! ¡Siéntese usted aquí!

Y sentándose él en el sofá, la sentó a ella sobre sus rodillas.

—¡Míreme usted a la cara!... ¡Venga esa pitorruca!
Y le dio un mordisco en la nariz.
—¡Vengan esas orejas!
Y se las mordió también.
—Y ahora, para acabar primero, vaya todo este brazado de carne por el balcón abajo.

Y tomó a su mujer en brazos, como solía. Púsose en frente del balcón y, diciendo: «¡a la una!, ¡a las dos!, ¡a las tres!», columpiándola al mismo tiempo, giró de pronto sobre sus talones dentro y la estampó en la cara media docena de besos.

—¡Toma..., por habladora..., por cuentera... y porque me da la gana!

Andrea se reía como si la hicieran cosquillas y tomaba aquellos castigos tan dulces por señales de buen agüero... hasta que Bitadura le dijo que todo se haría como ella deseaba; y se trocaron los papeles. No tenía las fuerzas de su marido para columpiarle en sus brazos, pero la intención era buena y, en fin, hizo lo que pudo en testimonio de agradecimiento.

IX. LOS ENTUSIASMOS DE ANDRÉS

Entre tanto, Andresillo caminaba hacia la calle Alta, deteniéndose con todos los conocidos que hallaba al paso para hablarles de la llegada de su padre, de lo que le había oído contar sobre su viaje y algo también de la comida del día antes y muy particularmente de las cosas de Sama, Ligo y demás comensales. ¡Muchísimo se había divertido con ellos! Iba a la calle Alta para ver qué tal se las arreglaba Silda en su nueva casa. Consideraba a la huérfana como protegida suya y se interesaba por su suerte.

Al llegar enfrente del Paredón, vio a Colo que subía de bajamar con dos remos al hombro y en una mano un balde a medio llenar de *macizo* *. Colo era aquel sobrino de don

Lorenzo, el cura loco, de quien ya se ha hecho mención. Andrés le preguntó por la casa de tío Mechelín y notó que Colo estaba de muy mal humor. Antes que él pensara en preguntarle por la causa de ello, le dijo el marinero, echando abajo los remos:

—Hombre..., ¡si esto no es pa que uno pierda hasta la salú!...

—¿Qué te pasa? —le preguntó Andrés.

—Ese hombre, ¡toña!..., mi tío el loco, que no hay perro, ¡toña!, que le saque de la bodega ese hipo, ¡mal rayo!; y esta mañana malas penas me voy pa la lancha, me coge a la puerta de casa y, ¡toña!, que me ha de manipular en el sostituto [107]... ¿No es eso, tú?, ¿no se dice asina?... [108]. Ello es lo que hay que hacer pa atracarse a ese colegio en que enseñan esos latines de... ¡mal rayo!... ¡Miá tú, hombre, qué sé yo de eso ni pa qué me sirve!

—Para maldita la cosa —dijo Andrés.

—Pus dale que ha de ser y, sin más tardanza, en cuanto se acabe este verano... Conque yo me cerré a la banda... y, sin más ni más, el burro de él, ¡toña!, me largó dos estacazos con aquel bastón de nudos que él gasta... ¡Mal rayo!... Pero ¿pa qué, hombre? Vamos a ver, ¿pa qué quiero yo eso? ¿No juera mejor que me echara el coste del estudio en unos calzones nuevos?... Pus porque le dije esto mesmo, me alumbró otro estacazo. ¿No es animal?... Dice que hay una... ¿cómo dijo?... Ello es cosa de iglesia... ¡Ah!, capellanía... Una capellanía que es de nusotros; y que si yo allego a ser cura, me embarbaré de betún. ¡Como no me embarbe, toña! De palos me embarbaré yo, porque ahora resulta que el señor que enseña esos latines da más leña entodía que el animal de mi tío... ¿Cómo dicen que se llama ese maestro?... Don, don...

—Don Bernabé —apuntó Andresillo, que ya le conocía de oídas.

—Eso, don Bernabé...

—¡Mucho palo te espera allí! —dijo Andrés con candorosa ingenuidad—. ¡Mucho palo!

---

[107] *Sostituto:* vulg., Instituto.
[108] *Asina:* vulg., así.

Con esto y poco más siguieron los dos chicos hacia arriba; y al pasar por delante del portal de tío Mechelín, dijo Colo a Andrés:

—Ésta es la casa.

Y como la suya estaba en la otra acera y al extremo de la calle, despidióse y apretó el paso.

En esto salió de hacia la bodega Silda, acompañando a Muergo. Muergo llevaba ya puestos los calzones del padre Apolinar, pero sin otro arreglo que haberles recogido él [109] las perneras a fuerza de remangarlas y, así y todo, le bajaba la culera hasta los tobillos. Con esto, el chaquetón de marras por encima y las greñas revueltas coronando el conjunto, el hijo de la Chumacera parecía un fardo de basura que andaba solo.

—Aquí llevo una camisa..., ¡ju, ju! —dijo a Andrés el monstruoso muchacho, golpeándose con la mano derecha una especie de tumor que se le notaba en el costado izquierdo.

Andrés le miró asombrado y Muergo apretó a correr calle abajo. Silda dijo a Andrés en seguida, aludiendo a Muergo:

—Quería yo que le dieran una camisa y ellos no querían, porque Muergo no la merece y su madre no tiene vergüenza; pero le encontré esta mañana cerca del Paredón y le traje a casa para que le viera su tía sin camisa y le diera una vieja de su tío. Él no quería venir, pero luego vino y entonces no le querían dar la camisa; pero yo me empeñé y se la dieron; pero si la echa en aguardiente y le ven sin ella, no le darán más ni le dejarán volver aquí... Su madre es una borrachona y él también sorbe mucho aguardiente. ¡Qué feo es y qué puerco!, ¿verdá, tú?... Entra un poco, verás qué bien se está aquí... Ya no pienso volver a la Maruca tan pronto ni al muelle Anaos... Se hace una allí muy pingona... [110]. Pasa luego a este portal, para que no te encuentren las del quinto piso si bajan; y no te pares nunca mucho a esa puerta de la calle, porque te tirarán inmundi-

---

[109]   *él*, falta en la primera edición.
[110]   *Pingona:* der. de pingo. «Mujer más aficionada a visitas y paseos que al recogimiento y a las labores de su casa.» *(DRAE, 1884.)*

cias desde el balcón. Son muy malas, ¡pero muy malas!...
Ayer armaron bureo porque a tío Mocejón le dijeron en el
Cabildo que me había castigado mucho y que si no me dejaban en paz las de su casa se verían con la Justicia... Son
muy malas, ¡pero muy malas!

Tía Sidora, que andaba trajinando por adentro, salió al
rumor de la conversación hasta la mitad del carrejo y Silda la dijo, señalando a Andrés:

—Este es el c... tintas bueno que me llevó a casa de
pae Polinar.

Se alegró mucho la marinera de conocerle y le ponderó
la acción; y como el muchacho le pareciera muy guapo, le
dijo lo que sentía, con lo que Andrés formó un gran concepto de tía Sidora, aunque se puso muy colorado con los
piropos. Ella no conocía personalmente al capitán de la
Montañesa, pero su marido sí, y muchas veces la había hablado de él, ponderando sus prendas de marino y su *par-
cialidá* de genio; era gran persona el señor don Pedro y, además, callealtero de origen, otra condición muy digna de tenerse en cuenta por la tía Sidora para estimar al capitán y
alegrarse de que hubiera sido su hijo quien se apiadó de la
niña desamparada en el muelle Anaos y la llevó a casa de
persona capaz de hacer por ella lo que hizo luego el pae
Polinar. Le trataron mal, muy mal, las desvergonzadas de
arriba cuando fue a hablarlas sobre la niña que ella y su
marido recogieron después, como la hubieran recogido antes si no hubieran mirado más que al buen deseo; pero había otras cosas que considerar y se aguantaron. Ahora, gracias a Dios, estaba Silda en puerto seguro y el Cabildo había puesto en los casos a las deslenguadas sin vergüenza,
para que no intentaran impedir con sus malas artes que hicieran otros por la desdichada lo que ellas no quisieron
hacer...

—Mira la mi alcoba —dijo Silda a Andrés, interrumpien-
do la retahíla de tía Sidora.

La alcoba, libre de estorbos y muy barrida, contenía una
cama muy curiosa y una percha vieja con algunas prendas
de vestir de tía Sidora.

—Aquí se colgarán también los sus vestiducos —dijo
ésta— en cuanto los tenga listos. Ahora le estoy arreglando

uno de una saya mía de percal, casi que nueva; y, si Dios quiere, hemos de mercar algo de tienda cuando se pueda, porque no se puede todo lo que se quiere. En remojo tengo lienzo para dos camisucas, que es lo que más falta le hace, porque vino la enfeliz, pa el cuasi [111], en cuericos vivos.

Desde allí pasaron a la salita, donde estaba la saya de tía Sidora, hecha pedazos, sobre una silla, cerca de un montón de filástica deshilada. Aquellos retazos eran las piezas del vestido de Silda, que había cortado y se disponía a coser tía Sidora. Silda había asistido con mucha atención a aquellas operaciones y tía Sidora esperaba hacerla tomar apego a la casa, enseñarla poco a poco a coser y el Catecismo, hacer lumbre, arrimar siquiera la olla, barrer los suelos, en fin, lo que debía aprender una hija de buenos padres, que había de ser mañana una mujer de gobierno. En opinión de tía Sidora, Silda se había dado a la bribia desde la muerte de su padre, porque malas mujeres le habían hecho la casa aborrecible. No sucedería eso en adelante; la niña saldría cuando y como debiera salir, y pasaría en casa el tiempo que debiera pasar; pero ni en casa ni en la calle tendría otras ocupaciones que las propias de sus años y de su sexo.

Mientras decía todas estas cosas, a su manera, la tía Sidora encarada con Andrés, Silda, con su faz impasible, miraba tan pronto a éste como a la marinera, y Andrés, atentísimo y hasta impresionado con la locuacidad expansiva y noblota de la pescadora, no apartaba los ojos de ella sino para fijarlos un momento en los serenos de Silda, como diciéndola: «¿lo oyes bien?». Al fin, no se contentó con la elocuencia de su mirada y acudió a la de las palabras, enderezando a la niña, muy serio y con gran energía, las siguientes:

—Te digo que no tendrás vergüenza si vuelves al muelle Anaos y a arrimarte a ese indecente de Muergo.

—Al muelle Anaos —le interrumpió tía Sidora— ya está ella en no volver..., ¿verdá, hijuca?... Y por lo tocante a Muergo, según él se porte, así nos portaremos con él... ¿No es eso, venturaúca de Dios?... Pero ¿qué mil demontres ha-

---

[111]   *Pa el cuasi:* «Casi, casi.» (G.-Lomas.)

brá visto esta inocente en ese espantajo de Barrabás, pa tomarse tantos cuidaos por él?... Pa tu cuenta, es de puro móstrico [112] que le ve..., ¿verdad, hijuca?

Silda se encogió de hombros y preguntó a Andrés si iría a la calle Alta cuando las fiestas de San Pedro. Andrés respondió que puede que sí y tía Sidora le ponderó mucho lo que había que ver entonces y lo bien que se veía desde la puerta de su casa. Habría hogueras y peleles y mucho bailoteo; tres días seguidos con sus noches, así; y en el del Santo, novillo de cuerda, sartas de banderas y gallardetes de balcón a balcón. Las gentes del barrio, sin acostarse en sus casas, comiendo en la taberna o a la intemperie y triscando al son del tamboril. La calle, atestada de mesas con licores y buñuelos; la iglesia de Consolación, abierta de día y de noche; el altar de San Pedro, iluminado, y la gente, entrando y saliendo a todas horas. Pero tan bien enterado estaba Andrés de lo que eran aquellas fiestas como la misma tía Sidora, porque no había perdido una desde que andaba solo por la calle.

Después examinó con muchas ponderaciones una sereña de bahía, que estaba colgada de un clavo. ¡Aquello se llamaba un aparejo de veras y no el cordelillo que él tenía, con unas tanzas * de poco más o menos y unos anzuelos de chicha y nabo! Tía Sidora, que le vio tan admirado de aquello poco, fue por el cesto de las artes, que su marido no había llevado a la mar, porque estaba a sardina, que se pesca con red. Andrés había visto muchas veces aquellos aparejos secando al balcón o amontonados en el cesto, pero devanados. Tía Sidora le explicó el destino y el manejo de cada uno. Los cordeles de merluza, del grueso de la cabeza de un alfilerón gordo, con su remate fino y un anzuelo grande a la punta. El palangre para el besugo: más de ochenta varas de cordel lleno de anzuelos colgando de sus reñales * cortos; de palmo en palmo, un reñal. Las cuerdas de bonito, compuestas de tres partes: la primera y la más larga, de un cordel que se llamaba aún, doble de gordo que el de merluza; después, una gran cuerda más fina, y después, la sotileza de

---

[112] Móstrico: personaje deforme. (Deformación de móstru-(g)o; DCELC, s. v. mostrenco.)

alambre con un gran anzuelo. Se encarnaban los anzuelos del besugo y el de la merluza con *carnada* de sardina, generalmente, y en el del bonito se ponía un engaño cualquiera, por lo común, una hoja de maíz, que no se deshacía en el agua como el papel. Para llevar a la pesca las cuerdas del besugo había una *copa*, especie de maserita, próximamente de un pie en cuadro, con las paredes en talud muy abierto, como la que tía Sidora enseñó a Andrés, porque la tenía a mano. A medida que se encarnaban los anzuelos se iban colocando en el fondo de la copa con los reñales tendidos sobre las paredillas y el cordel recogido sobre los bordes. Así se llevaba a la mar este aparejo, cuya preparación exigía bastante tiempo, porque los anzuelos no bajaban de doscientos. A veces se trababan cien besugos de un golpe. La merluza se pescaba *al garete* *, casi a lancha parada, y a una profundidad de cien brazas poco más o menos; el besugo, pez bobo, se trababa él por sí mismo, dejando tendida la cuerda con los anzuelos colgando; el bonito, *a la cacea* *, a todo andar de la lancha a la vela. Era un animal voraz y se tragaba el engaño con tal ansia que a veces salía trabado por el estómago. Para todo esto había que salir muy afuera, ¡muy afuera!, y se daban casos de no volver los pescadores al puerto en dos o tres días, bien por tener otros más próximos para pasar la noche o por obligarles a ello algún repentino temporal. La sardina, que venía en *manjúas* * enormes, se ahorcaba por las agallas en la red, atravesada delante. Esto bien lo sabía Andrés, igual que el manejo de la guadañeta para maganos en bahía, por lo que la afable marinera no se lo explicó.

Andrés no pestañeaba oyendo a tía Sidora, que, por su parte, se gozaba en el efecto que sus relatos causaban en él.

—¡Dará gusto eso! —exclamó, relamiéndose, el muchacho.

Y confesó a tía Sidora que siempre le había encantado el pescar, pero que nunca había pescado mar afuera, ni siquiera entre San Martín y la Horadada. Las más de las veces, en el Paredón del muelle Anaos; pero que fuera en el Paredón, que fuera en bahía con el bote de Cuco, siempre panchos, ¡en todas partes panchos!...; ¡nunca una *llubina* [113]

---

[113]	*Llubina:* dial., lobina o lubina.

ni siquiera una *porredana* [114] que pesara un cuarterón! Así es que tenía muchas ganas de ser mayor para poder alquilar, a cara descubierta, con otros amigos, una barquía y hartarse de pescar de todo. Esto mientras no empezara a navegar, porque en navegando tendría bote y marineros de sobra con los de su barco, cuando estuviera en el puerto. Porque él iba a matricularse en Náutica muy pronto, como había vuelto a decírselo su padre el día antes, mientras comían. En fin, todo lo que sabía y pensaba lo dijo allí, correspondiendo a las bondades que tía Sidora había tenido con él y persuadido de que, tanto la marinera como Silda, le escuchaban con sumo interés; y era la verdad... Como que tía Sidora le ofreció de corazón un poco después pan del día y una sardina asada, la cual rehusó Andrés muy cortésmente. Pero al despedirse, ofreció volver a menudo por allí.

Cuando llegó a casa, le dijo su madre, comiéndole a besos, que ya no sería marino. La noticia, por de pronto, lo dejó estupefacto, pero antes de averiguar si le alegraba o le entristecía, y de preguntar a qué pensaba dedicarle su padre, pensó si debería volver inmediatamente a casa de tía Sidora para contar el suceso o dejarlo para otro día. Porque, ¡como él había dicho allí que iba a ser marino!...

X. DEL PATACHE Y OTROS PARTICULARES

El negocio de Andrés caminaba en posta por la nueva senda en que le había encarrilado la conspiración de la capitana y la elocuencia del señor don Venancio Liencres. Bitadura emprendería otro viaje a la isla de Cuba en todo el mes de julio y Andrea se había propuesto que, para cuando se ausentara su marido, estuviera preso Andrés con algún com-

---

[114] *Porredana*: «Pescado que suele andar entre las zonas de vegetación de la bahía.» (G.-Lomas.)

promiso, por pequeño que fuera, a los planes del comerciante, aceptados al fin terminantemente por el capitán. Con los aires de la ausencia cambian mucho los pensamientos de los hombres, que son mudables de suyo; y «por si acaso», desde el mismo día en que quedó acordado entre Bitadura y su mujer que Andresillo sería puesto a las órdenes de don Venancio Liencres para que fuera haciendo de él un comerciante, se le dio un maestro que en lección particular le repasara las cuentas y le enseñara a escribir con soltura la letra inglesa, lo cual sería obra de dos o tres meses y de un par de horas de trabajo cada día. Lo demás lo iría aprendiendo en el escritorio, pues, en opinión del comerciante del Muelle, medio día de práctica sobre el atril enseñaba más que un curso de partida doble en la cátedra de un maestro.

Entre los muchos consejos buenos que al neófito dio su madre, le encareció particularmente el de procurarse la compañía y el trato íntimo del hijo del comerciante, con quien, según éste había dicho y repetido al capitán, trabajaría en el escritorio y caminaría hasta el pináculo de su infalible prosperidad. Este preliminar le consideraba ella de mucha importancia, pues una amistad íntima a la edad de los dos muchachos se convierte años después en vínculo inquebrantable.

Bien conocía Andrés al hijo del comerciante. Se llamaba Tolín (Antolín) y era, en lo físico, poca cosa: delgaducho y pálido, aunque animoso. No le *convenían*, al *paso* [115], más de tres pies y medio desde la raya, y hacía muy mala *jaliba* [316] cuando le tocaba *ponerse;* jugando al marro, le atrapaba cualquiera, sin más trabajo que cortarle el *atocadero* [117], porque se cansaba pronto de correr. A las canicas era algo más diestro, pero poco lucido: sacaba mucha cuarta y, además, la lengua. Dos veces había ido a la Maruca; pero no volvió allá, porque cada vez le había costado dos días de cama el

---

[115] Cf. n. 100.

[116] *Hacer (tener) mala o (buena) jaliba:* En el juego del paso, según la posición horizontal que mantenga la espalda.

[117] *Atocadero:* Voz local, usada en juegos infantiles. Lugar donde se toca.

descalzarse; e ir a la Maruca para no descalzarse era como no ir. Por lo demás, torcía bastante bien los tacones de los borceguíes; tenía el charol de la visera tan roído y agrietado como el de la del mayor adán, y el pañuelo del bolsillo bien empapado en barro de todos los colores; la mejor señal de que Tolín, aunque por la categoría de su padre pudiera y aun debiera serlo, no era de los *pinturines* [118] ya mencionados, que jugaban a compás con canicas de vidrio en los Arcos de Dóriga o en los de Bolado, después de barrerles el suelo un almacenero.

Todo esto sabía Andrés, porque Andrés conocía a todos sus coetáneos de Santander, altos o bajos, y, por saberlo muy bien, no le era antipático Tolín, aunque jamás se le hubiera ocurrido echársele por camarada de preferencia; mas ya que se le encargaba tanto asociarse a él, trató de hacerlo sin la menor repugnancia y lo consiguió bien pronto, porque la intimidad de Andrés era de las más codiciadas entre los chicos de su tiempo, prestigio que se explica sabiendo, como sabemos, que el hijo de Bitadura era tan apto para un fregado como para un barrido y unía a la estampa distinguida y hasta gallarda de un señorito la fortaleza y la soltura de un pillete de la calle.

¡Y vea usted lo que es juzgar por las apariencias! La amistad de Tolín le procuró uno de las placeres que jamás había gustado. Tolín tenía grandísima privanza en el *Joven Antoñito de Ribadeo*, patache que se atracaba junto a la escalerilla de la Pescadería, porque casi siempre llegaba cargado de carbón. Esta privanza de Tolín tenía por motivo los muchos favores que debía el patrón del patache al señor don Venancio Liencres, cuyas relaciones mercantiles en los puertos de Asturias eran muchas y buenas; y no solamente proporcionaba con ellas buenos fletes al *Joven Antoñito* sino que le distinguía con señaladísimas preferencias y jamás negaba a su honrado patrón un anticipo de dos o tres mil reales en días de apuro; es decir, un viaje sí y otro no, cuando mejor andaban las cosas...

Y aquí se hacen de necesidad unos cuantos párrafos consagrados a la especie *patache*, para que se tenga una idea

---

[118] *Pinturín:* dial., pinturero.

bastante exacta de esos apuros del *Joven Antoñito de Riba-deo*, de la importancia de los favores de don Venancio Lien-cres al patrón y, por consiguiente, de lo arraigada que es-taría la privanza de Tolín a bordo de aquel patache.

Se ha porfiado mucho, por ociosos y entrometidos, so-bre si fueron o no más valientes y arriesgados que Colón y que Blondín [119] los hombres que se embarcaron con el pri-mero para ir en busca de un nuevo mundo y el que montó en las espaldas del segundo para pasar por una cuerda ten-dida sobre los abismos del Niágara; que si a Colón le alen-taban la fe científica y la pasión de la gloria, y que si a Blon-dín le sostenía la confianza en su serenidad y en su expe-riencia bien probadas; que si los otros, tras del temor que podía caberles, sin ser muy aprensivos, de que entregaban sus vidas al capricho de dos locos, solamente iban impulsa-dos por la esperanza de una buena recompensa... Cabe, en efecto, la disputa acerca de estos graves particulares y me guardaré yo bien de terciar en ella con la pretensión de po-nerme en lo cierto. Lo que hago es sacar a colación el caso para afirmar, como afirmo, teniéndole presente los lectores, que se necesita mucho más valor que para todo eso y aún estar mucho más dejado de la mano de Dios, para entrar con deliberado propósito a navegar en un patache lo mis-mo de patrón que de marinero, que de *motil;* porque allí todo es peor en lo sustancial, con ligeras diferencias de de-talle. Allí no caben la fe científica ni la pasión de la gloria ni la confianza en la serenidad ni la esperanza de lucro; allí no hay nada de lo bueno, pero sí todo lo malo de las carabelas de Colón y de la cuerda de Blondín. Entrar allí para buscarse la vida es tirar a matarse poco a poco y con mala herramienta.

El patache es un barquito de treinta toneladas escasas, con aparejo de goleta. Supónese que estos barcos han sido nuevos alguna vez; yo nunca los he conocido en tal estado y eso que no los pierdo de vista, como lo pueda remediar. Por tanto, puede afirmarse que el patache es un compuesto

---

[119] Blondín: Seudónimo de Francisco Gravelín o Gravelet (1824-1897), acróbata famoso porque pasó el Niágara tres veces sobre una cuerda tendida (1855-1866), la última con un hombre a cuestas.

de tablucas y jarcia vieja. Le tripulan cinco hombres, a lo
más seis o cinco y medio: el patrón, cuatro marineros y un
motil o muchacho cocinero. El patrón tiene a popa su departamento especial, con el nombre aparatoso de cámara;
la demás gente se amontona en el rancho de proa, espacio
de forma triangular, pequeñísimo a lo ancho, a lo largo y
a lo profundo, con dos a modo de pesebres a los costados.
En estos pesebres se acomodan los marineros para dormir,
sobre la ropa que tengan de sobra y debajo de la que vistan,
pues son allí tan raras como las onzas de oro las mantas y
las colchonetas. Para entrar en el rancho hay, entre el mo-
linete y el castillo de proa, un agujero poco mayor que el
de una topera, el cual se cubre con una tabla revestida de
lona encerada, tapa unas veces de corredera y otras de visagras. De cualquier modo, si el agujero se cubre con la
tapa, no hay luz adentro ni aire, y si la tapa se deja a medio correr o levantada, entran la lluvia y el frío y el sol y
las miradas de los transeúntes; porque el patache, en los
puertos, siempre está atracado al muelle. Cada tripulante,
incluso el patrón, compra y guarda su pan (tortas de mucho
diámetro, que duran cerca de seis días cada una). Con este
pan, unas patatas o unas alubias o unas berzas, con un escrúpulo de tocino o de manteca o de aceite para ablandarlo,
todo ello a escote y condimentado por el motil, cuyas manos no tocan el agua dulce como no sea para revolver, dentro
de la que echa en un balde, las patatas recién partidas o la
berza después de haberla picado sobre el tejadillo de la cámara, a veces con el hacha; con este potaje, repito, y aquel
pan come la tripulación en el santo suelo, alrededor de la
cacerola, en la cual va cada uno, incluso el patrón, metiendo
su cuchara cuando le toca. Así cena también las mismas patatas, las mismas alubias y las propias berzas. En ocasiones,
hay bacalao, que el motil guisa en salsa roja, después de
haberlo desalado dándole dos zambullidas en el agua de la
dársena, desde la borda, atado con un cordel. Para almorzar,
un poco de cascarilla en un tanque... Y siempre lo mismo,
cuando los tiempos marchan bien.

Ningún tripulante de patache gana sueldo fijo, todos van
a la parte. Pero ¡qué parte! Por de pronto, el flete en viaje
redondo, aunque se abarrote la bodega y se encogolle el puente con barricas y tablones, no pasa mucho más allá de dos

mil reales. De este flete gana el cuarenta por ciento el barco; el patrón, soldada y media, y además, el cinco por ciento de *capa* o sobordo, o lo que es lo mismo, sobre el flete co-
brado. El resto se reparte entre los cinco tripulantes: seis,
ocho, doce duros o quince, lo más a cada uno; cantidad que
significaría algo, a pesar de su pequeñez, si el ir y venir y el
fletarse de un patache fuera coser y cantar; pero ya se verá
lo que hay sobre estos particulares.

Con alguna que otra excepción vascongada, el patache es
siempre gallego o asturiano, y si no hay carbón o manzanas
o *tabales* * de arenques que traer, llega a Santander en lastre; esto es lo más corriente. Ya está en la Dársena, atracado al Muelle. Allá va el patrón, hombre ya picando en viejo,
calmoso y de triste mirar, de escritorio en escritorio, de almacén en almacén, llamando a cada dueño por su nombre,
saludándolos a todos finísimo y cortés, y acabando en todas
partes con la misma pregunta:

—¿Hay algo para Ribadesella?

Una mañana, un día entero de gestiones así, le dan por
resultado veinte sacos de harina, dos cajas de azúcar, ocho
coloños de escobas, un catre viejo y dos fardos de papel de
estraza. Y no hay más carga en todo Santander para Ribadesella. Los sucesivos correos van trayendo algunos pedidos
nuevos, pero tan pocos y tan lentamente que con una suerte
loca llega a abarrotarse la bodega en poco más de mes y medio. Lo común es que el patache no complete su carga en
menos de dos meses o que cierre el registro a media carga.
Pero, en fin, ya está despachado y se pone en *franquía*, es
decir, se desatraca del Muelle y se fondea en medio de la
Dársena para salir a la marea de la tarde o al nordeste de la
mañana. Pues entonces, precisamente entonces, se le antoja al tiempo dar un cambio al noroeste y armar una mari-
morena que no se acaba, en invierno sobre todo, en menos
de tres semanas, cuando no dura dos meses cumplidos; dos
meses que, con los otros dos, suman cuatro... Pongamos tres
por término medio... ¡Tres meses de patatas, de pan y de
tocino para seis hombres de buen diente y con un puñado
de pesetas entre todos para comer y vestir ellos y las familias de los más de ellos!

Ya amainó el temporal y apuntó el nordeste y el baró-
metro sube. Lleva el patache, y la propia lancha, con el es-

fuerzo de los propios marineros, le remolca hasta el canal. Iza allí toda su trapajería[110], comienza a desentumecerse y a inflarse, y luego a virar por avante; y bordada * va, bordada viene, en cosa de medio día está fuera del puerto. Si es muy afortunado, en treinta horas llega al punto de su destino; si es de mediana suerte, le coge una calma en frente de Cabo Mayor y allí se pasa las horas muertas hecho una boya; o una serie de vientos redondos que le tienen seis u ocho días atolondrado en la mar, sin saber a dónde tirar ni por dónde meterse; y entre tanto, la gente de a bordo, que no contaba con aquello, mano a la harina o a las conservas o a los fideos del flete, porque no es cosa de morirse de hambre llevando la casa llena de provisiones. Si es algo desgraciado, arriba dos o tres veces durante el viaje, lo cual supone otro mes de retraso; si es desgaciado más que algo, cada una de estas arribadas le cuesta un quebranto serio en el casco o en el aparejo y pone a los tripulantes en gravísimo riesgo de perder la vida. Pero, de todos modos, venturoso o infeliz, más tarde o más temprano le coge un vendaval entre Tinamayor y Suances, que le trae en vilo hasta el Sardinero, si no le da la gana de estrellarle antes contra una peña. Desde allí me lo planta de otro voleo en la boca del puerto con rumbo a las Quebrantas. Unas veces le arroja en ellas de un tirón, otras le permite detenerse un poco, echando el ancla a medio camino de las fieras rompientes. En esta situación horrible, raro es el ejemplar que se aguanta hasta que cesa el temporal... Y, entre tanto, es la única ocasión que tienen los infelices tripulantes para abandonar el barco, que cabecea y tumba y danza con las velas desgarradas y tremolando en su arboladura la jarcia hecha pedazos, juguete de las olas que le envuelven y meten el gigantesco lomo por abajo de su quilla.

Lo ordinario es que el ancla roñosa garree * o se rompa la cadena y que el mísero barco vaya a las rompientes, donde en breves instantes le convierte en astillas la fuerza incalculable de aquellas embravecidas mares.

Todos los inviernos devora este monstruo su ración de

---

[110] *y comienza...,* en la primera edición.

patache. En una sola tarde, no hace muchos años, he visto
yo perecer cinco. Los cinco, después de entrar acosados por
el temporal y de faltarles la virada suprema, la de la salvación, la que les aleja del abismo, habían tenido que fondear
delante de las rugientes fauces del monstruo. Cuatro tripulaciones se habían salvado ya a duras penas y la lancha de un
práctico recogía la quinta con heroicos esfuerzos cuando yo
llegué al castillo de la Cerda. Momentos después, rotas las
débiles amarras, desfilaban uno a uno hacia las Quebrantas
y, para llegar más pronto, a brincos, como cabra entre ma-
lezas, y desaparecían todos ellos en aquel infierno de espuma, de golpes y de bramidos.

También ha probado barcos grandes el paladar del monstruo aquel; pero muy de tarde en tarde, porque el barco
grande huye de la costa cuando cerca de ella le coge un temporal; y si la necesidad le obliga a tomar el puerto y a fon-
dearse en sitio peligroso, tiene buenas cadenas y mejores cables; y, por último, desde que los hay disponibles, pide un
remolcador que le saque del apuro. El pobre patache nave-
ga a la costa, en la costa le cogen los malos tiempos y en la
costa los aguanta, porque no sabe ni puede andar por otra
parte; sus cables y sus cadenas son relativamente débiles, y
un remolque de vapor le cuesta lo que él no puede pagar.

Tal es su triste condición, la cual no ahorra sino más bien
duplica, con relación a otro barco más grande, las faenas de
los tripulantes a bordo, donde todo es escaso y flaquea y exige, por ende, mayores desvelos y más grandes sacrificios a
cada uno.

En suma: trabajo incesante, comida misérrima, un pese-
bre por lecho, un mechinal por dormitorio, todos los riesgos
de la mar, todas las desventajas para correrlos y la conciencia de no mejorar nunca de fortuna por aquel camino. Todo
esto acepta, a sabiendas y de buena gana, un hombre que se
decide a formar parte de esa legión de héroes de la miseria,
de las angosturas y de las fatigas, que ni siquiera tiene por
estímulo la triste esperanza de que, al acabar su carrera es-
trellados contra un peñasco o arrastrados por torbellinos de
arena y ondas amargas, se grabe su martirio en la memoria
de las gentes o merezca siquiera su conmiseración, pues hasta la que se siente por los náufragos de *alto bordo* se regatea

a los de un mísero patache. ¡Tan necesario e inevitable se conceptúa su desastroso fin! [121].

Y ahora pregunto: ¿es comparable este valor pasivo y desinteresado con la fiebre ambiciosa de los hombres que acompañaron a Colón en su primer viaje y del que pasó el Niágara sobre una cuerda, encaramado en las espaldas de Blondín? Y también caigo en la cuenta de que ni esta pregunta ni mucho de lo que la precede eran de necesidad para el fin que me propuse sacando a relucir el patache en este cuento; pero no siempre se corta por donde se señala ni es fácil hablar con interés de un desdichado sin hacer una excursión por todo el campo de sus desdichas. Achaque es éste del corazón humano y ¡ojalá no adoleciera de otros más graves!

Perdone, pues, el lector, las sobras, si le molestan, y aténgase a lo pertinente al caso, para comprender la importancia de los favores que hacía el señor don Venancio Liencres al patrón del *Joven Antoñito de Ribadeo*, sacándole del apuro de sus largas estancias junto al Muelle, una vez con fletes de preferencia y otras con generosos anticipos de dinero.

Tolín sabía algo de esto, porque estaba cansado de hallarse con el patrón en la escalera y de oír hablar de él a su padre; y como no hay patache que, por malo que sea, no tenga una lancha bastante buena, la del *Joven Antoñito de Ribadeo* era, casualmente, de las mejores en su clase: ligerita y esbelta, no mal pintada ni muy sucia. Tolín vio esto y, por verlo, se acordó de los vínculos que unían con su padre al patrón del patache; y acordándose de ello un día se coló en el *Joven Antoñito de Ribadeo*, en el cual no le recibieron con palio porque no le había, pero, en su defecto, el patrón se le presentó a sus marineros para que se le tratara allí como quien era, concluyendo por advertirles, pues barruntaba lo que iba buscando el chicuelo, que siempre que pidiera la lancha se la dieran, y hasta la ayuda del motil cuando tratara de salir de la Dársena.

Desde aquel día mandaba Tolín a bordo del patache más que el mismo patrón. Pero no abusaba. Su único entreteni-

---

[121] Pasaje que muestra la intensa preocupación social de Pereda hacia las gentes más humildes de su tierra. *Sotileza* y *La Puchera* son las que mejor destacan este aspecto.

miento era bajarse a la lancha, siempre ociosa, puesto que
el barco estaba atracado al Muelle, y, desde que el motil le
había enseñado a cinglar *, andar voltejeando por la Dársena o corretear de aquí para allí agarrado a las estachas de
los quechemarines y lanchones. Tolín habló de estas cosas
con Andrés en cuanto fue su amigo; y Andrés, asombrado
de la fortuna de Tolín, quiso que le presentara en el patache aquel mismo día; y Tolín le presentó, no solamente como
un amigo sino como su futuro *consocio* en la casa de comercio y, además, como hijo del capitán de la *Montañesa*. Un
sólo título de éstos hubiera bastado para merecer toda la
consideración de los tripulantes del *Joven Antoñito de Ribadeo;* con los tres juntos, casi le admiraron. Después trepó
por la jarcia hasta los tamboretes y bajó hasta el fondo de
la bodega con la agilidad y firmeza de un grumete; y, por
último, saltó a la lancha, armó uno de sus remos a popa y,
cinglando con una mano sola y con la otra en la cadera, llegó,
sorteando lanchas y cabos tendidos, hasta la Rampa Larga
en un periquete y en otro volvió. Aquello acabó de ganarle
las simpatías de la tripulación del patache, y desde entonces
ya tuvo barco donde sestear a su antojo y lancha buena y
de balde con que salir a bahía, solo o acompañado, a correr
las aventuras de remero y de pescador. ¡Nunca pudo ima-
ginarse Tolín, poco dado a las emociones marítimas, el valor de la ganga que proporcionó a su amigo al partir con
él su privanza a bordo del *Joven Antoñito de Ribadeo!*

Andrés, en cambio de este favor, quiso hacer partícipe a
Tolín de todas sus amistades y entretenimientos que pudieran llamarse de contrabando. Pero las diversiones del muelle Anaos no eran para el hijo de don Venancio Liencres.
Las bromas de Cuco le asustaban; los Cafeteras, Pipas y Mi-
cheros, grandullones ya, le inspiraban poca confianza, y los
Surbias, Coles, Muergos y Guarines, tropa menuda, con sus
hembras y todo, le olían muy mal y le daban asco. De la Maruca ya había probado bastante para convencerse de que
no debía volver allá. En la calle Alta, adonde también le
llevó su amigo, le pareció bien la gente de la bodega, pero
la bodega y el resto de la casa, no tanto; el resto de la casa
sobre todo. La curiosidad le arrastró a explorarla un poco
por la escalera. No pasó del tercer piso. Tramos inseguros,
escalones desclavados o carcomidos, ramales inesperados a

derecha e izquierda, y dondequiera que fijaba la vista, una puerta negra, mal cerrada y llena de rendijas..., ¡muchas puertas!... ¡y unas caras asomando a veces!..., ¡con unas greñas...! ¡y unos rumores *adentro*!... ¡y unos gritos! Luego, mugre en las paredes, mugre en la barandilla, mugre en los peldaños... ¡y una peste a *parrocha* y como a espinas de bonito chamuscadas!... Llegó a creerse perdido y enfermo en un laberinto de horrores inmundos; dudó un instante si aquello era realidad o una pesadilla, y retrocedió espantado, llamando a Andrés, que ya subía en busca suya.

—Pues todas las casas de la calle son por el estilo... o peores —le dijo, para tranquilizarle.

Y Tolín, al saberlo, cogió miedo a toda la calle, por la cual no había pasado dos veces en su vida.

No le faltaban agallas ni era dengoso, pero su parte física era débil y el espíritu mejor templado flaquea dentro de un cuerpo enfermizo. Además, su educación había sido exclusivamente terrestre y la tierra era su elemento para las pocas valentías que podía permitirle su naturaleza. Jamás se le hubiera ocurrido andar en bote por la Dársena sin ser el bote de un amigo de su padre y capitán de un barco atracado al Muelle, conjunto de circunstancias que, cuando **voltejeaba** cerca del patache, le permitían considerarse en el portal de su casa, entre amigos de la familia. Lo menos marítimo de lo marítimo, en punto a recreaciones, era la Maruca, por abundar en ella la pillería terrestre, y por eso y por estar cerca de su casa y conocerla mucho de vista, intentó, con mal éxito, acercarse allá.

De modo que le dijo a Andrés, después de la prueba de la calle Alta, que contara con él para todo menos para *esas cosas*; y como, habiéndole acompañado un día a pasear en el bote del patache y yendo los dos solos remando, les arrastrara la marea y los aconchara contra la cadena de una fragata, poniéndoles el bote casi quilla arriba, trance en el cual hubieran perecido sin el socorro de una barquía que pasaba, también le advirtió que no volvería a remar con él otra vez si salían fuera de la Dársena.

Andrés se admiró de que hubiera un muchacho a quien no le gustaran *esas cosas* y procuró complacer a su amigo, acomodándose a sus gustos siempre que podía; apartóse algo de la Maruca y del muelle Anaos, pero no de la calle Alta, adonde iba con bastante frecuencia a echar largos párrafos con la gente de la bogeda, porque, además de que tío Mechelín, a quien había caído muy en gracia, le encantaba con sus relatos de la mar, con sus cuentos y, sobre todo, con su buen humor, y tía Sidora se gozaba mucho en verle por allí, al despedirse de todos nunca dejaba Silda de decirle con su acento imperioso y su ceño duro: «Vuelve.»

¡Y cómo no había de volver Andrés, si le daba gloria ver a aquella chiquilla, un poco antes medio salvaje, sentadita al lado de tía Sidora, tan limpia, tan peinada, tan aliñadita de ropa, tan juiciosita, pasando un hilo por dos remiendos para aprender los *crecidos* en una media de algodón azul! Además, le había afirmado tía Sidora que sacaba mucho arte para la cocina y para el arreglo de la casa, y que, cuando la llevaba consigo a las faenas de la Pescadería, de todo se enteraba y de todo le daba cuenta después; y eso que parecía que en nada paraba la atención. No quería ni que la hablaran de la vida que había hecho hasta allí desde la muerte de su padre. Por lo que toca a tío Mechelín todo se le volvía contar a Andrés las habilidades de Silda en cuanto ésta daba media vuelta y enseñarle los botones que le había pegado *ella sola* en el chaleco o el remiendo que le había cosido en el elástico. En fin, que le chiquilla era otra ya y el honrado matrimonio estaba chocho con ella. A mayor abundamiento, *las* del quinto piso, cansadas de provocaciones y chichorreos [122] inútiles desde el balcón, y siempre que, entrando o saliendo, pasaban por delante de la bodega, porque cuando uno no quiere dos no riñen, sin contar con lo que las refrenaba y contenía la declaración del Cabildo, que, desatendida, podía dar en qué entender hasta a la autoridad de Marina, cuyos fallos no admitían réplica, andaban calladitas como unas santas. ¿Qué más? Hasta Muergo parecía influido benéficamente por la transformación de la chicuela; no solamente no había vendido la camisa sino que andaba a la conquista de otra o de cosa mejor, presentándose a menudo en la bodega con el poquísimo aseo que cabía en un puerco como él y triscándose, en tanto, los zoquetes de pan, que no de muy buena gana le regalaba su tía.

¿No era harto justificable el placer que experimentaba An-

---

[122] *Chichorreo:* chisme.

dresillo viendo tales cosas en aquella pobrísima morada? ¿No era el bienestar que reinaba en ella, alrededor de Silda, obra suya hasta cierto punto?

¿Quién, sino él, había cogido a la desamparada criatura en medio del arroyo y la había puesto en camino de llegar hasta donde había llegado? Que no pensara Tolín en apartarle de la bodega de la calle Alta, porque eso ni podía ni debía hacerlo él, aun sin lo mucho que le tiraban hacia allá sus aficiones marineras, los relatos del campechano tío Mechelín y las cariñosas deferencias de la tía Sidora.

XI. LA FAMILIA DE DON VENANCIO, DOS PUNTAPIÉS, UN BOTÓN DE ASA Y UN MOTE

No tomaba con tanto calor el asunto de la letra inglesa y del repaso de cuentas, pero no le desatendía. Su madre pedía a menudo informes al maestro y éste se los daba bastante buenos; su padre, descansando en el interés que su mujer tenía en que Andrés navegara en popa por sus nuevos derroteros, sólo se ocupaba en los últimos menesteres para la habilitación de su barco, próximo a dar la vela para la isla de Cuba; don Venancio parecía complacerse mucho en ver tan unidos a su hijo y al del capitán, y hasta la encopetada señora del comerciante había dado algún testimonio (no se sabe si espontáneo o aconsejado por su marido) de que no le desagradaba el nuevo camarada de Tolín.

Al llegarse éste una tarde a merendar, muy de prisa, porque le aguardaba Andrés en el portal, le dijo su madre:

—Dile que suba a merendar contigo.

Y subió el hijo de Bitadura, después de hacerse rogar mucho, no de ceremonia, sino porque verdaderamente le imponían y amedrentaban más una señora y una casa como las de don Venancia Liencres que la lucha, solo y a remo, contra el tiro de la corriente en mitad de la canal. Por eso entró algo acobardado y también porque, no contando con aquel compromiso, llevaba los borceguíes sin correas, la camisa de cuatro días, un siete en una rodillera y el pellejo muy poroso por haber bajado de una sola *cataplera* [123] desde la calle Alta al portal de Tolín.

La señora de don Venancio Liencres era uno de los ejemplares más netos de las Mucibarrenas santanderinas de entonces [124]. Hocico de asco, mirada altiva, cuatro monosílabos entre dientes, mucho lujo en la calle, percal de a tres reales en casa, mala letra y ni pizca de ortografía. De estirpe, no se hable: la más vanidosa; en cuanto se empinaba un poco sobre los pies, columbraba el azadón o el escoplo... o el tirapié de las mocedades de su padre... ¡Ah, los pobres hombres! ¡Y cómo las atormentaban sin querer, cuando, ya encanecidos, se gloriaban *coram populo* y de ellas, de haber sido lo que fueron antes de ser lo que eran! ¡Groserotes! ¡Tener a título de honra el haber hecho un caudal a fuerza de puño y el atrevimiento de contarlo delante de las hijas, que no habrían nacido o gastarían abarcas y saya de estameña sin aquellas oscuras y crueles batallas con la esquiva suerte! En fin, miseriucas del pueblo chico de las que apenas queda ya rastro, en buena hora se diga. Don Venancio Liencres era muy tentado de esas sinceridades delante de su mujer, que se ponía cárdena de ira al oírlas, después de haberse puesto azul, tiempos atrás, con otras idénticas de su padre. Pues ni por esos sempiternos testimonios de su vulgar alcurnia, que parecían providencial castigo de su vanidad, se curaba de ella. Por lo demás, era una pobre mujer que lo ignoraba todo: desde la tabla de multiplicar hasta la manera de hacer daño a nadie sino con el gesto.

Recibió a Andrés con la boca llena de frunces y una mirada que parecía pedirle cuenta de su desaliño. Cierto que Tolín no estaba mucho mejor aliñado, pero Tolín era Tolín y Andrés era el hijo del capitán de un barco «de la casa». Mientras se dirigía a abrir las vidrieras de un aparador que ocupaba media pared del fondo del comedor, alzó la voz indigesta lo indispensable para que fueran oídas estas palabras desde un cuarto del carrejo:

—¡Nina!... ¡A merendar!

---

[123] *Cataplera:* carrera (G.-Lomas).
[124] Prefigurada en doña Sabina, de *Oros son triunfos* (1876).

Y apareció en seguida la hermanita de Tolín, muy emperejilada, con rica falda de seda, grandes puntillas en los pantalones y todo lo mejor y más caro que podía llevar encima, a la moda rigurosa de entonces, la hija de un don Venancio Liencres, en un pueblo en que siempre ha sido muy
notado el lujo de las niñas pudientes. Su madre la miró de
arriba abajo, desarrugando los párpados y el hocico; y en
seguida, volviendo a arrugarlos, le dijo a Andrés en una
ojeada rápida y vanidosa:
—¡Mira esto... y asómbrate, pobrete!

La niña, que se llamaba Luisa, era un endeble barrunto
de una señorita fina: manos largas, brazos descarnados, talle
corrido, hombros huesudos, canillas enjutas, finísimo y blanco cutis, pelo lacio, ojos regulares y regulares facciones. Con
esto y con el espejo de su madre, resultaba una niña finamente *insípida*, pero no tanto como la señora de Liencres;
al cabo, era una niña y podía más en ella la sinceridad propia de sus pocos años que la confusa noción de su jerarquía, inculcada en su meollo por los humos y ciertos dichos
de su madre.

Mientras ésta colocaba sobre la mesa tres platos, uno con
higos pasos para Luisa y los otros dos con aceitunas, la niña
se fijó en Andrés, que cada vez se ponía más encendido de
color y más revuelto de pelo.

—Y es guapo —le dijo a su madre, mordiendo un higo.

—Vamos, come y calla —le respondió ésta a media voz colocando un zoquetito de pan junto a cada plato. Y luego, dirigiéndose a los chicos, añadió, señalando a las aceitunas—:
Vosotros, aquí; y en seguida, a la calle. ¡Pero cuidado con
lo que se hace y cómo se juega y a qué! No parezcamos pi-
llos de plazuela. ¿Me entiendes, Antolín?

Tolín no hizo maldito caso de la advertencia, pero Andrés
se puso todavía más encendido de lo que estaba, porque
pescó al aire cierta miradilla que le echó la señora al hablar
a su hijo. El cual agarró con los dedos una aceituna; Andrés, al verlo, agarró otra del mismo modo y, armándose de
una valor heroico, le hincó los dientes, pero no pudo pasar
de allí. Había comido, sin fruncir el gesto, *pan de cuco* [125],
ráspanos verdes y uvas de bardal, pero jamás pudo vencer

---

[125] *Pan de cuco:* Voz local. Cierta especie de hierba pequeña.

el asco y la dentera que le daba el amargor de la aceituna.

—Mamá, no le gustan —dijo Tolín, en cuanto vio la cara que ponía Andrés.

—No haga usted caso —se apresuró a rectificar Andrés, sin saber qué hacer con la aceituna que tenía en la boca—: es que no tengo ganas.

—Es que no te gustan —insistió Tolín, mondando con los dientes el hueso de la tercera.

—También yo creo que no le gustan —añadió la niña, estudiando con gran atención los gestos de Andrés—. Puede que quiera higos, como yo.

—¡Quiá!..., muchísimas gracias —volvió a decir Andrés, echando lumbre hasta por las orejas—. Si es que no tengo ganas, porque he comido cámbaros..., digo *cambrelos*, de ésos de a cuarto.

La señora le puso higos en lugar de las aceitunas y dejó solos en el comedor a los tres comensales, después de recomendar a Luisilla que despachara pronto su ración, porque le esperaba «la muchacha» para llevarla a paseo.

Desde aquel día merendó Andrés muy a menudo en casa de Tolín y fue muchas tardes con éste, y a expensas de éste, a los volatines de la plaza de toros, donde Barraceta hacía la rana a las mil maravillas y la famosa *madame* Saquí la *Ascensión del monte de San Bernardo*, por una cuerda inclinada desde la sobrepuerta de los chiqueros al tejado de enfrente. Andrés llegó a remedar tal cual a Barraceta y Luisilla le mandaba hacer la rana casi todas las tardes que merendaban juntos, en cuanto se quedaban solos en el comedor. Tolín se desconyuntaba mejor que él, pero carecía de fuerza muscular para sostener todo el peso de su cuerpo sobre las manos y no lograba dar un solo brinco con ellas, mientras que Andrés llegó a dar hasta ocho saltos seguidos, con gran admiración y aplauso de la niña. Se divertían mucho los tres. Después se separaban: Luisilla se iba con sus amigas a los jardines de la Alameda segunda, y Andrés y Tolín a *correrla* donde mejor les parecía; como valiera el voto del primero, al muelle de las Naos o a la calle Alta o al *Joven Antoñito de Ribadeo*, mientras estuvo atracado a la Pescadería.

Así pasó el verano y llegó el otoño; y Andrés y Tolín fueron arrimados, frente a frente, a un doble atril del escritorio de don Venancio Liencres, donde hacían poco más que voltear las piernas, colgantes de las altísimas banquetas, roerse las uñas de las manos o dibujar barcos y volatines con la pluma. Ingresó Colo en el Instituto más que a aprender latín a llevar leña sobre sus desdichadas carnes por la mañana y tarde; Bitadura andaba por los mares de las Antillas; Ligo, Madruga, Nudos y otros tales emprendieron largos viajes también; pae Polinar continuaba en sus ímprobas tareas de desasnar raqueros bravíos y de avenir voluntades incongruentes, sin curarse una miaja de su vicio arraigado de dar la camisa, cuando la tenía, al primero que se la pidiera.

Muergo no iba ya a su casa, porque a medio verano y por gestiones del fraile, a instancias de tía Sidora, fue colocado de *muchacho de lancha* en la de tío *Reñales*, patrón del Cabildo de Abajo. Costó mucho trabajo sujetarle a las diarias tareas de desenmallar la sardina, achicar el agua y otras semejantes de su obligación; pero algunos chicotazos y bofetones, aplicados de firme y a tiempo, le hicieron entrar por vereda; hasta que notó que cuando no iba a la mar con la lancha, se pasaba bien el rato entre los camaradas del oficio, esperándola en el Muelle o durmiendo sobre el panel para custodiarla hasta la madrugada, ocasiones en que la necesidad les inspiraba recursos de gran entretenimiento, brutales casi siempre y hasta feroces, en relación con los gustos y naturaleza mortal de cualquier hijo de familia, mas no para aquella casta de seres excepcionales, amamantados por las intemperies, que, descalzos y medio desnudos, se duermen tan guapamente, hechos un ovillo, sin tiritar y cantando, en el hueco de una puerta cerrada del Muelle, durante las más frías y lluviosas de una noche de invierno [126].

Por razón de este empleo, dejó de frecuentar la calle Alta,

_____

[126] «Repara esta especie de ovillo humano que yace sobre el santo suelo en el hueco de esa puerta cerrada: son chicuelos [...] que duermen, enroscados como anguilas en banasta y sirviéndose mutuamente de colchón, almohada y cobertura, mientras llegan del mar las lanchas a que pertenecen y que han de custodiar luego hasta el amanecer, en esta dársena. Lo más sorprendente es que, lo mismo que ahora, se los halla durmiendo en este sitio y en igual forma en las noches crudas de enero.» («Pasacalles», *O. C.*, I, p. 530.)

pero subía allá siempre que le era posible, porque nunca volvía de la bodega sin haber sacado de ella, cuando menos,
un buen zoquete de pan, que muy de buena gana le daba
tía Sidora desde que le veía sujeto al yugo de una obligación.
Silda había conseguido que se esquilara la greña una vez
al mes y se lavara un poco la cara cada ocho días, con lo
cual antes ganaba que perdía la natural monstruosidad de
Muergo, pues cuanto más se la desmochaba de accesorios y
adherentes, más de relieve se ponía; lo cual no le extrañaba
a la chica ni la desencantaba lo más mínimo, puesto que
no trataba ella de hermosear al hijo de la Chumacera sino
de someterle un poco a la disciplina y al aseo: un empeño
como otro cualquiera.

En cambio, ella, ¡cómo esponjaba y se desconocía de hora
en hora! ¡Oh! El pan sin lágrimas y el sueño sin sobresaltos
¡qué prodigios obran en los niños desvalidos... y en los hombres desdichados! Ya cosía sin que tía Sidora le preparara
la labor, *menguaba* una media sin contar en voz alta los
puntos y tejía una malla de red con mucha soltura; era limpia como una plata y, poseyendo el instinto del aseo, los
polvos y la mugre de aquella angosta y pobrísima morada
huían delante de ella. El muelle Anaos, la Maruca, el Paredón... ¡no había que mentárselos! Colo, Gaurín y tantos
otros camaradas de bribia y mosconeo sólo quedaban en su
memoria para recrearse en el bienestar presente con el recuerdo de las amarguras pasadas. No los aborrecía, porque
ellos no tenían la culpa de los azares que la habían arrojado
a aquella vida desastrosa, pero huía de encontrárselos en
su camino cuando iba a la Pescadería o a bajamar con tía
Sidora, para ayudarla en sus faenas. Fuera de estas ocasiones, rara vez ponía los pies en la calle, no porque se lo pro-
hibieran sino porque no mostraba el menor afán por salir de
su covacha. Por estos solos testimonios había que juzgar
su bienestar, porque jamás le revelaba de otro modo más
elocuente. Era obediente y dócil sin esfuerzo aparente, pero
no afable ni expansiva. Ya se la ha comparado con el gato
por su instintivo y natural aseo; pues también, como el gato,
parecía sentir más apego a la casa que a sus habitantes, aunque, en honor de la verdad, debe aclararse que, por esta
vez, las apariencias engañaban. Yo sé que había en su cora-
zoncillo una buena dosis de gratitud a los favores que reci-

bía del honrado matrimonio de la bodega; sólo que no se tomaba el trabajo de manifestarle en una frase ni en una palabra ni siquiera en un gesto; tal vez porque no se daba cuenta de lo que sentía ni se cansaba en averiguarlo; ni, después de todo, había para qué, pues tal como era y se conducía, dejándose llevar de la fuerza de sus propias conveniencias, estaban contentísimos de ella sus cariñosos protectores. Lo que yo no me atrevo a asegurar [127] es que se hubiera doblegado, sin quebrarse, la natural esquivez de su carácter, en el supuesto de no andar tan a la medida, como andaba, lo que se le pedía y lo que ella podía dar de buena gana y sin el menor esfuerzo.

Cleto, el hermano de Carpia, volviendo un día de la mar con toda la ropa de agua encima, dos remos al hombro y el cesto de los aparejos en el brazo desocupado la halló acurrucada junto al primer peldaño de la escalera, limpiando la basura del portal. Como estaba vuelta de espaldas, no vio entrar al pescador; el cual, sobrio y económico de palabras hasta la avaricia, en lugar de mandar apartarse a la chiquilla, que le obstruía el camino, le dio una patada que la hizo perder el equilibrio.

—¡Burro! —exclamó Silda en cuanto alzó la mirada y conoció a Cleto.

Detrás de éste iba Mocejón, renqueando, también cargado de ropa embreada, porque había llovido y seguía lloviendo, con el balde del macizo en una mano y la otra sujetando la *lasca* y una *orza* que llevaba al hombro, hechas un haz con los cabos de la primera. Pues entre las patazas del padre se vio la muchachuela cuando la dejó medio tendida en el suelo la agresión brutal del hijo. De modo que apenas había intentado incorporarse, cuando ya estaba dando con las narices en el peldaño, en gracia de otro puntapié más fuerte que el primero, acompañado de estas palabras, que más parecían gruñidos:

—¡Fila, reñules!...

Silda no dio un grito ni lanzó un sólo quejido, aunque, después de llevarse las manos a la cara, se las vio teñidas en sangre. Alzóse del suelo muy serenamente y se volvió a la

---

[127] Fórmula que encubre la omnisciencia del narrador. Cf. nota 47.

bodega, donde estaba tía Sidora, que nada había visto ni oído.

—Me desborregué * —dijo al entrar— y me caí contra el escalerón *.

Así explicó el suceso, quizá por horror a otros más graves de la misma procedencia. Tía Sidora dejó apresuradamente la obra que traía entre manos, colocó a Silda con la cabeza inclinada sobre el primer cacharro que halló a sus alcances y le puso sobre la nuca la llave de la puerta, remedio acreditadísimo para contener la sangre de las narices. No tuvo el lance más consecuencias ni extrañó a la muchacha lo más mínimo por lo que respecta a Mocejón. Por lo tocante a Cleto ya era otra cosa; Cleto no era malo ni jamás la dio un golpe mientras con él vivió; cierto que no le había puesto en ocasión de ello y que harto tenía que hacer el muchacho con la guerra en que vivía con su hermana y que ni por casualidad la amparó con sus fuerzas para librarla, una vez siquiera, de las infinitas agresiones de aquellas mujeres tan infernales. Pero, así y todo, Cleto no era malo, de la maldad de toda su casta [128]; Cleto era muy bruto, muy seco, nada más que muy bruto y muy seco, y ella no le ofendía en nada ni se metía con él cuando él la tumbó de un puntapié. Y he aquí por qué sintió ella el puntapié de Cleto más que todos los martirios que la habían hecho sufrir las mujeres de su casa y el animal de Mocejón.

Otro día, muy pocos después de este percance, estaba Silda recostada contra el marco de la puerta de la bodega, acabando de echar un remiendo al chaleco de tío Mechelín. A menudo trabajaba en aquel sitio porque desde él veía lo que pasaba por la calle, sin exponerse a que *las* del quinto piso la sorprendieran en el portal. Como la tarde caía y la luz iba escaseando en aquel crucero, atrevióse a salir hasta la puerta de la calle para dar desde allí las últimas pun-

---

[128] Nótese el nuevo tratamiento que recibe este personaje, comparado con el de su presentación (cap. III). Este pequeño dato corrobora la idea de que el autor comenzaba sus novelas sin plan fijo: «Cuando empiezo un libro, nunca sé en lo que va a parar y sólo lo corrijo en las pruebas.» (*Apud* J. M. de Cossío, ob. cit., p. 234.) A partir de este instante, Cleto ya tendrá asignado su papel.

tadas a su gusto. A tal tiempo bajaba Colo por la acera, con las manos debajo de los sobacos y los ojos hinchados de llorar. Encaróse con ella en cuanto la vio a la puerta y la preguntó, muy angustiado, por Andrés.

—Tres días hace que no viene por aquí —le respondió Silda—. ¿Para qué lo querías?

—Pa contarle lo que me pasa, ¡Dios!, y ver si en un apuro puede hacer algo por mí, él que es rico... ¡Paño, qué somantas!... Mira, Silda...

Y le mostró las palmas de las manos y las canillas de las piernas, cruzadas de rayas cárdenas y sarpullidas de ronchones morados.

—¿De qué es eso, tú? —le preguntó la niña.

—De los varazos que me alumbran en el latín.

—¿Quién?

—El maestro, ¡toña!, porque no embarco bien aquellas marejás de palabronas en judío... ¡Mal rayo! Mira: estas rayas más oscuras son de hace cuatro días; estas otras, de ayer y de antier; estas gordas, de esta mañana; y de estos dos bultos encarnaos saltó esta tarde la sangre al alumbrarme el varazo... ¡Dios!... Entonces ya no pude más, Silda..., porque toos los días hay leña para mí; y según tenía el libro en esta mano, mientras me rajaba a varazos esta otra, se la tiré a los morros con toa mi fuerza a aquel piazo de bárbaro. Escapéme; y primero me llevarán a presidio que al latín, ¡Dios!...; y al que se empeñara en esto sería capaz de abrirle en canal y me abriría a mí mesmo tamién, ¡toña!... Pus güeno, ¿ves las manos y las patas cómo las tengo? Pus pior debo tener las espaldas...

—¿También te pegaba en las espaldas?

—No, me pegaba tamién gofetás en la cara y con el puño del bastón en el cogote y hasta patás en la barriga [129]. Lo de

---

[129] Vid. «Más reminiscencias» [1878] (*Esbozos y rasguños*), donde Pereda evoca con más detalles la cruel pedagogía que imperaba durante sus años mozos en el Instituto santanderino. Entre los escritores de su generación fue Galdós el más atento de todos a este problema de la infancia escolar, expuestos en sus novelas «pedadógicas» (según denominación de Montesinos), *La desheredada* (1881), *El amigo Manso* (1882) y *El Doctor Centeno* (1883). La figura de Pedro Polo, en esta última, es comparable a la de don Lorenzo.

las espaldas es de mi tío el loco y de ahora mesmo, porque
al venir escapao le dije que ésta y no más; y aquello, Silda,
aquello fue una granizá de leña sobre mí, con el bastón de
nudos; que Cristo, con serlo, no la hubiera aguntao sin rendir el aparejo... Conque... ¡Mírale!...

Y exclamando así, Colo apretó a correr hacia la cuesta
del Hospital, porque vio venir hacia él, por lo alto de la
calle, al temible cura loco, con los largos faldones de su levita ondeando al aire que movía su veloz andar; el bastón
de nudos enarbolado en su diestra, el sombrero derribado
hacia la coronilla y los ojos relucientes, porque ésta era la
particularidad más llamativa del famoso don Lorenzo[130].

Silda, al verle acercarse a ella, se retiró atemorizada al
portal, precisamente en el instante en que bajaba Cleto de
su casa. Sujetábase los calzones con ambas manos por la
cintura y murmuraba entre dientes algo como maldiciones
y reniegos. Pero esta vez, aunque halló a Silda atravesada
en su camino, no la apartó a un lado con los pies. Observando que cosía, detúvose y díjola:

—¿Me empriestas la uja un poquitín? A mercar una salía ahora mesmo.

A Silda no le pesó ver tan manso delante de ella a un
sujeto del quinto piso y particularmente a Cleto, por lo que
ya se ha dicho.

—¿Para qué la quieres? —le preguntó a su vez.

—Pa pegar este botón... No tengo más que él en los calzones... La bribona de Carpia me robó la escota * pa ama-
rrarse el rufajo[131], de modo que si arrío las manos, se me
va a fondo la bragá.

—¿Por qué no te pegan los botones en casa?

—Porque allí no sabe naide tanto como eso.

—Pues ¿quién te los pegaba otras veces?

—Yo, cuando tenía uja..., hasta que se me perdió.

—¿Y quién te arremienda?

—En mi casa no se arremienda na, bien lo sabes tú. Cuando allí se rompe algo, se deja así hasta que se cae, si no se
pué contener con una carena de puntás. Ca uno se da las

---

[130] Historia trazada en «Más reminiscencias» (*Esbozos y rasguños*); *O. C.*, I, p. 1285.
[131] *Rufajo:* refajo.

pirtinicientes... y al sol endimpués. ¿Me empriestas la uja? ¿Sí u no?

—¿Quieres que te pegue el botón yo mesma?

—Mejor que mejor... Tómale, es de asa. De hormilla le tengo tamién arriba. Si te paece mejor, pico a traerle.

—Bueno es el de asa.

Silda le tomó en sus manos; rompió con los dientes, menudos, apretados y blanquísimos, la hebra de hilo negro que empleaba en remendar el chaleco de tío Mechelín; diola al extremo resultante un nudo, solamente con el pulgar y el índice de su mano derecha, operación en que la había ejercitado con gran empeño tía Sidora, porque decía que mujer torpe en anudar la hebra, nunca parecía buena cosedora; taladró, a duras penas, con la aguja el empedernido paño de la cintura del pantalón de Cleto, mientas éste le sujetaba apretando las manos contra la barriga; metió la aguja por el asa del botón, dejándole deslizarse hebra abajo, dando volteretas, y comenzó a coser y a estirar la puntada, poniendo los cinco sentidos en aquella obra, la primera que hacía *fuera de la casa.*

Cleto no era feo; había cierta dulzura y mucha luz en sus ojos negros; eran muy regulares sus facciones, y bien aplomadas y varoniles todas las líneas de su cuerpo. Pero andaba muy sucio y las greñas indómitas de la cabeza le cubrían media cara, curtida por las intemperies y jaspeada por mechones de espeso y negro bozo, que comenzaba a ser barba nutrida. Hasta la respiración contenía mientras Silda empleaba las escasas fuerzas de su manecilla rechoncha y blanca, para hacer pasar la aguja por las durezas de aquel paño, que más parecía cartón embreado. En esta faena y aquella actitud les sorprendió tío Mechelín, que volvía de la calle con la pipa en la boca.

Detúvose unos instantes a la puerta, contemplando fijamente y con cara de pascua el inesperado cuadro, y exclamó luego, sin poder contenerse más:

—¡Arrepara bien, Cleto!..., ¡arrepara bien!... ¡Mira ese saque de mano!... ¡Mira ese cobrar de veta... y ese atesar de juntá!... ¿Qué hay que pedir a ello en josticia de ley?

Volvió Cleto los ojos hacia tío Mechelín y apartólos de él en seguida, sin responder una palabra. Silda no se dio por entendida de aquellos piropos, ni siquiera con una sonrisa.

El regocijado pescador continuó soltando apóstrofes a Cleto y alabanzas a la costurera.

Acabóse la tarea; metióse en la bodega Silda, mientras Cleto, sin desplegar sus labios, se daba el botón recién *pegado* y tío Mechelín no cerraba boca, dirigiéndose a Cleto; y Cleto se largó sin despedirse y el locuaz marido de tía Sidora todavía hablaba hacia él; y tras él salió hasta la puerta de la calle y desde allí le siguió con los ojos... y con la palabra; y se arrimó al podrido marco cuando perdió de vista al mozo del quinto piso; y entonces, tentado de la pasión de locuacidad que solía acometerle, como ya se ha dicho, comenzó a pasear la mirada por la acera y los balcones y las ventanas de enfrente y sobre los transeúntes, diciendo al propio tiempo y en la más rica y pintoresca variedad de tonos y registros:

—¡Hay que verlo!... ¡Vos digo que hay que verlo pa saber lo que son las sus manucas y aquel dir y venir con la pluma mesma por los aires!... Ni pisa ni mancha... Le dice usté una vez la cosa, ya está entendía... Ella, la media azul; ella, la calceta blanca; ella, el remiendo fino; ella, el botón de nácara lo mesmo que el botón de suela; ella, la escoba; ella, la lumbre; ella, la puchera... Vamos, que pa too lo que Dios crió hay remo allí, con una gracia y una finura que lleva los ojos de la cara... Si me da el dolor de esta banda, ella calienta el ladrillo y de un verbo me le lleva, engüelto en la batea, a la cabecera de la cama. Si la mi Sidora cae de sus males, el angeluco de Dios la adevina sus pensamientos pa que na la falte, dende la onza de chocolate, bien hervía, hasta el reparo pa la boca del estógamo... ¿De alimento, dices tú?... Tocante al alimento, es poca cosa; pero es de buen engordar de suyo, como la den trabajo llevadero y un dormir sin pesaúmbres... Oír, no se la oye palabra, si no es pa responder a lo que se la pregunta u preguntar lo que ella buenamente no puede saber... ¿De vestir?... ¡Pues no da gloria de Dios ver cómo le cae hasta un trapuco viejo que usté le ponga encima! Si vos digo que, a no saber quién fue su madre, por hija se la tomara de anguna enfanta de Ingalaterra..., cuando no de una señora de comerciante del Muelle... Pos ¿y el arte para el deletreo de salabario, en primeramente, y pa la letura del libro dimpués?... ¿Y qué me dices tú de los rezos que ha aprendío en un periquete, que hasta el pae Polinar se asombra de ello?... Na, hijos, que si la enseñan solfa, solfa aprende... ¡Uva!... Y a too y a esto, finuca ella, finuco el su andar, finuco el su vestir, aunque el vestío sea probe; la misma seda cuanto hacen sus manos y limpio como las platas el suelo por onde ella va y el rincón en que se meta... Que es asina de natural, vamos... Y lo que yo le digo a Sidora cuando me empondera la finura de cuerpo y la finura de obra del angeluco de Dios: «Esto, Sidora, no es mujer, es una pura *sotileza*...» ¡Toma!, y que así la llamamos ya en casa: Sotileza arriba y Sotileza abajo, y por Sotileza responde ella tan guapamente. Como que no hay agravio en ello y sí mucha verdá... ¡Uva!

Y por eso, y desde aquellos días, se llamó Sotileza la huérfana del náufrago Mules; no solamente en casa de tío Mechelín sino en todas las demás casas de la calle y en la calle misma y en el Cabildo entero y en el Cabildo de Abajo también y en todas partes donde fue conocida su afamada belleza, con lo que de ésta se siguió fácilmente y verá el curioso lector, entre otras cosas igualmente vulgares y de todos los días, si se arma de paciencia para acompañarme en el relato otra jornadita más.

XII. MARIPOSAS [132]

Entre las gentes marineras (y no se ofendan las de acá, porque el oficio que traen no es para otra cosa), una persona limpia es punto más rara que las peras de a tres libras. En Sotileza fue creciendo con los años el instinto del aseo; y, a mi modo de ver, de la fuerza del contraste que formaba aquella su inverosímil pulcritud de carnes y de vestido con la basura de lugares y personas en medio de la cual vivía (y he aquí cómo el diablo me arrastra por tercera a la com-

---

[132] Nótese la imagen *crisálidas* → *mariposas*, para indicar las dos partes del libro: infancia → juventud, de sus principales personajes.

paración del gato con la huérfana de Mules), a mi modo de ver, repito, de la fuerza de este contraste, tan singular y llamativo, debió nacer en el Cabildo de Arriba la fama de la hermosura de Sotileza, confundiendo la torpe percepción de los sucios marineros el atributo con la esencia o, mejor dicho, los colores con la forma. Porque yo recuerdo muy bien que lo primero que se echaba de ver en aquella garrida muchacha cuando estaba, a los veinte años, en la flor de su galanura, era la limpieza extremada de su atavío, en el que dominaban siempre las notas claras, como si esto fuera un alarde más de su pulcritud a prueba de peligros; y no emperejilada para las fiestas de la calle o las bodas de la vecindad o la misa o el paseo de los domingos, que esto probaría bien poco, sino todos los días, a la puerta de la bodega, en lo alto del Paredón, atravesada en la acera, tejiendo la red en el portal, sacando la barredura a la mitad del arroyo o remendando los calzones de tío Mechelín. En refajo corto, descubriendo por debajo tres dedos de lienzo más blanco que la nieve; con justillo de mahón rayado de azul; pañuelo de mil colores sobre el alto, curvo y macizo seno; a medio brazo las mangas de la camisa y otro pañolito de seda, claro también, graciosamente atado, *a la cofia*, sobre el nutrido moño de su pelo castaño con ondas tornasoladas de oro bruñido. La curiosidad que excitaban estos llamativos pormenores movía los ojos del observador a hacer otras exploraciones; y entonces se reparaba en los aplomos admirables y en los lineamientos finos y gallardos de la pierna y del pie, desnudos y blanquísimos, que asomaban por debajo de la tira de lienzo; en el torneado brazo, desnudo también; en el cuello redondo y escultural, que se alzaba sobre los anchos hombros, y, por fin, en la cara saludable, fresca, verdaderamente primaveral, la porción más envidiable de la valiente cabeza que el cuello sostenía y sobre la cual centelleaban, al bambolearse, los anchos anillos de oro colgando de las menudas orejas.

Tal era lo que, en el orden señalado, iba saltando a los ojos de un observador algo adiestrado en los intríngulis del arte, al contemplar a Sotileza por primera vez en su propio y natural terreno; con los cuales elementos, si hay para construir lo que se llama toda una buena moza, se puede estar muy lejos de llegar a la hermosura que atribuyó la fama a la memorable callealtera. Examinándola todavía más al pormenor, las líneas de su cara distaban mucho de estar ajustadas a los buenos modelos de la belleza clásica: la frente pecaba de angosta; la boca, aunque pequeña y fresca, era durísima de expresión; la mirada de sus rasgados ojos, demasiado cruda; el entrecejo muy acentuado, y el contorno general no daba la corrección de los trazos atenienses. Aunque separadamente fuera intachable cada porción de su cuerpo, éste, en conjunto, si bien flexible y gracioso, no era un modelo escultórico [133]. En una palabra, Sotileza no era una hermosura en el sentido artístico de la expresión, pero reunía todos los atractivos necesarios para ser la admiración de los mozos de su calle y excitar la curiosidad y luego hasta el frenesí de los antojos en los hombres cultos, más esclavos de las malas pasiones que del sentimiento estético. Su voz era de hermoso timbre, con unas notas graves que acentuaban poderosamente el vigor de su frase lacónica, y *entonaba* muy bien con la expresión de su semblante [134]. Lejos de corregirse esta su nativa esquivez, había ido afirmándose con los años, y, aunque esta cualidad no la arrastraba jamás a ser chocarrera ni provocativa, cuando se le buscaba la lengua por las envidiosas o por los atrevidos, sus aceradas sequedades la hacían verdaderamente temible.

Con el poder de su rica naturaleza y acaso, acaso, con la conciencia de su hermosura, había adquirido el valor que no tuvo de niña para arrostrar de frente ciertos peligros y logrado imponerse, hasta con la mirada, a las hembras de la familia de tío Mocejón, triunfo de que se ufanaba Sotileza, por ser de los poquísimos en que había puesto todo su

---

[133] Los patrones estéticos de las artes de la Antigüedad clásica fueron para los novelistas de la época módulos de referencia al trazar la belleza de sus heroínas. Comentarios al respecto pueden leerse en *La familia de León Roch*, de Galdós, sobre María Egipcíaca (*O. C.*, IV, Madrid, Ed. Aguilar, 1966⁴, p. 779 *a*); en *Las ilusiones del doctor Faustino*, de Valera, sobre Constancia (*O. C.*, I, Madrid, Ed. Aguilar, 1942², p. 194 *a*); o en *El escándalo*, de Alarcón, sobre Gabriela (*O. C.*, Madrid, Ed. Fax, 1954², p. 522 *a*).

[134] Es de notar que la mayoría de las protagonistas peredianas adolecen, como en el presente caso, de alguna imperfección en cualquier parte o en el conjunto de su cuerpo.

propósito desde que comenzó a comprender que para conseguir ciertas cosas una mujer de su carácter no necesitaba más que empeñarse en ello. Por supuesto que no ignoraba que las del quinto piso, más que corregidas, estaban domadas a la fuerza, ni que, por consiguiente, no dejarían de aprovechar la primera coyuntura que se les presentara, para herirla impunemente; pero, por de pronto, la fiera, aunque gruñendo, estaba enjaulada, y ella tenía, en el prestigio de que gozaba en la calle, el arma con que atormentar su espíritu envidioso, y en el temple de su carácter, la fuerza necesaria para imponerse.

Cleto la había dicho varias veces desde aquello del botón:

—Cuenta conmigo hasta pa darlas una paliza, si te conviene..., ¡porque son muy malas!

Y Sotileza se había sonreído, por conocer la calidad del motivo que arrastraba a Cleto a proponerle aquella ociosa barbaridad.

Porque Cleto frecuentaba mucho la bodega. El pobre muchacho, que era de un natural candoroso y bonachón, desde que nació no había cultivado otro trato que el de las gentes de su casa, gentes puercas y desalmadas; y no sabían que un mozo como él, que no sentía la necesidad de ser malo ni hallaba placer en vivir como se vivía en el quinto piso, podía encontrar en otra parte algo que echaba de menos, cierto *aquel*, a modo de entraña, que le escarbaba allá adentro, muy adentro de sí mismo, como lloroso y desconsolado. Y este algo pareció en la bodega, en la jovialidad de tío Mechelín, en la bondadosa sencillez de tía Sidora y hasta en la limpieza y el buen orden de toda la habitación. Allí se hablaba mucho sin maldecir de nadie, se comían cosas sazonadas a horas regulares, se rezaban oportunamente oraciones que él jamás había oído y, si se quejaba de algún dolor, se le recomendaba con cariño algún remedio y hasta se le preparaba la misma tía Sidora... En fin, daba gusto estar allí, donde se hallaban tantas cosas de que él no tenía la menor idea, muchas cosas que le alegraban aquella entraña «de allá adentro», que antes siempre estaba engurruñada y triste; y le hacían coger apego a la vida y distinguir los días nublados de los días de sol, y los ruídos ásperos de los dulces, y hablar, hablar mucho sobre todo lo que le hablaran y re-

cordar lo que había sido antes para recrearse un poco en
lo que iba siendo.

Porque, al mismo tiempo, crecía Sotileza; y según iba creciendo, reparaba él cómo se transformaban las líneas de su
cuerpo y se acentuaba la redondez y tersura de sus carnes,
el poder y la luz de su mirada y las armonías de su voz;
y cómo iba llenando ella sola la bodega con todas estas cosas y su remango de mujer hacendosa, y hasta con su luz;
porque hubiera jurado el pobretón de Cleto que de ella, y
no del sol de los cielos, eran aquellos resplandores que se es-
parcían por la casa... Después se volvía a la suya, donde no
hallaba qué cenar ni cama en qué acostarse, y oía maldiciones y blasfemias, y le querían devorar aquellas mujeres infernales, porque tomaba tanta ley «a los pícaros de abajo».
Y estas cotidianas escenas le hacían acordarse con nuevas
ansias de la bodega y, en cuanto hallaba un rato desocupado,
tornábase a ella; y más de una vez, considerando lo que arriba le esperaba, tuvo los labios entreabiertos para decir a tío
Mechelín, puesto de rodillas delante de él:

—¡Déjeme vivir aquí para siempre!... No quiero cama ni
comida. ¡Yo dormiré sobre los ladrillos de la cocina y comeré un mendrugo en la taberna de lo que gane trabajando
para usté!

Y es de advertir que el matrimonio de la bodega no miraba con malos ojos la bien notoria afición que iba tomando
Cleto a Sotileza. Cleto era trabajador, honrado, sano y robusto como una encina, y hasta sería guapo y buen mozo el
día en que cayera en manos que cuidaran de él y le asearan
con cariño. Demás de esto, estaba abocado a una herencia
de media barquía, si Mocejón no malvendía la suya antes
de morirse. ¿Qué mejor acomodo para Sotileza, si Sotileza
llegara a aceptarle un día sin repugnancia?... ¡Repugnancia!
¿Y por qué había de sentirla la desvalida huérfana? Cierto
que, en opinión de los cariñosos viejos, puesta Sotileza, a valer, no había oro con que pagarla ni marqués que la mereciera; pero la pasión no les cegaba hasta el punto de desco-
nocer que los marqueses cargados de oro no habían de llamar jamás con buen fin a la puerta de la bodega. Y no contando ni debiendo contar con una ganga semejante, ¿las había mucho mejores que Cleto para Sotileza en el Cabildo
de Arriba? Por supuesto que ellos no pellizcarían la lengua

de Cleto para que rompiera a cantar lo que el mozo sentía, ni hurgarían el oído de la muchacha con alabanzas de su pretendiente para conquistarla la voluntad, pero se guardarían muy bien de ponerle estorbos en la puerta y mucho menos de írsela cerrando poco a poco.

De modo que si aquella súplica reverente que tantas veces tuvo Cleto entre los labios llega a salir de su boca, tal vez no hubiera sido desairada por tío Mechelín ni quizá por su mujer, dejándose arrastrar éstos solamente del impulso de sus propios corazones. Pero había otros miramientos a que atender y uno de ellos, no el de menor importancia, era el haberse negado tenazmente a la misma pretensión insinuada por Sotileza más de dos veces a favor de Muergo, desde que éste, apenas matriculado en el gremio y ya rayando en los dieciséis años, perdió a su madre de resultas de una caída en la Rampa Larga, subiendo cargada de sardinas... y de aguardiente. Sotileza, pues, perseveraba en los mismos propósitos de Silda de amparar al hijo de la Chumacera, tan necesitado, en opinión de la caritativa muchacha, de una voluntad que le rigiera y le apartara del mal camino, adonde podían llevarle los resabios que heredaba de su madre y la soledad y el abandono en que últimamente vivía.

Y el bruto de Muergo explotaba bien estas inexplicables blanduras de la antigua víctima de sus barbaridades en el muelle de las Naos y en la Maruca. Particularmente desde que era huérfano de padre y madre no se pasaba día sin hacer una visita, bien larga y aprovechada, a la bodega de su tío. Como pudiera remediarlo, la visita era a las horas de comer o de cenar, porque en estas ocasiones siempre sacaba mendrugo para su estómago insaciable. Vivía en la calle del Medio, arrimado a una familia que le daba un jergón y la comida por poco menos de lo que él ganaba de *compañero* en una lancha del Cabildo de Abajo, la tercera que había conocido desde que fue colocado de *muchacho*, como ya se dijo, en la de tío Reñales.

En sus visitas a la bodega de la calle Alta se encontraba muy a menudo con Cleto. Se aborrecían de muerte; y estaban ambos allí como dos mastines delante de una sola tajada. Para Muergo, la tajada era todo cuanto encerraba la casa por el temor de que el otro sacara de ella, aunque fuera en buenas palabras, lo que no alcanzaba para satisfacer-

le a él. Para Cleto, la tajada parecía ser la grosera monstruosidad del hijo de la Chumacera, que le hacía aborrecible,
y mucho más que aquel sitio. Cierto que le consolaba un
poco la no disimulada complacencia con que el viejo matrimonio le ayudaba a contradecir el menor conato de dictamen que apuntara, entre gruñidos, el estúpido marinero;
mas este consuelo se le amargaba el decidido tesón de Sotileza en amparar a Muergo siempre, con razón o sin ella;
y ésta era la verdadera causa de la aversión que sentía hacia el hijo de la Chumacera el mozo del quinto piso.

Porque por sí solas la grosería y la monstruosidad de
Muergo... ¡Oh, la monstruosidad de Muergo! ¡Había que considerarle bien a la edad de diecinueve años, época en que
vuelve a aparecer Sotileza tal y como se ha presentado al
comienzo de este capítulo. Desde que le perdimos de vista,
todo había crecido en él a un mismo tiempo: la gordura de
sus labios, el estrabismo de su mirada, la anchura y remangamiento de su nariz, la espesura de sus crines, el vuelo de
sus orejas, la blancura de sus dientes ralos, la bóveda de sus
espaldas, la intensidad del color cobrizo de su piel, su natural obesidad adiposa, que había llegado a relucir como cuero etíope, la aspereza salvaje de su voz, su estupidez...; todo,
en suma, tanto físico como moral, se había agrandado y robustecido en su persona; y para que no faltase a la armonía de este conjunto de monstruosidades, todo él iba envuelto,
de ordinario, en una flotante camisa de bayeta verde muy
peluda, unos calzones pardos y un gorro catalán, verde
también, con la vuelta encarnada. Con este atavío lanudo y
tieso, y su andar lento y oscilante, parecía un oso polar,
suponiendo que en el Polo hubiera osos verdes de medio
adelante y pardos de medio atrás. No había cosa más decente
a qué compararle [135].

Sotileza le había predicado mucho que ahorrara para
echarse un vestido bueno de día de fiesta y ya tenía parte
de él; pero no quería estrenarlo sin la chaqueta y la boina
que le faltaban, y contaba tener dentro de mes y medio, allá
por la fiesta de los Mártires, patronos de su Cabildo. Antes
pudo haberle estrenado, pero le tiraba mucho la Zanguina,

---

[135] Obsérvese el lenguaje *more zoológico*, de extracción costumbrista, usado por el autor para caricaturizar a su personaje

famosa taberna de los Arcos de Hacha; y en la Zanguina quedaban casi todos los ahorros de Muergo; y no todos porque no se le cobraba su deuda entera de repente. Muergo era bebedor; pero con el miedo de perder el amparo de las gentes de la bodega dominaba bastante el vicio. Aguantaba sereno medio barril de aguardiente, pero cuando se emborrachaba era una fiera. Por eso los mismos camaradas que cuando estaba en sus cabales le acribillaban a burlas impunemente, en cuanto le veían borracho, huían de él. Entonces era capaz de las mayores barbaridades, por sangrientas que fueran.

Por lo demás, era alegrote, fuerte en el trabajo, bastante placentero y duro de salud.

¡Y qué lejos estaba de maltratar a Sotileza como le había maltratado de muchacho a la niña Silda! La poca razón que cabía en su mollera, algo de vil interés y mucho del influjo necesario de la Naturaleza misma, que iba hablando a sus carnazas a medida que la huérfana de Mules crecía y se hermoseaba y le ofrecía con incansable perseverencia los únicos testimonios de cariño que había gustado en su vida, le habían ido amansando y abatiendo poco a poco, hasta sentirse esclavo de la voluntad de la garrida muchacha, como se rinde fascinada una bestia bravía a las caricias de la gentil domadora.

Con este símil, y no de otro modo, hay que explicar el mutuo afecto de estos dos seres tan distintos entre sí. En él obraban, como causa, el interés egoísta y el poder contrastable de una ley misteriosa; en ella, la fuerza de un propósito temerario, primero, y después, la satisfacción o la vanidad del triunfo conseguido.

—¡Mira, hijuca —la dijo un día tía Sidora—, que este mimo con que tratas a esa bestia te ha de costar caro..., porque la cabra siempre tira al monte y de jugar con lobos no se saca más que arañazos y mordiscos!... No lo digo por el pan que me come, porque tú lo deseas y eso me basta... Pero ¿por qué no me mandas que se le dé a otra boca que más le merezca?

—Muergo le merece —contestó la muchacha.

—¡Merecerle ese móstrico de Satanás!... ¿Por qué? —exclamó la marinera.

—Porque sí —respondió secamente la otra.

—Mejor razón que ésa deseara yo; pero aunque valga lo que tú quieras, mejores las hay en contrario y ciego será quien no las vea... Sólo que hay que nacer con suerte y ese animal la tuvo contigo dende que debistes aborrecerle... ¡Mal año pa las enjusticias contra la ley de Dios! Y mira que no me llegara la tuya tan al alma, si no te viera negar hasta los «buenos días» al venturoso de arriba, que es un pedazo de pan de pies a cabeza, cuando na te paece bastante para el cerdo de mi sobrino...

—Cleto es de mala casta.

—¡Pues mira que el hijo de la Chumacera!...

—Cada uno tiene sus gustos.

—Y los viejos mucha experiencia, hijuca, y hasta la obligación de aconsejar a los mozos, cuando los mozos no van por el camino derecho.

—¿Y qué mal hago yo en mirar con caridá por quien es aborrecible a todos?

—El mal de dar alas a quien no debe volar con ellas.

—¡Porque es feo!

—Porque no es bueno.

—No roba ni mata.

—No le ha dado por ahí, que si le da, no será el entendimiento quien se lo estorbe. Y ten entendido que a Muergo, más que feo, se le aborrece por burro con zunas.

—Otros las tienen y son bien vistos.

—Porque también tienen prendas de estima... Y mira, hijuca, no te ofendas ni te me enfades; pero más te dijera sin el temor de que pienses que lo que ese animal nos come, por tus blanduras, es lo que a mí me duele para hablar como hablo.

Y tras estas palabras, como Sotileza callara, sentáronse ambas, por mandato de tía Sidora, a concluir de *pegar* un paño a una saya vieja de ésta, porque al día siguiente era domingo, a la luz del candil, colgado de un clavo en la pared, junto a la alcoba matrimonial.

En esto bajaba Cleto de su casa y tropezó con Muergo, que entraba en el portal; y como si el primero hubiera estado oyendo las amonestaciones de tía Sidora a Sotileza y ellas le inspiraran una súbita resolución, dijo a Muergo muy callandito, pero con suma vehemencia, mientras le agarraba con ambas manos por la pechera del elástico peludo:

—¡Quiero que no güelvas aquí más!

—¡Puño! —respondió Muergo, también por lo bajo—. ¿Y quién eres tú pa mandar esas cosas?

—¿Te güelves o no te güelves pon onde has venío? —insistió Cleto, sin soltar al otro.

—¡No, puño! —respondió el del Cabildo de Abajo.

—Pues te voy a dar dos morrás... Pero no grites aunque te salte las muelas... Tampoco yo gritaré.

Y como lo dijo lo hizo. Sonaron dos golpes secos y después otros dos por el estilo, entre un rumor confuso y de interjecciones groseras y de jadeos de la respiración; luego otro golpe más recio y sonoro, como el de una cabeza contra el portón de la calle; casi al mismo tiempo una blasfemia de Muergo medio en falsete..., y todo volvió a quedar silencioso en las tinieblas del portal, entre las cuales escupía Muergo más sangre que saliva y se palpaba los dientes uno a uno, por ver si los conservaba enteros; mientras Cleto después de haber desahogado un poco su veneno, se largaba calle abajo, temeroso de lo que pudiera ocurrirle en la bodega si entraba en ella a la vez que el otro y el otro contaba lo sucedido o lo adivinaban las de adentro sin que lo contara nadie.

Pero Muergo no estaba de humor de referir cosa alguna de esa especie; y como en una cara como la suya significaban muy poco unos cuantos flemones de más o de menos, nada le preguntaron las mujeres por los tres que se alzaban bien altos alrededor de la bocaza. Dio las buenas noches en un gruñido y preguntó por su tío.

—Salió a por tanzas para la sereña —respondió su mujer.

—¿Hay ujana?

—Se sacó por si acaso.

—Pus que apareje temprano la barquía, porque mañana iremos a barbos después de la primera misa, antes que apunte la marea. Si él no puede, que se quede en la cama, porque tamién vamos yo y Cole. Ese recao traigo... ¡Ju, ju, ju!

—¿Cómo no vino el mesmo don Andrés? —preguntó la marinera.

—Dijo que estaba muy ocupao... ¡Puño, qué pilas de du-

ros encima de aquella mesa!... ¡Me valga!... ¡Se podía anadar entre ellos... y ajuergarse tamién...! ¡Ju, ju, ju!
Llegó en esto tío Mechelín. Andaba más perezoso y abatido que años atrás; faltábale también en el rostro aquella
expresión de regocijo con que le conocimos. Repitiéronle
el recado que había traído Muergo y añadió su mujer:

—Si no estás pa ello, quédate en la cama. Muergo y Cole
han de ir de toas maneras.

—Estoy pa ello —respondió el pescador, mirando a Sotileza, que parecía animarle con los ojos—. Lo que siento
es, dicho sea sin agravio de naide, que pa estas cosas se al-
cuerde más don Andrés de los de Abajo que de las mesmas
gentes de acá que andan con uno en la barquía... Los hombres lo sienten, la verdad sea dicha. Pero son fantesías de
aprecio a otros, que hay que respetar.

—Pues si a respetos no fuéramos, Miguel, —repuso la
marinera— y a respetos de otra clase, ¿quién mejor pa ayu-
darnos en tales días que ese venturao de Cleto?

—¡Uva! —respondió el tío Mechelín.

Al oír el nombre de Cleto se revolvió Muergo sobre el
escabel, como un oso hurgado por el espinazo.

—¿Qué tienes, burro? —le preguntó su tío.

—Na que le importe —respondió Muergo.

Cole era un pescador valiente y entendido, que años antes fue un pillete que el lector conoció, con el mismo nombre, en casa del padre Apolinar. No son raros tales casos en-
tres los mareantes santanderinos. Díganlo, sin salirnos del término de nuestro relato, Guarín, Toletes y Surbia, otros tres
raqueros transformados con los años en pescadores de empuje y de vergüenza. También salió cosa buena para el oficio Colo, el de la calle Alta, después que dejó el latín y fue
recogido en la Casa de Caridad el energúmeno de su tío.

Entre tanto, Cafetera, Pipa y Michero estaban en la Ca-
rraca, purgando la *equivocación* de tomar por objeto de lí-
cito raqueo un cronómetro de bolsillo, perteneciente a un
barco atracado al Paredón de la Dársena; e imperaba en
el muelle Anaos otra generación de raqueros, capitaneada
por cierto Runflas y un tal Cambrios, fatalmente destinados
a recoger las llaves de aquel memorable holgadero; porque
ya algún trozo de la escollera de Maliaño comenzaba a asomar el lomo por encima de las más altas mareas con espan-

to de las *bogas*, que huían de aquellas playas, sabe Dios adónde, para no volver más a colmar con sus rebaños las barquías de los pescadores santanderinos; los terraplenes del ferrocarril llegaban a mucho andar y amenazaban ya al mismo muelle de las Naos por la casa de baños de Calderón, desde cuyos balcones los que esperaban turno para zambullirse en las marmóreas pilas entretenían sus impaciencias escupiendo por última vez sobre el agua del mar, que lamía las paredes del edificio por aquella fachada y la del nordeste, y golpeaba a menudo las repisas; porque se barruntaba la locomotora asomando por la Peña del Cuervo, tendidas al aire sus largas, serpenteantes y blanquecinas guedejas, conduciendo en sus entrañas de fuego los gérmenes de una nueva vida y barriendo al pasar los usos y costumbres que habían imperado aquí durante tantos, tantísimos años de un no interrumpido y patriarcal sosiego, y al Cabildo de Arriba sólo le quedaba una charca para fondear sus embarcaciones y un boquete en el terraplén para sacarlas a bahía.

En la misma calle Alta se habían sustituido más de tres de sus edificios vetustos con otros tantos flamantes de balcones de hierro y paredes blancas; y allí se estaban, opresos y reventando y haciendo tan triste papel como los dientes de porcelana en una dentadura podrida. Para el castizo gremio de pescadores todas estas cosas eran motivo de serias cavilaciones y barruntos de un temporal deshecho que se les iba encima, pero se anticipaban a capearle, dando la cara a otro viento y haciendo como que no veían el peligro, no hablando una palabra de él y extremando su añeja costumbre de vivir encerrados en sus conchas, sin tratos con lo terrestre y sin ver nada más de positivo del centro de la población que de la cueva del *Ojáncano* o de las *Sereni tas del Mar.*

Y de todo ello y mucho más tenían la culpa aquellas «aventuras de loco» de que nos hablaba don Venancio Liencres, incrédulo y asombrado, y en las cuales se había ido metiendo hasta el cogote el comercio santanderino... ¡Mayor pobre hombre!

XIII. LA ÓRBITA DE ANDRÉS

Bastó con que le buscaran con arte las cosquillas de sus debilidades para ser el primero en acudir a las Juntas preparatorias y el primero en hablar de ellas para ponderar las ventajas incalculables de la atrevida empresa, y no de los últimos entre los principales accionistas, y de los más apasionados en la memorable batalla que se libró más tarde sobre si el camino había de ir por la derecha o por la izquierda; y hasta se presume que metió una vez la pluma en *El Despertador Montañés* para contestar a ciertas agresiones embozadas que creyó ver en *El Espíritu del Siglo*, cuando estos dos periódicos, órganos respectivos de los dos bandos beligerantes, andaban tirándose los trastos a la cabeza; aplaudió el establecimiento de las líneas de vapores entre este puerto y otros franceses del Atlántico..., y, en fin, hasta mordió después el cebo de las primeras sociedades de créditos que se colaron en la Montaña detrás del ferrocarril. Perdió bastante el apego al viejo sillón de su escritorio y se dio con entusiasmo al negocio *ilustrado* con peroraciones elocuentes y escolios luminosos en las aceras del Muelle y en el *Senado del Círculo de Recreo*.

Su hijo y Andrés le reemplazaban en el banco de la paciencia (así llamaba él al escritorio a la antigua). Tolín había salido muy dispuesto para lo que pudiera llamarse gerencia del departamento: los corredores, la correspondencia, el buen orden y la disciplina de arriba y de abajo, es decir, del escritorio y del almacén; tenía una excelente nariz, delicado paladar y admirable sutileza de tacto en las yemas de sus dedos para examinar muestras de azúcar y cacao, y sobre todo afición, que es el misterio de todos estos tiquismiquis. Andrés le ayudaba muy poco y tenía a su cuidado la caja. Carecía de verdadera vocación de comerciante. El pundonor, una gran fuerza de voluntad, primero, y ya, últimamente, las costumbre, hicieron que se acomodara sin disgusto a aquellas tareas tan ingratas para quien no las penetre con verdadero amor a los fines a que se enderezan. Bastaba ver a los dos amigos para comprender sin esfuerzo esta diversidad de gustos y de aptitudes entre ambos. Tolín era un jovenzuelo de pobre naturaleza, de serena fisonomía, reparón y hasta minucioso en la mirada; escogido, o más bien preciso, en la frase; metódico en su labor y muy ordenado en los accesorios de ella; su letra era clara, de la mejor ralea española; aprovechaba las tiras sobrantes de papel, por diminutas que fueran, para hacer sus cálculos numéricos, en guarismos que parecían de molde; sabía repartir la atención convenientemente y sin embarullarse entre varios asuntos a la vez, y, aunque era ágil en sus movimientos y poco dengoso, no había en su vestido correcto ni una mancha ni una arruga. En fin, que *caía* en el escritorio como santo en su peana.

Andrés era un mocetón sanguíneo, frescote, de mirada voraz, pero rápida y versátil; esbelto, varonilmente hermoso en cualquiera de sus actitudes. Sentado, a media nalga, delante del atril, crujía la banqueta a cada rasgo de su pluma y, mientras los rizos brillantes de su pelo negro se le bamboleaban delante de los ojos, su boca no cesaba de murmurar alguna palabra o de silbar muy bajito los aires más corrientes. Una equivocación de pluma le hacía prorrumpir en las más lamentosas exclamaciones y por un borrón insignificante se decía a sí propio las mayores atrocidades, olvidado de que había gentes que le escuchaban; y, sin embargo, el volar de una mosca le distraía y al menor ruído de la calle se plantaba de un salto a la ventana del entresuelo. En los cobros y pagos que tenía a su cargo, como cajero de la casa, armaba un estruendo de dos mil demonios al contar las monedas que le entregaban o al derramar encima del mostrador los talegos de napoleones o al probar la ley de los sospechosos, haciéndoles rebotar sobre el tablero. Por lo demás, era puntual asistente a las horas de trabajo y placentero y servicial para todo y para todos; pero no le cabía en el pellejo y necesitaba todas aquellas inquietudes y los otros estruendos para no ahogarse dentro de la envoltura. Como se ve, no podían darse dos naturalezas más distintas entre sí que las de Andrés y Tolín. Lo único en que se parecían los dos mozos era en el cordialísimo cariño que mutuamente se profesaban.

A los pocos meses de ingresar en el escritorio enfermó Tolín. La fiebre duró muchos días y la convalecencia fue larga. Andrés, como ya se ha dicho, sabía pintar barcos con tinta, añil y *botabomba**. Tolín salió algo mañoso de la enfermedad y quiso que su amigo le entretuviera de día y de noche pintando barcos y muñecos a su lado; y Andrés tuvo la santa paciencia de estar cerca de quince días pinta que pinta sobre un velador que se arrimaba a la cama de su amigo, mientras éste no pudo levantarse, y luego en la mesa del comedor. A todas estas sesiones de arte casero asistía Luisa cuando no estaba en el colegio, siguiendo sin pestañear los rumbos del pincel y de la pluma de Andresillo, que ya sabían trazar, respectivamente, sin que la mano los moviera, una mar borrascosa con cuatro descargas de añil, un velamen de polacra con una inundación de *botabomba*, y un casco y su aparejo con dos docenas de rayas hechas en un decir «Jesús».

—Pinta ahora al capitán —le decía Tolín alguna vez.

Y Andresillo pintaba un muñeco, que daba en las vergas con la gorra.

—Ahora el piloto —añadía Luisa.

Y el piloto se pintaba junto al capitán; y luego todos los tripulantes y el perro de a bordo y el gallinero y la rueda del timón y un lechoncillo y media docena de gallinas...; hasta que decía Andrés:

—Ya no caben más cosas.

Tolín quiso, al cabo de dos días, echar también su cuarto a espaldas; y como en sus buenos tiempos de granuja había cultivado algo el dibujo franco en las paredes de los portales, y era, por naturaleza, bastante dispuesto para las obras de imitación que no exigieran otras virtudes que la paciencia, en fuerza de disolver terrones de añil y de *botabomba* y de pringarse los dedos y los labios, llegó a pintar tan a la perfección como su maestro, aunque éste no lo creía así y se lo decía por lo bajo y a la disimulada a la niña cada vez que ésta, dando con el codo a Andrés, le señalaba, con el asombro en los ojos, lo que iba pintando su hermano.

El cual se aficionó tanto al arte que, después de volver a sus tareas de escritorio, continuó pintando por su cuenta en los ratos desocupados. Y como su padre le comprara una caja de pinturas de las mejores (cinco reales y medio o seis, a lo más, valían), de las mejores, repito, que se vendían en los Alemanes de la calle de San Francisco (negras con tapa carmesí, barnizada), se dio a pintar cuanto Dios crió y se le metía por los ojos. Entonces pintó a don Venancio Liencres, de perfil, con *saco* negro, sombrero de copa y bastón; a su madre (la del pintor), con manteleta flecuda, gorra con plumajes y vestido rayado, de perfil también; a Luisilla, en adecuado atalaje, igualmente de perfil; y a la cocinera y a la doncella y al tenedor de libros..., a todos de perfil y encarados a la izquierda, por no saber arreglárselas por el otro lado y mucho menos con las figuras de frente. Después pintó sillas y bancos y mesas y el gato, y copió las flores del papel del comedor y las figuras de la baraja; hasta que, viéndole su padre con vocación tan decidida, trató de ponerle a aprender el dibujo, por princi pios, con Cardona, que daba lecciones en su taller del teatro, pero Tolín no estaba por *retroceder* a los enojosos y lentos preliminares de escuela, después de llegar hasta donde él había llegado en el arte, y quiso continuar cultivándole sin más guía que su pertinaz inspiración. Proveyóse de papel de marquilla, que nunca había tenido, y se lanzó al paisaje. Entonces copió, a trozos y en detalles, cuanto se alcanzaba a ver desde su casa por delante y por detrás. Esta obra duró años, porque al mismo tiempo trabajaba con afición y con aprovechamiento en el escritorio de su padre, y el panorama es enorme y sus detalles eran infinitos. Solamente la casa de Botín con los sillares de sus arcos, uno a uno, y con las tabletas de sus persianas verdes, una a una, le llevó cerca de tres meses; háganme ustedes el Muelle, losa a losa; y la Catedral, canto a canto y teja a teja; y así la bahía, con sus barcos y sus montañas al fondo; y el Alta, con su atalaya y sus árboles y la Maruca y San Martín; y a ver quién es el guapo que se compromete a pintarlo en menos tiempo.

Cuando volvemos a hallarle sustituyendo a su padre en el escritorio, ya la manía iba cesando; solamente pintaba algunas cosillas de tarde en tarde, pero el fuego de su amor al arte adentro le ardía aún, puesto que para recreo de su espíritu, quebrantado por el peso de las tareas del entresuelo, se encerraba en su cuarto tan pronto como entraba en casa y se pasaba media hora en la contemplación extática de dos docenas largas de obras de su pincel, que, «puestas en cuadro» como lo mejorcito de la colección, adornaban las paredes. Allí estaban, años hacía, siendo la admiración de todos los que en la casa moraban y a la casa concurrían, con el respectivo rótulo al pie, en letras como cerojas, que decía así: *Lo hizo Antolín Liencres (de afición) el año de mil ochocientos y tantos.* Y por si no era bastante el paréntesis del rótulo para ponderar el mérito de la obra, don Venancio, su señora, su hija, la doncella..., cualquiera persona que con cualquier pretexto (y entonces abundaban) introdujera a un visitante en aquel cuarto, tenía muy bien cuidado de decir, señalando cuadro por cuadro:

—Esta es la Capitanía del puerto; ésta es la casa de Botín; éste es el castillo de San Felipe, con su catedral detrás; ésta es la lancha del Astillero, cargada de pasaje, a remo y a vela a un mismo tiempo... ¡Qué propio está todo!, ¿eh?... ¡Parece que está hablando cada cosa de por sí!

Y de añadir en seguida:

—Pues mire usted, todo lo pinta de afición. Jamás ha tenido maestro ni le ha querido... ¿Para qué, haciendo lo que él hace y sabiendo lo que sabe?

Andrés se dio muy pronto por vencido. Verdad que no le hurgaba mucho las entrañas el pundonor artístico. Cuando Luisilla vio a su hermano pintar barcos por debajo de la pata y hasta despilfarrarlos como detalles decorativos de sus paisajes, dijo una noche a Andrés:

—Aprende, aprende, hijo. ¡Esto se llama pintar barcos... y botes!

—Mejor es manejar bien los de verdad, como yo los manejo —respondió Andrés.

—Y andar con marinerotes... ¡y con marineras! —replicó Luisa con mucho retintín.

Andrés se puso muy colorado, porque era la verdad que se alampaba por la compañía de esas gentes y por aquellas diversiones.

Las que absorbían el seso a Tolín, juntamente con el cambio operado en sus costumbres públicas por obra del tiempo que iba corriendo y de las condiciones enclenques de su naturaleza, fueron apegándole de tal modo al rincón de la casa que aquellas tertulias nocturnas del tiempo de su convalecencia llegaron a ser para él una verdadera necesidad. Ni con agua hervida se le podía echar a la calle en cuanto se encendían los faroles públicos.

El núcleo de su tertulia le componían Luisa y Andrés. Algunas veces se arrimaban allá tres o cuatro amiguitos y amiguitas de la vecindad; pero esto ocurría pocas veces, sin pena alguna de los otros, que se encontraban muy a su gusto estando solos. Por lo común, mientras Tolín pintaba, Andrés refería lo referible de sus aventuras marítimas y Luisa atendía a la pintura y a los relatos, sin perder una pincelada ni una frase.

Algunas veces metía su cucharada en las dos cazuelas y decía, por ejemplo, a su hermano:

—Me parece que ese verde es más de lechuga que de mar.

O interrumpía a Andrés con estas palabras:

—Pues eso no le cae bien a un muchacho decente como tú. A lo mejor hueles a esas pringues de lancha... y puede que también digas cosas feas cuando nosotros no te oímos.

Andrés, porque quería de veras a Tolín, concurría con asiduidad a aquella tertulia, en lo cual se complacían mucho su madre (la capitana) y don Venancio Liencres, a quien el hijo de Bitadura estaba más obligado cada día. Porque si le hubiera dicho quien tenía autoridad para ello: «Pásate esas dos o tres horas que se te conceden de libertad por la noche donde más te agrade», ¡oh, entonces!... entonces, sin abandonar por completo a Tolín, no frecuentara tanto su casa con la pejiguera de mudarse la camisa un día sí y otro no y el riesgo, entre otros, siempre gravísimo para él, de tropezarse a lo mejor con la señora de don Venancio, tan seria y estirada, y tener que saludarla muy atento y cortés, en la seguridad de no ser respondido más que con una palabra, y ésa, corta y seca. Bastante más le consideraban y se divertía en la bodega de la calle Alta y junto a la Capitanía del puerto o en la punta del Muelle o en los Arcos de Hacha; dondequiera que hubiere marineros desocupados y en corrillo. ¡Conocía y trataba a tantos de ellos!

Según fue creciendo, las llamadas conveniencias sociales le obligaron a guardar un poco más la distancia, pero no por eso perdieron una pizca de fuerzas sus inclinaciones; antes bien, se afirmaban y crecían con él, lo cual era crecer mucho, porque Andrés crecía y ensanchaba que era una bendición de Dios. A los diecisiete años rebasaba de la talla más de dos dedos y alzaba en el almacén una quintalera en cada mano hasta más arriba de las caderas. Remando, daba torno al marinero más forzudo y gobernaba el aparejo de un bote o de una lancha con singular destreza. Ni sures ni vendavales le imponían, y contra vientos y mareas bregaba triunfante y no sólo impávido, sino gozoso. Yo no sé qué demonio tenía la mar para aquel muchacho: parecía de la naturaleza de los perros de lanas; en cuanto la veía, ya estaba buscando un pretexto para arrojarse a ella. Conocía las corrientes, las puntas de arena y todos los misterios de la bahía como el mejor práctico y había corrido en ella cuantos riesgos y temporales pueden correrse por nieblas, varaduras y vientos desencadenados... En fin, que se la sabía de memoria. Entróle comezón de ir aprendiendo algo de mar afuera y para lograrlo no desperdiciaba ocasión. La primera se la ofreció la casualidad.

Las lanchas de práctico no tienen tripulantes fijos y se echa mano de los primeros que se presentan. La remuneración es tal cual. Por un *limonaje* a un barco que pase de ciento cincuenta toneladas se le cobran doscientos veinte reales, de los cuales ciento son para el práctico, soldada y media para la lancha y el resto para repartir entre los marineros. Cada día entran dos prácticos de servicio, los cuales deben estar una hora antes de amanecer en la boca del puerto y no pueden retirarse hasta otra hora después de anochecido. Si el servicio de estas dos lanchas no alcanza, avisa el práctico mayor, para los casos extraordinarios, al patrón o a los patrones que se necesiten, por riguroso turno.

Al ocurrir un caso de estos, una tarde de día festivo, se hallaba Andrés echando un párrafo con algunos mareantes a la puerta de la Zanguina. Faltaban dos hombres para completar la tripulación de la lancha, que debía salir a tomar el barco en el Sardinero; el caso era de urgencia y el práctico se impacientaba. «Esta es la mía para ver algo de *eso*», pensó Andrés. Y se brindó generosamente a tener por un lado. Considerábanle allí mucho por ser hijo de quien era y por la veta que sacaba; y con todos los miramientos y salvedades de rigor y de cortesía se aceptó la proposición con entusiasmo. Como si al mozo le hubiera tocado la lotería, corrió al Muelle delante de los que corrían más, saltó a la lancha el primero, armó su remo en la banda más floja, largó la tuina debajo del banco, afirmó los pies en el delantero... y ya estaba en sus glorias. La lancha, boga que boga, salió del puerto, tomó el barco al este de la Peña de Mouro y, después de quedar amarrada al costado, Andrés subió a bordo con el práctico. ¡Otro cachito de gloria, enteramente nueva, para el animoso muchacho! ¡Abocar al puerto sobre el puente de un bergantín con toda su lona al viento y presenciar las maniobras de a bordo y las ansiedades del capitán, con el ánimo esclavo de los mandatos y las señales del práctico, y oír el áspero rechinar de la garrucha y el cántico triste y cadencioso de los hombres que *cobran* la escota, y el ruido de los que corren y la voz que les manda y el rumor de la estela, y sentir en la cara el aire que mueve una vela al ser braceada y en los pies el efecto engañoso del lento cabeceo del bergantín al deslizar su quilla entre las ondas que él mismo agita siguiendo el rumbo que le traza el diestro timonel, y saborear, en la misma colmena, las dulzuras de la inexplicable, misteriosa armonía que llega a producir este conjunto de ruidos, colores y movimientos!

El lance le engolosinó de tal modo que le repitió en adelante muchas veces, siempre que tuvo ocasión de ello; ya que no remando en la lancha del práctico, como curioso agregado a su tripulación.

He vuelto a citar la Zanguina, la famosa taberna marinera del Cabildo de Abajo, cuya procedencia ignoran hasta los mismos viejos que la frecuentan todavía y no llegaron a conocerla en los Arcos de Dóriga, donde se dice que la estableció por vez primera y con el mismo nombre un capitán negrero que con los relatos de sus aventuras crispaba las greñas de los rudos mareantes que le escuchaban. Pues para asistir a la Zanguina, siquiera dos veces por semana, a las horas de *sesión*, cercenaba Andrés el tiempo necesario a la tertulia de Tolín, al fin o al comienzo de ella, según las estaciones y las *costeras*. Tolín lo sabía, su hermana no. Pero a ésta la engañaban entre los dos con una mentirilla cualquiera, a fin de que don Venancio ignorase el suceso. Porque el demonio de la muchacha, que ya iba pasando de niña, había dado en la flor de meterse en las cosas de Andrés, como si le importaran mucho; y con unos reparos y unos aspavientos y unas advertencias, tan escrupulosos y tan encarecidas, que solamente podía explicárselos el hijo del capitán Bitadura por la razón de ser Luisa hija de su madre, tan celosa del lustre de su casa y del bien parecer de los que andaban en ella.

A la Zanguina iba Andrés porque en la Zanguina vivían, más que en sus propios domicilios, los mareantes del Cabildo de Abajo. Por allí pasaban para ir a todas partes y por allí volvían; y allí descansaban y allí departían; allí tomaban la mañana y las nueve y las diez y las once y la sosiega; y torcían sus aparejos y compraban la parrocha y levantaban empréstitos y dejaban sus ahorros; y allí, al volver de la mar, cargados con las artes y la ropa de agua, aguardaban las mujeres a sus maridos: las de los malos, para llenarlos de improperios a cambio de algunos bofetones; las de los buenos, con la comida en la cesta y el hijo más chiquitín en el otro brazo; porque estos marinerotes, aunque no tan finos de piel ni tan pulidos de palabra como los pescadores de poema, también gustan de tener sobre las rodillas al retoño más pequeño y darle el bocadillo más sabroso, a la vez que ellos se zampan, aunque en lugar extraño, la puchera doméstica, sobre todo cuando cuentan con no cruzar las puertas de su casa en dos o tres días, lo cual acontece durante las campañas de mucha brega, como las del besugo. Allí preparaban entonces sus artes para la madrugada siguiente; y allí, por tanto, encarnaban los innúmeros anzuelos de sus cordeles besugueros; y allí se embobalicaba Andrés, viendo con qué primor iban los pescadores colocando en el fondo de la *copa* los anzuelos encarnados, contra las paredes los reñales y sobre los bordes el cordel. Ya había estudiado esta materia en la calle Alta; pero no es lo mismo vérselo hacer a un hombre solo, en el silencio de su hogar, que a muchos hombres a la vez, entre el ruido de las conversaciones, el interés de los relatos, el tufillo de la taberna y a la luz de los reverberos.

¡Cuánta gente conoció allí; cuántos caracteres estudió; cómo fue aprendiendo el nombre y la aplicación y el manejo de cada cosa; las zunas y las virtudes de cada mareante; la constitución del gremio, su tesoro, sus deudas; los intríngulis de cada familia, sus alegrías, sus pesadumbres!... ¡Porque aquéllas sí que eran casas de cristal y no las que habitan y tanto nos encarecen esos señorones públicos, cuyas vidas son un misterio indescifrable, a pesar de la imaginada transparencia de sus conchas! Aquello es propia y materialmente vivir y pensar a gritos, en mitad del arroyo.

Allí conoció también al Falagán *reinante* a la sazón, de la tradicional dinastía de los Falaganes de Cueto, en la cual venía vinculado, y aún viene en estos tiempos, el servicio de vigías en Cabo Mayor, servicio que se reduce a encender en él hogueras cuando hay Sur en bahía o rompe la mar en la costa, para advertírselo con el humo, si es de día, y con la luz, si es de noche, a las lanchas que están pescando afuera.

Aunque no con todos estos pormenores que se van narrando, Bitadura y su mujer conocían las geniales aficiones de Andrés y estaba muy distante el capitán de condenarlas, pero la capitana las tenía entre ceja y ceja a todas las horas de Dios.

—Ya lo ves —la decía su marido—, la veta de ese muchacho es de la casta: pez de la mar desde los pies a la cabeza. ¡Mira si tenía yo razón cuando quería enseñarle a navegar!

—Cierto —respondía la capitana—; pero, por de pronto, le tengo a salvo de borrascas y tiburones y eso vamos ganando...

—Ni siquiera eso... ¡ni tanto como ello! —replicaba Bitadura—. Que puede el mejor día ponérsele el bote por montera... ¡Y mira que es gloria el acabar ahogado en una palangana, cuando se pudo morir entre los huracanes del Golfo! Pero, en fin, lo quisiste; y ya que te saliste con la tuya, no me pesa verle como le veo. Es fuerte, es guapo, tiene corazón..., y para eso son los hombres, mejor que para zarandear las arrastraderas, con las manos enguantadas y el pescuezo entre dos foques almidonados, en salones y paseos... No falte él a sus deberes, como no falta, y, te lo repito, me gusta la hebra que va sacando. Lo que siento es que, por andar a escondidas para muchas cosas, las haga de prisa y mal; y hacerlo mal y de prisa donde él lo hace es muy peligroso, porque puede irle en ello la vida... ¡Sobre esto hay que hablar, Andrea!

—Y sobre lo otro también —replicó la capitana con ahínco.

—¿Y cuál es lo otro?

—Lo otro es que no hay quien le despegue de esa condenada bodega de la calle Alta.

—¿La de Mechelín?... ¡La casa más honrada y pacífica
de todo el Cabildo de Arriba! Allí bien está..., mejor que en
la Zanguina, donde le he visto yo una noche al pasar por
delante de la taberna.

—¡También a la Zanguina!... ¡Y por la noche! Pues ¿no
va a casa de don Venancio?

—Por lo visto hace a todo el ángel de Dios. ¡Si te digo
que saca una filástica*!... Pero no te apures por lo de la
Zanguina, porque eso corre de mi cuenta.

—Pero ¿qué dirán en casa de ese señor?

—No saben nada del caso... Y si lo supieran, ¡qué demonio!... ¿Les he entregado yo el hijo para que les haga la
corte a todas horas? Pues mírate: entre los dos extremos
más le quiero con resabios de Zanguina que plagando la
casa y la ciudad de mascarones pintados con añil y yema
de huevo, como hace el otro.

—Yo me entiendo, Pedro.

—También me entiendo yo, Andrea... y también te entiendo a ti, sólo que tampoco en eso vamos conformes. Lo
que esté de Dios, a la mano ha de venirse; y lo que venga de
ese modo, ni debe buscarlo él ni debes forzarle tú para que
lo busque, porque ni lo necesita ni, si me apuras un poco,
le conviene... Y basta de conversación.

XIV. EL DIABLO, EN ESCENA

Precisamente muy pocas horas después de ella fue cuando Andrés se decidió a manifestar a su padre uno de los
deseos, de los pocos deseos más voraces que sentía: tener
un bote suyo o la mitad siquiera, como muchos jovenzuelos
de su edad. Porque entonces había una escuadrilla de ele-
gantísimos esquifes particulares (que se fondeaban enfrente del Café Suizo), como ahora hay caballos de regalo y co-
ches de fantasía. Procuró suavizar las asperezas que pudiera
llevar consigo la pretensión, declarando a su padre que arri-
maría a la compra todos los ahorros que había hecho de los

sueldos y gratificaciones ganados en el escritorio. Sonrióse
el capitán y le ofreció el regalo de un esquife nuevo, a condición de que no volviera a la Zanguina más que de tránsito y en los casos de necesidad; porque necesidad de darse
una vuelta por la Zanguina la tenían cuantas personas de
abajo eran dueñas de bote o aficionadas siquiera a los placeres de la bahía. Andrés aceptó de buena gana la condición
y, con las instrucciones del mismo Bitadura, le construyó
Lencho un esquife, aparejado de balandro, tan esbelto y sutil
que navegaba solo.

Por entonces empezó tío Mechelín a adolecer de muchos
achaques que a menudo le impedían salir a la mar y aun le
postraban en la cama. Los míseros ahorros se agotaron y en
la bodega comenzaron a sentirse varias necesidades, porque
la labor de las mujeres no daba para cubrirlas todas. Andrés lo observó con mucha pena, sobre todo cuando se convenció de que los achaques del honrado pescador eran lacras del oficio, enconadas por el peso de los años, es decir,
de las que no tienen cura y piden grandísimos cuidados para
ir pasando el enfermo poco a poco el último y breve trance
de la vida.

—Yo no sé —decía una tarde tía Sidora a Andrés, con
los ojos empañados, mientras su marido se quejaba, tendido sobre la cama— cómo, mirándose en este espejo, hay hombre tan dejao de la mano de Dios que se mete en este oficio. ¡Enfeliz! ¡Cincuenta años largos de bregar en esos mares con fríos que aterecen, con soles que abrasan, con vientos, con lluvias, con nieves, poco descanso, una pizca de sueño y vuelta a la lancha antes de romper el día; y cierre usté
los ojos por no ver la estampa de la muerte que se embarca
primero que naide y va siempre allí, allí, con los enfelices,
pa acabar con toos ellos cuando menos lo esperan y onde
no hay otro amparo que la misericordia de Dios! Mire usté,
don Andrés, yo no sé qué me pasa cuando me regatean cuarto a cuarto una libra de merluza en la plaza gentes que tiran un duro por un pingajo que no necesitan. ¡Si supieran lo
que cuesta sacar aquel pescao de la mar! ¡Qué peligros!
¡Qué trabajos!... ¿Y pa qué, Señor? Pa que el primer día que
el enfeliz mareante se quede en la cama, no tenga su familia
qué comer..., por honrao y trabajador que sea, como este
venturao que no tiene un mal vicio... ¡Si hubiera habido aho-

SOTILEZA   211

rros pa una barquía tan siquiera!... Ya ve usté, dos mil reales en cincuenta y más años de brega no es mucho pedir...
Si hoy tuviéramos esa barquía, en días de salú saldría Miguel con ella a la badía [136], si no le era posible salir más
ajuera [137]; y cuando no el barco mesmo lo ganara pescando
otros en él y de ese quiñón comeríamos en casa. Pero ¡ni
eso, don Andrés, ni eso! Y yo no tengo jornal todos los días;
me faltan ojos ya pa la costura y la poca que dan en la calle
a esta desgraciá, que es mi consuelo y mi ayuda, la pagan
mal y cuando los paece...

Sotileza, que se hallaba presente, no apartaba los ojos
de tía Sidora sino para ponerlos en los humedecidos de
Andrés.

El cual, tan pronto como salió de allí, habló larga y elo-
cuentemente con su padre, que conocía mucho a tío Mechelín y estimaba de veras sus honrosas cualidades.

Por conclusión, de lo que trataron padre e hijo, dijo al
segundo el primero:

—Que no lo sepa tu madre, porque no mira esas cosas
por el lado que nosotros, pero hay que proporcionarle a
Mechelín la barquía que necesita.

Y tío Mechelín la tuvo muy pronto; y desde aquel día
reverdecieron las mustias alegrías de la bodega de la calle
Alta y fueron en ella Andrés y el nombre de su padre hasta
venerados. Por entonces dijo a Sotileza tía Sidora:

—Mira, hijuca, haz por ser desde hoy un poco placentera de semblante y de palabra con esa persona, que es una
onza de oro de por sí, siquiera porque no piense que somos
ingratos. No es que tú le quieras mal, que bien sé yo que
no hay na de ello, pero la cara no debe tapar nunca lo que
pasa por adentro ni aunque lo de adentro sea malo, cuanto
más siendo bueno.

Porque es de saberse que, aunque entre Andrés y Sotileza había grande intimidad, era ésta casi toda a expensas del
carácter franco y comunicativo del primero. Sotileza no era
mucho más expansiva con él que con las demás personas

---

[136] *Badía:* bahía. Antigua forma hispano-portuguesa, hoy conservada en Galicia, Asturias y La Montaña.
[137] *Ajuera:* dial., afuera. Aspiración de la *f-* latina.

que la trataban, con la monstruosa excepción de Muergo;
pero como con respecto a Andrés ningún malquerer tenía
que disimular la arisca rapaza, que ya iba tocando en los
límites de la belleza a que llegó poco después, se prestó de
buena gana a hacer el esfuerzo que le reclamaba la más
agradecida que experta marinera. Cuyo asombro no tuvo
medida cuando reparó que, según iba subiendo la afabilidad
de Sotileza con Andrés, bajaba la de Andrés con Sotileza y
hasta iba cercenando poco a poco sus visitas a la bodega.
¿Qué demonios pasaba allí? ¿De qué se había resentido un
mozo tan caballero y tan campechano en quien todos ado-
raban? ¿No los juzgaría ya merecedores del bien que les
había hecho? ¿Pues no veía cómo le saboreaban y se nu-
trían de él y a su amparo conllevaba alegre todo el peso de
sus plagas el achacoso marinero, sin que le robara el sueño
la visión del hospital para remate de sus días, y cómo aprovechaba la menor tregua en sus dolores para ganar un quiñón más con el trabajo de su persona, porque ése era su
deber? ¿No iba a menudo desde la humilde bodega a la casa
del capitán, poco, pero lo mejor de lo escogido entre lo
mejor de la pesca del día, no en pago del beneficio recibido,
pues éste no tenía precio ni el bienhechor le hubiera cobra-
do jamás, sino en testimonio de que el pedazo de pan no
había caído en estómagos ingratos? Y si no era esto o algo
que pudiera paracérsele, ¿qué era? Y en vano se consumía
y se devanaba los sesos tía Sidora; y entre tanto, cuanto
más reparaba en Andrés, más cambiado le encontraba.

Llegó a consultar el caso con su marido y luego con Sotileza; mas como el primero la echó enhoramala, jurando y
perjurando que él no había visto señales de semejante cambio,
y la segunda, encogiéndose de hombros, opinó lo propio que
tío Mechelín, la buena mujer, comenzando a dudar si había visto visiones, fue, ya que no olvidándolas, acostumbrán-
dose a ellas, que era todo cuanto podía hacer con el clavo que tenía allá dentro.

Y el caso es que tía Sidora estaba en lo firme; lo que
ignoraba, por fortuna suya, era la causa del retraimiento de
Andrés; y esta causa va a conocerla el lector.

El mismo día en que tío Mechelín se halló en posesión de
la barquía, subió a su casa Mocejón, que ya estaba hecho

un carcamal, vomitando por aquella bocaza las mayores tempestades entre vahos de veneno.

—¡Ñules..., reñules! —exclamaba, mientras dando bandazos * y cabezadas iba desde la puerta de la escalera con rumbo a la sala, donde destorcían chicotes viejos la Sargüeta y Carpia, y fumaba Cleto, silencioso, mustio y arrimado a la pared—. ¡Lo que se corría, salió! Pero, ¡ñules!, ¿ónde está la vergüenza de las gentes? ¿Con qué cara toman eso? ¿Hay ley de Dios u no hay ley de Dios? Esta casa ¿es casa... u qué es? Si de la mía se la sacó porque la maltrataban... ¿cómo se consiente, ñules, que se la tenga en casa... pa esos timinejes?... [138]. Porque, ¡reñules!, la cosa es clara, y en cuanti me la apuntó al oído endenantes quien las pesca al vuelo..., la pesqué yo también. ¡Reñules, qué sinvergüenzas!

Se le pidieron explicaciones y comenzó a enlazar, a su brutal manera, el donativo de la barquía con el apego de Andrés a la bodega y con la fresca juventud de su inquilina. Y digo que *comenzó* tío Mocejón a hacer este enlace, porque a medio camino de su tarea le salieron al encuentro las mujeres de su casa y llevaron los supuestos apuntados a los extremos más escandalosos. Cleto tardó en enterarse por lo perezoso que era de comprensión, pero en cuanto vio de qué se trataba, saltó como un tigre y exclamó indignado:

—¡Paño! ¡To eso es un pura mentira! ¡Tos ustees mienten aquí! ¡Y tú más que denguno, bribona! ¡Yo conozco a ese c... tintas! ¡Yo sé bien quién es ca uno de los de aquí!... Y digo que eso es mentira, ¡paño!, y güelvo a decir que miente usté, porque chochea..., y tú, por envidiosa y cancaneá..., ¡repaño!

Según iba Cleto vociferando así, su madre le tiraba a la cara el escabel, Carpia los chicotes embreados y Mocejón, sin fuerzas para arrojarle cosa alguna ni para darle dos bofetones, lanzaba la interjección y el improperio, que retinglaban. Entre golpe y golpe la Sargüeta y su hija tampoco cerraban boca ni se cedían el turno.

—¡Andra, bragazas!... ¡Mal hijo!

—¡Toma, indecente..., pa que la lleves el regalo!

—¡La han vendido, sí!

---

[138] *Timinejes:* tejemanejes.

—¡Y se ha dejado vender!

—¡Y no por la barquía, que por menos se vendió primero!

—¡Así se echan ropajes de lo mejor!

—¡Y se vive a la sombra sin trabajar!

—¡Vete a buscarla ahora!... ¡Carga con ella, lichón!

—¡Pero mira bien ónde la metes, porque si aquí la asomas, arde la casa! ¡Puaa!

Esto, sin contar lo de Mocejón, que no puede contarse, es una compendiadísima muestra de lo que se gritó en el quinto piso en menos de medio minuto, entre feroces manoteos y gestos espantables. Cleto echaba espumarajos por la boca y, no pudiendo tomar el desquite de su padre ni de su madre, arremetió con Carpia y le dio la tunda más soberana que había llevado en todos los días de su vida. Después salió de casa como un cohete; pero las hembras de ella no le injuriaron desde el balcón, como solían, porque reñidoras de oficio, sabían muy bien que el asunto era peligroso para echado a la calle desde tan alto. Sabían igualmente que Sotileza no tenía el aguante de la atemorizada Silda y tampoco ignoraban que el amparo del Cabildo y la estimación de las gentes de la calle más se arrimaban a la huérfana de Mules que a ellas, hasta en cuestiones de escasa monta. ¿Qué no sucedería en un punto tan escandaloso? Pues si no fuera así, ¿cuánto haría ya que sus lenguas habrían estampado el sello afrentoso en la puerta de la bodega? ¿Para qué se necesitaba el testimonio de lo de la barquía? Desde que Andrés y Sotileza habían dejado de ser muchachuelos impúberes, ¿no era cada visita del uno a la casa de la otra fundamento bastante para alzar sobre él una cordillera de infamias dos bocas tan venenosas como las suyas? El sello se estamparía, ¡pues no faltaría otra cosa!..., y a fuego, no solamente a la puerta de la casa, sino en el rostro de todos y cada uno de sus moradores; pero cuando las circunstancias les ofrecieran una ocasión que las eximiera a ellas de toda responsabilidad, cuando la apariencia de los hechos confirmara la justicia de la denuncia. A eso iban caminando con heroica perseverancia, con ojo avizor y trabajando a la sordina.

Cleto, por de pronto, salió henchido del horror de aquel cuadro de abominaciones satánicas; mas, en cuanto el aire

de la calle oreó su rostro enardecido y su pobre razón fue
entrando en caja y latiendo al ordinario compás su corazón
honradote, observó que en lo más hondo de él había una
espina que le punzaba, al mismo tiempo que en su cabeza
andaba aporreándole las paredes, como un moscardón encerrado entre cristales, una terrible sospecha. ¡Ah!, si la
calumnia deja siempre alguna señal de su paso, aun en las
inteligencias más sutiles y en los corazones más aguerridos,
¿cómo habían de librarse la rudimentaria razón y el pecho
desapercibido de Cleto del veneno que destilaron allí las palabras de toda su familia?... ¿Por qué no había de ser verdad
lo que él rechazó como calumnioso, por oírlo de tales bocas?
Andrés, pudiente y guapo mozo; Sotileza, huérfana y menes-
terosa, robaba los ojos de la cara; tío Mechelín y su mujer,
dos venturaos de Dios y muy agradecidos al otro. Y si el
otro se empeñaba, ¿qué había de resultar de todo esto? Y
si no era para empeñarse, ¿a qué iba allí tan a menudo el
otro?

    ¡Qué días y qué noches pasó el infeliz entre este bata-
llar de sus cavilaciones! Todo se le volvía observar a Andrés
cuando le encontraba en la bodega y vigilar la calle para
sorprenderle en ella a horas desusadas y reparar en Sotileza cuando estaba al lado de Andrés... Y peor lo ponía así,
porque las miradas más inocentes y las palabras más sencillas le parecían testimonios irrecusables de la causa de sus
recelos; y el menor ruido por la noche, en la escalera o en
el portal, le hacía saltar del empedernido lecho y salir a escuchar por una rendijilla de la puerta. Por fortuna para todos no se atrevió a decir una palabra, aunque muchas veces
las tuvo entre los labios, al matrimonio de abajo, siquiera
por vía de desahogo, ya que no sirvieran a nadie de escarmiento. Pero, en cambio, detuvo una noche a Andrés en mitad de la acera y, llevándole, previa su venia, hacia el Paredón, le expresó muy bajito y a su modo cuanto le esco-
cía y atormentaba adentro, robándole el apetito y el descanso.

    Andrés se quedó espantado, porque ignoraba los verda-
deros motivos de las alarmas de Cleto. Cleto le había asegu-
rado que sólo la buena fama de aquella honrada familia
le movía a contarle lo que le contaba; y para que un mozo
tan rudo como Cleto se parara en pequeñeces tales, mucho

debían haber transcendido los supuestos. Indagó sobre este punto y, aunque Cleto le aseguró que solamente se lo había oído a las gentes de su casa, como éstas se sobraban para propagarlo por todo el pueblo, no le tranquilizó cosa mayor. Pero negó con solemne entereza; y estrechando la diestra de Cleto con la suya, le juró, delante de la cara de Dios, que en su vida le había cruzado por las mientes un pensamiento tan infame como el que la calumnia le atribuía. El hijo de Mocejón, ante una sinceridad como aquella, vio rasgarse la bóveda celeste y asomar por allí el sol y la luna y legiones de ángeles con alas de oro. Ni rastros le quedaron en el alma de aquella sospecha que bárbaramente le había atormentado.

Andrés comprendió que le era preciso hacer algo para atajar en su camino los calumniosos supuestos y, por de pronto, aquella noche ya no fue de tertulia a la bodega.

Pero ¡qué frágil y mísera y concupiscente, como diría el padre Apolinar, es la condición humana! Aquel Andrés tan escrupuloso, tan hidalgote, tan precavido, tan prudente y abnegado al oír las negras confidencias de Cleto en la explanada del Paredón, en las angosturas de su cuarto, en el silencio y oscuridad de la noche, escrupulizando en el laboratorio de su razón las que él había tenido para proceder como procedía en su trato con la familia de tío Mechelín ya comenzó a ser muy otra cosa, aunque, en honor de la verdad, sin darse la menor cuenta de ello. La conciencia más recta adolece de cierta elasticidad, que si no se la pone coto con la fuerza de una voluntad de hierro y de una razón bien maciza, llega a los extremos más peligrosos. Esto, en general. Pues si a favor de la ingénita flaqueza conspiran la inexperiencia de los pocos años, el ímpetu de las veleidades de una naturaleza virginal y poderosa, la ignorancia, la pasión, el entusiasmo, como acontecía en el caso de Andrés, ayúdenme ustedes a sentir. Andrés había visto crecer a Sotileza y transformarse poco a poco de niña vagabunda y medio encanijada en apuesta y garrida moza, pero jamás le había pasado por las mientes una idea que tuviera la conexión más lejana con los propósitos que le atribuían las maldicientes sardineras de la calle Alta. De aquí su sincera indignación al enterarse de la confidencia de Cleto y su propósito instantáneo de irse retirando paso a paso de la humilde casa,

donde su presencia comprometía el honor de una doncella.
Pero disipada la luz de este relámpago y examinando luego las cosas a la débil claridad de su razón, lo primero que
ésta le presentó delante de los ojos fue el cuerpo mismo de
la supuesta delincuencia, no en los atavíos insustanciales de
la inocente compañera de juegos infantiles o de la buena
amiga de su incipiente mocedad, sino con todos los incen-
tivos que puede ir acumulando una fantasía soñadora sobre
un lujo de formas juveniles como el de la hermosa callealtera. En seguida, recordando otra vez los supuestos calumniosos de las hembras de tío Mocejón, se dijo en sus adentros: «Luego esto era posible.» Y por un contrasentido bien [139]
usual y corriente en todos los aprietos del humano discurso, volvió a indignarse de que se le hiciera capaz de come-
ter un delito cuya hipótesis estaba saboreando rato hacía.

Después volvió sobre su propósito de ir alejándose poco
a poco de la bodega; y sin echar punto de la memoria a
la huérfana amparada allí, pensó en lo que juzgarían de
su conducta tío Mechelín y su mujer, tan bondadosos, tan
campechanos. Declararles el motivo era darles una puñalada en el corazón; ocultárselo era hacerse reo de una falta,
cuando menos de consecuencia, en su cariño y buena amistad. Y todo ello, ¿por qué? Porque a dos sinvergüenzas del
quinto piso se les había ocurrido dar a un acto noble y generoso una interpretación inicua. ¿Y había de estar la tranquilidad de una conciencia limpia a merced de los juicios
de dos mujeres desenfrenadas? ¿Y había de subordinar él
sus gustos lícitos, sus placeres honrados, a los dictámenes
de dos calumniadoras? ¡Jamás! Por consiguiente, tomaría el
aviso en cuenta, esto sí; pero no daría a la hedionda familia de Mocejón el placer imperdonable de someterse a sus
deseos. Tomaría ciertas precauciones decorosas para alejar
de los suspicaces todo pretexto a la murmuración; frecuen-
taría menos que antes la bodega, pero volvería a ella, ¡vaya
si volvería! ¡Y que se atreviera nadie a preguntarle para qué!
¡Que intentara algún deslenguado poner en duda su honradez,
su lealtad, la nobleza de sus propósitos!... ¡Sería capaz de
hacer y de acontecer!... ¡Consumar él un atentado semejante
contra el honor y el sosiego de una familia honrada!...

---

[139] *Tan usual*, en la primera edición.

Y si le hubieran puesto un Cristo delante para jurar que en todo esto que afirmaba de sí propio no había un atisbo de mentira, lo hubiera jurado hasta con entusiasmo. Y habría jurado verdad.

Y, sin embargo, escarbando bien en su corazón, ¡qué pronto se hubiera hallado escondido en el fondo de él algo que acreditara la inconsciente falsedad del juramento! Porque lo cierto es que desde la primera vez que volvió a la bodega después de haberse entregado a aquellas meditaciones, aunque resuelto a combatir heroicamente contra todo mal pensamiento que el demonio pudiera sugerirle y contras las facilidades tentadoras de inesperada ocasión, si sus ojos se apartaban muy a menudo de Sotileza, en cambio la miraban, ¡de qué distinto modo que antes la veían!

Lo cual demuestra, por de pronto, tres cosas:

Que Andrés, pensando y obrando así, *sentía* menos honrada e hidalgamente que en la explanada del Paredón, al escuchar las confidencias de Cleto (tesis de estos últimos párrafos).

Que en el conflicto en que estas confidencias le habían colocado, lo más discreto y menos peligroso para él y para las gentes de la bodega hubiera sido retirarse de ella poco a poco y para siempre.

Y, por último, que tía Sidora tenía mucha razón al afirmar que en Andrés había habido un *cambio* repentino.

¡Si la mujer de tío Mechelín hubiera sabido qué esfuerzos de voluntad costaba este cambio al resuelto muchacho, precisamente cuando a Sotileza le daba por atenderle y agasajarle como nunca lo había hecho!

Y así fue pasando más tiempo y con él llegando Sotileza a la plenitud de su desarrollo y Andrés haciéndose un mozo cabal, fornido y gallardo; diestro, valiente y forzudo en la mar, donde consumía todas las horas de huelga, ya voltejeando con su *Céfiro* (nombre del esquife de su propiedad), ayudado de Cole y de Muergo, que ordinariamente se le cuidaban, ya pescando por todo lo alto en la barquía de Mechelín, cuyo *flete* pagaba escrupulosamente con notorio disgusto del achacoso mareante, que tenía a cargo de conciencia recibir aquellos dineros de tales manos. Gozaba de gran prestigio en los dos Cabildos; en ambos eran muy escuchados sus pareceres y el mejor patrón de lancha le hubiera cedido gustoso el gobierno de ella en momentos apurados.

De cuanto pescaba iba lo mejor a casa de don Venancio Liencres; y de propio intento lo mandaba a menudo por Sotileza, que también llevaba a la capitana lo que le regalaba Mechelín a cada instante, y aun al mismo don Venancio, por insinuaciones de Andrés. Porque es de advertirse que, cabalmente desde que se propuso tomar en la bodega de la calle Alta aquellas «precauciones decorosas», le entró la comezón, que jamás había sentido, de que en su casa y en la de don Venancio Liencres se conocieran y se admiraran las prendas excepcionales de la rozagante muchacha.

Y sucedió que la capitana llegó a decir a Andrés un día que si aquella tal y cual volvía a poner los pies en su casa, haría con ella esto y lo de más allá; y que la distinguida hermana de Tolín le dijo una noche más de otro tanto con igual motivo. Y Andrés se quedó como quien ve visiones, porque no atinaba con la razón de tales aspavientos.

Porque Andrés, a pesar de estas y otras cosas, por las cuales se perecía, levantaba muy holgadamente todo el peso de sus obligaciones en el escritorio y el de sus deberes de amistad y cortesía al lado de su compañero Tolín. Para entonces era Luisa la que prometió ser de pequeña: una señorita *fina*, muy compuesta y muy escrupulosa en el ceremonial de su *mundo*. Era bastante sosa de palabra, pero no tanto en el mirar de sus ojos, negros y grandes, ni en el caer de sus labios húmedos sobre la dentadura blanca y apretada [140]. Se pagaba mucho de guardar las distancias de clase, como su augusta madre, pero hacía excepción con Andrés, con cuyo trato se había ido familiarizando desde niña. Continuaba siendo incansable fisgona de la vida y milagros de este mozo y, como aquélla era tan contraria a sus gustos e inclinaciones, rara vez estaban juntos sin que ella le calentara las orejas. Andrés solía amoscarse de tarde en tarde con estas *libertades*; Luisa se ponía nerviosa de ira al ver que se le negaba *derecho* para decir lo que decía; pero Tolín terciaba en la contienda y los ponía en paz, es decir, conse-

---

[140]   Físico parecido al de Clara (*Pedro Sánchez*). En los dos rostros femeninos se destacan los ojos y la dentadura como partes más favorecidas.

guía que se hablara de otro asunto, porque lo que es paz, verdaderamente, no se lograba, puesto que, al deshacerse la tertulia, Luisa se encerraba en su cuarto con un humor de todos los diablos y Andrés salía renegando de la impertinente y entremetida, «que al fin había de ser causa de que él no volviera más por allí».

Y estos eran los únicos malos ratos que pasaba el hermoso mocetón, que en todo lo demás era un cascabel de oro que tintinaba alegrías en cuanto se le agitaba un poco..., y aunque no se le agitara.

Particularmente a Cleto le tenía sorbido el seso desde aquel apretón de manos. Todo lo creía posible en el mundo menos que pudiera llegar a ser verdad el supuesto injurioso de su familia. Al padre Apolinar se le caía la baba viéndole y escuchándole; y como Andrés era dueño de algunos dineros, porque ganaba en el escritorio más de lo preciso para cubrir sus necesidades y sabía el destino que daba el caritativo fraile a las limosnas que recibía y era además creyente a puño cerrado, no se hartaba de encargarle misas a San Pedro y a los Mártires y a la Virgen: hoy, para que saliera tío Mechelín de la cama; mañana, para que su padre llegara felizmente del viaje en que estaba empeñado; otro día, para librarse él de un contratiempo en la expedición de pesca que proyectaba mar afuera..., y así. Pero misas hasta de a duro. ¡Misas de a duro! ¡Y a pae Polinar, que estaba cansado de decirlas a peseta... y a dos reales; y tan agradecido y contento!

¡Pensar que él gastara sus ahorros en atavíos de sociedad y de paseo!... Si le fueron insufribles estos lugares cuando había clases y categorías, ¿qué habían de parecerle cuando, desde la introducción de los vapores y de la legión de ingleses, traída por Mould a Santander para acometer las obras del ferrocarril, ya podía un mozuelo imberbe salir a la plaza con sombrero de copa alta sin temor de que se le derribaran de la cabeza a tronchazos? Andaban por la calle, vestidos de señores, los marinos de la *Berrona*, sin la menor señal externa de lo que habían sido todos ellos cinco años antes; y Ligo y Sama y Madruga y otros tales, si bien marinos todavía por dentro, y violentándose mucho para no descubrir la hilaza al hablar, mientras andaban por acá, iban al Suizo a tomar sorbete, después de haber paseado en la Ala-

meda con levita ceñida y sombrero de copa; y chapurreaban
el inglés los chicos de la calle para jugar a las canicas con
los rubicundos rapaces de la «soberbia Albión»; y habían
caído los paradores de Becedo; y estaba denunciada la casa
de Isidro Cortes, entre las dos Alamedas; y en capilla, para
ser terraplenada, la dársena chica, y a medio rellenar la Maruca...; y, en fin, que toda carne había corrompido ya su
camino y estaba la población, de punta a cabo, hecha una
indignidad de mescolanzas descoloridas y de confusiones in-
traducibles.

Quedárase todo ello para su amigo Tolín, que no perdía
paseo en las Alamedas, muy soplado de sombrero alto, guantes de cabritilla y bastón de retorcida ballena, y miraba tierno a todas las hijas de los comerciantes ricos; y aun para
su mismo padre, don Venancio Liencres, y otros tales, que
desde aquellas juntas de pudientes padecían tales pujos de
publicidad y de elocuencia mercantil que ni paraban en casa
ni cerraban boca en todo el santo día de Dios.

¡Si, bien apurado el asunto, Andrés y otra media docena
escasa de valientes, tan apegados como él al tufillo alquitranado y a los placeres marítimos, eran los únicos ejemplares que sobrevivían de aquella raza de anfibios que pocos
años antes lo llenaban todo en el pueblo e imprimía carácter a su juventud!

... ...

Así estaban las personas, las cosas y los lugares de esta
puntual historia cuando Muergo y el hijo de Mocejón se
dieron aquella mano de *morrás* en el portal de Sotileza [141].

---

[141] Nótese la técnica retrospectiva, como operación necesaria
en esta clase de composición, abundante en digresiones, sem-
blanzas y noticias diversas, que hacen perezoso el relato, sin
unidad compacta y más expositivo que dinámico.

XV. EL PAÑO DE LÁGRIMAS

El pobre Cleto andaba, andaba, calle arriba y calle abajo; del Paredón al portal, del portal al Paredón, diciéndose al comienzo de cada subida: «De esta vez entro». Y llegaba junto a la puerta y no entraba..., y vuelta hacia el Paredón; y siempre con aquel clavo roñoso adentro, que se le hundía en lo más dolorido del pecho a cada paso que daba. Y aquel clavo era Muergo y el considerar que si había de echarle de la bodega para siempre a fuerza de bofetadas, con lo necio y lo forzudo que el monstruo era, ya tenía campaña para rato; y, si al fin de ella, suponiendo que la campaña tuviera fin, resultaba que le cerraban la puerta a él por lo mismo que había tratado de barrerla de aquel modo, ¡lucida era la recompensa que obtenía por su empeño! ¡Si él tuviera amigos a quienes pedir consejo! ¡Personas de formalidad y de palabra que le creyeran todo lo que él les contara de aquellas cosas que sentía despierto y soñando, a modo de «jirvor» que le salía de la entraña y rompía como una mar de Nordeste, tan pronto contra la tapa de los sesos como contra las paredes del *arca*, en cuanto ponía los pensamientos en Sotileza... (y no la apartaba un punto de su memoria); y aquel cosquilleo que le entraba con sólo pensar en lo que él sería, arrimado para siempre a la bodega, y lo que temía llegar a ser si, después de haber conocido cosa mejor, no le sacaban pronto del quinto piso o no se resolvía a tirarse una noche por el balcón abajo! Bien apurada la materia, él no podía vivir sin lo uno ni con lo otro. Se acordó de Andrés, en cuya influencia entre las gentes de la bodega había pensado también otras veces para salir de sus ahogos, pero Andrés era protector de Muergo y no se prestaría a ayudarle en un empeño que perjudicaba a aquel animalote. Ir derechamente con sus cuitas a los interesados en ellas era aventurarse demasiado, porque, tras de no conocer bien las intenciones de aquellas gentes, él fiaba poco en la torpeza de su palabra y en la cortedad de su genio, para pintar a lo vivo las «rompientes» consabidas de sus «jirvores» y la fuerza y significación de los otros cosquilleos que le atormentaban.

Y así discurriendo, andaba ya, sin darse de ello la menor cuenta, calle de Rúa Mayor abajo; y llegó a la Pescadería, desierta a aquella hora, y continuó hacia la Ribera..., y allí se encontró, tope a tope, con el padre Apolinar. ¡Nadie como aquel buen señor para oírle con caridad y apuntarle un buen consejo!

Le detuvo, saludándole gorro en mano, y le suplicó que le escuchara dos palabras que tenía que decirle.

—Si no son más que dos —díjole el fraile, al cabo de un rato, que invirtió en recoger con las dos manos, puestas de canto sobre las cejas, la luz del farol más próximo, para conocer con sus ojos enfermos al suplicante—, ya me las estás diciendo. Si son muchas, ve soltándolas según andemos o dímelas en llegando a casa, porque estoy muy de prisa y no puedo perder el tiempo en la calle...

—Pus le diré en casa lo que tengo que decirle —contestó Cleto, virando de bordo y poniéndose al costado del fraile.

Éste vivía a la sazón en una de las casitas bajas de la Alameda de Becedo; de modo que, siguiéndole los pasos, tuvo Cleto que atravesar la ciudad por la cuesta de la Ribera y calle de San Francisco, precisamente la arteria más llena de los jugos vitales del Santander de entonces. Marejadas de señorío y tiendas y más tiendas llenas de cosas y de luz, a babor y a estribor. Cleto no recordaba haber pasado por allí en todos los días de su vida, y tanto le sorprendieron el ruído y las maravillas del cuadro que a pique estuvo de olvidar con ellas sus jirvores y hormigueos.

—Hay que hacerse a todo, Cleto, a todo, a todo, hijo, a todo —decíale el padre Apolinar, reparando cómo se embobaba el mozo con lo que iba contemplando y cómo tropezaba con los transeúntes—. Pero sois bonitos de mar y en cuanto salís a tierra y os veis entre gentes racionales y de mundo, ya os falta la respiración. Y lo peor es que eso se pega; porque has de saberte que si vivo un año más en aquella escalera de la calle de la Mar, con ser quien soy y con tratar a tantos terrestres como yo he tratado siempre, salgo, ¡cuerno!, tan tonina como vosotros. ¡Mira que solamente con aquellas crías que me mandaban a casa para escamarlas siquiera lo mayor había para perder el modo de hablar! No es decir esto que yo las haya abandonado, que a mi casa van algunas todavía, y no van más porque les parece largo el camino, si es que no les espanta como a ti. Pero siquiera se ventilan un poco en él y cuando llegan a mí ya no huelen tan mal. También los tengo terrestres, que hijos de Dios son como cualquiera y tan necesitados están, como los más perdidos, del pan de la inteligencia y de la palabra divina. ¡Cuerno, qué peces hay entre ellos! Pero con todo, hombre, yo no he tenido discípulo, ni espero tenerle por mucho que viva, tan sucio ni tan feo ni tan torpe como ese Muergo...

Esta palabra sacó instantáneamente al hijo de Mocejón del atolondramiento en que iba sumido. Estremecióse todo, echó un terno de los más redondos y, sintiéndose poseído, repleto, de todos los resquemores que de ordinario le consumían, dijo con nerviosa vehemencia:

—Vamos a *rema ligera*, pae Polinar, pa que alleguemos cuanti más antes.

—¿Qué te ha dado tan de pronto, recuerno?

—Esas pampurrias, ¡paño!, que me anadan en la bodega.

Poco después, alumbrados malamente por la luz de una cerilla que *echó* pae Polinar, subían ambos la escalera de la casa de éste, les abría la puerta la vieja ama de gobierno del exclaustrado y, por último, se encerraban en un mezquino gabinete, sobre cuya mesa, bien conocida del lector, comenzaba a lucir, ensanchándose y alzándose poco a poco, la llama perezosa de un cabo de vela, embutido en una palmatoria, también inventariada más atrás.

Al hallarnos nuevamente con el padre Apolinar y después de examinarle un instante de pies a cabeza, bien pudiéramos decir que no pasaba día por él. La misma cara y los propios hábitos; ni una arruga ni una costra más, ni un lamparón ni un recosido menos. El mismo pae Polinar de siempre, con sus párpados de carne viva, su cabeza gacha y sus talares transparentes y resobados.

—Mira, hijo, mira: ¡mira, si tienes ojos para ver! —exclamó de pronto el fraile, apuntándole con el gesto unos libracos y unos papelotes que había sobre una mesa, por tener ocupadas las manos en quitarse la teja y el manteo—. Mí-

ralo y dime si pae Polinar, con esa tarea entre manos, tendrá
tiempo de sobra para andarse de pingo por las calles.

Y como Cleto le mirara en demanda de una explicación
más comprensible, añadió el exclaustrado:

—Eso es canela, hijo...; digo, canela no; mejor es rescol-
do que me consume el discurso y la salud y la poca vista
que me queda. Porque has de saberte ahora que esto es un
sermón que se me ha encargado para el día de los santos
Mártires en la capilla de Miranda... ¡El día de la fiesta del
Cabildo de Abajo!... ¡Como quien no dice nada!... ¡Échame
allí señores de Ayuntamiento, todos los mareantes y medio
Santander con la boca abierta, escuchando al padre Apolinar! ¿Te parece que es esto para que uno se duerma y se
vaya a aquella cátedra con lo que salga a la buena de Dios?

Ocurriósele a Cleto contar por lo dedos el tiempo que
faltaba hasta el 30 de agosto; vio que era mes y medio bien
cumplido y así se lo dijo al fraile. El cual se volvió rápidamente hacia el sencillote mozo (pues andaba pasando la manga de su chaqueta al pelo del sombrero, para atusarle un
poco antes de ponerle sobre la cama) y le habló así:

—Echa tres..., que más de otro tanto de lo que falta llevo
sobre esta mesa, dale que le das a libros y tintero... Echa
cuatro, que bien pueden echarse. ¿Y qué? ¿Te parece a ti que
escribir un sermón para los Mártires es añadir un pernal a
un aparejo? ¡Aquí se ven los hombres, Cleto! ¡Aquí sudan el
quilo los más guapos..., lo más guapos, rejinojo! Y si algún
predicador te dice otra cosa distinta, no te dice la verdad,
¡cuerno! ¡Buen chanfaina de predicador estaría él! ¡Bueno,
bueno, bueno de veras! En fin, ya lo verás tú ese día si vas
por la ermita.

—¡Yo! —exclamó Cleto con el más sincero de los asom-
bros—. ¡Como no vaiga yo a eso!

—Es verdad, que tú eres del Cabildo de Arriba... Pero
otros del de Abajo me oirán y ya llegarás a saber si aquello
que yo les diga se aprende en un par de meses... ¡Vaya con
estos muchachos, que nacen enseñados y con la palabra de
Dios, *verbum Dei*, entre los labios!... Y ahora, dime, ¿qué
tripa se te ha roto?, ¿qué me quieres?, ¿por qué me buscas
et quare conturbas me?

Cleto, que estaba de prisa, no hizo esperar mucho la respuesta, si respuesta puede llamarse aquella marejada de so-

nidos guturales, de frases oscuras y descosidas, de interjecciones fulminantes, restregones de pies, bamboleos de
espaldas y cabeza, y crujidos de la silla.

—Bueno está todo eso —dijo el padre Apolinar, hombre
muy ducho en descifrar tan rara especie de enigmas—, pero
¿por qué me lo cuentas a mí?

—Pus pa que me dé un consejo y, si es caso, arrime el
hombro tamién —respondió Cleto.

—¡Claro! —repuso el fraile, retorciéndose dentro de sus
ropas—. Esa ya me la tenía yo aquí... en cuanto rompiste
a hablar..., en cuanto te sentaste en esa silla, en cuanto me
paraste en la Ribera, ¡cuerno!... Además, eso que te pasa tenía que suceder, porque la mano de Dios alcanza a todas
partes y la que se hace se paga; y en teniendo vosotros algo
que pagar, estoy yo, como el otro que dice, aflojando la peseta. ¡Recuerno con la lotería! Y dime, zoquete del jinojo,
¿por qué asomaste tú la jeta a aquella casa? ¿Qué falta hacías allí?

—Ella me pegó un botón una vez...

—Ya, ya; ya me has enterado de ello, con todo lo que se
siguió a esa pegadura; pero después, cuando viste lo que te
pasaba por adentro, ¿por qué no hiciste *bota arriba a la
banda?* * Porque yo, al hallarte en la bodega algunas veces
que he ido por allá, siempre entendí que no se trataba más,
por tu parte, que de echar un párrafo y una punta, para pasar aquel rato de menos en tu casa.

—Así fue al escomienzo; pero endimpués... ¡Paño!... ¿No
le he dicho ya cómo me iba entrando, entrando ello solo?

—¡Pues entonces, Cleto, entonces debió ser la retirada,
sabiendo, como sabes, que entre el quinto piso y la bodega
no puede haber amaños ni conciertos... Pero vamos a ver,
¿sabe ella algo de lo que te pasa por los adentros?

—Yo no se lo he dicho.

—¿Lo sabe Mechelín?

—Ni jota.

—¿Lo sabe su mujer?

—Lo mesmo que el marido.

—¿Qué tal cara te ponen?

—Los viejos, tal cual; ella... me paice que no tan güena... ¡Paño! Mejor se la pone a Muergo y esto es lo que me
desguarne.

—Y en vista de lo que me dices, ¿qué quieres que haga yo?

—Darme un consejo.

—¿Para qué?

—Pa dir endimpués a decirle, como usté sabe decirlo, que me quiero casar con ella.

—¡Baldragazas! [142] Pues si das por sentado que hemos de acabar por ahí, ¿para qué quieres el consejo?

—Creo que pa na. Lo otro es lo que va usté a hacer, y en el aire.

—¡Un galernazo que te barra! ¿Sabes tú lo que me pides? ¿Sabes quién es tu padre?

—Por demás.

—¿Sabes quién es tu madre?

—Mejor entodía.

—¿Sabes quién es tu hermana?

—¡Mal rayo la parta!

—¿Sabes lo que hicieron una vez conmigo?

—Sí que lo sé.

—¿Sabes que hoy es el día en que no me atrevo a poner los pies en la calle Alta si las columbro en el balcón y que en dos ocasiones, por no haberlas distinguido bien, me dieron una corrida en pelo a todo lo largo de la acera?

—Así lo oí endimpués.

—¿Sabes que antes que verte casado con esa muchacha serían capaces de prender fuego a la bodega y a la casa y a todos los de la vecindad?

—Por falta de mala entraña no quedaría.

—Y sabiendo todas esas cosas, Cleto de los demonios, ¿me quieres meter a mí en la danza? ¿No me ves ya en el martirio? ¿No me ves atenaceado, con la saliva en la cara, las hieles en la boca y en tiras las carnes y el pellejo? ¡Cuerno, o tú me quieres mal o no estás en tus cabales!

—¡Paño!, pero si usté se cierra a la banda, ¿que voy a hacer yo?

—¿Y a mí qué me cuentas de eso? ¿Te ha parido el padre Apolinar, por si acaso? ¿Te debe el pan que come? ¿Los hábitos que viste?... ¡Nada, hijo..., lo de siempre! Los jol-

---

[142] *Baldragazas:* aum. de *baldragas,* hombre flojo. Vocablo cántabro (*DCELC*).

gorios y los tragos dulces, para vosotros solitos; y en cuanto hay una desazón o una descalabradura, a buscarme a mí para que os quite el hipo u os ponga la venda. Esas canonjías me regalaréis. ¡Suerte de las personas, cuerno; suerte y no más que suerte! Verdad que ese es mi deber, si bien se mira... Pero también es cierto que los deberes se han de cumplir con su cuenta y razón; y esto que ahora se me pide es mucho más de lo regular...; y no lo haré y no y no. ¿Lo quieres más claro todavía, Cleto?

Cleto bamboleó la cabeza, se levantó perezosamente de la silla, dio algunas vueltas al gorro entre sus manos y murmuró sordamente palabras incomprensibles. De pronto enderezóse iracundo y dijo al padre Apolinar, que se paseaba por la estancia:

—No sé yo lo que haré por mí solo en lo tocante al caso de ella, pero lo que es él, lo que es Muergo, pae Polinar, si a pura morrá no acaba, ha de fenecer de otro modo u se me aparta de allí.

—Hombre —respondió el fraile, cuadrándose delante de Cleto—, si no fuera pecado mortal, te diría que puede que hicieras una obra de caridad... ¡Ave María Purísima! ¡Qué barbaridades se le escapan a uno con estas marimorenas! No hagas caso, Cleto, no hagas caso de estos dichos al tunturuntún... ¡Pero vosotros tenéis la culpa, cuerno!... Conque vete; vete poco a poco; no tomes esas cosas tan a pechos; cálmate, duerme..., si tienes en dónde; observa por la buena; déjate de ese animal, que ningún daño puede hacerte en lo que temes. Perdónale... y ¡quién sabe, hombre, quien sabe! Por lo más oscuro amanece; y..., en fin, ya me daré yo unas vueltas por allá; iré palpando el terreno y, según yo le vea..., con prudencia, se entiende, ¡con mucha prudencia!, te avisaré cuando deba avisarte. Y tú, entre tanto, la lengua y las manos quietas; mucho ojo a mí, ¡mucho ojo! Y por el cariz que yo presente y el que vayas viendo en la bodega y algo que yo te apunte cuando deba apuntártelo... ¡Ea!, ya te he dicho bastante. Ahora vete y déjame trabajar un poco, que bastante tiempo he perdido para lo que vamos ganando, ¡cuerno!

Salió Cleto algo más animado, pero no satisfecho, y se arrimó el fraile a la mesa. Sentóse; y mientras desdoblaba su manuscrito, después de haberle sacado de las entrañas de uno de los libracos, murmuraba:

—¡Con estos entretenimientos y estas preparaciones, haga usted cosa de sustancia, busque latines al caso y emperejile discursos que aturdan a los oyentes!

Después limpió la pluma de ave en la pechera de la sotana, probó el temple de sus puntos sobre la uña del pulgar [143] de la mano izquierda, hizo una pantalla con los libros de canto, para defender sus ojos de los rayos directos de la luz...

Y se le presentó el ama de gobierno, para decirle:

—Ahí está la mujer de Capuchín, el de Prado de Viñas.

—¿Y qué se le pudre a la mujer de Capuchín? —contestó el fraile.

—Que tiene el marido mucho peor.

—Pues que se lo cuente al médico, ¡jinojo!

—Ya se lo ha contado, señor, y por eso viene aquí.

—Mejor hiciera en ir a la botica, entonces.

—¡Así tuviera con qué, la probe!

—¡Y será capaz de venir a que se la dé yo!

—Una limosna pide.

—¡Pues a buena puerta llama! Pidiérala yo, Ramona, si no fuera por la vergüenza, ¡cuerno!

—Lo peor de todo es que en aquella casa no hay con qué dar una de caldo al enfermo... ¡Ni una miga de pan, señor!...

—¡Ave María Purísima! ¡Ave María Purísima!... ¡Y tiene tres hijos y la mujer, y se cae de hombre de bien!...

Y mientras exclamaba así el bueno de pae Polinar, palpábase los bolsillos y hundía las manos después en el cajón de la mesa.

—Pero, ¿qué jinojos ha de haber aquí? —murmuraba, sin dejar de palpar a tientas—. ¡Si por no tener, ni siquiera tiene cerradura muchos años hace!... Nada, Ramona, nada..., ¡nada! Dile a esa infeliz que perdone, por Dios, que yo no puedo socorrerla.

—Pues ¿y el duro de esta mañana? —se atrevió a preguntarle la sirvienta.

---

[143] *Del pulgar*, falta en la primera edición.

—¿Qué duro, mujer de Dios?

—El de la misa de don Andrés.

—Sí..., échale un galgo.

—¡Desde esta mañana acá!

—«¡Desde esta mañana acá!» ¡Qué cosas tienes! ¿Cuánto tiempo había de durarme?... Pues hasta que me le pidieran... Me lo pidieron esta tarde en cuanto salí de casa y me quedé sin él. ¡Cuerno!, me parece que la cosa no puede ser más natural ni más corriente.

Íbase ya la criada con el triste recado para la mujer de Capuchín y de pronto la llamó el fraile.

—Oye, Ramona —le dijo—, antes que te vayas, y por lo que sea, ¿qué tenemos para cenar?

—Para usté, carne con patatas.

—¡Cómo «para usted!». ¿Y para ti?

—Para mí hay cuatro sardinas.

—¿Y desde cuándo acá hay manjares distintos para nosotros?

—Es tan poca la carne que no alcanza para los dos.

—Conque poca... ¿Y qué tal está, que tal está, con esas patatitas?

—A medio hacer todavía, señor.

—A medio hacer, a medio hacer... ¡Vea usted, qué jinojo!... Pues mira, tráete ahora mismo esa carne, según esté, con puchero y todo...

—Pero señor, si...

—Que te lo traigas, ¡cuerno!

Salió la vieja Ramona y volvió en el aire con un pucherete humeante entre las manos, envuelto en una rodilla sucia.

Pae Polinar le acercó a sus narices, sorbió con ansia aquellos vapores suculentos y olorosos, y, apartando en seguida el puchero lejos de sí, como quien huye de una mala tentación, dijo a su criada:

—¡Bueno, bueno, bueno de veras va el guisado este!... Pero como yo no tengo esta noche grandes ganas que digamos, dásele a la mujer de Capuchín para que le despachen en su casa como Dios les dé a entender...

Tras algunos reparos infructuosos, fuese la criada dispuesta a cumplir el mandato de su amo, el cual, sacando la cabeza fuera del gabinete, la gritó:

—Pero dile que me devuelva la *servilleta...*, si no les hace mucha falta.

Luego se volvió a su sillón y a sus papeles, murmurando mientras los manoseaba:

—Cabalmente he leído yo, no sé donde, que, para conservar la salud mientras se hacen trabajos de tanto empeño como estos que yo traigo entre manos, no hay nada mejor que meterse en la cama con hambre. Pues lo que toca a la mía de esta noche, es de órdago... ¡de órdago! ¡Cuerno si lo es!

XVI. UN DÍA DE PESCA

Andrés madrugó al día siguiente más que el sol y fue a la misa primera que decía en San Francisco el padre Apolinar para los pescadores de la calle Alta. Muergo, que había ido a llamarle, llevaba los aparejos y la cesta con las provisiones de boca para todo el día; provisiones que la capitana había preparado por la noche, según lo tenía por costumbre cada vez que su hijo iba de pesca. ¡Era de oír a la mujer de don Pedro Colindres cuando, delante de su hijo, acomodaba en la cesta cada cosa!

—¡Dos, cuatro, siete..., diez... Una docena justa de huevos duros te he puesto. ¿Tendréis bastante? En este envoltorio de papel van rajas de merluza frita: dos libras y media. Por supuesto que si dejas meter las manazas a esa gente, no te queda a ti para probarla... ¡No comieran rejones atravesados! ¡Hijo, yo no sé cuándo has de perder esa condenada afición tan peligrosa! Y todo para venir abrasado del sol y del viento, y apestando la casa a esas inmundicias... Y lo peor es que el mejor día, si no te quedas allá, coges un tabardillo que te lleva... Vamos, no te amosques, que por tu bien te lo digo... Aquí va una empanada de jamón con pollo... Estas son salchichas..., tres docenas. Procura que se harten con ellas esos hambrones, para que te quede a ti más de lo otro. Para cinco he puesto. Si son más, porque a ti

se te pega siempre medio Cabildo, que coman clavos o que
se arreglen con lo que haya. ¡Dará gusto ver a tu amigo
Muergo chuparse los dedazos y relamerse los hocicos de cerdo!... ¡Buena educación y buenos modales aprenderás a su
lado! ¡Hijo, qué gustos más arrastrados tienes y qué rabia
me da no poder arrancártelos de cuajo!... Pero la culpa
tiene tu padre, que te lo consiente, si es que no te lo aplau-
de. ¡Sí, sí, Andrés! Te lo digo como lo siento y tienes que
oírmelo, porque eso es lo menos a que estás obligado... Una
ración buena de pasta de guayaba para ti sólo, medio queso de Flandes y dos libras de galletas dulces, para todos...
Seis libras de pan... ¿Cuántas botellas de vino pongo? ¿Tendréis bastante con cuatro? Vamos, te pondré, seis, porque
esa gente ¡tiene un saque!... La servilleta limpia. ¡Cuidado
con que les consientas limpiarse las manazas con ella! Para
eso van estas dos rodillas grandes. El vaso para ti... y otro
para ellos... Tenedores, cuchillos... Fortuna que la cesta no
es chica, que si no... Ya estás aviado de lo principal... Sobre la cama te pondré el vestido de mar y el abrigo, por si
el Nordeste refresca... Y ¡por el amor de Dios, hijo mío!,
no salgas muy afuera ni vuelvas tarde, porque tú no sabes
lo que yo me consumo pensando en lo que podrá suceder-
te. ¡Qué misa de tres se va a cantar en San Francisco el día
en que esa condenada afición se te acabe... y vayan las cosas por donde deban ir!

Andrés, al salir de misa, vio que también la habían oído
tío Mechelín y Sotileza, lo cual le demostró que los dos iban
a ser de la partida. Había acontecido esto en varias ocasiones, porque Sotileza se perecía por ello; y como no gustaba de otras diversiones y en su casa la mimaban en extremo, y Andrés, cuando fue consultado sobre el particular,
despachó la pretensión encareciendo mucho lo que le complacía, no puso tía Sidora otro estorbo a los deseos de la
hermosa muchacha que la condición de que, por el bien parecer, no fuera nunca a esos holgorios sin la compañía de
tío Mechelín. Desde entonces, siempre que la salud de éste
le permitía ir en su barco a pescar con Andrés, les acompañó Sotileza.

¡Qué ganas se le pasaban a Cleto de echar un memorial
al campechano mozo para que se le diera una plaza en la
barquía, en la que iban tantas cosas que le arrastraban a

él hacia allá! Por de pronto, Sotileza, que era, como quien dice, su propia entraña; después, Muergo, que no merecía ni debía ir *solo* tan cerca de quien iba, y, por último, aquella pitanza, tan abundante y sabrosa, que llevaba Andrés para regodearse todos al mediodía. Y su memorial hubiera sido bien despachado seguramente; y lo fío yo con los propósitos que tuvo Andrés, en una ocasión, de anticiparse a los deseos de Cleto. Pero a Cleto le detenían las mismas razones que expuso a Andrés tía Sidora para que no intentara llevarle consigo en la barquía, lo más odiado en casa de Mocejón de todo lo perteneciente a la bodega, donde había tantas cosas aborrecibles para las mujeres del quinto piso. Cleto no tenía agallas bastantes para arrostrar las tempestades domésticas que le aguardaban, sentándose a remar en la barquía de su vecino, ni éste ni la gente de su casa querían tener con *las de arriba* más pleitos que los pendientes..., ¡que no eran pocos!

Por eso Cleto no acompañaba a Andrés en la barquía de tío Mechelín y se conformaba con ver, desde lejos, embarcarse a los expedicionarios cuando Sotileza iba entre ellos.

«Por suerte va Andrés con ella», exclamaba para sí en tales casos, si Muergo se embarcaba también.

Y eso mismo hizo y dijo en aquel día de fiesta, encaramado en lo alto del Paredón, mientras se embarcaban el viejo Mechelín, Muergo, Cole y Sotileza, cuando empezaba el sol a dorar los contornos del hermoso panorama de la bahía y a saltar la luz en manojos de centellas al quebrarse en el terso cristal de las aguas. Reinaba en la Naturaleza una calma absoluta y algo bochornosa, y había nubes purpúreas sobre el horizonte alrededor del astro.

Aunque se izó la vela, fue por entonces inútil, por falta de aire. Muergo y Cole armaron los remos; tío Mechelín, a proa, armó también el suyo, porque no dijeran que ya no servía el pobre hombre para nada; y buscando la contracorriente, porque la marea comenzaba a apuntar en aquel instante, bogaron hacia la boca del puerto.

Andrés y Sotileza, sentados a popa, disponían y encarnaban los aparejos, entre dichos harto inocentes y alegres carcajadas. Porque es de advertirse que Sotileza, tan sobria de frases y de sonrisas en tierra, era animadísima en estos lances de la mar; y como hacía mucho tiempo ya que Andrés no seguía aquel sistema de disimulos a que espontáneamente se condenó, porque fue persuadiéndose poco a poco de que era innecesario, puesto que nadie se acordaría de los motivos que se le aconsejaron, no desperdiciaba estas y otras prodigalidades que de vez en cuando brindaba a su genio retozón y alegre el más retraído y seco de su amiga.

Ésta, con todos sus andariveles [144] domingueros, no valía tanto, aunque ella creía lo contrario, como con sus cortos y escasos trapillos domésticos; pero, no obstante, iba muy guapa en la barquía, con su pañuelo de seda encarnado encima del negro y ceñido jubón, su saya azul oscura, bien calzada, y con el profuso moño y la mitad de su cabeza ocultos por el gracioso pañuelo anudado arriba.

Muergo se sentaba dos bancos más a proa que ella y estribaba en el inmediato con sus piezazos negros y callosos. Cubría su torso hercúleo una ceñida y vieja camiseta blanca con rayas azules, y estos colores daban extraordinario realce al bronceado matiz de su pellejo reluciente. La sonrisa estúpida de siempre se dibujaba entre las dos cordilleras de sus labios y, a través de los mechones de greña que colgaban frente abajo, fulguraban los cruzados rayos de sus ojos bizcos.

Andrés se complacía en cotejar las frescas, finas y juveniles facciones de la linda muchacha con los detalles de la cabezona del remero. Admirando estaba mentalmente el contraste que formaban las dos caras, cuando le dijo Sotileza al oído:

—¡Nunca le he visto más feo que hoy!

—¡Muy feo está! —respondió Andrés, coincidiendo con Sotileza en un mismo pensamiento.

—¡Da gusto mirarle! —añadió la muchacha con expresión codiciosa, hundiendo al mismo tiempo toda la fuerza de su mirada en las tenebrosas escabrosidades de la cara de Muergo.

Éste sintió la puñalada de luz en lo más hondo de sí mismo, conmovióse todo, relinchó como un potro cerril y, cargándose sobre el remo con todos sus bríos bestiales, dio

---

[144] *Andarivel:* cabo que va del árbol mayor al trinquete. Aquí, Pereda lo usa en sentido figurado.

tal *estropada* *, cogiendo a Cole descuidado, que torció el rumbo de la barquía.

En la cara de Sotileza brilló entonces algo como relámpago de vanidad satisfecha y al mismo tiempo se oyó la voz de Mechelín, que gritaba desde proa, detrás de la vela desmayada y lacia:

—¿Qué haces, animal?

—Na que le importe —respondió Muergo, relinchando otra vez.

En esto Andrés y Sotileza largaron los respectivos aparejos, cada cual por su banda; y cuando la barquía llegaba al promontorio de San Martín, ya había embarcado en ella más de dos libras de pescado, entre *panchos, mules y llubinas,* trabados *a la cacea.*

Allí comenzaba verdaderamente la diversión proyectada.

Se bajó la inútil vela, y Andrés y Sotileza, a barco parado, echaron la primera *calada* * debajo del Castillo, porque junto a las rocas y en lo más hondo es donde se pescan los durdos [145], las jarguetas [146] y otros peces de estimación.

Después pasaron a la isla de la Torre y luego a la playa de enfrente, porque los barbos prefieren los fondos arenosos; y más tarde a la Peña Horadada; y así, de peñasco en peñasco, de playa en playa, pescando lo que se trababa, más porredanas, panchos y julias de manto negro que los barbos que apetecaín los pescadores, llegaron éstos, en virtud de que la mar estaba como un espejo, a la isla de Mouro, no sin que Mechelín, siguiendo la diaria costumbre de los patrones de lancha, dijera, descubriéndose la cabeza en el momento de salir del puerto: «Alabado sea Dios», y rezara y mandara rezar un credo. Sotileza, que jamás había salido mar afuera, comenzó a sentir los efectos de la casi invisible, pero constante ondulación [147] de las aguas.

A causa de este percance inesperado, volvió la barquía al puerto, ante cuya boca exclamó Mechelín, observando también en ello otra costumbre jamás quebrantada por los patrones en casos tales:

---

[145] *Durdo:* «Dardo. Pescado de bahía y de rompiente» (Santander y zona oriental). (G.-Lomas.)

[146] *Jargueta:* «Pescado de bahía.» (G.-Lomas.)

[147] *Undulación,* en la primera edición.

—¡Jesús y adentro!

Después de rebasar del Promontorio, se prepararon las *guadañetas* y, dejándose llevar de la corriente de la barquía, se dio principio a la pesca, o más bien al *robo* de los maganos.

Sotileza, aunque tenía un arte admirable para agitar con la blandura y tacto necesarios dentro del agua aquel manojo de alfileres con las puntas vueltas hacia arriba, carecía de práctica en la manera de embarcar el magano trabado sin que el chorro de tinta negra que ésta larga, en cuanto se siente fuera de su natural elemento, se estrelle contra el mismo pescador o los que se hallen cerca de él. Así fue que con el primer magano que trabó en su guadañeta puso a Andrés lo mismo que si le hubieran zambullido en un tintero. Mordíase Sotileza los labios por no reírse con el lance, que por de pronto arrancó a Andrés una interjección algo fuerte; y acabó por reír como una loca, cuando Andrés, pasada la primera impresión, tomó también el caso a risa. Entonces Muergo, que los miraba sin pestañear, descansando de codos sobre el ocioso remo, exclamó de pronto, al calar otra vez la muchacha su guadañeta:

—¡Puño! ¡Ahora pa mí, Sotileza!... Échame toa la tinta de ese que pesques, en metá la cara!... ¡Ju, ju, ju!

Sotileza le respondió con una ojeada en que iba escrita la intención de echarle encima lo más que pudiera y Muergo, dejando el remo, se plantó a su lado dispuesto a recibirlo. Pero salió el magano, soltó la tinta y fue ésta a parar a la pechera de Cole, que no lo deseaba ni en nada se metía.

—¡Güena suerte tenéis! —rugió Muergo contrariado.

Mas no había acabado de decirlo cuando ya tenía en su caraza toda la pringue del magano que acababa de sacar Andrés.

—¡No es lo mesmo uno que otro, puño! —exclamaba Muergo, escupiendo tinta y echando el busto fuera del carel * para lavarse la cara, en la cual apenas se distinguían las manchas negras.

En estas y otras corrió el tiempo hasta más allá del mediodía; la marea estaba bajando, el calor sofocaba y venían del sur una bocanadas de aire tibio que rizaban apenas la superficie de la bahía, a la vez que iban sus aguas tomando un tinte azul muy intenso.

—A comer —dijo de pronto Andrés.

—¿Enónde? —preguntó tío Mechelín.

—Donde siempre, en la arboleda de Ambojo.

—Algo lejos está —replicó el marinero—. ¿Se ha hecho usté cargo de que ya apunta el Sur con trazas de apretar recio?

—Y eso, ¿qué? —observó Andrés—. ¿Ya no hay agallas para tan poco?

—Por usté lo digo, don Andrés, y por esa muchacha, que se pueden calar algo los vestidos; que lo que toca a mí, sin cuidao me tienen estas chanfainas de badía... ¡Isa, Cole!

Y Cole, ayudado de Muergo, izó otra vez la vela, que se agitó en el aire, hasta que, atesada su escota por Andrés, que también cogió la caña, quedó tersa e inmóvil, mientras la barquía comenzaba a deslizarse lentamente, porque el viento era escaso, con la proa puesta a los picos del Alisas.

Media hora después llegaba a la costa en cuya demanda iba. El viento había arreciado un poco y, como la playa es llana, la resaca la invadía un buen trecho entre el arenal descubierto y el punto en que, de intento, embarrancó la barquía. Cuestión de descalzarse para saltar a tierra quien no tuviera en sus piernas el brío necesario para salvar el obstáculo de un sólo brinco o de dejarse sacar los más escrupulosos en brazos del más forzudo y menos aprensivo.

Por de pronto, se convino en que Cole se quedara al cuidado de la barquía, para que no llegara a vararse por completo, lo cual acontecería si se tardaba mucho en resolver el punto referente al modo de desembarcar sus tripulantes y pasajeros; y sacó Andrés para él del cesto de las provisiones abundante ración de cuanto había. Mechelín, en gracia de sus achaques, consintió en que Muergo cargara con él hasta dejarle en seco; y mientras andaba Andrés empeñado en hacer otro tanto con Sotileza, que prefería descalzarse y ya se disponía a hacerlo, volvió Muergo del arenal, la agarró por la cintura y cargó con ella, que se dejó llevar, muerta de risa, en tanto Andrés saltaba de un brinco prodigioso desde el carel de la barquía a la parte enjuta de la playa, en cuyas arenas hundió los pies hasta el tobillo.

Y Muergo, que le precedía más de dos brazas, seguía corriendo sin soltar la carga, que antes parecía darle fuerzas que consumírselas; y casi tocaba ya los primeros cantos

de las veredas que arrancaban de aquellos límites del arenal y aún no daba señales de posar a la gentil moza que,
entre risas y denuestos, le machacaba la cara y le tiraba
de la greña.

—¡Déjala ya, animal! —le gritó Andrés.

—¡Suéltala, piazo de bestia! —repitió tío Mechelín.

Como si callaran. Muergo corría y corría, y parecía dispuesto a no dejarla hasta la arboleda misma, a cuya sombra
deseaba Andrés que se comiera.

Viendo trepar a aquel monstruo greñudo y cobrizo por
los ásperos callejos y entre matas de escajo, oprimiendo entre sus brazos nervudos las formas gallardas de moza tan
apuesta, había que pensar en Polifemo robando a Galatea [148]
o siquiera en Cuasimodo, corriendo a esconder a la Esme-
ralda en los laberintos de su campanario [149].

Al fin, volvió solo, echando chispas por los ojos bizcos
y agitándose en derredor de su cabezota, al impulso del viento, los mechones retorcidos de su greña montuna.

Tío Mechelín le maltrató de palabra por aquella acción
que tan mal parecería a los que no conocieran el juicio de
la honradísima muchacha y Andrés también le echó un tre-
pe gordo. Muergo no hizo caso maldito de las durezas de
su tío, pero a Andrés le soltó al oído estas palabras, mientras se restregaba las manos y escondía en lo más hondo de
los respectivos lagrimales todo lo negro de sus ojos:

—¡Puño, qué gusto dan estas cosas!

A lo que respondió el mozo largándole un puntapié por
la popa, de tal modo que le apartó de sí más de dos varas.

Muergo recibió el agasajo con un estremecimiento bes-
tial, dos zancadas al aire y un relincho.

Después cogió la cesta de las provisiones y una gran jarra vacía que llevaba tío Mechelín y siguieron todos hacia
la arboleda, a cuya entrada aguardaba Sotileza, mientras
Cole, después de haber desatracado la barquía, no sin mucho esfuerzo, y de haberse fondeado con el *rizón* *, donde no
corría peligro de vararse otra vez, daba comienzo a su par-

---

[148] Este motivo del rapto, que sepamos, no se encuentra ni
en la tradición clásica ni en los poemas barrocos.

[149] Personajes de la novela de Víctor Hugo, *Notre Dame de
Paris* (1831), 1.ª trad. esp., 1836.

ticular banquete, al suave arrullo de la resaca y al dulce balanceo de la barquía sobre los blandos lomos del oleaje que el viento agitaba lentamente.

¡Sabrosísima y bien glosada además fue la comida de los cuatro comensales de la arboleda! Y por lo que toca a Muergo, hubo que ponerle a raya, según costumbre, porque no tenía calo, particularmente en el beber. Andrés y Sotileza apenas bebían otra cosa que el agua fresca que se había traído del manantial cercano y, por acuerdo de ambos, se guardó de todo lo mejor que se comía una buena ración para tía Sidora, con harta pesadumbre de Muergo, que hubiera devorado también las rebañaduras. Tío Mechelín agradeció en el alma esta cariñosa atención consagrada a su mujer, como otros lances idénticos; y con este motivo, amén de sentirse él bien confortado y bajo saludable influjo de la amenidad del sitio y de las caricias del aire, despertósele aquella locuacidad tan suya, que sólo la tiranía de los años y de los achaques había sido capaz de ir adormeciendo poco a poco, y empezó a entonar penegíricos de su vieja compañera. Cantó, una a una, sus virtudes y sus habilidades; después retrocedió con la memoria a los tiempos de su propia mocedad y pintó sus castos amores y sus alegres bodas; y en seguida su felicidad de casado y sus desventuras de pescador; y luego sus lances de hombre maduro, y, por último, los achaques de su vejez, sin reparar que desde la mitad de su relato, que fue larguísimo, Muergo roncaba tendido boca arriba y Sotileza y Andrés no le escuchaban, por estar más atentos que a su palabra a las que a media voz y con mucho disimulo se decían mutuamente los dos mozos. El mismo Mechelín se fue rindiendo a los asaltos del sueño y acabó por tenderse en el suelo y por roncar tan de firme como su sobrino.

Andrés y Sotileza se miraron entonces, sin saber por qué; y quizá, sin conocer tampoco la razón de ello, pasearon después la vista en derredor del sitio que ocupaban y todo lo vieron desierto y sin otros rumores que los que el viento producía entre las ramas de los árboles.

Sotileza, con el bochorno de la tarde y los vapores de la comida, estaba muy encendida de color; y como ya se ha dicho que a merced de tales jolgorios era más animada y habladora que de costumbre, este exceso de animación se revelaba en la luz de sus ojos valientes y en la sonrisa de su boca fresca. Con esto y el fuego de sus mejillas Andrés la vio, sobre el fondo solitario y arrullador de aquel cuadro, como nunca la había visto. Se acordó *con indignación* de la *calumnia* de marras y, para enmendarlo, comenzó a convertir en frases terminantes las medias palabras que usó mientras tío Mechelín relataba sus aventuras. Y aquellas frases eran requiebros netos. Y Sotileza, que no los había oído jamás en tales labios, entre la sorpresa que la producían y el efecto de otra especie que le causaban, no acertaba a responder lo que quería. Esta lucha interior le saltaba a la cara en una expresión difícil de interpretar para unos ojos serenos, más no para los de Andrés, que, ofuscado en aquel instante por los relámpagos de su interna tempestad, todo lo convertía en sustancia. Alucinado así, tomó con su diestra una mano que Sotileza tenía abandonada sobre su falda y con el brazo izquierdo le ciñó su cintura, mientras su boca murmuraba frases ponderativas y fogosas. La moza entonces, como si se viera enredada en los anillos de una serpiente, deshizo los blandos con que la sujetaba Andrés con una brusca sacudida, lanzando al mismo tiempo sus ojos tales destellos y transformándose la expresión de su cara de tal modo que Andrés se apartó un buen trecho de ella y sintió que se le disipaba el entusiasmo, como si acabaran de echarle un jarro de agua por la cabeza abajo.

—Desde ahí —le dijo fieramente la indignada moza— todo lo que quieras..., no siendo hablarme como me has hablado... No digo de ti, que estás tan alto, pero ni de los de mi parigual debo de oír yo cosa que no pueda decirse delante de ese venturao (y señalaba a tío Mechelín).

Andrés sintió en mitad del pecho la fuerza de esta brusca lección y respondió a Sotileza:

—Tienes razón que te sobra. He hecho una barbaridad, porque... ¡no sé por qué! Perdónamela.

Pero, aunque así se expresaba, otra le quedaba adentro. En descalabros tales es donde más padece la vanidad de los buenos mozos y la de Andrés había quedado muy herida, tanto por el descalabro en sí cuanto por venir éste de mujer que, aun resuelta a rechazarle a él, estaba *obligada* a hacerlo de otro modo menos brutal, y porque no se compaginaban fácilmente su cruda esquivez con un mozo tan gallardo y el regocijo con que la esquiva se dejaba llevar poco antes entre los brazos del monstruoso Muergo.

La alusión al pobre y honrado marinero dormido a su lado también le había llegado al alma, no por inmerecida sino porque la ocurrencia de Sotileza debió haberla tenido él antes y así se hubiera evitado que le recordaran los labios de una marinera ruda lo que más le estaba mordiendo la conciencia. En fin, que al verse corrido en aquel trance, obra de las circunstancias, pensaba y sentía lo que sintiera y pensara cualquiera nieto de Adán, tan honradote, tan mozo, tan sano y tan irreflexivo como él, en idéntica situación.

En tanto, Sotileza, sin señales ya de su enojo, se puso a *levantar los manteles* y a acomodar en la cesta los avíos y las sobras de la comida. De paso despertó a los dormidos; a su tío, sacudiéndole blandamente, y a Muergo, arrojándole a la cabeza el agua que había quedado en la jarra. Enderezóse éste lanzando un bramido, mientras se incorporaba el otro bostezando y restregándose los ojos. Y como los celajes se oscurecían y el Sur iba apretando, diéronse prisa todos y volvieron a la playa, bien corrida ya la media tarde.

Nadie se había acordado de Cole, el cual, como si contara con ello, se había tendido a dormir tan guapamente sobre la vela plegada en el panel * de la barquía, en cuyo fondo se zarandeaba, a medio flotar en el agua, de intento vertida allí, la pesca de la mañana. Costó muchas y recias voces desde la playa el trabajo de despertar a Cole, pero al fin despertó; haló el arpón para adentro, y atracó la barquía, que no fue mucho, pues la resaca era mayor que por la mañana, porque el viento era más fuerte y la marea subía ya. Como no era tan fácil saltar desde el arenal al barco como desde el barco al arenal, Andrés no tuvo otro remedio que dejarse embarcar en brazos de Muergo y resignarse a ver otra vez entre ellos, sin pizca de protesta, a la que tan duras se las había hecho a él por menos estrujones.

Ya todos en la barquía, tío Mechelín reclamó el gobierno de ella para sí, como más viejo en el oficio y en virtud de «lo que pudiera tronar», porque el viento arreciaba por instantes. Sometióse Andrés, sin réplica, a los mandatos del experto marinero; sentóse éste a popa, agarró la caña e, izada ya la vela, templó la escota a su gusto. Crujió la lona, tersa y sonora como el parche de un pandero, y el barco se puso en rumbo, encabritándose sobre las olas que la batían de proa, como caballo fogoso que encuentra una barrera en su camino. Como era de esperar, la barquía, ciñendo el viento, tumbó sobre el costado y comenzó a navegar de bolina *, pero derivaba * mucho por ceñir * demasiado y Mechelín remedió la deriva * mandando echar la *orza* a sotavento (una sencilla tabla colgada del carel). Andrés y Sotileza se sentaron en el costado opuesto, para repartir mejor la carga de la barquía, que volaba sobre la hirviente superficie. Embestía las olas con ímpetu loco y, al estrellarse con ellas, embarcaba los chorros de espuma en que las dejaba partidas.

Andrés se había echado su capote impermeable sobre la espalda, pero Sotileza llevaba la suya sin un amparo, porque no había consentido que tío Mechelín, viejo y achacoso, le diera el *sueste* * y el chaquetón embreados con que se cubría para no mojarse y que a prevención había llevado a la pesca. Los dos marineros mozos no tenían más ropa que la puesta al salir de casa, así es que, para no calarse ni perderse el *vestido bueno*, bastante mojado ya, Sotileza no tuvo otro remedio que aceptar el medio capote que con insistencia le ofrecía Andrés.

Viose, pues, la hermosa pareja guarecida bajo una misma envoltura de pocas varas de paño y muy arropadita por la cabeza y por los costados; porque contra el agua que sin cesar saltaba por aquella banda, toda prevención era poca. Andrés, recordando lo pasado, procuraba molestar a su compañera lo menos que podía, pero dejar de arrimarse a ella por alguna parte le era imposible, porque el capote no daba para tanto lujo.

Muergo y Cole achicaban a cada momento el agua que iba embarcándose; tío Mechelín no apartaba la vista del rumbo y del aparejo; y la barquía, volando, atropellaba las olas y caía en sus senos y se alzaba en sus crestas, y, a veces, sólo un punto de su quilla tocaba el agua espumosa. Chorros de ella corrían por las caras de Cole y de Muergo, y los mechones de la greña de éste goteaban como bardal después de la cellisca.

De pronto, dijo Andrés a Sotileza, y por lo bajo:

—En ese mismo sitio zozobró mi bote una tarde con un viento como el de hoy.

—¡Vaya un consuelo para mí! —respondió la otra, en la misma *tessitura* [150].

—Es que me empeñé yo en tomar todo el viento de costado sin mover la escota... Una barbaridad.

—¿Y como salistes?

—Me cogió una lancha que venía detrás y remolcó también el bote.

Volvieron a callar el uno y la otra; hasta que al hallarse la barquía enfrente de la Monja y próxima a los primeros barcos, volvió a decir Andrés, bajito también:

—Aquí me puso al *Céfiro* quilla arriba una racha de vendaval.

—¿Y tú? —preguntó Sotileza.

—Yo me aguanté agarrado al bote, hasta que me cogió uno de un barco. Aquel día me vi mal, porque caí debajo y, además, hacía mucho frío.

—Dos zambullidas... Bastante es para lo mozo [151] que eres.

—Dos, ¿eh? ¡Y también siete llevo ya!... ¡Y ojalá contara hoy la de ocho!

—¡Vaya una intención, Andrés!

—No es tan mala como tú piensas, Sotileza; porque quisiera hallarme en un lance en que dieras a los brazos míos tanto valor... siquiera, siquiera, como a los de Muergo.

—¡Mira con qué coplas sale!

—¿Te ofendes de ellas también?

—Porque no vienen al caso.

—Pues nunca vendrán mejor.

—Señal de que no están en ley.

En esto les inundó una cascada que saltó a bordo al entrar la barquía en un verdadero callejón de naves fondeadas, donde el viento era más impetuoso y los maretazos * más fuertes. Tío Mechelín, en vista de lo que esto prometía más adelante, propuso a Andrés enmendar el rumbo para desembarcar al socaire del Paredón del muelle Anaos, en

---

[150] *Tessitura:* ital., tesitura. (No consignada en *DRAE*, 1884.)
[151] *Joven,* en la primera edición.

lugar de seguir hasta el de la calle Alta, como aquél deseaba.
Y así se hizo, con magistral destreza de Mechelín y beneplácito de todos.

Dijo Andrés qué pescado de lo cogido por la mañana
quería para su casa y la de don Venancio Liencres, dejando
el resto en beneficio del barco; despidióse de todos muy
campechano y de Sotileza entre cariñoso y resentido, y tomó
el rumbo de su casa, mientras la gente de la barquía la desvalijaba de todo lo movible y manducable, y, después de dejarla bien amarrada, cargaba con ello y se encaminaba a la
calle Alta por la de Somorrostro arriba..., seguida a lo lejos
del taciturno Cleto, que había presenciado, sin ser visto, la
atracada y el desembarco, diciendo para las honduras de su
bodega:

—Mientras Andrés la ampare, no me importa [152].

XVII.   LA NOCHE DE AQUEL DÍA

Andrés durmió mal aquella noche, ¡muy mal! En el paso
imprudente que había dado en la arboleda de Ambojo faltó a muchos deberes y cometió muchas inconveniencias a
un tiempo. ¡Tantos años corridos en la intimidad de la pobre familia de la bodega! ¡La honrada vanidad que él fundaba en ser el paño de lágrimas de los dos viejos, que le tenían en las mismas entretelas del corazón! ¡Aquella noble
confianza con que la hermosa muchacha, desde que fue niña
descuidada, venía amparándose de su sombra benéfica, sin
recelar del juicio de las gentes, que podía manchar su buena fama, como la habían manchado ya, como seguirían manchándola, las mujeres del quinto piso! ¡Y el matrimonio de

---

[152]   La excursión es un motivo aprovechado también por otros
novelistas para dar paso a confesiones amorosas. Vid. Juan Valera, *Pepita Jiménez* (carta del 4 de mayo); Pardo Bazán, *La Tribuna* (cap. XXXI), y *El cisne de Vilamorta* (cap. XX); L. Alas,
La Regenta (cap. 19).

abajo y la misma Sotileza y hasta el huraño de Cleto le querían, por humilde, por generoso... y porque le creían capaz
de partir con ellos el mejor pedazo de pan y de andar a ca-
chetes en medio de la calle por defender la vida o el buen
nombre de todos y cada uno de ellos! ¿Qué diría tía Sidora,
qué su marido, si en aquel instante de vértigo le hubieran
leído en la frente ciertos pensamientos que cruzaban rápidos por detrás de ella?... ¿Qué juzgaría el candoroso Cleto
si lo sospechara? ¡Cleto, que le descubrió las *calumnias*
con que le perseguían las mujeres de su casa!... Y, sobre
todo, ¿en qué opinión le tendría Sotileza desde que se vio en
la dura necesidad de arrojarle de su lado, altiva, dura, indignada, como se arroja lo que ofende, lo que mancha, lo que
deshonra? Porque aquellos gestos, aquellos ademanes, aquellas palabras significaban todo eso y en manera alguna fueron artimañas femeniles, resistencias de artificio o disfra-
ces de muy distintos propósitos. Aquello había sido una peña
de mármol puesta delante de sus ímpetus, para que se estre-
llaran en ella; una lección terrible. ¡Y se la daba una marinera zafia, a pesar de deberle tantos favores y tantas preferencias! ¡Cuál no sería la magnitud de su imprudencia y
hasta qué extremo no estaría desprestigiado en la consideración de Sotileza!... Y además, corrido; porque corridos quedan los hombres en esas empresas, cuando les salen tan mal
como a él le había salido la suya. ¡Si ya que el diablo le
tentó, le hubiera ayudado a salir avante, triunfador y airo-
so!... ¡Pero quedarse sin el botín y con todos los coscorrones
de tan inicua batalla!...

En fin, que no se podía vivir con sosiego en la situación
en que él tenía las cosas desde la tarde anterior, examinadas
serenamente al calorcillo de la almohada. Por tanto, procu-
raría verse con Sotileza, mano a mano, tan pronto como
la ocasión se le presentara; hablaría con ella de lo acontecido, despacio, fría y severamente; echaría la culpa de su
desliz a las tentaciones del sitio, a los arrullos del ábrego,
al tufillo de la mar..., a cualquier cosa; quizás diera por motivo de su ex abrupto un oculto propósito de poner a prueba
las virtudes de la moza... Esto ya lo decidiría él en su hora.
Lo importante era quedar como debía y donde debía quedar... Si hablando, hablando, resultaba que su prestigio iba
creciendo y agigantándose a los ojos de la buena moza y

que ésta llevaba su admiración hasta el extremo de... ¡Entonces sería ocasión de que se trocaran los papeles y recibiera Sotileza la lección que le debía!... A menos que la fuerza misma del empeño y lo palmario de la voluntad no le obligaran a ceder... Pero de este modo ya la cosa era distinta, porque no siendo la culpa suya, él estaba libre de toda responsabilidad.

Y todo esto, con ser tanto, no era lo único que le robaba el sueño. ¡Si cuando las cavilaciones dan en eslabonarse unas con otras!...

En cuanto llegó a su casa de vuelta de la mar, sin responder una palabra a las muchas que le enderezó su madre, entre amorosa y sulfurada, por los riesgos que había corrido, el estado en que le veía, las gentes que le enamoraban, y por otro tanto más, se encerró en su gabinete, se afeitó, se lavoteó a su gusto y se mudó de pies a cabeza con el equipo fresco y dominguero que se halló preparadito al alcance de su mano: previsiones de la capitana, que adoraba en aquel hijo tan noblote, tan gallardo, tan hermoso..., ¡pero tan adán!... Si aquella noche no le pasa la revista acostumbrada, se le va a la calle con junquillo y sombrero de copa, pero sin corbata.

—¡Que con la estampa que tienes no te haya dado el Señor, para ser una persona decente, el arte que te ha dado el demonio para aventajar al marinerazo más arlote!

Así le dijo la capitana mientras le hacía el nudo de la corbata, que ella misma le había pasado bajo el cuello de la camisa con la necesaria destreza para no arrugarle. Después, mientras le estiraba los faldones del levisac [153], le sentaba los fuelles de la pechera, le pasaba el cepillo sobre los hombros y arreglaba las caídas de las perneras sobre las botas de charol con cañas de tafilete encarnado, continuó expresándose de esta manera:

—Si tú fueras otro, no habría necesidad de que tu madre te diera, cada vez que te vistes de señor, un mal rato como éste que estás llevando ahora, pero como eres así, tan... ¡Hijo, qué rabia me das algunas veces!... ¡Deseando estoy de que tu padre acabe de llegar de su viaje y comience a cumplirnos la palabra de no volver a embarcarse ja-

---

[153] *Levisac*: especie de gabán-levita.

más!... ¡A ver si, con mil diablos, teniéndote más a la vista, consigue lo que yo no he podido conseguir de ti! Bueno que una vez que otra..., pero ¡tanto, tanto y como si fuera ese tu oficio!... ¿Qué te parece? Mira qué manos..., ¡hasta con callos en las palmas! ¡Póngase usted guantes ahí!... Hasta por corresponder a las atenciones que te guardan esos señores debieras ser un poco más mirado en ciertas cosas... ¿A quién se le ocurre, sino a ti, irse todo el día de pesca, sabiendo que esta noche estás convidado al teatro con una familia tan distinguida? Pues ya veremos cómo te portas... Y cuidado con salirse a media función; espérate hasta que concluya y acompáñalos a casa. Da el brazo a la señora o a su hija cuando salgáis de casa para ir al teatro y lo mismo cuando bajéis la escalera de los palcos... Porque desde aquí te irás en derechura a buscar a Tolín, que te espera en su cuarto. Así me lo dijo esta mañana, saliendo de once de la Compañía... ¡Ea, ya estás en regla!... ¡y bien guapetón, caramba! ¿Por qué no ha de decirse, si es cierto?

A Andrés le molestaban mucho estas incesantes chinchorrerías de su madre, las cuales, si estaban muy en su punto por lo referente a las aficiones del mozo, eran harto inmerecidas por lo tocante a lo demás. La capitana le quería elegante y distinguido a fuerza de perfiles, miramientos, discreciones y finezas; es decir, haciéndole esclavo de su vestido, de su palabra y de cuatro leyes estúpidas impuestas en salones y paseos por unos cuantos majaderos que no sirven para cosa mejor; y Andrés, con su gallardía natural, con su varonil soltura y su ingenuidad noblota, era precisamente de las pocas figuras que encajan bien en todas partes, aunque en ninguna brillen mucho.

Fuese, pues, de punta en blanco a casa de Tolín, y al atravesar el vestíbulo dirigiéndose al cuarto de su amigo, hallóse tope a tope con Luisa, emperejilada ya con todos los perifollos de teatro. Parecióle al fogoso muchacho que le caían muy bien y así se lo espetó por todo saludo, pues le sobraba confianza para ello.

—¡Vaya, que estás guapa de veras, Luisilla! —le dijo.

—Y a ti ¿que te importa? —respondió Luisa, pasando de largo.

Andrés tomaba todos los dichos al pie de la letra y por eso le dejó muy desconcertado la sequedad de Luisa.

Tanto, y tan sentido, que se quejó de ello a Tolín así que llegó a su cuarto.

—Te digo, hombre, que el mejor día la suelto una fresca. ¡Mira que es mucha tirria la que me va tomando!

—¡Qué ha de ser tirria eso! —le replicó Tolín, mientras se enceraba las desmayadas guías de su bigotejo ralo.

—Pues si no es tirria, ¿qué es?

—Gana de divertirse contigo. ¡Como hay tanta confianza entre vosotros!...

—¡Pues me gusta la diversión!

—Sí, hombre, sí; no es más que eso... o algún resentimiento que podrá tener...

—¿De qué?

—¡Qué sé yo! De todas maneras, no vale un pito la cosa.

—Para ti no, pero para mí...

—Y para ti, ¿por qué?...

—Me parece, Tolín, que entrar todos los días en una casa donde se le recibe a uno así... Porque, desde algún tiempo acá, todos los días me pasa algo de esto.

—Hombre, eso si bien se mira, hasta revela cariño y estimación... Pues si quisiera echarte a la calle de una vez..., ¡apenas tiene despabiladeras la niña!

—¡Ya lo estoy viendo, ya!

—¡Qué has de ver tú, hombre, qué has de ver tú!... Lo que hay que ver es lo que hace con los que le estorban de verdad. Mira que ya me da hasta compasión de ese pobre Calandrias.

—¡Calandrias!... ¿Quién es Calandrias?

—¿No te acuerdas que llamábamos así a Pachín Regatucos, el hijo de don Juan de los Regatucos? Pues ese elegantón se bebe los vientos por ella y pasea el Muelle arriba y abajo todo el santo día de Dios; ¡y ella le da cada sofión y cada portazo!..., ¡y le pone unas caras!... En el baile campestre del día de San Juan se negó a bailar con él ¡con unos modos!... Te digo que no sé cómo ese hombre tiene humor... ni vergüenza para seguir todavía paseando por la calle a mi hermana. Pues como ése hay varios; porque como ella es hija de don Venancio Liencres... ¡ya se ve! ¡Y a todos los trata por igual!... ¡Más seca y más...! ¡Como que son de lo mejor!... Mamá está que trina con esas geniadas... Y con muchísima razón... ¡Mira tú, hombre, qué cosa mejor puede apetecer ella, a la edad que tiene, que tantos y tan buenos partidos para escoger el que más le agrade! Pues nada..., como una peña... Te digo que como una peña... Conque, ahora, quéjate tú... Y por supuesto que todas estas cosas te las cuento yo no más que para gobierno tuyo y en la confianza de la amistad que tenemos. ¿Estás?

En esto se oyeron dos golpes recios a la puerta de la habitación y la voz de Luisa, que decía:

—¡Que nos vamos!...

Andrés abrió en seguida; y como ya su amigo había terminado sus faenas de tocador, salieron ambos al pasillo, donde tuvo Andrés que saludar a la señora de don Venancio, que, aunque vieja ya y bastante acartonada, iba tan elegante como su hija, pero mucho más fastidiosa. Don Venancio andaba perorando en el Círculo de Recreo y se daría una vuelta por el teatro a última hora, si otros particulares más interesantes no se lo estorbaban. Tolín se anticipó a dar el brazo a su madre y Andrés ofreció el suyo a Luisa con grandes recelos de recibir un desaire.

Pero no le recibió, afortunadamente. Eso sí, al precio de una mirada de aire colado y de estas palabras, que dejaron al pobre chico atarugado y sudando:

—Pero no me rompas el vestido, como la otra vez...

De camino llamaron a la puerta de don Silvestre Trigueras [154], comerciante bien metido en harina, y bajó, calzándose los guantes y con la cabeza hecha un borlón de colgajos relucientes, la señorita de la casa, la elegante Angustias, afamada beldad por quien el hijo de don Venancio Liencres suspiraba en sus soledades y se engomaba las puntas del bigote. Despepitóse con ella a fuerza de saludos; recibió la joven los de costumbre de las otras dos señoras, y de Andrés los mejores que supo hacer el pobre mocetón, y continuaron todos juntos hacia el teatro.

Ya en el palco, Tolín se sentó detras de la joven por quien suspiraba; Andrés, muy cerquita de Luisa, para dejar mayor espacio a su madre. Y como, por haber madrugado más que el sol y bregado tanto durante el día, se pasó

---

[154] Nótese el nombre simbólico. El procedimiento estaba ya consagrado por los costumbristas. Vid. J. F. Montesinos, *Costumbrismo y novela*, pp. 61-65, con selectos ejemplos.

durmiendo la mayor parte de cada acto y en los intermedios se salía a fumar en los pasillos, de todo lo ocurrido allí sólo recordaba después, que a mitad de la función había llegado don Venancio Liencres, preguntando si aquello estaba en prosa o en verso.

—Creo que en verso —había respondido Andrés—; digo no, puede que sea prosa.

—Es igual —había replicado el elocuente don Venancio—. ¡Para lo bien que lo hacen y el jugo que se saca de ello!

Después, la salida. Vuelta a ofrecer el brazo a Luisa, porque don Venancio había cargado con lo que en justicia le correspondía y a Tolín no le apartaba nadie, ni con agua hirviendo, de la mujer por quien suspiraba hondo y se enceraba las guías del bigote.

Ya en la calle, la consabida ringlera de faroles de mano en las de las *doncellas* que aguardaban a sus respectivas señoras. Porque todavía en aquel tiempo y no obstante haberse estrenado el gas el año anterior, quedaban bastantes restos de aquella antiquísima vanidad de clase, expresada en un gran farol de cuatro cristales, dos de ellos amplísimos y todos muy altos, y tres medias velas, cuando no cuatro, entre arandelas y bajo lambrequines, arcos o laberintos de papel rizado, de veinticinco colores, para andar los pudientes por las calles a las altas horas de la noche. Esta observación acerca de los faroles no fue de Andrés, que ni siquiera reparó en ellos, por estar bien acostumbrado a verlos allí en casos tales; es mía y la apunto aquí porque no estorba, como nota expresiva del cuadro de aquellos tiempos.

Lo que Andrés observó entonces fue que el viento, encalmado desde que él había salido de casa para ir a la de don Venancio Liencres, había vuelto a arreciar, y mucho; y como sabía que en las bocacalles del Muelle soplaba con mayor fuerza que en ninguna otra parte de la población, se atrevió a aconsejar a Luisa que continuara apoyada en su brazo hasta llegar a casa. Tampoco esta vez fue desairado; y teniendo los demás por muy cuerdo el parecer, observáronle al pie de la letra. Quiero decir que don Venancio no soltó a su señora, ni Tolín a la señorita de sus amorosos pensamientos. Luisa y Andrés iban delante de todos, menos del farol empapelado, que les precedía algunas varas, zarandeándose en la diestra de la doncella de la casa.

Al enfilar la calle de los Mártires comenzaron a oírse los silbidos del viento, enredado entre la jarcia de la patachería de la Dársena, y su rebramar furibundo en las encrucijadas próximas; llegaron algunas ráfagas pasajeras que hicieron crujir la seda del vestido de Luisa, zarandeando [155] los pliegues de su falda, y Luisa, entonces, muerta de miedo, se agarró al brazo de Andrés, fuerte e inmoble como la rama de una encina.

—Agárrate de firme y sin miedo —la decía Andrés—, que a mí no me lleva por mucho que sople.

Y Luisa se agarraba a dos manos, y con tal ansia se arrimaba a la encina que Andrés, a no serlo tanto en ciertos casos, hubiera podido sentir en su brazo derecho los latidos del corazón de su amiga, especialmente en el no muy breve rato que permanecieron en el Muelle, mientras abrían en casa de don Silverio Trigueras y se quedaba Tolín sin el arrimo dulce de su linda compañera.

Andrés, en cuanto volvió a verse en el relativo sosiego de la calle trasera, dijo a Luisa, como para tranquilizarla y, sobre todo, por hablar algo:

—Si me apuras un poco, más soplaba esta tarde.

A lo que respondió Luisa inmediatamente y sin el menor dejo de broma:

—Pues si yo llego a ser aire esta tarde, buena zambullida te llevas... Yo te lo aseguro.

Andrés sintió una marejada de fuego que le abrasaba la cara. Se acordó de que una cosa muy parecida había dicho él a Sotileza cuando los dos se amparaban contra las olas de la bahía bajo un mismo capote. No temió que Luisa le hubiera oído..., pero pudo muy bien haberle visto.

—¡Vaya una entraña, mujer! —respondió, atarugado, a la estocada de su amiga.

—No hay que tener mala entraña para hacer esas cosas, que son escarmientos necesarios... y hasta obras de caridad, si me apuras.

—¡Escarmientos!..., ¡obras de caridad! —exclamó Andrés, más dueño ya de sí mismo, porque le iba llevando Luisa al terreno de las impertinencias que tanto le molestaban—. Pues ¿qué he hecho yo de malo esta tarde?

---

[155] *Agitando*, en la primera edición.

—Hombre —respondió Luisa muy resuelta—, a punto fijo no lo sé, porque la vela tapaba la mitad, hacia allá, de la lancha, y no vi en la de acá más que tres bultos remojados que daban asco.

—Yo iba gobernando al timón —saltó Andrés, resignado a pasar por uno de los bultos «que daban asco», siempre que Luisa se convenciera de que él no ocupaba la parte invisible de la barquía, donde iba el contrabando.

La desengañada hija de don Venancio Liencres, sin dar muestras visibles de atención a estas palabras, añadió:

—Pero si no lo has hecho esta tarde, bastante hiciste por la mañana.

—¡Por la mañana!...

—¡Sí, señor, por la mañana! Pues qué, ¿piensas que no te *han* visto ahí enfrente, arriba y abajo, las horas de Dios, con esos marinerazos... y una mujerona?

—¡Una mujerona!...

—Eso mismo, una mujerona... ¿Te parece que esto está bien? ¿Qué dirán las gentes que lo hayan notado?

—¿Y qué han de decir?

—Pestes, y no será mucho.

—Y ¿por qué lo miran, si tan malo es?

—Y ¿por qué te pones tú con *esas cosas* en el mismo sitio a que está *una* mirando? Porque una mira allí, porque lo tiene delante de casa y tiene también buenos gemelos para mirar.

—Sí, y ganas de meterse en lo que no importa.

—¡En lo que no *me* importa! —exclamó Luisa con un sacudimiento que Andrés no estaba en disposición de apreciar, así por el enojo que ya le cosquilleaba en los nervios como por los embates y refregones que recibía del viento a cada instante.

—En lo que no te importa, sí —respondió Andrés con entereza—; puesto que en ello no ofendo a nadie y en lo demás cumplo con mi deber.

—Pues me importa —remachó Luisa con voz algo alterada y nerviosa—, y me importa mucho, porque eres un amigo de la casa y un compañero de mi hermano, y no me gusta que digan las gentes que Tolín tiene amigos que andan a todas las horas de Dios con hombrones de la Zanguina y con marinerotas puercas y desvergonzadas. Por eso y no más que por eso. Y si me apuras un poco, se lo contaré a papá para que se lo cuente al tuyo cuando venga y te saque de esa mala vida... Y ahora, ya no quiero tu brazo... ni que me saludes siquiera.

Y en el acto se desprendió el suyo del de Andrés. Verdad que esto sucedía después de haber pasado a remolque de este la última bocacalle y en el momento de arrimarse muy pegadita al vano de la puerta de su casa, mientras la doncella, que se había anticipado algunas varas más, daba por segunda vez dos tremendos aldabonazos que retumbaban en el hueco de la escalera y hacían estremecer el barrote de hierro ajustado por dentro a la puerta, la primera de las tres que guardaban la repleta caja del comerciante don Venancio.

El recuerdo fresquísimo de estos sucesos era el segundo tema de las cavilaciones que le quitaban el sueño a Andrés a la altas horas de la mencionada noche.

Jamás la hermana de Tolín se le había manifestado tan entremetida, tan impertinente y tan dura. Por primera vez había oído de sus labios la amenaza de irle a su mismo padre con el cuento, para que se le refiriera después al capitán. Y la mimada y consentida joven era muy capaz de cumplir lo que ofrecía. El caso denunciable no era, ciertamente, cosa del otro jueves, pero ¡vaya usted a saber cómo le contaría ella y de qué colores le revestiría en su afán de salirse con su empeño! Don Venancio era un señor muy pegado de la formalidad y del buen viso de las personas de su trato; los humos de su señora bien a la vista estaban, tanto como el modo de pensar de la capitana, y el capitán no era ya aquel Bitadura impresionable y alegrote con cuya indulgencia podía contarse siempre, sabiendo buscarle las cosquillas de sus flaquezas de muchacho impenitente; últimamente tenía humores, algo más de medio siglo encima de su alma, estaba gordo y era rico, por todo lo cual se le había agriado bastante el genio. El mismo Andrés no contaba ya con fuerzas suficientes para someterse en silencio a ciertas imposiciones caprichosas y no sabía hasta qué extremos podía arrastrarle una conspiración así, tramada por una chiquilla fisgona contra sus honrados procederes.

Con elementos tales, ¿qué salsa no podría hacer el dia-

blo, metido por unos cuantos días en el cuerpo de la tesonu-
da hija de don Venancio Liencres?

Pero, al fin, todo esto era una suposición: estaba por ver,
daba tiempo; se vería venir, podía combatirse desde lejos...
¡Lo otro, lo otro era lo grave, lo apremiante, lo apurado
para él!...

Y así batallaba, hasta que, al cabo de las horas, volvióse
del otro lado y se quedó dormido.

XVIII. IR POR LANA...

Por primera vez en su vida anduvo Andrés, con una perseverancia que a él mismo le repugnaba algo, en acecho de
una ocasión para verse a solas con Sotileza; y también por
primera vez en su vida, tan pronto como logró sus intentos,
engañó a Tolín con un pretexto inventado para faltar dos
horas del escritorio.

Aconteció esto a media mañana, en un día en que tío Mechelín estaba a maganos con su barquía y tía Sidora a la
plaza. Sotileza trajinaba en la bodega en su habitual arreo
doméstico: limpio, corto y ligerísimo, según se ha descrito en
otra parte, y con el cual se admiraba mejor que con el de
los domingos el lujo escultural de la hermosa callealtera.
Bien observado lo tenía Andrés. Por eso se alegró mucho de
hallarla así, aunque ya contaba con ello.

—Tengo que hablarte —la dijo por entrar y no muy seguro de voz.

La joven notó el desconcierto de Andrés y le preguntó so-
bresaltada:

—¿Y por qué vienes a estas horas y en esta ocasión?

—Porque..., porque lo que tengo que decirte no debe oírlo nadie más que tú. Siéntate y escucha.

Andrés se sentó en una silla y arrimó otra muy cerca de
ella, pero Sotileza no quiso ocuparla. Permaneció de pie, apo-
yando el desnudo brazo derecho, redondo y blanco, sobre
la cómoda, mientras su seno marcaba la interna agitación

que le movía, y respondió en voz firme y con mirada valiente:

—Acuérdate de lo que te dije el domingo en la arboleda.

—Pues de eso mismo vengo a tratar.

—Pensé que ese punto se había rematado allí.

—No del todo; y por lo que falta vengo ahora.

—Pues desde entonces acá más de una vez nos hemos visto. ¿Por qué te has callado hasta hoy?

—Ya te lo he dicho, porque es asunto para tratado a solas entre los dos.

—También yo te he dicho que no quiero oírte cosa alguna que no pueda decirse delante de los hombres de bien.

—Pues precisamente porque me has dicho eso tengo yo que hablarte. Siéntate aquí, Silda; siéntate, por el amor de Dios, que yo te prometo no propasarme en hechos ni en palabras. No quiero más, con las que te diga, que quitarte el amargor que te dejaron otras y quitarme yo mismo de encima un peso que me fatiga mucho.

Sotileza, algo anhelante y descolorida, plegó maquinalmente su hermoso cuerpo sobre la silla preparada por Andrés. El cual, en cuanto la tuvo a su lado y tan cerca que oía el sonido de su respiración, exclamó así:

—¡Y mira que se necesita toda la fuerza de los propósitos que yo traigo para no faltar a ellos viéndote tan hermosa... y en la soledad en que estamos!

Silda se alzó bruscamente de la silla y volvió a apoyarse contra la cómoda.

—No creas que me espanto —dijo al mismo tiempo— de verme sola contigo, que alma me sobra para meter en la ley al que falte a lo que me debe.

—Entonces —preguntó el atolondrado mozo—, ¿por qué te apartas tan allá?

—Porque no quiero oírte de cerca cosas que te pintan como yo no quisiera verte.

—Pues para que me veas a tu gusto, no más que para eso, he aguardado esta ocasión. Créemelo, Silda, te lo juro por éstas que son cruces.

—¡Buen camino tomabas para empezar!

—Todo ello no era más que un decir... Empeño de no callarte ni siquiera un pensamiento, para que llegaras a verme el corazón como en la palma de la mano. Pero si esas franquezas te ofenden, no volverás a oírlas de mi boca... Te lo juro, Silda... Y vuelve a sentarte aquí... y amárrame las manos, si piensas que puedo llegar a ofenderte con ellas... Y si después de oírme te parece que mis palabras te agraviaron, arráncame la lengua con que las diga...; pero siéntate aquí y escúchame.

Sotileza volvió a sentarse, pero maquinalmente, muy pálida y entre fiera y conmovida; porque en todo aquello que le estaba pasando había tanta novedad y tan extraño interés para ella que se imponía a la braveza de su carácter.

Andrés, que siempre la había visto fría e impasible, dueña y señora de sus impenetrables sentimientos, asombróse de aquel trastorno súbito e inesperado de tanta fortaleza; tradújole a su gusto y vio que la de sus propósitos se conmovía también. ¡Pícara fragilidad humana!... Pero acababa de jurar que su proceder sería honrado y, armándose de voluntad para cumplirlo, comenzó por hablar de esta manera:

—Silda, aquella tarde te dije palabras y me propasé a cosas que me valieron una represión tuya, dura, ¡muy dura!... Así, de pronto, la falta que cometí confieso que merecía esa pena. Yo no te había acostumbrado en tantos años como llevamos de conocernos a que sospecharas de mis intenciones por una mala palabra ni por las señales de un mal pensamiento. En esta casa todos, y la primera tú, me hubierais entregado la honra dormida para que yo la velara. ¿Harías otro tanto desde esa tarde acá? Dilo francamente, Silda.

—No —respondió ésta sin titubear.

—Pues ése es el clavo que tengo aquí desde entonces, Sotileza. ¡Ése me punza allá adentro y me roba el sueño de noche y me quita el sosiego de día! Yo no quiero que nadie se recele de mí en esta casa, donde estoy acostumbrado a que se me abran todas las puertas como al sol cuando llega. A eso quiero volver, Silda, a la estimación tuya y a la confianza de todos.

—Ni la estimación mía ni la confianza de nadie has perdido, Andrés. Todos saben lo que te deben y yo lo que también te debo; y aquí no hay ingratos.

—Yo no quiero que se me estime por los favores que haga sino por mi propio valer, y yo sé que no valgo a tus ojos hoy lo que valía poco hace.

—Y si en esa cuenta estabas, Andrés —exclamó Silda con un calor de acento desacostumbrado en ella—, ¿por qué no te la echastes en su día, para no hacer lo que hicistes?

—En la respuesta a esa pregunta está cabalmente la disculpa de aquel acto y de aquellos dichos, la única razón que puedo ofrecerte para volver por entero a tu estimación y a tu confianza. Y ya ves cómo esta razón no podía dártela con testigos sin descubrir la causa de ella, lo que sería un remedio peor que la misma enfermedad.

—Yo no sé —dijo Sotileza con el acento y la expresión de la más cruda sinceridad— que pueda haber disculpa para esas cosas en hombres de tan arriba como tú con mujeres de tan abajo como yo.

Andrés sintió en mitad del cráneo el golpe de este argumento.

—Pues qué —respondió, buscando en los falsos efectos de la voz y de las actitudes el brío que no hallaba en su razón— ¿eres tú de las que creen que tratándose de «esas cosas» hay distancias ni jerarquía que valgan? Tu hermosura, envuelta en esos cuatro trapillos, limpios como la plata, ¿no es tan hermosura como la que se adorna con sedas y diamantes? Lo que por ti experimente un mozo rudo y grosero ¿no puede experimentarlo, y hasta con mayor fuerza, un hombre de mis condiciones?... Lo que la amenidad del campo y el influjo de la Naturaleza en todo su esplendor puedan hacerle sentir a él, enfrente de una mujer como tú, ¿no pueden hacérmelo sentir a mí también?... Y ya que de este trance hablamos, ¿qué tendría de extraño que, siendo tan propicia la ocasión y tan placentero el sitio, tratara yo de aprovechar ambas ventajas para poner a prueba tu virtud con un asalto de comedia?

Silda respondió a esta parrafada con una sonrisa fría y burlona.

—¿Es decir, que no me crees? —le dijo Andrés muy contrariado.

—No —respondió Silda con entereza.

—¿Por qué?

—Porque lo que es mentira se conoce desde lejos, hasta en el modo de venir; y aquello, no te canses, Andrés, aquello era la pura verdá... Por eso hubiera creído hoy mejor en la pena que me pintas, viéndote llorarla de todo corazón, que amparándola con un embuste.

Andrés se quedó por un momento sin saber qué replicar a estas palabras tan rudas y terminantes. Después dijo, por decir algo:

—No basta, Silda, afirmar una cosa, hay que dar razones.

—Yo te daría de buena gana —respondió la moza, con teniendo los ímpetus de su carácter— una sola que valiera por muchas.

—¿Y por qué no me la das? —preguntó Andrés, no tan valiente como parecía.

—Porque temo que te resientas.

—Te prometo no resentirme... ¿Por qué era verdad aquello?

—Porque conocía yo los malos pensamientos que te lo mandaron.

—¡Que los conocías!... ¿De qué?

—De habértelos leído muchas veces en los ojos.

—¿Cuando?

—Desde tiempos atrás.

—¡Silda!

—Lo dicho, Andrés. ¿No querías razones? Pues ya las tienes.

Andrés se quedó desarmado y herido en lo más hondo de su conciencia. Sotileza lo conoció y se apresuró a decirle:

—Me prometiste no ofenderte con la razón que te diera. Cúmpleme la palabra.

—Y la cumplo —dijo Andrés, más con los labios que con el corazón—, y ni siquiera he de porfiar sobre el engaño de tus ojos cuando leían en los míos. Pero dime, Sotileza, ¿por qué cuando creíste descubrir en mí esos malos pensamientos no me lo dijiste, siquiera por lo que te ofendían?

—Porque, si no me engañaba el mirar, a ti te tocaba dejarlos fuera de esta casa, no a mí el echarlos de ella.

Otra estocada al pecho. Andrés no sabía ya de qué lado ponerse en aquella lucha sin una sola ventaja para él. Acudió a los consejos del amor propio, que era lo que con mayor fuerza se le iba quejando allá dentro, y dijo a la tenaz agresora:

—Luego ¿no te amedrentaban esos pensamientos míos?

—Yo temía que los descubrieran las personas que los hubieran llorado como una desgracia para todos.

—Pero tú, por ti misma, ¿no los temías?

—¿Y por qué había de temerlos? Sentí mucho verlos donde los vi, pero no más.

—¿Y por qué lo sentiste?

—Porque podía llegar la hora... que ha llegado ya...

—¿La de darme una lección como la que me estás dando?

—Yo no sé tanto como para eso, Andrés; y harto haré con responder al caso para defenderme, como es ley de Dios.

—Pero tú misma me has dicho que, una vez descubiertos mis malos pensamientos, no te tocaba a ti echarlos de esta casa.

—Sí que lo dije.

—Luego debo echarlos yo, es decir, largarme de aquí para siempre, puesto que los llevo conmigo.

—O venir sin ellos, que no es igual.

—¿Y qué he de hacer yo para que creas que no los traigo?

—No traerlos. Con eso basta.

Andrés, por respeto a sí propio, no quería mentir insistiendo en que Sotileza se equivocaba en cuanto decía de sus malas intenciones. Como éstas, por lo que iba oyendo, se transparentaban demasiado, insistir en negarlas era desmerecer más y más a los ojos de aquella ruda virtud, que más le quería arrepentido pecador que falso virtuoso. Pero consideraba, al mismo tiempo, que aquellas malas ideas, tan aborrecidas en él por Sotileza, quizás en otro cerebro no la espantarían tanto, y hasta se acordaba del regocijo con que la escrupulosa callealtera se dejaba estrujar, en la playa de Ambojo, por los brazos del estúpido de Muergo; de Muergo, en cuyos ojos, al mirar a Silda, había leído él torpezas de tal calibre que no podían haber pasado inadvertidas para ella. Luego lo que en Muergo, sucio y feo, no era ni siquiera falta, en él, mozo gentil y culto, era un delito que podía llegar a cerrale las puertas de aquella casa. ¿Valía él menos a los ojos de Sotileza que aquel animal monstruoso? Esto era increíble y sería una verdadera insensatez manifestar allí dudas siquiera de ello. Pero el hecho de la preferencia existía, lo cual demostraba que Sotileza escrupulizaba, más que en los pensamientos de esa clase, en las personas que eran movidas de ellos. No amenguaba este fenómeno la honradez

de Silda a los ojos de Andrés, puesto que no ignoraba lo que
influye en la significación de ciertos actos la condición de
la persona que los ejecuta o que los consiente; pero en la
falsa posición en que se hallaba él en aquellos instantes, el
hecho le ofrecía una salida y tal vez podía aprovecharla
para huir siquiera de la que Silda le presentaba con sus tre-
mendas razones. Salir por esta puerta, es decir, ajustarse a
las condiciones de Silda, era obligarse a no volver más a la
bodega; pues hombre que había jurado lo que él, todo debía sacrificarlo a la buena fama de la mujer que se quejaba de sus malas intenciones; y no volver a la bodega era
empresa superior a las fuerzas de ánimo de Andrés, particularmente desde que había dado motivos para ello y acababa de convencerse de que aquel trastorno moral, que tanto
le había chocado en Silda al empezar a hablar con ella, no
era la realidad de sus tan acariciadas esperanzas de que
llegaran a trocarse entre ambos los papeles del *paso que
pasó* en la arboleda de Ambojo... ¡Y fuéranle a preguntar,
sin embargo, qué tal andaba en aquel instante de alteza y fi-
dalgía de pensamientos! Ni los de Amadís en su peñasco que
pudieran igualárseles. ¡Poder del amor propio resentido!

Todo esto, que tan largo es de contar aquí (¡y ojalá que
no haya resultado ocioso!), se lo barajó Andrés en la mollera en los pocos instantes de silencio que siguieron a las últimas palabras de Sotileza.

Tomando, pues, el punto de soslayo en virtud de sus men-
tales razonamientos, Andrés comenzó a evocar en tono que-
jumbroso los mejores años de su infancia y de su mocedad,
corridos para él en la dulce intimidad de la inocente huérfana y de sus honrados protectores. Cariño, abnegación, sosiego, paz y noble confianza: todo se cantó en aquel idilio
que hubiera hecho palidecer, salvo el estilo, al que inspiró
a don Quijote un puñado de bellotas en la choza de los ca-
breros. De pronto asoma una mancha leve en el fondo risueño de aquel cuadro, sopla el aire de la sospecha, la mancha se hace nube, la nube se va extendiendo... ¡y adiós luz
y confianzas y regocijos! El amigo de siempre, el paño de
lágrimas de todos, es ya el hombre malo, de quien hay que
apartar las muchachas honradas, la amiga de su infancia
y de su mocedad...

—Y yo no puedo resignarme a esto, Sotileza —exclamó

Andrés, por remate de sus lamentaciones—; yo no puedo salir de esta casa por ese recelo, después de haber entrado en ella como yo entré.

—Pero ¿quién te echa, Andrés? —dijo Sotileza con asombro, después de haber oído impasible sus declamaciones.

—Tú —respondió Andrés—, puesto que me dices...

—Yo no he dicho eso —replicó Silda con entereza—; yo te he dicho que no vuelvas con esos pensamientos que han salido a relucir aquí porque tú lo has querido. ¿Es esto echarte de casa? ¿Ni quién soy yo para tanto?

—¡Siempre esos dichosos pensamientos! —exclamó el fogoso muchacho, irritado al considerar el afán con que se los ponía por delante para que se estrellara en ellos. Y luego, dejándose llevar de los impulsos de la vanidad resentida, añadió con gran vehemencia—: Y si por casualidad acertaras, Silda; si esos malos pensamientos se hubieran apoderado de mí, ¿qué habría en ello de particular? ¿No te has mirado al espejo?... ¿No sabes que eres hermosa?... ¿Y soy yo de piedra, por si acaso?

Sotileza, mientras Andrés hablaba así, volvió a inmutarse y, apartando su silla media vara de la otra, dijo en un acento y con una expresión imposibles de pintar:

—¡Andrés!... ¡Mira que por enmendarlo vas a ponerlo peor!

—No sé cómo lo pongo, Silda —exclamó Andrés fuera de sí—; lo que sé es que tengo que decirte esto que te digo, porque me abrasa allá dentro si lo callo.

—¡Virgen! ¡Y con todo esto te atreverás a negar...!

—¡Yo no niego ni afirmo, Silda! Me pongo en todos los casos. ¡Ponte tú también!

—¡Pues porque me pongo en el que debo..., me matas de pesadumbre, Andrés!

Y Andrés vio entonces en los ojos de Sotileza una expresión y como un velo de rocío que jamás había notado en ellos.

—¡Que te mato de pesadumbre! —exclamó deslumbra.do— ¿Por qué?

—Porque no es así como yo quiero que seas para que yo te estime, sino como eras antes.

—¿Y por qué no has de estimarme siendo como soy aho-

ra? —preguntó Andrés, ciego por el despecho y la vehemencia.

—Porque, porque... —Y Silda, que no apartaba sus ojos
de los de Andrés, se alzó rápidamente de la silla, retrocedió
dos pasos sin soltarla de la mano y continuó así, en actitud
que se imponía por la extraña mezcla de altivez y de súplica que había en ella—. ¡Por la Virgen de los Dolores, Andrés,
gas a decirte! Tú sabes tan bien como yo que desde que me
no me preguntes más de eso... y escúchame lo que me obli-
recogistes en la calle me dan en esta casa, por caridá, mucho más de lo que yo merezco. Desvalida y sola me vi y aquí
tengo padres y amparo... Morirme puedo, como la más moza;
pero ellos son ya viejos y en ley está que yo vuelva a verme
sola otra vez en el mundo. Para valerme en él no tengo otro
caudal que la honra... ¡Por el amor de Dios, Andrés! Tú que
sabes lo que vale, tú que me amparaste de inocente, ¡mira
por ella más que ninguno!

—¡Robarte yo ese tesoro! —exclamó Andrés, sinceramen-
te asombrado de la sospecha.

—Robármele, no —respondió al punto la callealtera con
gallardo brío—; eso, ni tú ni naide. Pero la apariencia basta, porque bien sabes lo que son lenguas.

Andrés estaba ya aturdido. Su vehemente irreflexión le
llevaba de descalabro en descalabro; pero su veta era noble y siempre respondía su corazón a las llamadas de lo más
honrado. Además, era de todo punto inútil el empeño de
imponerse con las fuerzas del despecho a una entereza tan
indomable como la de aquella mujer, nunca bien conocida de
él hasta entonces.

—En todo me vences hoy, Sotileza —la dijo en una actitud que se acomodaba bien al tono dulce y sentido de sus
palabras—, y tales cosas me dices y tales razones das, que
voy cayendo en la cuenta de que, en el mejor de los deseos,
he echado en esta porfía algunas veces por caminos que no
usan los hombres de bien. Acuérdate de lo que te juré al
entrar aquí un rato hace: eso es cierto, a eso venía; lo demás ha ido saliendo porque..., porque el diablo enreda las
ideas y tira luego de las palabras a su gusto para perdición
de las gentes. Olvídate de ello, Silda... ¡Olvídalo y perdó-
name!

¡Entonces sí que hablaba Andrés con el corazón en los labios! ¡Muchacho más impresionable!...

Conociéndole bien Sotileza, le dijo, acercándose más a él:

—¡Eso es hablar en verdá!... ¡Eso es ponerse en justicia, Andrés! Y mira, ahora que eres amo y señor de ti mesmo, ahora que Dios te corre la venda de los ojos, no esperes a que el demonio te la vuelva a poner... Vete y déjame sola como estaba..., que con ello y no más te perdonaré esas cosas con todo mi corazón.

Andrés se levantó de la silla, resuelto a marcharse. Los escozores del amor propio, nuevamente irritado con las últimas palabras de la callealtera, no le impidieron conocer el peso de la razón con que ésta deseaba alejarle de allí.

—Voy a darte gusto —la dijo—. Pero ¿llega tu intención hasta cerrarme la puerta para siempre en cuanto yo salga por ella?... Porque a eso no me allano, Silda; y ahora que te he conocido, menos que nunca.

—¡No te amontones de nuevo, Andrés, por la Virgen del Carmen!... Yo no quiero cerrarte estas puertas para siempre ni, aunque quisiera, podría, porque no mando en ellas... Lo que quiero, por demás lo sabes. No está todo el mal en entrar sino en la ocasión que se busca para ello, porque hay ojos y lenguas que no viven más que de hacer daño. Y si yo, por quien soy, no te paezco bastante para que te mires un poco en ese particular, hazlo por esos probes viejos, que el día en que yo pierda la buena fama se morirán ellos de vergüenza.

—¡Silda! —exclamó entonces Andrés en medio de uno de aquellos entusiasmos que le acometían tan a menudo—, ¡no valgo yo lo que tú mereces!

Y sin atreverse a mirarla, porque verdaderamente estaba tentadora en aquel instante la huérfana de Mules, salió como disparado de la bodega.

¡Él, que había entrado allí creyendo que iban a trocarse los papeles del *paso* aquel de la arboleda de Ambojo! Pero ¿de dónde mil demonios había sacado la arisca y taciturna moza aquella sensibilidad y aquellos bríos, con los cuales acababa de darle tan soberana lección? ¿Cómo era posible que una mujer tan equilibrada de juicio y de tan altos pensamientos fuera una zarza montuna con él y con las gentes que mejor la querían, y copo dulce de algodón cardado con

una bestia estúpida como el horrible Muergo? ¿A qué feno-
menales inclinaciones obedecían aquellas notorias preferencias? ¿De qué barro estaba formada aquella mujer, que no
tenía una amiga de intimidad en toda la calle, que no echaba de menos la compañía de ninguno, que parecía no con-
moverse por nada y que, sin embargo, era sensible e inte-
ligente, y honrada y agradecida y animosa y, al propio tiempo, solamente en un ser hediondo y abominable había depo-
sitando las únicas dulzuras destiladas voluntariamente de su
corazón?

Así iba discurriendo Andrés desde que puso la planta fuera de la bodega; y tan abstraído le llevaba su discurso que
sus ojos no vieron a la sardinera Carpia, que se cruzó con
él diez pasos más abajo de la puerta; ni la mirada que le
enderezó de medio lado, parándose un momento; ni a sus
oídos llegaron estas palabras que aquella furia soltó de su
boca, con el santo propósito de que en la calle se oyeran
las que debían oírse:

—¡Caraspia!... ¡Si va que ajuma!... ¡Yo lo creo!... El uno
en la mar...; la otra en la plaza...; la señorona en su palacio...
¡Y vengan barquías!... ¡Y allá va la vergüenza por esas ba-
rreduras!... ¡Puaa! ¡Pa ella, la grandísima puerca!... ¡Ah,
caraspia! ¡Si allego a estar en casa yo! Pero otra vez será,
que al cebo que te engorda has de golver... En una así quería yo cogervos, a la mesma luz del sol, pa que vos alumbre
en la cara la vergüenza, por poca que tengáis... ¡Puaa!... ¡In-
decenteees!

XIX.   EL PEREJIL EN LA FRENTE

A todo esto, el pobre Cleto no salía de sus ahogos. Pae
Polinar había intentado en tres ocasiones cumplir la palabra que le dio de ir a sondear las voluntades del matrimonio
de la bodega, pero nunca vio el camino libre de los estorbos
que tanto miedo le infundían. ¡Siempre aquellos demonios
de mujeres al balcón o atravesadas en la acera o vociferan-

do en mitad de la calle! Y gracias que no le adivinaron las
intenciones cuando, para mayor disimulo, bajaba o subía a
todo andar, como si sus quehaceres estuvieran muy lejos
de allí. Cleto llamaba casi todos los días, al anochecer, a la
puerta del exclaustrado, que bregaba allá adentro hasta sudar el quilo en la tarea en que andaba empeñado, para preguntarle:

—¿Hay algo de eso?

Y padre Apolinar le contaba lo ocurrido, alentándole con
buenas esperanzas para otro día. Después, Cleto, cabizbajo
y tristón, se iba a pasar un rato a la bodega, donde hallaba
a Sotileza algo pasmada y a los viejos tan cariñosos como
siempre. Nada se había oído allí, por las trazas, de aquellas
morrás que se dieron él y Muergo en la oscuridad del portal. Desde entonces no habían vuelto a encontrarse más que
en una ocasión, y ésa dentro de la bodega y delante de la
gente. Gruñeron por lo bajo y se espeluznaron al verse, pero
esto no llamó la atención de nadie, porque no era nuevo
en ellos.

La última vez que vio a pae Polinar, le dijo éste:

—Quisiera, Cleto del jinojo, que tomaras esas cosas con
menos entusiasmo, porque no van tus ahogos a la conveniencia de los quehaceres míos..., ¡que te digo que son de órdago!..., ¡de órdago, cuerno!... Conque o templa la fragua
o vete aguantando por la buena... Lo mejor sería que te
aguantaras por la buena, porque es lo que más falta va a
hacerte... Mira, Cleto, que, o mucho me engaña a mí el ojo,
o ese bocado tan fino no está para ti. ¡Jinojo, si picastes alto!
Y con esto y con el réspez [156] de toda tu casta... te digo, Cleto, te digo que ni de propio intento hubiera amontonado el
mismo demonio tantos inconvenientes delante del hipo que
te consume... Y déjame que me vuelva a mis libros y a mis
papeles, que el tiempo corre que vuela y el sermón es de lo
que hay que ver... ¡Si te digo que es de los de tres gavias,
cuerno!

Todas estas reflexiones eran leña para el fuego en que se
abrasaban las impaciencias de Cleto; y salió decidido a hacer por sí solo cuanto cupiera en sus fuerzas y en su discurso.

---

[156] *Réspez:* résped.

Andando hacia la bodega, encontróse, al abocar a la calle Alta, con el bueno de Colo. A Colo le consideraba él, por ser mozo de buena entraña y mejor conducta, y también por aquel poco de latín que había estudiado años atrás. Eran muy buenos amigos y, por serlo, Colo le había entretenido muchas veces con el relato de sus amores con Pachuca, la hija menor de las tres que tenía su vecino Chumbao, patrón de la lancha en que andaba él. Si la primera leva no le alcanzaba, se casarían en seguida que se *sacara*. Todo estaba arreglado ya para eso. Cleto oía estas aleluyas muy a menudo y con ellas se le hacía un agua la boca. ¿Quién mejor que aquel amigo, tan formal y tan experto en esas cosas, para oírle con cariño y ayudarle con un consejo?

Le abordó muy ufano, pero tal empeño puso para encarecer su mal en tomarle de muy largo que el otro, pensando que le hablaba de cosas harto viejas y sabidas, atajóle en el relato para preguntarle con acento del más vivo interés:

—¿Tú sabes lo que pasa, Cleto?

—¿Qué pasa? —preguntó éste, a su vez, con viva curiosidad, temeroso de que lo que pasaba tuviese alguna relación con lo que él iba refiriendo a su amigo.

—Pus pasa —dijo Colo— que los de Abajo nus van a provocar con una regata pa el día de los Mártiles.

—¡Pus que prevoquen, paño! —exclamó Cleto, dando con ira una patada en el suelo—. ¡Pensé que era otra cosa!... Dimpués hablaremos de eso, hombre. Déjame antes finiquitar el relate.

Colo no se prestó a ello, porque iba muy de prisa, según afirmó a su amigo.

—Vengo —le dijo— de la Zanguina, onde se estaba tratando del caso. Pa ellos es ya un hecho, si nosotros no *ciamos* *. Una onza que se ha de regatear por cuenta de los Cabildos. Paece ser que el Auntamiento da un quiñón güeno pa una cucaña ensebá..., y too junto va a ser a modo de fiesta pa animar al señorío forastero que anda por ahí y a las gentes de acá. Pa mi ver, quieren sacar el desquite de la que perdieron dos años hace, el día de San Pedro. ¡Como no saquen! Ahora voy corriendo a coger al Sobano en casa pa decirle lo que hay... Mira que en su día se contará con tigo, como la otra vez... Conque, ojo, Cleto..., y no hay más que hablar.

Y no habló más el animoso Colo, que picó calle arriba, dejando a su amigo con las hieles de sus penas entre los labios.

En seguida pensó en Andrés, resuelto a confiarle el secreto de su corazón, porque, bien examinado el escrúpulo que le había impedido hacerlo antes, no era cosa de reparar en él. Pero Andrés no fue aquella noche a la bodega. Al día siguiente se plantó en el portal de su escritorio y allí se estuvo a pie firme hasta que le vio bajar.

Andrés parecía otro desde aquella conversación que tuvo con Sotileza, mano a mano y a solas en la bodega; quiero decir que era menos estrepitoso en sus movimientos, no tan cascabel de palabra y mucho más distraído en el mirar. A veces lanzaba el aire de sus pulmones con la fuerza de una *racha* de Sur, haciendo *trémolos* feroces y escalas atrevidísimas con los labios al darle salida, como si intentara quitar con esta música inverniza el dejillo amargo que para él tenían los pensamientos, de los cuales eran obra las infladuras de su pecho.

Cleto, que bastante tenía que hacer con los «jirvores» del suyo, sin reparar cosa alguna en el nuevo cariz de su pudiente amigo, no bien le tuvo a su lado, acordándose de lo mal que le había salido la cuenta relatando por largo a Colo sus pensamientos, espetóselos en cuatro palabras y en brevísimos instantes.

Un estacazo en la espinilla no le hubiera producido a Andrés tan viva, tan honda y tan repentina impresión como las declaraciones de Cleto. Le acometieron ganas de llenarle de improperios y hasta de darle dos bofetadas. ¡Atreverse un animal semejante a poner sus ambiciones en prenda de tan alto valor! ¡Y pretender, además, que le ayudara él a salirse con su desconsolado empeño!... ¡Él, con lo que le había pasado!..., ¡con lo que le estaba pasando!... ¿No parecía una burla de la pícara suerte que le andaba persiguiendo?

Pero se dominó, porque muchas razones le obligaban a ello, hasta el punto de que de su interna tempestad sólo notara Cleto algún que otro relámpago que chisporroteó en sus ojos. El atribulado mareante pensó que este chiporroteo era la señal de lo grande que parecía su empresa a la con-

sideración desinteresada de un amigo tan bueno y tan rico
como aquél. El cual amigo le confirmó sus sospechas bien
pronto, pintándole tales dificultades, presentándole tan enormes obstáculos, diciéndole tales cosas y con palabras tan
secas y tan duras, cerrándole, en fin, todos los caminos tan
a cal y canto, y confundiéndose de tal modo con la amenaza muchos de sus razonamientos que, comparado con el de
Andrés, de rosas y mejorana le pareció al desdichado el dictamen de pae Polinar sobre el mismo pleito.

Apartóse de Andrés sin despedirse y tan cargado de brumas el ánimo que, viéndolo todo negro y sin salida, se dio
a barloventear * por aquellos aborrecidos mares de Abajo,
para distraer un poco la carga de su pesadumbre, discurriendo, de paso, el modo de echar cuanto antes un ancla siquiera
en el codiciado puerto.

Y acertadísimo estuvo el pobre mozo al tomar aquella
resolución, porque mientras él andaba voltejeando por el
Muelle y por detrás del Muelle y junto a la Zanguina y por
la calle de la Mar y los Arcos de Dóriga y calle de los Santos Mártires y la Ribera y la Pescadería, de la cual acaba de
marcharse tía Sidora, Muergo y Sotileza estaban solos en
la bodega, mientras tío Mechelín, de vuelta del estanco, echaba una pipada a la puerta de la calle.

Muergo había parecido allí más temprano que lo de costumbre, porque la noticia dada por Colo a Cleto era cierta
en todas sus partes y quiso, tan pronto como llegó a sus
oídos con señales de formalidad, ponerla en conocimiento
de su tío.

Preguntó por él a Sotileza en cuanto entró en la bodega.

—Salió a comprar tabaco —dijo la moza.

—Pus me alegro, ¡puño! —repuso Muergo—. ¿Y mi tía?

—En la plaza. En seguida vendrá.

—Pus me alegro tamién, ¡ju, ju!

—¿Por qué, animal?

—¡Puño!, porque así estás tú sola, que es lo que me gusta a mí... ¡Ju, ju! ¿Sabes que va a haber regateo?

—¿Cuándo?

—El día de los Mártiles, si no aflojan los de acá... ¡Puño!,
ya verás lo que es jalar del remo y zamparse la onza... ¡Una
onza, Sotileza! ¡Puño, si juera mía! ¡Bien sabría yo qué
comprarte con ella! ¡Ju, ju! ¡Puño, qué día ese! A más de ello

y la junción de Miranda, con pedrique [157] de pae Polinar, estrenaré yo too el vestío, de pies a cabeza, hasta con zapatos y too, ¡puño!

—¿Ya tienes la gorra y la chaqueta que te faltaban, Muergo? —preguntóle la moza con el interés de una madre que se desvelara por ataviar a su hijo.

—¿No te lo digo? Tanto te empeñastes que en juerza de agorrar, y agorra que agorra...

—¿Y por eso sólo, Muergo? ¿Por eso sólo agorrastes?

—¿Por cuál, tú?

—¿Porque yo te lo mandé?

—Pus ¿por qué hago yo las cosas, puño? —exclamó el monstruo, estremeciéndose de pies a cabeza—. ¿Por qué no pesco ya una cafetera * ca día? ¿Por qué le aguanto al *Mordaguero* lo que le aguanto?... ¡Puño!... Pus por date gusto, Sotileza... Y porque tú lo quisistes, tengo vestío de paño fino... No más que por eso, ¡ju, ju!... Esta noche no cenaré con vusotros, pero me darás el pan, ¿eh? ¡Tengo una gazuza, puño!

¡Cosa más rara que aquella muchacha! En el mismo sitio en que había domado los ímpetus apasionados de Andrés con su palabra desengañada y su continente esquivo, escuchaba las brutalidades de Muergo con la sonrisa en los labios y el regocijo en la mirada.

—Pues oye —dijo al animalote aquel, sobre cuyas greñas y ropa brillaban todavía las escamas de la sardina que acababa de desenmallar en la lancha, de vuelta de la mar—, en cuanto te pongas el vestido el día que le estrenes, vente acá de una carreruca, pa que yo te le amañe encima, antes de que la gente arrepare en él. Porque tú no sabes de esos primores. ¡Vaya, que tendrás que ver, Muergo!

—¡Puño! —exclamó éste, al contemplar la expresión regocijada de Sotileza—. ¡Más que la portisión [158] de los Santos Mártiles, con Cabildo y too!... Pero no tanto como tú, Sotileza... ¡Puño! Porque tú tienes que ver más que toa la cristiandá con empavesaúra *... Si tuvieras a mano algo de torrendo [159] tamién...

---

[157] *Pedrique:* predicación (metátesis).
[158] *Portisión:* procesión.
[159] *Torrendo:* torrezno.

Cuando Muergo bramaba así, clavados los desnudos y anchos pies en el suelo, los brazos caídos con los codos hacia fuera, el gorro sobre el cogote y las greñas encima de los ojos, comenzaba a anochecer en la bodega. Con este motivo, si es que no le tomó por pretexto, Sotileza dejó a Muergo en aquella actitud, con la palabra atascada en la caverna de la boca y se fue a encender el candil a la cocina.

Al salir de ella miró hacia el portal y vio a tío Mechelín arrimado a la puerta de la calle. Le llamó para decirle que le buscaba su sobrino.

En la caraza de Muergo y en cierta sacudida de sus hombros abovedados pudo notarse que le contrariaba mucho la vuelta de Sotileza acompañada de su tío.

En otros tiempos hubiera alborotado al alegre marinero la noticia que le dio Muergo en cuanto le tuvo delante, pero ya sin bríos para luchar personalmente en aquellas nobles batallas entre los dos Cabildos rivales y cargado de dolencias que le robaban el entusiasmo y hasta la curiosidad, dio escasa importancia al suceso anunciado por su sobrino, aunque no dejó por eso de aconsejarle que no fuera él al regateo si estimaba en algo su vanidad de remador, porque era cosa corriente que habían de ganar los callealteros. Muergo se las tuvo tiesas a favor de los de Abajo, sin importarle un bledo el daño que con sus brutales dichos causaba a aquel veterano de los de Arriba; pero intervino Sotileza y con dos sacudidas de apóstrofes y de reconvenciones puso al salvaje compañero de la lancha del Mordaguero más blando que una badana. Convino sin dificultad con su tío (muy vigorizado con el valiente apoyo de aquella gentil criatura, que era el calor de su espíritu) en que eran unos tumbones los mareantes de Abajo y, comenzando a roer el zoquete de pan que le había dado Sotileza, salió de la bodega con rumbo a la Zanguina, para ver cómo se iba armando *aquello.*

Después entró tía Sidora, que ya estaba en autos por lo que se había corrido en la plaza; y más entusiasta que su marido o aparentándolo al menos, quizá con el noble propósito de entretenerle y de animarle, pudo conseguir que se fuera un rato a la taberna del tío Sevilla, donde ella sabía que iba a ventilarse el punto a Cabildo pleno.

Poco después de salir de la bodega tío Mechelín, entró en ella Cleto, que no se encontró con Muergo en el camino

porque, después de subir por la calle de Somorrostro, tomó
por las escaleras de la Catedral, mientras el otro bajaba por
Rúa Menor. Pero si no con Cleto, Muergo se encontró con
Andrés; y no sé yo si, en la necesidad de encontrarse con uno
de los dos, salió perdiendo o ganando en el encuentro que
tuvo.

Andrés, tan pronto como se apartó de él Cleto, necesitó
mayor espacio que éste para entretener y dominar la tempestad desencadenada en su pecho y en su cabeza. Porque la
tempestad de Cleto era sorda, de fondo, relativamente mansa, y podía aguantarse a la vela, dejándose llevar de aquí
para allí sin otro cuidado que el de huir de los escollos de
la costa; pero la de Andrés era de huracanes furiosos, que
le batían en redondo y le llevaban en vilo, flagelándole con
sus azotes de espumas, amargas como las hieles. Huyendo a
la desesperada, anduvo durante una hora sin saber por dónde ni conocer a nadie...

Y todo ello, ¿por qué? Porque dio en antojársele que Cleto era, en rigor de justicia, un buen acomodo para Sotileza;
que Sotileza, o las personas que la amparaban, podrían muy
bien caer en la cuenta de ello cuando Cleto, o quien fuera
con la amorosa embajada, manifestara en la bodega sus intenciones y deseos; y que, por conclusión de todo, Cleto y
Sotileza... ¡Sotileza, tan pulcra, tan linda, tan gallarda; la
que le había hecho faltar a él a sus deberes de amigo... y
hasta de hombre honrado, y, con dureza de empedernido
desdén, machacado los pensamientos en el hervidero mismo donde brotaban a escondidas de la voluntad! Cierto que
oponerse a los planes de Cleto por los motivos que le zum-
baban a él en la mollera, trabajar para que Sotileza llegara
a verse en el mundo sola y desamparada de todos era una
completa villanía; pero ¿estaba él seguro de que, escarbán-
dole un poco en sus adentros, no se hallaran, por causa de
aquellas desazones que le consumían, más que torpes deseos
contrariados? Apretándole un poco más las ansias que le
atormentaban, ¿no sería él capaz de llegar con sus intentos
hasta donde la licitud de ellos le pusiera para siempre al
abrigo de ese linaje de contingencias? ¡Y pensar que, sobrán-
dole generosidad en el corazón, con haberle recibido ella
mansa y cariñosa, con haber dejado a su noble arbitrio el
resultado de sus inexplicables arrebatos, él mismo hubiera

sido capaz de entregar a Sotileza, limpia de toda mancha, al primer hombre de bien que la mereciera!

Pero ¿merecería Sotileza este sacrificio? ¿Merecería siquiera el que se había impuesto él al jurarla lo que le juró en su casa, viéndose a solas con ella?

Cleto le afirmó que no se había cruzado entre ambos una sola palabra ni mala señal de inteligencia en sus intentos amorosos, pero Muergo..., ¡aquel estúpido y horroroso Muergo, en cuyos brazos se dejaba ella conducir, muerta de risa, en la playa de Ambojo!...

¡Y vuelta otra vez al tema que tan a menudo examinaba y exprimía desde que había prometido a Sotileza no volver a su lado con un mal pensamiento entre los cascos! No habría malicia, quizá, en aquellos abandonos de la callealtera, pero no le estaban bien a una muchacha honrada que, por faltas mucho menores, le había plantado a él a la puerta de la calle. De esto habría que hablarla, siquiera una vez, a solas y pronto; y a Muergo también.

Y en tal ocasión fue cuando Muergo se le puso delante, al salir de una de las bocacalles inmediatas a la Zanguina.

—¿De dónde vienes? —le preguntó Andrés.

—De allá arriba —respondió Muergo.

—¿De la calle Alta?

—Sí.

—¿De la bodega de tu tío?

—Sí. Fui a ponerle los casos del regateo, por si no lo sabía.

—¿Y quién estaba allí?

—¡Puño! —exclamó Muergo, rescándose la cabeza a dos manos—. Cuando entré, hágase la cuenta que la mesma gloria... ¡Ella soluca, hombre!

—¿Quién? —volvió a preguntar Andrés, muy anhelante.

—Sotileza, ¡puño!

—Conque..., Sotileza sola —dijo Andrés, disimulando de mala manera el escozor que le atormentaba—. Vamos, ¿y qué la dijiste? ¿Qué te dijo ella?

—Pos aticuenta que na —respondió Muergo, estremeciéndose—, porque a lo mejor se fue a encender el candil y dempués allegó mi tío.

—Conque «a lo mejor» —recalcó Andrés con un acento que sacaba lumbres—. Eso es decir que algo bueno te había pasado ya. ¿No es cierto, Muergo? Vamos, hombre, dilo con franqueza.

Muergo se rascó otra vez la greña y, después de reírse a su modo, dijo al impaciente Andrés:

—Güeno, por decir güeno, no jue tanto como pudo ser; pero güeno jue con too, ¡puño!, aquel ratuco entre los dos... Yo, dijéndola cosas y cosas... y cosas... ¡Ni la metá siquiera de lo que yo diría, puño, si sabiera decirlo!...

—¿Y ella? —apuntó Andrés, casi con un rugido.

—Pos ella —respondió Muergo, restregándose las manazas y haciéndose todo él casi un ovillo—, pos ella, don Andrés, ¡ju, ju!..., la gloria mesma..., ¡las puras mieles pa mí!

—¡Mentira, estúpido! —rugió la voz de Andrés al dicho marinero—. Las mieles de una mujer como esa no están para bestias como tú. Yo te prohíbo que digas eso a nadie y que tú mismo lo creas...

—¡Puño! —exclamó rudamente el apostrofado así—. ¿Y por qué no he de creer yo lo que es verdá? ¿Y quién es naide pa mandar que no me relamba con ello, si me gusta?

—Yo te lo mando —repuso Andrés, temiendo haberse descubierto demasiado—, porque tengo obligación de velar por la buena fama de Sotileza; y su buena fama se mancha con alabanzas de supuestos como los tuyos. ¿Me entiendes, bárbaro? Por eso te prohíbo que te alabes delante de nadie de lo que te has alabado delante de mí y que es una pura mentira.

—Es la pura verdad, ¡puño!

—Digo que mientes, ¡cerdo! Y ahora te añado que, si para curarte de ese vicio de calumniar a una muchacha honrada no basta lo que te digo, yo haré que te cierre la puerta de aquella casa quien tenga más autoridad que yo para hacerlo.

Según iba desahogando Andrés sus iras de este modo, en voz baja, pero fiera y desconcertada, a Muergo le subía un cosquilleo pecho arriba, se le encrespaba la greña y los ojos bizcos se le revolvían en sus cuencas.

—¡Ah, puño! —saltó de repente, apretándose los suyos y rugiendo también—. ¡Lo que a usté le pica no es que mienta yo, sino que diga la verdá!

Andrés se quedó helado de vergüenza al considerar que una bestia como aquella le hubiera descubierto el misterio de su berrinche imprudente.

Muergo añadió todavía:

—Sí, ¡puño!, esto que aquí me pasa y lo otro que se corría, y pensé que eran malos quereres, y algo que he visto yo... ¡Puño, la cuenta sale!...

—¡Otra impostura, animal!

—¡No, no..., puño!, que enestonces, no me jurgara a mí por acá entro esta cosa que nunca me jurgó. ¡Puño!, ¡cómo resquema!... Don Andrés, por usté me echo yo de cabeza a la mar en otros particulares..., pero en éste, ¡puño!, en éste no se me cruce por la proba..., porque le doy la troncá* ¡pa echarle a pique!

La única respuesta que se le ocurrió a Andrés, de pronto, a esta inesperada y hasta elocuente exaltación de Muergo, fue un bofetón de los tremendos que él sabía dar en lances muy apurados; pero no estaba la calle solitaria y, no estándolo, el golpe iba a tener más resonancia de la que a él le convenía.

Advirtióle algo de ello al monstruoso mareante para que se diera por respondido, es decir, por abofeteado; y temeroso de que la réplica del insubordinado animal le obligara a cumplirle la amenaza, apartóse de él precipitadamente.

Cada paso que daba en aquella desdichada aventura era una torpeza que le costaba un nuevo descalabro. Así es que el pobre chico iba ahumando hacia la calle de la Blanca, mientras su monstruoso rival entraba en la Zanguina.

XX. EL IDILIO DE CLETO

Al día siguiente entró en el puerto la *Montañesa*, de retorno de su viaje a La Habana, y se desembarcó el capitán, resuelto a dejar el oficio por todos los días de su vida.

—¡Ya es hora, Pedro, ya es hora! —le decía la capitana, estrechándole en sus brazos, después de oírle jurar que no quebrantaría aquellos buenos propósitos—. ¡Qué lástima que no lo hubieras hecho unos años antes! ¡Nos quedan ya tan pocos para pasar la vida juntos, sin las penas que me han llenado de canas!...

—Vamos, no te quejes, ingratona —respondía su marido, examinándola con los ojos de pies a cabeza, después de desprenderse de sus brazos—, que más tengo yo y menos lucido me veo de pellejo y con más averías en el casco. Ahora, que trabaje otro mientras yo descanso. Veremos cómo engorda Sama con el oficio que le dejo por herencia. El camino bien le sabe. Lo peor es el barco, que no está ya para muchas borrascas, lo mismo que su capitán. Fortuna que, al cabo de tanta brega, se ha sacado para la vasallona [160] y darse uno la última carena en puerto seguro.

A la sazón era don Pedro Colindres un señor grueso, atezado, de patillas y pelo casi blancos; y su mujer, una hermosa matrona, de cabeza gris y majestuoso porte.

La cual, continuando la conversación con su marido, que la miraba embelesado, llegó a decirle:

—¡Mucha, muchísima falta estabas haciendo ya para eso, Pedro!

—Pues ¿qué le pasa, Andrea?

—No lo sé, pero desde hace quince días no es el que era y en los ocho últimos le desconozco tanto que me da pesadumbre. Ni come de traza ni duerme con sosiego ni creo que sabe por dónde va. Anoche se metió en casa muy temprano, hecho un palomino atontado y por más que le tiré de la lengua no le pude arrancar una palabra. ¡Con lo alegre que él era y lo...!

—Aprensiones tuyas, Andrea, aprensiones tuyas; porque las mujeres ¡tenéis un modo de querer...!

—¡Te digo que no son aprensiones, Pedro!

—Pues yo bien sereno le he visto esta mañana y maldito si he notado en él cambio ninguno.

—Porque delante de ti disimula... Mira, Pedro, apostaría la cabeza a que le han trastornado la suya en esa maldita casa, de donde no sale muerto ni vivo.

—¿De qué casa, mujer?

—La de la calle Alta.

—¡Bah!

---

[160] *Vasallona:* «Torta grande de pan, rellena de anguilas.» (G.-Lomas.)

—¡Cuando yo te lo digo!

El capitán no quiso que se hablara más del asunto y creyéndolo o no, afirmó a su mujer que por ese lado no había nada que recelar.

Al mismo tiempo que esto acontecía en casa de Andrés, Pachuca, la novia de Colo, apremiaba a Sotileza para que le acabara aquel mismo día, que era sábado, la saya nueva que le estaba cosiendo allí. Pero Sotileza, por más que se afanaba en la costura, dudaba mucho que se saliera Pachuca con el empeño.

Ésta, sentada junto a su amiga y ayudándola con los ojos y hasta con ciertos movimientos involuntarios de sus manos, obra de la impaciencia que la consumía, hablaba y hablaba sin cerrar boca.

Y hablando, hablando, habló de Colo, para ponerle, como era de esperar, en los cuernos de la luna.

—¿Y cuando vos casáis? —la preguntó Sotileza.

—No sé qué decirte a eso, hija —respondió Pachuca, suspirando—. Lo que es por casar, ya nos habiéramos casao rato hace, que él buenas ganas tiene y yo también; pero córrese que va a sacarse una leva [161] muy luego. Y ya ves tú, casarse hoy pa enviudar mañana...

—Razón tienes, Pachuca. Es mejor esperar a que vuelvan.

—¡Si güelven, los enfelices!

—¿Qué han de hacer sino volver?

—Quedarse allá, los probes... ¡Ay, venturaos!... ¡Por esos mares!... Si Dios quisiera que no le allegara el número... ¡Pero le tiene ya tan bajo!... Milagro será que no le llegue, por chica que la leva sea. Una misa a peseta tengo ofrecía a San Pedro si no le toca.

—Pus mira, Pachuca —dijo Sotileza con aquel tono dominante que era natural en ella—, sobre que más tarde o más temprano le han de llevar al servicio, yo ofrecería esa misa pa que te le llevaran ahora.

—¿Por qué?

—Porque vuelven de allá muy otros. Siquiera aprender a andar derechos y a lavarse la cara todos los días. Esa ven-

---

[161] *Leva:* «recluta o enganche de gente para el servicio de un Estado» *(DRAE,* 1884). El tema fue tratado por Pereda en un bonito ensayo, *La leva,* incluido en sus *Escenas montañesas.*

taja saldrías ganando al casarte con él de vuelta del servicio.

—Y tú, mujer —preguntó Pachuca en crudo—, ¿cuándo te casas?

—¡Yo! —respondió Sotileza, mirando con asombro a su amiga—. ¿Con quién?

—Pus con el que tú quieras —dijo Pachuca sin titubear—. ¿No es tuya la calle de arriba abajo? ¿Hay moza en ella más cubiciá que tú?

—Pa poca salú morirse es mejor, Pachuca.

—¡Cubiciosona! Pus ¿qué quieres? ¿Comerciantes de allá abajo?

—¿Quién ha dicho eso? —exclamó Sotileza al punto, en voz dura y con más duro entrecejo.

—Dígolo yo por decir, mujer —respondió Pachuca, temerosa de que su amiga hubiera echado la broma a mala parte.

—Es que hay dichos, Pachuca —replicó Sotileza con ira mal disimulada—, que son más de temer que los bofetones..., porque hay lenguas que los esparcen como la peste; y bien sabes tú que las hay en esta calle peores que la sarna y contra qué honras buscan el arrimo.

La pobre Pachuca, que no había pensado en semejantes rumores para decir lo que había dicho a Sotileza, no se hartaba de jurárselo para que no se ofendiera.

—Si no me ofendo de ti, Pachuca —la dijo la hermosa huérfana, esforzándose por dar a su cara y a su voz toda la blandura que podía—. Bien sé que tú no me quieres mal, pero otros no me pueden ver y tiran a matarme, y de esos golpes que me duelen salen estos quejidos que no puedo remediar. Otra, en mi caso, te lo callara; yo te lo canto así, porque en ese particular no debo al demonio ni una mala idea.

Hablando Sotileza de este modo, entró en la bodega la vieja tía Ramona, el ama de gobierno del padre Apolinar, preguntando por tío Mechelín.

—Está a porredanas y no vendrá hasta más tarde —respondió Sotileza.

—¿Y tía Sidora? —tornó a preguntar la vieja.

—En la plaza.

—Pues yo los buscaba para decirles que pae Polinar quiere que vayan los dos a verse con él en su casa, sin falta nin-

guna, al anochecer. Ya ellos saben por qué no puede venir
acá él mismo. Conque, ¿se lo dirás así en cuanto los veas,
guapa moza?

—Se lo diré —respodió la aludida, sin dejar de coser.

—¡Bendito sea Dios! —dijo tía Ramona por despedida—.
¡Qué repolluda y qué maja te hizo su Devina Majestá, y qué
agradecía debes estarle!

Y salió arrastrando sus chancletas, mientras Pachuca, mirando a Sotileza, se reía de las exclamaciones del ama del
fraile, bien conocida en aquel barrio.

Sotileza, tan pronto como Pachuca la dejó sola y sin la
obligación de hablar, aunque fuera poco, empleó todas las
fuerzas de su discurso en adivinar la razón del recado traído por el ama del fraile. Nunca había pretendido éste cosa
semejante; y desde algún tiempo atrás le estaban pasando
a ella cosas bien desusadas.

Corrieron las horas y el matrimonio de la bodega, vestido de media gala, porque, al cabo, tenía que atravesar una
parte de las más concurridas de la población, y carcomido
por la curiosidad más devoradora, acudió a la cita del padre
Apolinar.

Cleto, a la escasa luz del crepúsculo, los vio salir a la
calle desde la taberna de tío Sevilla, donde estaba sentado
con las manos en los bolsillos, las espaldas mal embutidas
entre el mostrador y la pared, y la cara a medio zambullir
en la pechera de su elástico. No había pegado los ojos en
toda la noche última y había vuelto de la mar sin acordarse
de lo que le había ocurrido en ella. Pae Polinar no hacía
nada por él y Andrés le cerraba todas las puertas. No tenía
más remedio, para abrirlas, que valerse de su propio esfuerzo. Estaba dispuesto a hacerle como Dios y sus ahogos
le dieran a entender, y en esto pensaba cuando vio a los
viejos de la bodega salir a la calle juntos.

Alzóse súbitamente de su banco, esperó a que aquéllos
doblaran la esquina de la cuesta del Hospital, miró después al balcón de su casa y a lo ancho y a lo largo de la
calle, y, viéndolo todo libre del enemigo que le espantaba en
la empresa que iba a acometer, llegó en dos zancadas al
portal y se coló resuelto en la bodega.

Sotileza continuaba cosiendo la saya de Pachuca a la luz
del candil que acababa de colgar en la pared. Por verse

Cleto delante de ella, palpó la dificultad con que ya contaba él, no obstante la firmeza de su resolución. ¡La palabra, la condenada palabra, que se le negaba siempre que más falta le hacía!

—Pasaba —balbució, temblando de cortedad—, pasaba... por ahí delante... y, pasando así, dije: «Voy a entrar un rato en la bodega» Y por eso entré... ¡Paño, güena saya coses! ¿Es pa ti, Sotileza?

Sotileza le dijo que no y, por cortesía, mandóle que se sentara.

Sentóse Cleto muy separado de ella; y mirándola, mirándola en silencio largo rato, como si tratara de emborracharse por los ojos para romper así las trabas de su lengua, acertó a decir:

—Sotileza, una vez me pegaste un botón... allí ajuera... ¿Te alcuerdas?

Sotileza se sonrió un poco sin levantar la vista de su labor y respondió a Cleto:

—¡Pues mira que ya ha llovido de entonces acá!

—Pos pa mí —dijo Cleto, más animado— aticuenta que jue ayer.

—Bueno—repuso Sotileza—, ¿y qué hay con eso?

—Pos con eso hay —continuó Cleto— que dimpués de aquel botón, que era de asa y entodía le tengo en estos otros calzones..., ¡mírale aquí!..., dimpués de aquel botón jui entrando, entrando en esta casa, porque no se pue parar en la mía, Sotileza, bien lo sabes tú, ¡paño! ¡Aquello no es casa ni aquellas son mujeres ni aquel hombre es hombre! Pos güeno, yo no sabía de cosa mejor que ello... y, por no saberlo, una vez te pegué una patá... ¿Te alcuerdas? ¡Paño! ¡Si vieras lo que ese golpe me ha dolío a mí dempués acá!...

Sotileza, comenzando a asombrarse de aquello que oía, porque nunca cosa igual ni parecida había oído en tales labios, clavó los ojos en los de Cleto, con lo cual cortó, no solamente la palabra, sino hasta la respiración del pobre mozo. En seguida le dijo:

—Pero ¿por qué me cuentas ahora esas cosas?

—Porque hay que contalas, Sotileza —atrevióse Cleto a responder—; por eso mesmo y porque naide ha querío venir a contátelas por mí... ¡paño! Me paece que en ello no ofendo a naide... Porque verás tú, Sotileza, verás tú lo que me pasa. De plonto no caía yo en la cuenta de ello y me dejaba hinchar, hinchar de aquellas marejás que iba embarcando según entraba yo aquí; y tú, crece que te crece... ¡Paño, que arbolaúra ibas echando de día en día, Sotileza! Yo no ofendía a nenguno con mirar eso..., me paece a mí, ni tampoco por alegrar la entraña con el recreo de esta bodega una vez que otra. Arriba, na de ello: mucha negrura..., la honra de las gentes por el balcón abajo, sin ley unos a otros... ¡Paño, esto hace mala sangre..., aunque uno la tenga de mieles!... Y por eso te di aquella patá, Sotileza, que si no, no te la diera; y lo sé, porque si aquí se me dice: «Cleto, échate por el Paredón», por el Paredón me echo, Sotileza, si con ello te das por bien servía, aunque otra cosa no me valga que el despeñarme... Pos güeno, de estos sentires na sabía endenantes, Sotileza; aprendílos aquí, sin preguntar por ellos y sin agravio de naide... Ya ves tú, no jue culpa mía... Me gustaban, ¡paño!, me gustaban mucho, me sabían a puras mieles. ¡Como que nunca me había visto en otra, Sotileza!... Y me hartaba, me hartaba de ellos, hasta que no me cogieron en el arca... Y dimpués, tumba de acá, tumba de allá, a modo de maretazos por aentro; poco dormir y un nudo en el pasapán... Mira, Sotileza, pensaba yo que no había mal como las pesaúmbres de mi casa... Pus mejor dormía con ellas que con estos sentires de acá abajo... ¡Pa que lo veas, paño!... Me paece que tampoco en esto ofendía yo a naide, ¿verdá, Sotileza?... Porque al mesmo tiempo que esto me pasaba, mejor y mejor vos iba queriendo ca día y con más respeto te miraba a ti y más deseos me entraban de verte la voluntá en los ojos, pa servírtela sin que me lo mandaras con la lengua. ¡Y anda, anda así, meses y meses, y un año y otro, con el ajogo en el arca y sin saber cómo salir a flote! Porque, ya ves tú, Sotileza, una cosa es el sentir del hombre y otra el relatarle sin palabra, como yo. Dempués, lo que tú eres..., lo que yo soy: ¡la mesma barreúra, acomparao contigo!... Pero no podía más, Sotileza, y acudí a hombres que lo entienden pa que hablaran por mí, pero como a ellos no les dolía, ¡paño!, me dieron con la puerta en los bocicos. ¡Mira tú qué falta de caridá! Porque en esto tampoco había mal pa naide ni se injuriaba a denguno... ¿Te haces tú bien el cargo, Sotileza, de esto que te digo?...

Pus porque naide ha querío decírtelo de mi parte, vengo a decírtelo yo, ¡paño!

Sotileza, para quien no era una noticia el amoroso sentir de Cleto, que bien claro se le tenía leído ella, no se asombró de este descosido relato, por lo que descubría, pero sí del inesperado atrevimiento del relatante. Miró a éste muy serena y le dijo:

—Verdá es que no hay agravio en todo lo que me cuentas, Cleto; pero ¿a santo de qué me lo cuentas ahora?

—¡Paño! —respondió Cleto muy admirado—, pus ¿a santo de qué se cuentan siempre esas cosas? Pa que se sepan.

—Pues ya las sé, Cleto, ya las sé.

—¡Que las sabes!... ¡Podías no! Pero no es bastante eso, Sotileza.

—¿Y que más quieres?

—¡Que qué más quiero! ¡Paño!... Quiero ser un hombre como tantos que conozco yo; quiero buscarme otra vida que la que traigo, con esta luz que tú mesma me has encendío acá adentro; quiero vivir como se vive en esta bodega; quiero trabajar pa ti y ser limpio y curioso y bien hablao, como tú; quiero barrete el suelo por onde vaigas y, cuando me las pidas, traerte hasta las serenitas del mar, que naide ha visto. ¿Te parece poco, Sotileza?

Cleto estaba en este momento verdaderamente trasfigurado y Sotileza admirada de ello.

—Nunca te vi tan animoso como ahora, Cleto —le dijo—, ni de tanta palabra.

—Es que reventó la ola, Sotileza —respondió Cleto más enardecido—, y yo mesmo creo que no soy lo que antes era. ¡Hasta por tonto me tuve!, y ¡paño, ahora juro que no lo soy con esto que siento acá y me hace hablar a la fuerza!... Y si este milagro es tuyo, sin empeñarte en ello, ¿qué milagros no harías conmigo cuando te empeñaras? Mira, Sotileza, yo no tengo vicios, soy arrimao al trabajo, no sé querer mal a naide, estoy hecho a poco; no conocí, en lo mejor de la vida, más que tristezas y pesadumbres..., viendo aquí cosa muy diferente; ya sabes cómo la estimo y quién tiene la culpa de ello; en esta casa hace falta un hombre... ¿Te vas enterando, Sotileza?

Sotileza se enteraba demasiado y por eso respondió a Cleto, con cierta sequedad:

—Sí; pero ¿qué adelantas con que me entere?

—¡Otra vez, paño! —dijo Cleto exasperado—. ¿O es eso darme el *no* por cortesía?

—Mira, Cleto —respondió friamente Sotileza—, yo no tengo obligación de responder a todas las preguntas que se me hagan sobre estos particulares; por eso vivo metida en casa, sin tirar de la lengua a naide. Yo no te quiero mal y sé muy bien lo que vales, pero tengo acá mi modo de sentir y quiero guardarle por ahora.

—Lo dicho, Sotileza —exclamó Cleto, desalentado—, eso es un barreno pa que me vaiga a pique.

—No es tanto como eso —replicó Sotileza—. Pero ponte en un caso, Cleto: si en lugar del *no* que temes, te diera el *sí* que vas buscando, ¿qué adelantarías con ello? Si pa entrar en esta casa no más que por pasar el rato tienes que esconderte de las gentes de la tuya, ¿qué sería sucediendo lo que tú quieres?

—¡Justo!... ¡Lo mesmo que me dijeron los otros!... ¡Paño! ¡Eso no está en ley!... ¡Yo no escogí la familia que tengo!...

—Pero ¿quién te dijo lo mesmo que yo, Cleto? —preguntó Sotileza, sin reparar en las exclamaciones del pobre mozo.

—Pae Polinar, en primeramente.

—¡Pae Polinar!... ¿Y quién más?

—Don Andrés.

—¿A esa persona le fuiste con el cuento, animal?... ¿Y qué te dijo?

—Las mil indinidaes, Sotileza... ¡Muerto me dejó!

—¿Lo ves?... ¿Y cuando fue ello?

—Ayer por la tarde...

—¡Bien merecido lo tienes! ¿A qué vas tú a naide con esas coplas?

—¡Paño, ya te lo dije! Me ajuegaba el hipo... Faltábame arrojo pa hablarte de ello y buscaba gentes que lo hacieran por mí... ¡No las buscara hoy, paño, que he roto a hablar!... Pero no es este el caso, Sotileza.

—¿Cual es si no?

—Que porque *arriba* sean malos, lleve yo las triscas.

—Yo no te las doy, Cleto.

—Harto me las das, ¡paño!, si me cierras la puerta por los de mi casa.

—No fui tan allá siquiera, Cleto. ¡No querías correr poco! Te puse en un caso. ¿Lo entiendes ahora?

—Témome que sí ¡Por vida de mi suerte!... ¡Pero dímelo claro, que a eso vine aquí!... No te encoja el miedo, Sotileza...

—¡No me hagas hablar!...

—¡Pior es que lo calles, mira..., pa según estoy! Vamos, Sotileza..., ¿te paezco poco?... Pos di cómo me quieres, yo allegaré a serlo, por caro que me cueste. ¿Vale más otro por si acaso? Yo seré más que él, si tú te empeñas...

—¡Vaya que es profía, hombre!

—¡Si me va la vida en ello, Sotileza!... ¿Pus me arriesgara si no, paño?... Mira, too es tener un poco de terneza en la entraña y dimpués el caso va de por sí solo... Tú me dirás: «Por aquí se ha de ir», y por allí me iré tan contento... Poco te estorbaré; con un rinconuco me basta, en lo más apartao... ¡Pior que el que tengo yo ahora!... Comeré lo que tú dejes, de lo que yo te gane pa que vivas a la sombra... ¡Si yo vivo de na, Sotileza! Mira, lo mesmo que Dios está en los cielos, lo que a mí me engorda es un poco de ley, una miajuca de caridá y algo de alegría al reguedor... ¡Paño, qué gusto dará eso!... Conque, ya ves tú lo que pido... No es pa ofendese naide, ¿verdá?... Porque no se piden los imposibles.

Sotileza acabó por sonreír oyendo al pobre muchacho. Éste insistió en vano para arrancarla una respuesta terminante. La porfía volvió a incomodarla y Cleto, desasosegado y fosco, llegó a hablar así:

—Pos dime siquiera que esto que te cuento no te da más oírlo en boca de otro.

—¿Y a ti qué te importa, animal? —saltó aquí Sotileza con un dejillo rasgado e iracundo, que heló la sangre en las venas de Cleto— ¿Quién eres tú pa pedirme esas cuentas?

—¡Naide, Sotileza, naide! La basura mesma... ¡y ni siquiera tanto! —clamó el pobre mozo, conociendo la torpeza que había cometido—. Me cegó la pena y hablé sin pensalo. Mira, no jue más...; por éstas lo juro.

—Déjame ya en paz.

—¡Pero no me cojas tirria!

—Quítate delante, que harto te aguanté.

—¡Paño, qué mala suerte! ¿No me lo perdonas?

—Si no te largas, no.

—Pos ya estoy andando.

Y así salió aquella vez Cleto de la bodega, mustio y pesaroso, cuando creyó haber estado a medio jeme de salir
triunfante y coronado.

XXI. VARIOS ASUNTOS Y MUERGO DE GALA

Injuriar fuera la perspicacia del lector, por roma que la
supongamos (y no supondré yo tal cosa), declararle aquí,
en son de noticia importante, que pae Polinar llamó a su
casa al matrimonio de la bodega de la calle Alta para hablarle del asunto que le había encomendado Cleto. El pobre
fraile, con el trabajo que le daba el sermón que tenía entre cejas y el miedo que le infundían las hembras de casa
de Mocejón, tomó aquel partido para perder menos tiempo
y no verse en un trance que tan de lumbre temía.

Cumplió su cometido con poco entusiasmo y hasta con
la advertencia de que él ni entraba ni salía, y que si el
asunto cuajaba, no supieran ni las moscas del aire que su
lengua se había movido ni para aquello poco que decía por
servir al obcecado muchacho.

—Cleto es una buena persona —dijo al último—. Vendría
bien, por un lado, para ayudar a la casa. No daría guerra en
ella, pero la darían otros, sólo por verle allí tan en paz... Ya
sabéis de quién hablo. ¿Te acuerdas, Miguel? ¿Te acuerdas,
Sidora?... ¡Qué gente, cuerno, qué gente!... Por otra parte,
aunque la muchacha es guapa y honrada de veras, y por
ello sólo merece un marqués, como los marqueses no buscan marineras para casarse con ellas, Silda, más tarde o más
temprano, tendrá que apechugar con un callealtero del oficio; y este callealtero, greña y palote más o menos, allá se
irá en pelaje y en literaturas con el hijo de Mocejón, después
de limpio y trasquilao. ¿Entendéis lo que digo?... Pues en conociendo la voluntad de la interesada, pésense allá en familia las verdes con las maduras de este particular..., y al cuer-

no, hijos, que yo ni entro ni salgo... ¡Y Dios me librara de
ello, jinojo!

Las mismas verdes y las propias maduras que el padre
Apolinar veían en el asunto tía Sidora y su marido, con la
única diferencia de que la primera para todo lo malo hallaba un remedio, y al segundo, hasta lo mejor llegaba a parecerle muy malo, en cuanto se metía a comparar el oro
bruñido de Sotileza con el cobre roñoso del hombre que la
pretendía. Verdad que para tío Mechelín no había nacido
galán en el mundo, ni nacería tan pronto, que en buena justicia la mereciera.

Sotileza había comprendido, por todo lo que le dijo Cleto después del recado que le dio la criada del padre Apolinar, que en casa de éste se había tratado el mismo punto
que acababa de ventilarse en la bodega. De modo que, a
media palabra que le dijo tía Sidora después de convenir
con su marido en que era hasta deber de conciencia consultar, sin perder un instante, la voluntad de la interesada, le
salió ésta al encuentro para referir lo que le había sucedido con Cleto.

—¡Mejor pa nusotros! —dijo tía Sidora—, que un trabajo nos quitas con saberlo ya.

—¡Uva! —confirmó tío Mechelín, golpeando el suelo maquinalmente con uno de sus pies.

Silda callaba y cosía. Tía Sidora añadió, después de un
ratito de silencio:

—Conque tú diras, hijuca.

—¿Qué quiere usté que diga?

—Lo que te paezca sobre el caso.

—Por sabido se calla.

—Poco decir es.

—Y la metá sobra.

—Quisiera yo, hijuca, que te pusieras en los casos... Hoy
na te falta, gracias a Dios, pero mañana o el otro..., ya ves
tú...; semos mortales y viejos, además, y con poca salú...;
has de verte sola ... ¡y puede que muy luego!... La casta es
mala..., ¡mala!..., no puede ser peor; pero él es un venturao, noble como el pan... Con una miaja de aseo y bien
vestido, campará mucho, porque es buen mozo de por sí...
No te le empondero tanto pa metértelo por los ojos, sino

porque éste es caso de que se pongan las cosas en su punto, pa que al resolver no te engañes.

—¡Uva! —dijo Mechelín, cambiando de pie para golpear el suelo.

Como Sotileza no daba lumbres, tía Sidora, algo picada por ello, añadió en seguida:

—¡Pero, hijuca, respóndenos algo, por el amor de Dios, pa que uno sepa los tus sentimientos!... Si temes en engañarte por ti mesma, ¿quieres que pidamos consejo, pinto el caso, a don Andrés?

—¡Ni se lo mienten siquiera! —saltó la moza inmediatamente—. No hace falta ese consejo ni el de naide tampoco; que bien sé yo lo que me conviene.

—Pos eso queremos saber, hijuca, lo que te conviene a ti a la hora presente.

—¡Uva!

—Me conviene que me dejen en paz sobre esos particulares; que no me hablen más de ellos, porque no me hace falta; porque ca uno se entiende y lengua me sobra pa decir «esto quiero» cuando sea de menester. Así estoy a gusto..., y Dios dirá mañana. ¿Me entienden ahora?

Con bastante más calor se ventilaba otro bien distinto en todas las tertulias y cocinas de la calle, desde la noche anterior. Este asunto era el del regateo propuesto por el Cabildo de Abajo y aceptado por aclamación, *a claustro pleno,* en la taberna del tío Sevilla. En aquellos tiempos todavía los mareantes santanderinos no habían pensado siquiera en meterse en otras aventuras que las del oficio, y un empeño de tal naturaleza removía en ambos Cabildos el entusiasmo de la gente moza y calentaba la sangre en los entumecidos cuerpos de los veteranos. Porque no se trataba de un lance particular entre dos lanchas rivales, sino de un suceso que revestía toda la solemnidad de los grandes conflictos entre dos pueblos limítrofes. No eran unos cuantos remeros del Cabildo de Abajo que desafiaban a otros tantos del Cabildo de Arriba, ni se trataba tampoco de ganar, en concurso libre, un premio ofrecido por un particular o por el Ayuntamiento, lances en que caben amaños para repartir la ganga entre los competidores y apenas se resiente el amor propio. Esto era muy distinto: era un Cabildo en masa desafiando al otro Cabildo, nada menos que para el día de los santos

Patronos del retador, Patronos, a la vez, del Obispado, fiesta solemnísima en Santander; a la pleamar de la tarde, cosa de las tres y media, con el Muelle atestado de curiosos; y se regateaba una onza, sacada de la entraña misma del tesoro de los contendientes; y los mareantes de Abajo eran vanidosos porque eran muchos, comparados con los de Arriba... En fin, particularmente para éstos el suceso venía a ser una verdadera cuestión internacional y por tanto no es de extrañar que anduvieran interesados en ella hasta los gatos y los perros de la calle Alta.

Con este motivo, la bodega de tío Mechelín se vio por las noches más concurrida que de ordinario, pues como no le gustaba ni le sentaba bien salir a la taberna, donde se hablaba mucho del caso, los camaradas que le querían de veras, y no eran pocos, iban de vez en cuando a remozarle los ánimos con los dichos de la taberna o a pedirle su autorizado parecer, siempre que se necesitaba.

Todo esto contrariaba grandemente a Andrés, porque le alejaba de aquellos sitios en la ocasión en que más sentía la necesidad de frecuentarlos hasta conseguir siquiera un cuarto de hora de libertad para advertir a Silda, tan celosa de su honra cuando se trataba de él, lo expuesta que la tenía en boca del salvaje Muergo. En esto no faltaba a la palabra empeñada, porque cuando la empeñó no contaba con lo que oyó después a aquel animal. Y aunque faltara, en opinión de Silda, ¿qué? Si le estaba engañando, tonto fuera él en guardarla tan inmerecidas consideraciones; si Muergo mentía, hasta deber de conciencia era advertírselo a ella. Pero aquel ir y venir de gentes extrañas, con lo que ya se había dicho de él por sus visitas a la bodega..., y la actitud de su padre, tan distinta de la de otras veces; lo que le advertía, lo que le vigilaba...; las amenazas de Luisa, que podían cumplirse a la hora menos pensada... Y entre tantas contrariedades, espoleado a la vez por los ímpetus de su carácter impaciente y fogoso, discurría las cosas más absurdas y llegaba a veces con sus proyectos a las lejanías más peligrosas. Y era lo peor que ni siquiera se asombraba de ello. Todo le parecía bien a trueque de salirse con la suya. Ya se sabía: pensamientos apretados en la mollera de Andrés, resolución descabellada.

En cambio, Cleto se congratulaba, a su modo, de aquel

inusitado crecimiento de tertulianos en la bodega, porque
así pasaba él más inadvertido en ella. Entraba como uno
de tantos y Sotileza no tenía pretexto siquiera para tachar-
le de porfiado. Observar sin que le observaran, ver sin ser
visto, como quien dice: esto se lograba allí a la sazón y esto
le convenía desde que pae Polinar le había dicho que tenía
de su parte la voluntad de los dos viejos. ¡Qué bien le supo
la noticia! Con lo que él le había dicho a Sotileza y lo que
ellos la añadirían su negocio podía llegar a arreglarse a la
menos pensada. Entre tanto, mucho ojo y mucha prudencia. Y así se conducía, con el pechazo repleto de esperanza.

Muergo volvió a la bodega dos noches después de aquel
su altercado con Andrés. Con el clavo que este lance le dejó
adentro, la cuestión pendiente entre ambos Cabildos y media
juma de aguardiente que llevaba, armó en la tertulia un
alboroto y su tío le prohibió volver a poner allí los pies
mientras duraran aquellas excepcionales circunstancias, por
obra de las cuales andaban los ánimos muy vidriosos en
uno y otro Cabildo.

El de Arriba preguntó al de Abajo, que era el retador,
hasta dónde quería el regateo y desde dónde; él a todo se
allanaba.

Respondió el de Abajo que hasta la Peña de los Ratones,
desde la escalerilla de los *Bolados*, según costumbre.

Desde aquel día comenzaron los preparativos Arriba y
Abajo. Por de pronto, rasca que rasca los pantoques * y
branques * de las lanchas hasta dejarlos más lisos que la
misma seda, y después, afirma bancos, bozas y toletes *; y
luego carena por lo fino, hasta que no pase una gota de
agua; y venga alquitrán que cubra y no pese; y pinta los
costados y dale, por último, sebo a los pantoques o jabón,
si se teme que el sebo se agarre demasiado.

La lancha de Arriba se pintó de blanco con cinta roja;
la de Abajo, de azul con cinta blanca. Cleto y Colo formaban
parte de la tripulación escogida para la primera, Cole y Guarín de la de la segunda [162]. Muergo se quedó sin plaza, porque no era de fiar en lance tan delicado, no por falta de
empuje, sino por su brutal informalidad. Sintió a su modo
el desaire, pero se consoló pensando en que ese día estre-

---

[162]   Impropiedad estilística.

naba vestido, con zapatos y todo, y con el propósito de dar un tiento al palo ensebado después del regateo.

Y así fue llegado el 30 de agosto, con regocijo de tantas gentes y trasudores del padre Apolinar, que apenas pegó los ojos la última semana, empeñado en meter en la memoria todo lo que había borrajeado durante tres meses bien cumplidos.

Al amanecer, ya estaba Muergo en la rampa Larga refrescándose la cabezona y las patazas con el agua del mar. Después, dejando que éstas se fueran secando por sí solas, mientras iba de vuelta a su casa para ponerse el vestido nuevo, pasábase el gorro por la cara y se peinaba la greña con los dedos.

Una hora más tarde, cumpliendo regocijadísimo los deseos y el encargo de Sotileza, subía hacia la calle Alta, reventando en su atavío flamante y resbalándose a cada paso en las aceras, porque no se amañaba con aquellos zapatos de suela algo convexa y muy bruñida que acababa de estrenar.

Increíble parecía a los que le miraban el relieve que adquiría la fealdad envuelta en paño fino y en camisa limpia. ¡Qué relucir de pellejo! ¡Qué caer de melena por debajo de la ancha borla de cordoncillo! ¡Qué arqueo de brazos! ¡Qué sonreír de gusto!... ¡Y qué *andares* aquellos!

Sotileza se santiguó tres veces en cuanto le tuvo delante y juntó las manos y abrió mucho los ojos, como si se asombrara de que pudieran llegar a tal extremo las humoradas de la Naturaleza.

—Aguántate así, Muergo —le dijo entusiasmada—. Deja que te arrepare un poco desde lejos. ¡Bendito sea el Señor!

—¿Te gusto, puño? —exclamó el otro, parándose esparrancado en mitad de la salita—. ¿Te paizco bien con esta empavesá? ¡Ju, ju!... ¿Ónde está mi tío?

—Están a misa los dos... No te marches hasta que vuelvan... Quiero que te vean así.

—Ni falta que hacen, ¡puño!... Pa que me güelvan a echar. Por ti vine yo, Sotileza..., porque te lo ofrecí; y a más, a más, tengo que decirte una cosa que me jurga mucho acá entro, ¡puño!

—Pues mira —respondió la moza en ademán resuelto—, si llegas a hablarme de cosa que yo no te pregunte, te planto en metá de la calle y no vuelves a entrar aquí. ¿Lo oyes bien?

—¡Puño! ¿Tamién tú?... Pero si tengo un pensar, ¿qué mal hay en echarle juera?

—Cuando venga al caso.

—Es que agora viene, ¡puño!

—¡Te digo que no... y no seas burro!... ¡Madre de Dios, qué arte de vestirse!... ¡Ven acá, animal!

Muergo avanzó dos pasos hacia Sotileza. Ésta, después de mirarle de arriba abajo, le deshizo el nudo mal hecho de la corbata de seda negra, volvió a hacerlo como era debido, estiró los fuelles de la pechera de la camisa y arregló sobre ellas las largas puntas colgantes del pañuelo de *marga* de seda. Muergo la dejaba hacer, sin atreverse a respirar siquiera. Sentía en el pecho la impresión de aquellos dulces manoseos y temblaba de pies a cabeza.

—¡Qué bardal de pelos! —exclamó la moza después que acabó con la corbata—. ¿Por qué no te han esquilado un poco, arlotón? ¿No hay siquiera un peine en todo el Cabildo de Abajo?

Y en esto le arrancó la gorra de la cabeza y comenzó a encresparle la melena con los dedos.

—¡Virgen María, si esto es un monte cerrao! Espera que lo arregle un poco antes de meter el peine.

Y al mismo tiempo que esto decía, Sotileza hundía las manos en la espesura.

Muergo lanzaba de su pecho rugidos sordos y Sotileza, lejos de amedrentarse con ellos, tira de aquí y desbroza de allá; cuanto más roncaba él, con mayor ansia hundía ella sus dedos en la escabrosidad. De pronto lanzó Muergo un verdadero bramido.

—¿Te duele? —preguntó Sotileza sin cejar en su empeño.

—¡No, puño! —contestó el bárbaro, bajando más la cabeza—. ¡Jálame más..., más, que me gusta mucho!... ¡Más juerte, Sotileza! ¡Puño!... Así, así... ¡Jala más!... ¡Más entodía!... ¡Ayyy!...

Sotileza dio entonces un salto hacia atrás, porque sintió las manazas de Muergo alrededor de su talle.

—¡Eso no! —le gritó al mismo tiempo.

—¡Eso sí, puño! —bramó el monstruo—. ¿Pos qué te pensabas?...

Y avanzó hacia ella, trémulo y erizado, indómito, espantoso.

En el rincón de la salita había una vara con que tía Sidora había sacudido la lana de su colchón unos días antes. Sotileza se abalanzó a ella; y antes de que Muergo llegara a tocarle en el pelo de la ropa, ya tenía encima de su alma dos varazos que le arrancaron sendas blasfemias. Muergo se detuvo allí, pero rugiente y anheloso. Sotileza le sacudió otro par de verdascazos.

—¡Atrás!... ¡Más atrás!... —le gritó, fiera y resuelta, al mismo tiempo.

Muergo retrocedió tres pasos.

—¡Más atrás!... —insistió Sotileza, esgrimiendo la vara—. ¡Allí..., contra la paré!

Y sólo cuando Muergo arrimó a ella las espaldas, dejó Sotileza su actitud amenazante. Muergo jadeaba y Sotileza poco menos. Ésta le habló entonces así, como si quisiera clavarle al muro con sus palabras:

—Ése es tu lugar y éste el mío, ¿lo entiendes bien? Pues el día en que vuelvas a equivocarte, será la última vez que yo te mire a la cara. ¿Te conformas?

—¡Sí, puño! —respondió el otro, como bramaría una fiera acurrucada en el rincón de la jaula.

—Toma ahora la gorra —díjole entonces Sotileza, con gran serenidad, después de haberla alzado del suelo.

Muergo alargó la mano.

—Amáñate primero un poco los pelos —le advirtió la resuelta moza, sacudiendo, entre tanto, muy cariñosamente el polvo de la gorra.

Muergo obedeció sin chistar.

—Baja ahora la cabeza.

Muergo obedeció también. Entonces, Sotileza, con sus propias manos le puso la gorra como debía ponerse.

—No la toques —le dijo, después de enderezarse el otro, en cuyo pecho se oían zumbidos, como de lejanas rompientes—. ¿Estás contento?

—Pos mírame tú como otras veces —respondió Muergo—. ¡Así..., así!... ¡Ay, puño, qué salú da eso!

Sotileza se echó a reír y en seguida dijo:

—Cuéntame ahora lo que tenías que contarme.

Muergo, despertando con estas palabras del estupor en

que le había hundido la reciente escena, se disponía a referir a Sotileza el encuentro que tuvo con Andrés en las inmediaciones de la Zanguina; pero entraron en la bodega tía Sidora y su marido, que volvían de misa, y el relato quedó sin hacerse.

—¡Alabao sea el Santísimo Nombre de Dios! —exclamó la marinera, contemplando a su sobrino—. ¡En los días de su vida discurrió el mesmo Satanás estampa como la que tienes hoy!

—¡Vaya, que paeces un gabarrón empavesao! —añadió tío Mechelín, haciéndose cruces.

Con esto y lo que le había pasado poco antes, acabósele la paciencia a Muergo; el cual, con dos reniegos y una interjección brutal por toda despedida, largóse de allí resuelto a no parar hasta Miranda, en cuya ermita ondeaba, desde el amanecer, la bandera del Cabildo de San Martín de Abajo, y clamoreaba el sonoro esquilón, recreándose en todo ello los ojos y los oídos de los devotos mareantes, que, paso a paso, iban acercándose allá por los atajes del breve y hondo valle intermedio.

XXII.   LOS DE ARRIBA Y LOS DE ABAJO

El Sardinero, en cuyas soledades se alzó en breves días un edificio, uno solo, destinado a fonda y hospedería, había vuelto a quedarse desierto y abandonado de todos, por obra de un lamentable suceso [163] ocurrido en sus playas. Pasaban veranos y solamente algún entoldado carro del país, que servía de vehículo y de tienda de campaña a tal cual necesitado de los tónicos vapuleos de las olas, se veía por allí de tarde en cuando; los bailes campestres, tan afamados después acá, andaban a la sazón a salto de romería y ni siquiera cuajaban en todas ellas; comenzaba a no ser de

---

[163]   «La muerte del brigadier Buenaga en un día de mucha resaca». (Nota del autor.)

mal tono entre las familias pudientes lo que en las mismas
ha llegado a vicio de veranear en la aldea; un viaje a Madrid
era empresa de tres días y se contaban por los dedos los santanderinos que conocían de vista la capital de Francia; nos
visitaban durante media semana los distinguidos herpéti-
cos de Ontaneda o lo menos vulgar entre los reumáticos de
las Caldas o de Viesgo, al fin de sus temporadas, amén de
unas cuantas familias *del interior* que por su inexcusable
necesidad venían a remojar sus lamparones en las playas
de San Martín; y por lo tocante a la gente menuda, que no
tenía vapores al Astillero ni trenes a Boo ni tranvías urbanos ni sociedades de baile por lo fino ni otras recreaciones
que tanto abundan ahora, ni estaban absorbidos los pensamientos de los unos por los arduos problemas sociales ni
se desvelaban las otras con los cuidados de remedar en usos
y atavío a las señoras de copete, merendaba en el *Verdoso*
o en Pronillo, o triscaba tan guapamente en el Reganche o
en los Prados de San Roque, con variantes de paseo en los
Mercados del Muelle, cuando el tiempo no permitía lucir al
aire libre los trapillos domingueros.

Quiero decir con todo esto, y lo que me callo por no repetir lo que bien dicho tengo en no sé cuántos libros y ocasiones, que si entre los mareantes de acá el suceso de una
regata, en los tiempos a que voy refiriéndome, causaba todavía las apuntadas impresiones en la población terrestre,
también despertaba no poco interés, particularmente si, como
acontecía en este caso, era muy señalado el día, y la salsilla
agregada por el Municipio daba al espectáculo cierta apariencia de *fiesta marítima*. Cada Cabildo tenía sus partidarios
en la ciudad; y en las lides de aquella naturaleza bien recio
demostraba sus inclinaciones cada partidario.

Ello fue que, aunque había romería en los prados de Miranda y el sol calentaba bien, a las dos de la tarde ya estaba
a pie firme la primera hilada de curiosos sobre la misma
arista del Muelle, desde el Merlón inclusive, hasta cerca de
la Capitanía del Puerto. Poco después se formó la segunda
fila, y en seguida la tercera y la cuarta y la quinta [164]; siempre empujando las de atrás a las precedentes y culebreando
entre todas los muchachos, y nunca perdiendo su aplomo la

---

[164] *Y siempre,* en la primera edición.

primera ni zambulléndose en la bahía un espectador. Cómo sucede este milagro nadie lo sabe, pero el milagro es aquí un hecho a cada instante.

Detrás de las cortinas, tendidas sobre las barandas de los balcones, comenzaban ya las damas a colocarse en apretados racimos, dando la preferencia las de casa a las invitadas de fuera. En el fondo, rostros barbudos. Después iban desapareciendo poco a poco las cortinas y aparecían, en su lugar, sombrillas y paraguas de todos los imaginables colores, con lo cual cada balcón ofrecía el aspecto de una maceta con flores colosales.

En el Muelle, entre la última fila de curiosos y las casas, buscando agujeros o rendijas por donde colarse, la atolondrada familia del boticario de Villalón; explicando el intríngulis de la regata, que jamás han visto, a sus respectivas y emperifolladas esposas, el castizo harinero de Medina del Campo o el reseco magistrado de Valladolid [165]; risoteando con su novio la repullada sirvienta y contoneándose los almibarados pollos, no tan encanijados como la *crema* de ahora, mientras lanzan pedazos del corazón a los balcones con flechas de miradas mortecinas. De tarde en cuando, cohetes al aire desde el Círculo de Recreo y trasera de la Capitanía.

De pronto, la música de la Caridad resonando a lo lejos; después, más cerca, y luego más cerca todavía...; hasta que los menos torpes de oído pueden notar que viene tocando un pasodoble, con bríos muy intermitentes. Las masas se revuelven hacia la *escalerilla de los Bolados*, a poca distancia del Merlón, y por ella bajan los músicos imberbes; y después, de lancha en lancha, de bote en bote, y como Dios y su agilidad les da a entender, llegan a encaramarse en el puente de un quechemarín que tiene por bauprés una percha ensebada: la cucaña del Ayuntamiento. Y vuelta a soplar allí los pobres muchachos... Y más cohetes desde allí también.

Las lanchas y los botes que rodean el quechemarín y se prolongan en ancha faja hacia el norte y hacia el sur con otras lanchas y otros botes que hay enfrente, llenos de gen-

---

[165] Vid. *Tipos trahumantes* (1877), donde Pereda hizo una dura sátira contra los veraneantes del interior de la Península, que venían, según él, a perturbar la paz de la región.

te también, forman espaciosa calle, a uno de cuyos extremos, el de la escalerilla, están fondeadas dos lanchas en una misma línea, paralela al Muelle; y al opuesto, otra que tiene a proa una bandera con los colores de la matrícula de Santander, tremolando en un corto listón de pino. Aquella bandera será el testimonio del triunfo, cuando la coja la lancha que primero vuelva de la peña de los Ratones, distante de ella tres millas al sur de la bahía.

Sopla una ligera brisa del Nordeste y, aprovechándola, voltejean en el fondo de este animado y pintoresco cuadro los esquifes de lujo con todas sus lonas y perejiles al aire. No falta el *Céfiro*, regido diestramente por Andrés, a quien acompañan sus amigos, pero no Tolín, que está en el balcón de su casa, muy arrimadito a la hija del comerciante don Silverio Trigueras. A media distancia, entre la lancha de la bandera del premio y el quechemarín de la percha ensebada, está, en primera fila, la barquía de Mechelín, con toda la gente de la bodega y algunos agregados, los más de ellos por cuestión de amistad y los menos para ayudar con el remo al veterano de Arriba. Pachuca con su saya nueva y Sotileza hecha un espanto de buena moza ocupan el lugar preferente, es decir, el centro de la banda que da al callejón despejado. Por una cruel disposición de la casualidad, la familia Mocejón, puerca, regañona y solitaria, está en su roñosa barquía dos botes más atrás que la de Mechelín.

De pronto se alza entre las gentes embarcadas y las de tierra un rumor que apaga los tristes jipidos [166] de la música y aparece como una exhalación, por el sur de la Monja y entre remolinos de espuma, una lancha blanca con cinta roja, cargada de remeros (ocho por banda) en pelo y con una ceñida camiseta blanca con rayas horizontales, por todo vestido de cintura arriba. Casi al mismo tiempo y en rumbo contrario, aparece otra azul con faja blanca, por delante del Merlón, a rema ligera también y tripulada de idéntico modo. Ambas van gobernadas al remo por el patrón respectivo, de pie sobre el panel de popa.

Las dos se cruzan como dos centellas, enfrente de la escalerilla, entre el alegre vocerío de los tripulantes; y se deslizan y vuelan y marcan sus rumbos de gaviota gallardas

---

[166] *Jipido:* exhalación de aire (*DCELC*).

curvas de blanca y hervorosa estela. Cualquiera de las dos sería capaz de escribir así con la quilla el nombre de su Cabildo. Después, la rema es despacio, picadas no más, con la pala del remo..., y vuelta a volar en seguida para quedarse de pronto con las alas tendidas al aire, meciéndose al blando vaivén de las aguas removidas. En estas evoluciones parecen corceles fogosos trabajados por sus jinetes para domar sus impaciencias antes de entrar en la arena del torneo. Y algo hay de esto en los hermosos escarceos de las lanchas antes del regateo, puesto que lo hacen los remeros para *ir entrando en calor.* ¡Entrar en calor así! ¡Y con la mitad de ello tendría sobrado un forzudo ganapán para no menearse en cuatro días!

En fin, la marea está en su punto; suena la música otra vez; bajan a las dos lanchas de respeto, inmediatas a la escalerilla, personas de ambos pelajes, es decir, el marino y el terrestre; entran en el callejón, y de popa, las dos lanchas del regateo; atracáse allí cada una de ellas a otra de las del jurado; sujétanlas allí sendos jueces, llamados *señores de tierra,* mientras las tripulaciones se ponen en orden y se aperciben a la liza; hácese la convenida señal... ¡y allá va eso!

La del Cabildo de Arriba, es decir, la blanca, va por la derecha. A la segunda *estropada* está delante de la barquía de Mechelín y entonces, entre el crujir de estrobos * y toletes, rechinar de remos sobre las bozas, el murmullo del torbellino revuelto por las lanchas y el gritar de los remeros, sobresale la voz de Cleto, que rema a proa, lanzando al aire estas palabras resonantes:

—¡Por ti, Sotileza!

Y Sotileza le vio tender su fornido tronco hacia atrás y, con la fuerza de sus brazos, arquear el grueso remo de palma, como si fuera de acero toledano.

Nada respondió la rozagante callealtera con los labios, porque la emoción sentida con el lance le embargaba el uso de la lengua; y algo hubiera dicho de muy buena gana, ya que no por Cleto sólo, aunque no dejó de estimar su cortesía, por el pedazo de honra cabildera que en el empeño se jugaba; pero, en cambio, el viejo Mechelín, vuelto al calor de sus entusiasmos por el fuego de aquellas cosas, agitó la gorra dominguera en el aire y gritó con la voz de sus mejores tiempos:

—¡Hurra por ti, valiente..., y por todos los de allá arriba!

Y las dos lanchas pasan, como si misterioso huracán las impeliera; y rebasan en tres segundos de la bandera de honor, que las saluda flameando; y las dos estelas se confunden en una sola; y las puntas de los remos enemigos se tocan algunas veces; y caen y se alzan las palas de éstos sin cesar y tan a tiempo como si un solo brazo las moviera; y los troncos de los remeros se doblan y se yerguen con ritmo inalterado, de modo que hombres, remos y lancha componen a los ojos deslumbrados del espectador un solo cuerpo regido por una sola voluntad.

Y así van alejándose sin que el ojo más sutil pueda notar medio palmo de ventaja en ninguna de las dos. En ocasiones tales suele decidir el resultado de la lucha una estratagema, algo como zancadilla a tiempo: una atracada de sorpresa, por ejemplo, cuando no se puede cortar el rumbo, en buena ley, a la más animosa; pero en este caso se juega limpio y a cartas descubiertas.

A medio camino ya se las ve más apartadas entre sí, ganando espacio a la derecha, porque el descenso de la marea comenzará pronto y hay que contar con la deriva que las apartaría del rumbo conveniente si ahora enfilaran la peña por la proa. Dos minutos después, la simple vista no puede apreciar la diferencia entre sus colores, y un poco más allá, dos bultos descoloridos, casi informes, y apenas se distingue el aleteo de los remos sino por el centellear del sol en los chorros de líquidos cristales, que al levantarse destilan de sus palas.

Al fin desaparece una lancha detrás del islote y en seguida la otra... y vuelven ambas a aparecer por el este del peñasco, conservando la primera la misma ventaja que al ocultarse las dos. Pero ¿cuál de ellas es la que viene delante? Muchos espectadores dudan: los que miran con catalejos de atalaya o con gemelos de teatro sostienen que la callealtera y, según dictámenes, su ventaja es tal que tiene ya ganada la partida sólo con no aflojar en la rema, aunque la otra redoble sus esfuerzos.

Poco a poco van tomando forma los dos bultos y aumentando los tamaños y apreciándose movimientos y colores...

Ya pueden los ojos más inexpertos medir la distancia que separa a las dos lanchas; y cuando la callealtera está sobre el banco del bergantín, tiene la azul a más de cable * y medio por la popa.

Ninguna de ellas ceja, sin embargo, en sus esfuerzos; en ambas se boga con el mismo coraje que al principio. Ya que una sola haya de vencer, que se estime por los maestros los méritos de la menos afortunada.

La callealtera avanza como un rayo y llega a la boca del ancho canal; y desde allí, con los remos en banda ya, regida por su diestro patrón, se atraca a la lancha de la bandera. Arrebátala Cleto de un tirón, entre las hurras y el palmoteo de la gente; y sin perder su arrancada, la vencedora llega hasta la barquía de Mechelín, y allí Cleto, desencajado, reluciente de sudor, como todos sus camaradas, dice con su recia voz, trémula por el entusiasmo:

—¡Tómala tú, Sotileza!... ¡Pa que la claves tú mesma con las tus manucas!

Y con aplausos de todos, compañeros y circunstantes, entrega la bandera, que en aquel momento era la honra del Cabildo de Arriba, a la hermosa callealtera, que la amarra con sus propias manos, como Cleto lo pedía, al pico del tajamar de la lancha triunfadora. Muchos cohetes en el Círculo de Recreo y en la Capitanía, y muchos trompetazos y cohetes también en el quechemarín.

Mientras tía Sidora y su marido, locos de alegría, abrazan a Cleto y también a Colo, que se arrima allá para recibir los aplausos de Pachuca entusiasmada, se alza un coro de maldiciones en la barquía de Mocejón por la «desvergonzada» hazaña de su hijo, y llega hasta cerca de la boca del canal, para torcer el rumbo en seguida y desaparecer por detrás del Merlón, la lancha azul del Cabildo de Abajo.

La callealtera había recorrido seis millas en veinticinco minutos.

Cuando terminó esta primera parte de la fiesta, ya estaban sobre el puente del quechemarín, en cueros vivos, salvo la zona cubierta por un pintoresco taparrabo, los contendientes de la cucaña.

Muergo era uno de ellos y andaba dado a los demonios porque acababa de presenciar desde allí el episodio de la barquía cuando más le estaba requemando la derrota de

la lancha de su Cabildo. Pensaba vengarse de Cleto ofreciendo a Sotileza la bandera de la cucaña.

Por verle las gentes asomar al palo, se oyó una exclamación de asombro avanzar en oleadas desde la muchedumbre
del Muelle hasta la que circundaba al quechemarín. Parecía
un bárbaro australiano o un salvaje de la Polinesia.

A los dos pasos sobre la percha, se le fueron los pies, perdió el equilibrio y cayó al agua dando tumbos y pernadas
en el aire. Entonces se le tuvo por algo así como un chimpan-
cé, derribado por una bala desde la copa de un árbol de
los bosques vírgenes del África. Resoplando en el agua verdosa, buceando y revolviéndose en ella como si fuera su
natural elemento, un ballenato pintiparado. A todo se parecía menos a un hombre de raza europea. Y como él tomaba
el bureo por aplauso a sus donaires, en cada tentativa de
asalto a la cucaña hacía mayores barbaridades.

Desde las primeras estaba Sotileza con grandes deseos
de marcharse de allí; y como a tía Sidora le pasaba lo mismo y a tío Mechelín no le divertía gran cosa, armáronse los
remos de la barquía y fuese ésta poquito a poco hacia la
calle Alta.

El lector y yo nos apartaremos también de aquel espectáculo que, con Muergos y sin ellos, cansa muy pronto a los
más pacientes espectadores.

XXIII. LAS HEMBRAS DE MOCEJÓN

Por la noche rebosaba de parroquianos la Zanguina y apenas cabían los sobrantes en los arcos de afuera. Los ochavos
de la cucaña se habían partido entre los que luchaban por
ellos; y así y todo, fue necesaria una trampa, consentida
por quien pudo no pasarla, para llegar sin zambullida hasta
el extremo de la percha. Muergo, que no halló los zapatos
al retirarse, después de rascar malamente el sebo que se le
había agarrado al pellejo durante la brega y a pesar de los
remojones, se había propuesto invertir su ganancia corres-

pondiente en darse un regodeo de estómago y en un moquero blanco para regalar a Sotileza. Porque aunque de pronto le costó un berrinche la pérdida de los zapatos, considerando después que éstos de nada habían de servirle, puesto que no se amañaba a andar con ellos, acabó por darlos al olvido. Así es que mientras el Cabildo entero se agitaba en su derredor comentando a gritos el suceso de la tarde, él, callandito y descuidado, atiborraba el cuerpo de *fritanga* y pan del día, con largas intermitencias de lo tinto, especialmente cuando el diablo le amontonaba en la memoria el suceso aquel de la bandera después de la regata, los verdascazos de por la mañana, cuando soñaba con cosa bien distinta, y hasta su encuentro nocturno con Andrés, cuyo relato no había podido hacer a Sotileza... ¡Andrés!... ¡Bien de veces le vio él aquella misma tarde rondando la barquía callealtera con su bote! ¡Y qué ojos echaba el tunante a algo de lo que había en ella! Para matar este gusanillo, latigazo doble; y así iba capeando el temporal tan guapamente.

En un grupo de los de afuera departía el padre Apolinar, muy sulfurado. Tomando lenguas de unos y de otros, había llegado a saber que su panegírico de los Santos Mártires de Calahorra no había gustado cosa mayor al Cabildo y hasta que, en opinión de algún escrupuloso, el sermón *no valía*.

Esta indignidad traía desconcertado al santo varón.

—¡Cuerno con los doctores de sueste! —exclamaba el fraile—. Pues ¿a qué estarán acostumbrados, jinojo?

—Tocante a eso, pae Polinar —le respondió un patrón de lancha, muy mesurado en el decir—, y sin ofensa de nadie, solamente desde el año 49 en que nusotros solos hicimos esa capilla, por habérsenos echao de la Puntida pa labrar allí esas casonas que hay ahora; solamente dende esos tiempos, sin contar los de atrás, se han dicho cosas de primera, motivao a los Santos Mártiles, por hombres de mucha palabra y fino saber... La verdá por avante, pae Apolinar, sin agravio de nenguno.

—¡Cosas de primera, cosas de primera, jinojo!... ¡Vaya unas cosas! Punto más, tilde menos, siempre las mismas. Que los cortaron la cabeza en Calahorra, que los verdugos las echaron al Ebro... y mucho de ¡oh! por aquí, ¡ah! por el otro lado... y chanfaina al último. ¡Jinojo! ¡Chanfaina y

no más que chanfaina! ¿Sabías tú lo del barco de piedra? [167]
—¿Quién será capaz de no saberlo aquí, pae Polinar?
—Claro, hombre, claro. Pero ¿como yo lo conté?... ¿Cómo
venía el barco?..., ¿qué rumbos tomaba?..., ¿qué tiempos y
qué mares le combatían?..., ¿cómo abocó a este puerto?...,
¿por qué no abocó a otros antes?... ¿Os han contado algo
de ello nunca esos picos de oro, con traza y con arte? ¿Lo
sabían, por si acaso, como lo sé yo?... ¿Sabía el Cabildo
mismo aquello de la peña de los Mártires..., la Horadada,
que llaman otros?
—Algo se sabía de eso, pae Polinar.
—¡Algo, algo! Saber algo es lo mismo que no saber nada
en cosas tan importantes, ¡cuernos! Pues ahora ya lo sabéis
con todos sus pelos y señales. Ya sabéis que ese arco admirable que forma la peña fue hecho por el barco milagroso
al tropezar con ella y pasarla de parte a parte. ¿Y por
quién lo sabéis?... ¿Lo sabéis por boca de esos predicadores
de rasolís? Pues lo sabéis por habérmelo oído a mí esta
mañana; a mí, a este pobre fraile del convento de Ajo, que,
con enseñaros tanto en un sermón de tres meses de fatiga y
más de quince textos en latín de lo mejor, no llegó a daros
gusto... ¡Margaritas a puercos, hijos, margaritas a puercos!...
Pero más tarde os veréis en otra y éste será el mejor castigo
que merecen, ¡cuerno!, las habladurías de esos fanfarrias...
Y no digo más, ¡jinojo!, porque os pica mucho el ajo de
esta tarde y no quiero que penséis que me alegro de ello por
tomarlo a castigo de Dios..., que bien pudiera, ¡cuerno!, que
bien pudiera tomarlo por esa banda sin pecado de vanidad.
¡Uf!... ¡Lenguas, lenguas, *linguae corruptae*, carne mísera,
carne concupiscente...! Y adiós, muchachos, que me voy a
mis quehaceres... Por supuesto, no hay que advertir que
lo uno no quita lo otro. La puerta del padre Apolinar no se
cerrará para nadie. ¡Pero cuidado con que llaméis a ella
en todos los días de vuestra vida para asuntos de la Cátedra
del Espíritu Santo!..., porque entonces no responderé aunque me la echéis abajo..., ¡aunque me la echéis abajo, cuerno!
    Y se fue pae Apolinar, menos enfadado de lo que él mis-
mo creía.

---

[167] Vid. *O. C.*, p. 247 *a* (*La leva*), con una breve información
de esta leyenda.

Entre tanto, no se podía parar en la calle Alta. Cánticos en la taberna, diálogos de balcones a ventanas, jolgorios en las aceras y bailoteos en medio del arroyo. Todo aquel vecindario estaba desquiciado de alegría..., todo menos la familia de Mocejón, que, encerrada en su caverna, no cesaba de maldecir a Cleto por la afrenta que había echado a la casa haciendo lo que hizo con la «moscona de abajo» después del regateo. Y para mayor rescoldera de las dos furias, el lance se comentaba en la calle con aplauso general, porque en la calle no había ni pizca de vergüenza y era voz corriente que ninguna moza era más vistosa y arrogante que Sotileza para hacerse lo que se hizo, por ocurrencia gallardísima de Cleto; y hasta se había hablado de si *apareaban* o no, de si había o no había mutuos y trascendentales propósitos entre ambos, y de que si no los había, debiera de [168] haberlos... Y mucho de ello se había escuchado desde el quinto piso y, por no oírlo, se habían cerrado las puertas del balcón y se habían tapiado hasta las rendijas, prefiriéndose por las hembras de Mocejón este recurso al de dar rienda suelta a sus iras venenosas en ocasión tan comprometida para ellas. Porque voluntad y lengua y arte les sobraba para alborotar en medio cuarto de hora toda la calle. ¡Lo habían hecho tantas veces!... Pero faltaba la ocasión, la disculpa; un poco, no más, de motivo, de apariencia de él tan sólo, y en cuanto le tuvieran, y le tendrían, porque tras él andaban sin descanso..., ¡oh, entonces!, entonces las pagaría todas juntas la tal y la cual de la bodega de abajo y aprendería lo que ignoraba el mal hijo, el infame hermano, el indecente, el animal, el sinvergüenza, el lichonazo de Cleto.

Y no cerraban boca, mientras Mocejón zumbaba como un tábano en el rincón de la sala y el acribillado mozo saboreaba en la taberna del tío Sevilla, ajeno enteramente al hervidero de entusiasmo que le circundaba y en plácido reposo, los dulcísimos recuerdos de su última proeza.

En la bodega de Mechelín no cabía la gente cuando llegó Andrés. Porque Andrés creyó muy de necesidad darse una vueltecita por allí para felicitar al veterano y echar unos parrafejos con la familia, con ocasión tan señalada. Tía Sido-

---

[168] La preposición ha sido suprimida en ediciones modernas, a efectos de la incorrección gramatical.

ra reventaba en el pellejo, su marido parecía haber arrojado veinte años de encima de cada espalda, Sotileza, después
de las emociones de la tarde, se hallaba ya en su acostumbrado nivel.

El remozado pescador, por remate de largos comentarios del regateo, llegó a decir a Andrés:

—¡Mire usté, hombre, que fue alvertencia bien ocurría
la de ese demonio de muchacho!... Ya lo vería usté, que no
andaba muy lejos... Hablo relative a la bandera que entregó a Sotileza pa que ella misma la amarrara a la lancha.
¡Dígote que no lo creyera en él!... Y que me gustó el auto,
¿por qué se ha de negar?... Y también a ti, Sidora, que hasta
pucheros hacías de puro satisfecha..., y al mesmo angeluco
de Dios este, que bien se le bajó la color y le temblaban las
manucas... ¡y a toa la gente de la calle, hombre, que se hace
lenguas sobre el caso!

—¿Querrá usté creer, don Andrés —añadió tía Sidora—,
que anda el muchacho, a la presente, como si hubiera cometido con nosotros un pecao mortal? ¡Será venturá de Dios
esa criatura!... ¡Vea usté! Otros, en su caso, meterían la
ocurrencia por los ojos.

—¡Uva! —confirmó tío Mechelín.

¡Preguntarle a Andrés si había notado el suceso, cuando
no perdió el detalle más insignificante de él!... ¡Encarecerle
la ocurrencia de Cleto y los merecimientos de Cleto y hasta
el agradecimiento de Sotileza, cuando lo tenía todo junto,
hecho un bodoque, atravesado en la garganta algunas horas
hacía! Pero, ¿cómo había de sospechar el honradote matrimonio, aunque hubiera sabido lo de la arboleda de Ambojo
y lo que a esto se siguió en la bodega, que un mozo de las
condiciones aparentes de Andrés podía dar en la manía de
no sufrir con paciencia ni que las moscas, sin permiso de
él, se enredaran en las ondas del pelo de Sotileza? Algo
mejor lo sabía ésta y, por saberlo, con una ojeada rápida
leyó en la cara de Andrés el mal efecto que le estaban cau-
sando las alabanzas a la galantería del pobre Cleto. Por eso
trató de echar la conversación por otra parte, pero no pudo
conseguirlo. Tío Mechelín, ayudado de su mujer y de los
tertulianos, entre los cuales se hallaban Pachuca y Colo, in-
sistía en su tema y, como todo lo veía entonces de color de

rosa y a todos los quería alegres y satisfechos a su lado, acabó sus congratulaciones y jaculatorias diciendo:

—¡Mañana va a ser domingo tamién pa ti, Sotileza! Ya que tanto te gusta le deversión vas a venirte conmigo en la barquía a media mañana. A poco más de media tarde estaremos de vuelta.

—Hay mucha costura sin rematar —respondió Sotileza.

—No puede ser por mañana —dijo día Sidora—, porque tengo yo que estar en la plaza todo el día. Otra vez irá, ¿nordá, hijuca?

—¡Por vida del incomeniente! —exclamó Mechelín—. Otro día puede que no esté yo de tanto humor como estaré mañana, pero, en fin, haré por estarlo. ¿Nordá, saleruco de Dios?

Cuando salió Andrés de la bodega, muy poco después de esta conversación, mientras iba calle abajo hacia la Catedral, jurara que llevaba en cada oído un importuno moscardón que le iba zumbando sin cesar unas mismas palabras. Algo más allá, estas palabras que le sonaban en los oídos eran gérmenes de pensamientos que se le revolvían en la cabeza; andando, andando, estos pensamientos engendraron propósitos y estos propósitos llenáronle de recuerdos la memoria, y estos recuerdos produjeron luchas violentísimas, y las luchas, serios razonamientos, y los razonamientos, sofismas deslumbradores, y los sofismas, propósitos otra vez, y estos propósitos, tumultos y oleadas en el pecho.

Así llegó a casa y así pasó la noche y así despertó al otro día y así fue al escritorio; y por eso engañó a Tolín a media mañana, y por segunda vez en su vida, con otro pretexto mal forjado, para faltar a todos sus deberes.

Al abocar, un cuarto de hora más tarde, en la calle Alta por la Cuesta del Hospital, no sin haber pasado antes por la pescadería y visto desde lejos a tía Sidora bajo su toldo de lona, Carpia, que salía de su casa, retrocedió de pronto, metióse en el portal, echó escalera arriba y se puso en acecho en la meseta del segundo tramo. Desde allí, procurando no ser vista, vio entrar a Andrés en la bodega. En seguida subió volando al quinto piso, habló breves palabras con su madre y volvió a salir a la escalera; bajó hasta el portal sin hacer ruido y, de puntillas, conteniendo hasta la respiración, como un zorro al asaltar un gallinero, se acercó a la puerta de la bodega. Estirando el pescuezo, pero cuidando mucho de no asomar la cabeza al hueco de la puerta, abierta de par en par, conoció por los rumores que llegaban a su oído sutil que los «sinvergüenzas» no estaban enfrente del carrejo, sino al otro extremo de la salita. Escuchó más y oyó palabras sueltas, que le sonaron a recriminaciones de Sotileza y a excusas y lamentaciones apasionadas de Andrés... Por más que aguzaba el oído, bien aguzado de suyo, no podía coger una frase entera que la pusiera en la verdad de lo que pasaba allí.

—¿Y qué me importa a mí la verdá de lo que pueda pasar entre ellos? —se dijo, cayendo en la cuenta de lo inútil de su curiosidad—. Lo que importa es que se crea lo peor y eso es lo que va a creerse ahora mismo.

Y en seguida hundió la cabeza desgreñada en el vano; miró a la cerradura de la puerta, arrimada a la pared del carrejo; vio que la llave, como presumía, estaba por la parte de afuera, lo cual simplificaba mucho su trabajo; avanzó dos pasos callandito, muy callandito; alargó el brazo y trajo la puerta hacia sí con mucho cuidado para que no rechinaran las visagras; comenzó a trancar poco a poco, muy poco a poco, y, cuando hubo corrido así todo el pasador de la cerradura, quitó la llave y la guardó en el bolsillo de su refajo. En seguida salió del portal a la acera, llamó a su madre desde allí y, tan pronto como la Sargüeta respondió en el balcón, dijo con sereno acento y como si se tratara de un asunto corriente y de todos los días:

—¡Ahora!

Aquí, unos cuantos compases de silencio. Poca gente por la calle; algunas marineras remendando bragas en los balcones o asomadas a tal cual ventana de entresuelo o murmurando en un portal. Carpia está a la parte de afuera del de su casa, arrimada a la pared, con los brazos cruzados. Chicuelos sucios revolcándose acá y allá. De pronto se óye la voz de la Sargüeta:

—¡Carpia!

—¡Señora!

—¿Qué haces?

—Lo que usté no se piensa.

—Súbete a casa con mil rayos.

—No me da la gana.

—Ya te he dicho que no te pares nunca onde estás... ¡y bien sabes tú por qué!... ¡Güena casa tienes pa recreo sin estorbar a naide!... ¡Arriba, te digo otra vez!

—¡Caraspia, que no me da la gana! ¿Lo oye?

—¡Que subas, Carpia, y no me acabes la pacencia!... ¡Que na tienes que hacer enonde estás!

—Tengo que hacer mucho, madre, ¡mucho!..., ¡más de lo que a usté se le fegura, caraspia!... Estoy guardando la honra de la escalera, ¡sí!, y la honra de toa la vecindá. ¡Ha de saberse dende hoy quién es ca uno..., por qué está la mi cara abrasá de las santimperies * y por qué están otras tan blancas y repolidas! ¡Caraspia, que esto no se puede aguantar! ¡A los mesmos ojos de uno!..., ¡a la mesma luz del megodía! ¿Es esto vergüenza, madre? ¿Es esto vergüenza?... Pus pa sacársela a la cara estoy aquí ahora... ¡Pa que acabe esto de una vez y se queden las gentes de honor en sus casas y vayan las enmundicias a la barreúra!... Pa eso... ¡La mosconaza, la indecenteee!...

—Pero, mujer, ¿qué es ello? ¿Qué está pasando, Carpia?

—¡Que el c... tintas y la señorona, solos, los probes de Dios, están en la bodega a puerta cerrá!..., ¡y que esta casa, de portal arriba, no es de esos trastos, caraspia!

Aquí ya se acercan los chicuelos a la hija de la Sargüeta, se detienen los transeúntes, se abren balcones que estaban cerrados y se ponen de codos sobre las barandillas mujeres que antes estaban sentadas entre puertas.

Y replica la Sargüeta desde el balcón a su hija, que se contonea en la acera delante del portal:

—¿Y eso te pasma?... ¿Y por eso te sefocas, inocente de Dios? ¡Pos bien a la vista estaba! ¡Delante de los ojos lo tenías! Pero con too y con ello, guarda el sefoco, que pueden angunas que nos escuchan pedirte cuenta de lo que digas... ¡Porque aquí no habría gente de mal vivir si no hubiera sinvergüenzas que las taparan, puñales!... Y delante de la cara de Dios tan bribona es la que se vende por un pingajo como la que la empondera... Y de estas encubridoras hay aquí muchas, ¡puñales!... ¡Y ésas son las que sonsacan a los hijos de familia pa meterlos en esas perdiciones y afrentar a las gentes de bien! ¡Ésas, ésas! ¡Y por lo que chumpan!, ¡y lo que se les pega!... ¡y lo que las vale!... ¡Así estoy yo sin hijo!..., ¡así me le engañaron!... ¡Bribonas!... ¡Que él no se alcordaba de ella! ¡Bien en paz vivía en su casa!... —De pronto se fija la Sargüeta en una vecina de enfrente, que la estaba mirando—: ¿Qué se te pierde aquí, pendejona?... ¿Te pica lo que digo?... ¿Te resquema la concencia?

—¡Calla, infamadora, deslenguada! —dice la aludida, que ni se acordaba de entrar en pelea, pero que no la rehúsa, ya que se le pone tan a mano—, ¿Qué se me ha de perder a mí en tu casa si no es la salú con sólo mirar haza ella?

Carpia desde abajo:

—¡Déjela, madre, déjela, que con esa se mancha hasta la basura que se la tire a la cara!

—¡Dejarla yo! —exclama la Sargüeta, deshaciéndose el nudo del pañuelo de la cabeza para volver a hacerle con las manos trémulas por la ira—. ¡Dejarla yo!... Sin pelos en el moño la dejaría, ¡puñales!, si la tuviera más cerca.

—¿A mí, tú? —dice la de enfrente, comenzando a ponerse nerviosa—. ¡Lambionaza!... [169], ¡bocico de chumpagüevos!

—¡A ti, sí, chismosona!..., ¡cubijera!... *. ¡Y también a esa otra lambecaras que te está provocando contra mí!

La «otra lamberacas», desde su balcón:

—¡Echa, echa solimán por esa bocaza del demonio, coliebra!... [170], ¡escandalosa!..., ¡borrachona!

Carpia, desde abajo, sin que callen las de arriba:

—«¡Escandalosa!»... Pregúntela, madre, por qué la carenó el pellejo la otra noche el su marido... Y si no se atreve a cantarlo, que lo cante la brujona de su vecina, que la corre los cubijos * por lo que se le pega al gañote, ¡caraspia!

La «brujona» del entresuelo, sin que callen las anteriores:

—¿Yo, cubijera de naide? ¡Desvengonzaona!..., ¡cancaneá!..., ¡envidiosa!... ¿Te lo ha dicho ella por si acaso?...

—Me lo ha dicho quien lo ha visto con sus mesmos ojos... y no me dejará mentirosa a la hora presente..., porque oyendolo está bien cerca de aquí, asomá a la ventana, por más señas... ¡Caraspia, no te hagas la disimulá, que too el mundo sabe que por ti hablo!

La de la ventana, entre el vocerío de todas las anteriores:

—Pa que yo te dijera esas cosas, juera menester que me

---

[169] *Lambionaza:* dial., aum. de *lambiona* (fem.): que lame mucho, golosa.

[170] *Coliebra:* dial., culebra.

rebajara a cruzar palabra contigo y a alcordarme de espantajos indecentes como esa otra... Y tú, perra lambiona, ¿por qué tiras de la lengua a denguno cuando eres un talego de maldaes, como la madre que te parió? ¡Desgobernás..., que dormís las cafeteras en el balcón por falta de cama!... ¡Porconazas!...

El «espantajo indecente»:

—¡Qué más quisieras tú, desollaona, descamisá, que yo te consintiera tomar en boca el mi nombre!

La de la ventana:

—¡Puaa! ¡Allá va el nombre tuyo ahora mesmo!... ¡Abaja a recogerle en la basura de la calle, que la está manchandooo!...

Y por aquí corto la muestra del paño de los procedimientos por medio de los cuales van las hembras de Mocejón enzarzando reñidoras en la pelea y a la vez subdividiéndola en otras muchas y por otros tantos motivos diferentes entre sí; de modo que en menos de un cuarto de hora está toda la calle, como diría don Quijote, lo mismo que si se hubiera trasladado a ella la discordia del campo de Agramante, pues «allí se pelea por la espada, aquí por el jaez, acullá por el águila, acá por el yelmo, y todos pelean y todos no se entienden» [171]. Se grita a gañote suelto y se vomitan vocablos cuya crudeza no puede representarse por signos de ninguna especie, porque no los hay que pinten su dejo de carácter aguardentoso, desgarrado y maloliente a la vez. Todas las reñidoras gritan a un tiempo y ya no se trata de responder a una agresión asquerosa con otra más desharrapada, sino de expeler, a toda fuerza de pulmón, cuantas injurias, cuantas torpezas, cuantas hediondeces se le vayan ocurriendo a cada furia de aquéllas. Para el buen éxito de estos propósitos no basta la voz humana, por recia que sea, en medio de la infernal baraúnda, y se acude al auxilio de la gimnástica, porque la simple mímica vulgar no alcanzaría tampoco. Por eso patea una mujer aquí, puesta en jarras; y allí se revuelve otra y ata y desata diez veces seguidas el pañuelo de su cabeza; y otra se alza y se baja más allá, con los ojos encandilados y las venas del pescuezo reventando; quién se golpea desaforadamente las caderas con los puños cerrados o se

---

[171] *Don Quijote*, I, cap. XLV.

azota el trasero con las manos abiertas; otra echa el tronco fuera de la balaustrada [172] y, con las greñas sobre los ojos y el jubón desatacado, esgrime los dos brazos al aire, y otras, en fin, como las hembras de Mocejón, lo hacen todo ello en un instante, y mucho más todavía, sin dar paz ni sosiego a sus gargantas ni punto de reposo a sus lenguas maldicientes [173].

No era nuevo este espectáculo en la calle Alta y, por no serlo, los transeúntes le daban escasa importancia al advertirle; pero al preguntar por el motivo al primer espectador arrimado a una pared o esparrancado en medio de la acera, oían mencionar la supuesta engatada de la bodega de Mechelín, que para esto estaba allí Carpia, más atenta a propagar estos rumores por la calle que a defender su terreno en la batalla, especialmente desde que ésta había llegado al ardor y al movimiento deseados; y los transeúntes y los curiosos de todas especies iban arrimándose y arrimándose, uno a uno y poco a poco, hasta formar espeso y ancho grupo delante de la puerta; y continuando las preguntas, se declaraban nombres y apellidos y se aguzaba la curiosidad y sobrevenían los comentarios de rigor.

De vez en cuando, la puerta de la bodega retemblaba sacudida por adentro y entonces en la boca de Carpia había sangrientos dicharachos para [174] los pícaros que fingían de aquel modo estar encerrados juntos contra su voluntad.

El lector honrado comprenderá sin esfuerzo la situación de aquellos infelices. Sotileza, con el calor del honradísimo disgusto que la produjo la llegada súbita de Andrés, desalentado, confuso y balbuciente, señal de lo descabellado de su resolución; atenta sólo a reprocharle con palabras duras su temerario proceder, no oyó el poquísimo ruido que hizo la bodega al ser cerrada por Carpia o le atribuyó, si llegó a fijarse en él, a causas bien diferentes de la verdadera; y por lo que toca a Andrés, ni un cañonazo le hubiera distraído

---

172 *Balandrada,* en la primera edición.
173 Pasaje costumbrista estrechamente unido al relato. En «La buena Gloria» *(Escenas montañesas)* puede leerse otra trifulca de mareantes.
174 *Sangrientos epigramas contra los pícaros,* en la primera edición.

del aturdimiento en que le puso la resuelta actitud de Sotileza. Tampoco le llamaron la atención las primeras y, para ella, confusas voces de Carpia dirigiéndose a su madre, pues acostumbrada la tenían las mujeres del quinto piso a oírlas dialogar harto más recio desde el balcón a la calle; pero cuando empezó a encresparse la pelamesa y el vocerío fue más resonante, la misma gravedad de la situación en que se veía la pobre muchacha excitó su curiosidad y, dejando interrumpidas sus duras recriminaciones a Andrés, que no hallaba réplicas en sus labios, apartóse de él para observar lo que acontecía afuera, desde la misma salita. En cuanto vio la puerta cerrada al otro extremo del carrejo, se lanzó hasta ella; y al enterarse de que estaba sin llave y corrido el pasador de la cerradura, exclamó con espanto, llevando sus manos cruzadas y convulsas hasta cerca de la boca:

—¡Virgen de las Angustias, lo que han hecho conmigo!

Después miró por el ojo de la cerradura y vio a Carpia junto a la puerta de la calle y, en derredor de ella, algunos curiosos que la interrogaban y miraban después hacia la bodega. Sintió un frío mortal en el corazón y le faltaron alientos hasta para llamar a Andrés, que, aturdido e inmóvil, la contemplaba desde la salita. Al fin le llamó con una seña. Andrés se acercó. Sotileza, con el color de la muerte en la cara, desencajados los hermosos ojos y temblando de pies a cabeza, le dijo:

—¿Oyes bien el vocerío?... Pues mira ahora lo que se ve por aquí.

Andrés miró un instante por la cerradura y no dijo después una palabra ni se atrevió a poner sus ojos en los de Sotileza, mientras ésta le interpelaba así, entre angustiada e iracunda:

—¿Sabes tú lo que es esto? ¿Sabes por qué está cerrada esta puerta?

Andrés no supo qué responder. Sotileza continuó:

—Pues todo esto se ha hecho para acabar con la honra mía. ¡Mira, mira cómo la pisotean en la calle! ¡Virgen de la Soledá!... ¡Y tú tienes la culpa de ello, Andrés!... ¡Tú, tú la tienes!... ¿Ves cómo ya salió lo que yo temía? ¿Estas contento ahora?...

—Pero ¿dónde está la llave? —preguntó Andrés en un rugido, trocado de repente su abatimiento en desesperación.

—¡Ónde está la llave!... ¿No lo barruntas? En las manos o en la faldriquera de esa bribona que nos ha trancao... ¡porque andaba hace mucho detrás de algo como esto para perdición mía! Y te vería entrar aquí; y para que tú y yo seamos bien vistos al salir de la bodega juntos, habrán armao esa riña ella y su madre..., porque tienen esas cosas por oficio. ¿Te vas enterando bien de todo el daño que hoy me has hecho?

Andrés, por única respuesta a estas sentidas exclamaciones de la desventurada muchacha, se abalanzó a la puerta y en vano añadió a la fuerza de sus brazos toda la que le prestaba la desesperación para hacer saltar la cerradura. Después golpeó los ennegrecidos tablones con sus puños de hierro. Nada adelantó.

—¡Dame una palanca, Silda; un palo..., cualquier cosa! —gritó en seguida—. ¡Yo necesito abrir esta puerta ahora mismo, porque tengo que ahogar a alguno entre mis manos!

—No te apures —le dijo Sotileza, con acento de amarga resignación—, ya se abrirá a su debido tiempo, que para eso la cerraron.

Andrés dejó la puerta y corrió a la salita, acordándose de la ventana que había en ella. Pero la ventana tenía una gruesa reja de hierro. No había que pensar en moverla. Vio la vara con que Sotileza había sacudido el polvo a Muergo el día antes y trató de arrancar la cerradura apalancando con un extremo de aquélla contra el tablero de la puerta, pero la cerradura estaba sujeta con gruesos clavos remachados por fuera. Metió la vara por debajo de la puerta y tiró hacia arriba; y la vara se rompió al instante. Metió después sus propios dedos, puesto de rodillas; tiró con todas sus fuerzas... y nada, ni siquiera una astilla de aquellas tablas de empedernido roble.

Entre tanto, crecía al alboroto afuera y espesaba el grupo de mirones enfrente del portal; y Sotileza, febril y desasosegada, aplicaba a menudo la vista y el oído al ojo de la cerradura y se enteraba de todo. Veía la ansiedad por el escándalo pintada en los rostros vueltos hacia la bodega y oía las palabras infamantes que contra su honor vomitaba la boca infernal de la sardinera; y en cada instante que corría sin poder salir de aquella cárcel afrentosa, sentía en la cara el dolor de una nueva espina de las que iba clavándole allí el azote de la vergüenza. ¡Qué diría la honrada y cariñosa marinera si al volver de la plaza encontraba la calle de aquel modo y se enteraba de lo que ocurría antes de que ella pudiera relatarle la verdad! ¡Y el viejo marinero! ¡Virgen María!... ¡Qué golpe para el infeliz, cuando volviera por la tarde tan ufano y gozoso!

Estas consideraciones eran las que principalmente atormentaban a la desdichada Silda; y en la vehemencia de su deseo de salir cuanto antes a ventilar el pleito de su honra delante de la vecindad, lanzábase también a golpear la puerta y a proferir amenazas y a desahogar su desesperación a voces por todos sus resquicios.

En cuanto Andrés se convenció de que no había modo de salir de allí por la fuerza, cayó otra vez en un profundo abatimiento, que le acobardaba hasta el extremo de taparse los oídos para no sentir la baraúnda de afuera y de suplicar a Silda que no le abrumara más con el peso de sus justísimas reconvenciones. Entonces veía con perfecta claridad lo insensato y criminal del empeño en que estaba metido y el alcance espantoso que en derredor de sí iba a tener su insesatez imperdonable.

En uno de estos momentos, él, sentado, con los codos sobre las rodillas y la cabeza entre las manos, y Sotileza en medio de la sala, con los puños sobre las caderas, la vista perdida en el cúmulo de sus pensamientos, la boca entreabierta, la faz descolorida y el pecho jadeante, dijo de pronto Andrés, alzando la hermosa cabeza:

—Silda, el que la hace la paga, y si esto es ley hasta en asuntos de poco más o menos, en pleitos de la honra debe de serlo con mayor motivo. Yo estoy manchándote ahora la buena fama...

—¿Qué quieres decirme? —preguntóle duramente Sotileza, saliendo de sus penosas abstracciones.

—Que las manchas que caigan en tu honra por culpa mía yo las lavaré, como las lavan los hombres de bien.

Mordióse los labios Sotileza y, clavando sus empañados ojos en Andrés, díjole al punto:

—¡Lavar tú las manchas de la mi honra!... ¡Harto harás con limpiar *allá abajo* las que ahora mismo están cayendo encima de la tuya!

—Eso no es responder en justicia, Sotileza.

—Pero es hablar con la verdá de lo que siento. ¡Ay, Andrés!, si contabas con ese remedio pa reparar tan poco en hacerme este mal tan grande, ¡qué lastima que no me lo alvirtieras!

—¿Por qué, Silda?

—Porque pudiste habérmelo excusao con decirte yo que nunca tomaría la melecina que me ofreces.

—¿Que no la tomarías nunca?

—Nunca.

—Y ¿por qué?

—Porque..., porque no.

—Pues ¿qué más puedes pedirme, Sotileza?... ¿Qué es lo que quieres?

—De ti nada, Andrés..., ni de naide. Lo que quiero ahora —dijo Sotileza, volviéndose erguida, impaciente y convulsa hacia la embocadura del carrejo— es que se abra aquella puerta..., ¡que pueda yo salir cuanto antes a la calle y mirar a la gente cara a cara! Eso es lo que yo necesito, Andrés; eso es lo que quiero porque a cada momento que paso en este calabozo sin salida, se me abrasa algo en las entrañas.

—¿Y qué piensas hacer cuando salgamos? —preguntó Andrés, abatido de nuevo al considerar este trance de prueba.

—Eso no se pregunta a una mujer como yo —dijo Sotileza, que por momentos iba embraveciéndose—. Pero ¿por ónde salgo, Dios mío?... ¡Y yo quiero salir!... ¡Yo me ahogo en estas estrechuras!... ¡Virgen María..., qué pesaúmbre!

Andrés, condolido de la situación de la desesperada moza, salió de la salita resuelto a hacer otra tentativa en la puerta de la bodega. Al acercarse a ella, tropezaron sus pies con un objeto que resonó al deslizarse sobre las tablas del suelo. Recogióle y vio que era una llave. ¿Quién la había puesto allí?... ¿Y qué más daba?

Tal miedo tenía Andrés a la salida en medio de la tempestad que continuaba rugiendo en la calle, que estuvo dudando si ocultaría el hallazgo a Sotileza.

—¿Qué haces, Andrés? —le preguntó ésta, que le observaba desde la salita.

Andrés corrió hacia ella y le mostró la llave, diciendo dónde la había encontrado. Sotileza lanzó un rugido de alegría feroz.

—¡Ah..., la infame! —dijo en seguida—. ¡La echó por debajo de la puerta!... ¡Justo! Pa que abramos por adentro y se crea lo que ella quiere... ¡Pues veremos si te vale el amaño, bribonaza!...

Todo esto lo decía Sotileza temblorosa de emoción, mientras se abalanzaba a la llave y la reconocía con una ojeada abrasadora, después de arrancársela a Andrés de la mano.

Éste, olvidado un momento de la situación comprometidísima en que se hallaba, contempló con asombro la transformación que iba notándose en aquella criatura incomprensible para él. Ya no era la mujer de aspecto frío, de serena razón y armoniosa palabra; no era la discreta muchacha que apagaba fogosos y amañados razonamientos con el hielo de una reflexión maciza; ni la provocadora belleza que levantaba tempestades en pechos endurecidos con el centelleo de una sola mirada; ni la gallarda hermosura que para ser una dama distinguida, en opinión del ofuscado Andrés, sólo la faltaba cambiar de vestidura y de morada; ni, por último, la doncella pudorosa que lloraba, momentos antes, por los riesgos que corría su buena fama. Ya era la mujer bravía; ya enseñaba la veta de la vagabunda del muelle Anaos y de las plazas de Bajamar; ya en sus ojos había ramos sanguinolentos, y en su voz, tan armoniosa y grata de ordinario, dejos de sardinera, como los que a la sazón llenaban todos los ámbitos de la calle.

Así la vio apartarse de él como una exhalación, llegar a la puerta, abrirla con mano temblorosa, salir al portal y lanzarse en medio del grupo que obstruía la acera inmediata. Ni fuerzas hallaba él, en tanto, en sus piernas, para sostenerle derecho el cuerpo desmayado. Pero consideró que una actitud así era el mejor testimonio de su imaginada delincuencia; y se rehízo súbitamente y salió de su escondrijo detrás de Sotileza, resuelto a todo, aunque sin otro plan que el de ampararla.

Por asomar al portal, Sotileza vio la estampa de la aborrecida Carpia entre lo más espeso del grupo. Ni titubeó siquiera. Se lanzó a ella con el coraje de una fiera perseguida, apartando la gente, que no trataba de cerrarla el paso; y echándola ambas manos sobre los hombros, la dijo, clavándole en los ojos el acero de su mirada:

—¡Alza esa cabeza de podre y mírame cara a cara! ¿Me

ves, pícara? ¿Me ves bien, infame? ¿Me ves a tu gusto ahora?
Carpia, con ser lo que era, no se atrevía en aquel momento ni a protestar contra las sacudidas que daba Sotileza
a su cara para ponerla más enfrente de la suya. ¡Tan fascinada la tenían el fiero mirar y la actitud resuelta de aquella
herida leona, si es que no influía también en su desusado en-
cogimiento el peso de su pecado!

Sotileza, exaltándose a medida que se amilanaba la otra,
añadió, sin dejarla escaparse de sus manos:

—¿Y has pensao que basta que una zarrapastrona como
tú quiera deshonrar a una mujer de bien como yo, para que
se salga con la suya? ¿Cuándo lo soñaste, infame? Me celas-
tes la puerta como zorra traidora; y cuando vistes entrar
en mi casa a un hombre honrado, que entra en ella todos
los días por delante de la cara de Dios, nos encerrastes
allá, pensando que, al salir los dos con la llave que echastes
por debajo de la puerta, ibas a afrentarme delante de la
vecindá que habéis amontonado aquí tú y la bribona de tu
madre con un escándalo de esos que sabéis armar cuando
vos da la gana... ¡Pues ya estoy aquí!, ¡ya me tienes en la
calle! ¿Y qué? ¿Piensas que hay en ella alguno, por dejao de
la mano de Dios que esté, que se atreva a pensar de mí lo
que tú quieres?

Según iba gritando Sotileza, calmábanse las riñas como
por encanto; todas las miradas se convertían hacia ella y todos los ánimos quedaron suspensos de sus palabras y ademanes. La Sargüeta se retiró de su balcón precipitadamente,
como se esconde un reptil en su agujero al percibir ruidos
cercanos, y Carpia pensó que se le caía el mundo encima
al verse en medio de aquella silenciosa multitud, a solas
con su implacable enemigo y tan cargada de iniquidades.

—¿Véistelo? —continuó Sotileza, sin soltar a Carpia, mirando con valentía a corrillos y balcones—. ¡Ni tan siquiera se atreve a negar la maldá que la echo en cara! ¿Estará
la infame bien abandoná de Dios? Mira, ¡envidiosa y desal-
mada!, salí de la prisión en que me tuvistes con ánimo [175]
de arrastrarte por los suelos: ¡tan ciega me tenía la ira! Pero
ahora veo que para castigo tuyo, a más del que te está dando la conciencia, sobra con esto.

---

[175] *Ánimos*, en la primera edición.

Y la escupió en la cara. En seguida, con un fuerte empellón, la apartó de sí.

Apenas había en la calle quien no tuviera algún agravio que vengar en la lengua de aquella desdichada y, por eso, cuando en un arrebato de furia, al verse afrentada de tal modo, trató de lanzarse sobre la impávida Sotileza, un coro de denuestos la amedrentó y una oleada de gente la arrebató más de diez varas calle arriba. Una mozuela se acercó entonces a la triunfante Silda y la dijo en voz muy alta:

—Yo la vi dende allí enfrente trancar la puerta de la bodega.

—Y yo echar la llave por debajo, a media güelta que dio endenantes con desimulo —añadió un vejete con la moquita colgando [176]—. Primero lo dijera yo, porque soy hombre de verdá, pero de perro villano hay que guardarse mucho mientres esté sin cadena.

—¡Si no podía engañarme yo..., porque no podía ser otra cosa! —exclamó Sotileza, congratulándose de aquellos dos testimonios inesperados—. Pero bueno es que alguno lo haya visto..., ¡y quiera Dios que vos atreváis a decirlo bien recio en otra parte, si por ello vos pregunta quien puede castigar estas infamias con la ley!

No podía más la infeliz: un sollozo ahogó la voz en su garganta; llevóse ambas manos a los ojos y corrió a esconder su desconsuelo en el rincón más apartado de la bodega. Mares de llanto vertió allí, rodeada de la compasión cariñosa de Pachuca y otras convecinas, que la dejaban llorar, porque sólo llorando podía aliviarse un corazón repleto de pesadumbres tan amargas.

¿Y Andrés? ¡Qué papel el suyo... y qué castigo de su ligereza! No pasó el portal. Desde allí observó que la curiosidad de todos estaba saciándose en lo que hacía y decía Sotileza y que para nada se acordaban de él; y en cuanto se resolvió el grupo que tenía enfrente para arrollar a Carpia y se llevó detrás todas las miradas de la gente de la calle, convencido además de que ningún riesgo material corría ya la víctima de sus imprudencias, salió del portal y se fue deslizando, como a la disimulada, acera abajo, hasta llegar a la cues-

---

[176] Detalle original e inesperado; sobre todo, porque Pereda no acostumbra dar pormenores gratuitos en las acotaciones.

ta del Hospital, donde respiró con desahogo, dio dos recias patadas en el suelo, apretó los puños y aceleró su marcha, como si le persiguieran garfios acerados para detenerle.

Bajando a la Ribera por el Puente, vio a tía Sidora, que subía por la calle de Somorrostro con otra marinera, detenerse de pronto para dar una risotada de aquellas suyas, con temblores de pecho y de barriga. Aquella risotada fue un azote para la cara de Andrés y una tenaza para su conciencia. Apretó el paso más todavía y así anduvo, sin saber por dónde, hasta la hora de comer; y entonces se metió en su casa, sin atreverse a medir con la imaginación toda la resonancia que podía llegar a tener aquel suceso, cuyos detalles, estampados a fuego en su memoria, le enrojecían el rostro de vergüenza.

XXIV. FRUTOS DE AQUEL ESCÁNDALO

¡Si tuvo resonancia el caso! ¡Cómo no había de tenerla con aquel aparato, a aquellas horas, siendo Andrés quien era y su cómplice tan afamada en el barrio y aun fuera del barrio, y la ciudad tan pequeña todavía! Se supo todo, todo y muchísimo más; porque la imaginación del vulgo es fecundísima en supuestos y la frescura de las gentes imperturbable en acreditarlos con grandes visos de verdad. Y se dijo... ¿Quién es capaz de saber lo que se dijo y cómo fue rodando la bola de nieve, y creciendo, creciendo, hasta que pudieron verla los más ciegos y percibir los más sordos sus crujidos?

Don Pedro Colindres frecuentaba muchos centros cuya miga era el tufillo alquitranado. Allí toda la concurrencia de tertulianos era de gentes de su profesión; y entre estas gentes andaba, con más calos que entre otras, rodando lo cierto y lo imaginado sobre el fresquísimo suceso de la calle Alta. Nadie fue tan imprudente que relatara la historia con pelos y señales al padre del protagonista de ella; pero el capitán, con los desperdicios de tantas conversaciones sobre el mismo tema, cortadas de pronto al acercarse él a los relatantes, fue poco a poco acumulando recelos que, con los precedentes que ya tenía, imbuidos por su mujer, llegaron a producirle muy serias inquietudes. La capitana las tuvo insoportables antes que él, porque las *amigas* que se le acercaron, recién atiborradas de aquellas noticias, fueron menos prudentes que los amigos del capitán y dejáronla, con el escozor de las presunciones, a dos dedos de la verdad. Lo poco que faltaba hasta dar con ella lo llevaba escrito Andrés en su azoramiento nervioso, en su aire distraído, en su desazón alarmante.

Cuando, apenas cerrada la noche, entró en casa, en este mismo estado en que, con extrañeza, le habían visto a la hora de sentarse a la mesa, le llamó su padre al gabinete, donde acababa de tener una larga conferencia con su mujer. Andrés acudió al llamamiento sin intentar siquiera el disimulo del martirio mortal en que se hallaba. Entró, pues, en el gabinete como entra un reo animoso en la capilla: con la agonía en su espíritu, pero no indócil ni desesperado.

Don Pedro Colindres, al verle así, notó que se trocaba su indignación en honda pena y le dijo:

—En buena justicia no podrás tenerme, Andrés, por padre duro de entrañas; no podrás decir que te he esclavizado a mis caprichos de hombre intratable; que no te he dado toda la libertad que me has pedido; que no he puesto de mi parte todo cuanto me ha sido posible para ganar tu sumisión con el cariño y no con las durezas, porque no he querido en ti el temor sino el respeto y, en todo lo que fuera compatible con el que me debes, la confianza.

—Es la pura verdad —respondió Andrés.

—Pues en testimonio de que así lo crees y de que no eres desagradecido, vas a declarar aquí mismo, ahora mismo, lo que te pasa, lo que te ha pasado esta mañana.

Andrés sintió su cuerpo bañado en un sudor frío y mortal; faltáronle las fuerzas con que había contado y se dejó caer en una silla junto a la cual estaba de pie. Alarmóse su madre al verle tan pálido y se lanzó a él de un brinco desde el sofá en que se hallaba sentada. El capitán se acercó también, pero no alarmado, porque conocía mejor que su mujer la causa del desfallecimiento de su hijo.

—¿Qué te sucede, Andrés?... ¡Hijo mío! —exclamaba la capitana, cogiéndole la cabeza entre sus manos.

—Nada —respondió Andrés, enderezándose y queriendo sonreír con gran esfuerzo de su voluntad.

—Pues claro que no es nada —observó don Pedro para tranquilizar a su mujer. Después, encorvando su cuerpo hasta interponerse entre ella y su hijo, habló a éste así, dulcificando cuanto pudo la natural rudeza de su acento: —Bien conozco que es duro el trance en que te pongo con mi exigencia, pero, ¡qué demonio!, temporales más fuertes corremos los hombres con el ánimo encogido, eso sí, pero con la cara serena... Ya ves, hay que dar ejemplo... Conque un poco de voluntad y pecho al agua, hijo... ¿Tienes algún reparo en hablar delante de tu madre... de ciertas cosas que habrá de por medio?... ¿Quieres que se marche de aquí?... ¿Tienes más confianza con ella y quieres que me marche yo?... Con franqueza, hombre, ¡lo que tú quieras!..., ¡lo que quieras, hijo, con tal de que nos saques luego de estas ansias que nos ahogan!

—No quiero que se marche nadie —respondió Andrés—, porque nada de lo que tengo que decir es para afrentarse con ello por lo que fue en sí, aunque, por el modo de ser, se lo haya parecido a algunos.

—Pues ya te estamos oyendo —dijo el capitán—. Conque habla; pero sin ocultarnos ni una pizca de la verdad.

Aquí comenzó Andrés a relatar el caso con la mayor exactitud y hasta con exornaciones de su cosecha, para darle más colorido de interés, con el santo fin de que resaltara, en el mayor bulto posible, la iniquidad de las hembras de Mocejón.

La capitana se tapaba los ojos con las manos al describir su hijo los alaridos de las reñidoras y la avidez de los curiosos mientras él estaba encerrado en la bodega, y cuando salió hasta el portal detrás de Sotileza, hecha una tempestad, y más tarde se lanzó a la calle, viendo centellas sus ojos y pisando lumbre sus pies.

—¡Qué vergüenza, Virgen Santísima, para ti... y para todos nosotros, Andrés! —exclamó la capitana al acabar su hijo el relato.

El capitán largó un taco embreado, aunque a media vela, y, mirando con duro ceño a su hijo, le habló así:

—No está mal hecha la historia; y lo digo porque, con sólo oírtela, hubiera jurado yo que se me iba pintado de almagre toda la cara. Pero falta lo más interesante de ella y espero que nos lo cuentes con la misma exactitud con que nos has contado lo demás.

—Pues no queda nada por referir —dijo Andrés con bien poca sinceridad.

—¡Vaya si queda! —exclamó su padre—. Ahora tienes que decirnos a qué ibas tú a la bodega esa de la calle Alta.

—Pues iba —respondió Andrés, muy vacilante y desconcertado— a recoger unos aparejos que...

—¡Mentira, Andrés, mentira!... —le interrumpió su padre con voz y ademanes muy airados—. Por eso sólo, que pudo hacerse a otra hora cualquiera del día o de la noche, no faltas tú, como faltaste esta mañana, a tus deberes en el escritorio. ¡Confiésanos la verdad, Andrés!

—Ya la he confesado.

—¡Te repito que mientes!

—Pero ¿qué quieren ustedes que les diga yo? —preguntó Andrés con un acento en que se confundían la contrariedad harto manifiesta y el enojo mal disimulado.

—La verdad, nada más que la verdad —insistió su padre—. ¿Qué intenciones te llevaban a esa casa a tales horas?

—Las que me han llevado tantísimas veces —respondió Andrés de muy mala gana.

—Me lo voy sospechando —dijo con voz terrible el capitán—. Pero, cuando menos, en esas otras veces había en la casa alguien más que esa mujer; tú no faltabas a tus deberes; te podía disculpar la fuerza de tus aficiones... Ahora no hay nada que te disculpe, Andrés, nada; nada en cuanto el suceso arroja de sí; todo ello te condena... Y si te callas, ¿qué es lo que debemos creer?

Andrés permaneció unos instantes con la cabeza inclinada, la mirada indecisa y retorciéndose con mano nerviosa una de las guías de su bigote. Después se alzó de la silla y comenzó a dar cortos y agitados paseos por el gabinete. Estando así, su madre no apartaba de él los ojos anhelantes y el capitán insistió en su pregunta:

—¿Qué es lo que debemos creer, Andrés?

Éste, acosado de nuevo en un callejón sin salida, respondió seca y brutalmente:

—Lo que a ustedes les parezca.

—¿Lo ves, Pedro, lo ves? ¿Ves cómo salió lo que yo me temía? —exclamó al punto la capitana—. ¡Ya han dado sus frutos aquellas malas compañías! ¡Ya nos lo echaron a perder! ¡Dime ahora que veo visiones y que soy una madre impertinente!

—¡Déjame en paz con doscientos mil demonios, Andrea, que éste no es momento de ventilar esas cosas! —replicó a su mujer el capitán con voz huracanada; y en seguida, volviéndose hacia Andrés, le dijo, temblando de ira: —La única respuesta que cuadraba a eso que acabas de decirme era un bofetón que te dejara sin muelas en la boca, ¡mentecato! Pero todo se andará, si en que se ande te empeñas, yo te lo aseguro... ¿Qué es lo que buscas con esas respuestas, después de lo que te ha sucedido? ¿Quieres matar, pisoteando el cariño de tus padres, el bochorno que te da el acobardarte de lo que has hecho, o tratas de engañarnos con la misma verdad? Pues entiende que yo te cojo por la palabra y que creo lo que me parece; y que esto que a mí me parece es lo peor de lo que yo puedo creer. ¿Lo entiendes bien?

—Sí, señor —respondió Andrés, insensible y sombrío.

—Corriente —añadió su padre, apretando los puños y mordiéndose los labios de ira—. Pues ahora nos queda otro punto que ventilar aquí y de mayor importancia que todos los demás.

La pobre Andrea no cesaba un punto de pasear su mirada angustiosa de la cara de su marido a la cara de Andrés.

—En el lance de esta mañana no has sido tú solo el corrido de vergüenza ni el único que está dando pábulo a las zumbas de todo aquel barrio y de media ciudad. Considerando eso..., porque tú lo habrás considerado bien, ¿qué ideas te pasan ahora por la cabeza? ¿Con qué aparejo piensas dar la proa al temporal?

—Con el que sea necesario —respondió sin vacilaciones Andrés.

—¡Eso no es responder bastante!

—Pues yo no puedo responder más.

—¡No pongas a prueba mi paciencia, Andrés!

—¡Pues tenga usted algo de caridad conmigo!

Andrea miró entonces a su marido con una expresión en que iban recomendados los deseos de Andrés.

—¡Caridad! —respondió el capitán, sin hacer caso de las miradas de su mujer—. ¿Pues la tienes tú con tu padre? ¿No presumes que cada respuesta de las tuyas es una puñalada para nosotros?... ¡Y no te dejaré ya de la mano, no, aunque pongas el grito en el cielo; porque mucho más me duelen a mí los golpes de las palabras tuyas! Con ellas me has demostrado que mi pregunta te ha llegado a lo vivo; y a dar en lo vivo tiraba yo, Andrés. Y eso vivo es muy grave y se conoce en lo que tiemblas y por lo que te callas, más que por lo que dices... ¡Habla, hijo; pero por derecho y claro, sin embustes ni rodeos! Tu madre y yo tenemos que conocer la extensión de esas aventuras, el rumbo de tus intenciones. ¡Mira que tememos que sean muy malas, porque si fueran buenas ya nos lo hubieras dicho!

Decirle a Andrés que eran muy malas sus intenciones, en el supuesto de que se enderezaran a lavar las manchas arrojadas por él mismo en el honor de Sotileza, era sacar de quicios al fogoso muchacho. No cruzaba por sus mientes, maduro y sazonado por lo menos, el pensamiento que su padre temía; y no cruzaba así porque la misma Sotileza se le había desdeñado al conocerle, en momentos bien críticos para la pobre muchacha. Pero ¿por qué, en el supuesto de que existiera, se le maltrataba de tal modo? ¿Por qué el honor de la huérfana de Mules, capaz de aquel noble desinterés, no había de ser tan digno de respeto como el de la más empingorotada señorona?

Y estas consideraciones, hechas en un instante por Andrés, desconcertáronle en términos que las dio traducidas en palabras que dijo para responder a los mandatos y advertencias de su padre.

La capitana tuvo que interponerse entre su marido y Andrés, para evitar que el primero cumpliera la amenaza que había hecho antes al segundo.

No era don Pedro Colindres hombre capaz de tener en poco la honra ajena sólo por verla en hábitos humildes, pero la respuesta de Andrés, por lo descosida, por lo irrespetuosa, por lo desatinada, en fin, le había hecho creer que sólo se trataba allí de un antojillo pueril, de una muchachada peligrosa, de una llamarada de pasión que era preciso apagar a todo trance y sin pérdida de un solo momento. Y por si la sospecha no llevaba bastante peso por sí sola, la reforzó la capitana, que se había quedado atónita con las declaraciones de su hijo, con estas palabras que salieron vibrantes de su boca:

—Y después de oír esto, Pedro, ¿no caes en la cuenta de lo demás? ¿No se ve bien claro que lo del encierro en la bodega y lo del escándalo en la calle no ha sido otra cosa que un amaño de esa pícara para atrapar mejor a este inocente?

—¡Es falso ese supuesto! —respondió iracundo el fogoso mozo, olvidado del respeto que debía a su madre, por la gran injusticia que se cometía con la honrada callealtera.

—¡Hasta eso, Andrés, hasta eso! —increpóle su padre, lanzando rayos por los ojos—. ¡Hasta el cariño y el respeto de tu madre pisoteas por salirte con la tuya! ¡Hasta ese extremo te han corrompido el corazón! ¡Hasta ese punto te han cegado los ojos!

——¡Yo no pisoteo esas cosas, padre! —respondió medio sofocado Andrés—. Pero no soy una peña dura y me duelen mucho ciertos golpes. ¡Que no me los den!

—¿Y los que tú nos estás dando a nosotros ahora, hijo del alma, piensas que no duelen? —díjole su madre con el llanto en los ojos.

—¡Bah! —exclamó don Pedro Colindres con feroz ironía—. ¿Qué importan esos golpes? Yo ya soy casco arrumbado; tú, caminando vas a ello... Días antes, días después, ¿qué más da?... Y con nosotros bien cumplido tiene. Lo que ahora importa es que él no pase una mala desazón y que no pierda sueño la señora marquesa del pingajo... ¡Ira de Dios!... Esto no se puede sufrir y yo no contaba con ello..., porque ni tu madre ni yo lo merecemos, Andrés, ¡ingrato!, ¡mal hijo!...

—¡Señor! —murmuró roncamente Andrés, sofocado bajo el efecto de estas palabras, que caían en su corazón como gotas de plomo derretido.

—Pedro, ¡por el amor de Dios!, cálmate un poco —díjole la capitana, llorando—, que él hablará y nos dirá lo que queremos. ¿No es verdad, Andrés, que vas a decir... lo que debe decirse..., porque tú no has dicho nada con serenidad hasta ahora?

—Tras de lo que nos ha confesado —interrumpió el capitán sin dar tregua a sus iras—, nada puede decirme que no sea una nueva insensatez o una mentira que yo no he de tragarle...

—Ya usted lo oye —dijo Andrés a su madre—; estoy de más aquí, porque, si se me pregunta, yo no he de dejar de responder conforme a lo que siento.

—Pues por eso —saltó el capitán, llegando a los últimos límites de su exasperación—, porque conozco la mala calidad de lo que sientes, no quiero oírte una palabra más; por eso estás aquí de sobra; por eso quiero que te me quites de delante... y que no vuelva a verte yo enfrente de mí mientras no vengas pensando de otro modo... ¿Lo entiendes?, ¡mentecato!, ¡desagradecido!...

—No lo olvidaré —contestó Andrés con sequedad.

Y salió del gabinete apresuradamente.

Don Pedro Colindres se quedó en él dando vueltas de un lado para otro, como tigre en su jaula. La capitana le seguía en sus desconcertados movimientos con los ojos llenos de lágrimas y algunas reflexiones entre los labios, que no llegaron a salir de ellos. Así pasó un buen rato. De pronto, dijo el capitán, sin dejar de moverse:

—Dame el sombrero, Andrea.

—¿A dónde quieres ir?

—A la calle Alta ahora mismo. Es necesario estudiar este punto sobre el terreno y no desperdiciar instante ni noticia para conjurar el mal, cueste lo que cueste.

A la capitana le pareció bien la idea, casi tanto como otra que se le había puesto a ella entre cejas desde las primeras respuestas de Andrés.

No había llegado al portal don Pedro Colindres, cuando su mujer estaba ya poniéndose la mantilla apresuradamente. Minutos después iba caminando hacia casa de don Venancio Liencres...

Andrés había salido a la calle rato hacía.

XXV. OTRAS CONSECUENCIAS

En poquísimas horas ¡cómo había cambiado de aspecto el interior de la bodega de tío Mechelín! ¡Qué cuadro tan triste el que ofrecía, mientras don Pedro Colindres enderezaba sus pasos hacia ella! Silda, desfallecida, cansada de llorar y sin lágrimas ya en sus ojos enrojecidos, sentada en un taburete, apoyaba su hermoso busto contra la cómoda por el lado fronterizo al dormitorio, cuyas cortinillas estaban recogidas hacia los respectivos extremos de la barra. No daba otras señales de vida que algún entrecortado suspiro que quería devorar, y no podía, en el fondo mismo de su pecho, y las miradas tristes que de vez en cuando dirigía al lecho de la alcoba, sobre el cual yacía vestido el viejo marino. Tía Sidora, sentada a media distancia entre los dos, padeciendo por las penas de ellos tanto como por las suyas propias, sólo dejaba de consolar a Sotileza para acudir con sus palabras de mal forjados alientos a levantar los abatidos ánimos de su marido. Y, entre tanto, ¡cómo se le deslizaban, gota a gota primero y después hilo a hilo, las lágrimas por lo noblota faz abajo!...

Conocíalo Mechelín en el temblar de la voz de su pobre compañera, porque la luz del candil no daba para tanto; y queriendo pagarla sus esfuerzos con algo que se los evitara, decía desde su lecho, con el ritmo triste de los agonizantes:

—¡Cosa de na, mujer, cosa de na!... Sólo que anda uno tan apurao de casco, tan resentío de fondos, que el tocar en una amuyuela * le hace una avería en ellos... Hazte tú bien el cargo... Venía uno de la mar con un poco de risa en el ánimo, porque le duraba a uno entoavía el acopio de la de ayer... y hasta pensaba uno ir tirando con ello... esta semana siquiera. Dempues, Dios diría... Y remando así oye uno este decir y el otro en metá de la calle; y pregunta uno y va sabiendo mucho más...; y entra uno en casa con el agua a media bodega y encuentra aquí el sospiro y allá las lágrimas y acaba uno de irse a pique sin poderlo remediar..., ¡porque no está uno avezao a eso y no es uno de peña viva!... Pero güelve el hombre a flote otra vez y, aunque saque una costilla quebrantá... u la boca muy amarga..., esto pasa; los tiempos lo curan..., de un modo u de otro..., y a remar otra vez, Sidora... Y este es el caso, porque yo no estoy pior que ayer, aunque a ti te paezca cosa diferente; estoy un poco desguarnío, motivao a lo que sabéis; me pedía el cuerpo esta miaja de descanso y he querío dársela. Y no hay más.

—¿Y te paece poco, Miguel..., te paece poco? —replicábale su mujer.

—Poco, Sidora, poco —tornaba a decir el marinero—; y menos me paeciera entoavía si ese angeluco de Dios no penara tanto y considerara que no tiene faltas de que avergonzarse, ni siquiera señal de culpa en lo que ha pasao.

—Eso la digo, Miguel, eso la digo yo; a ello me responde que de qué sirve la verdá si no hay quien la crea.

—¡Dios que la ha visto, hijuca, Dios que la ha visto! —exclamó entonces Mechelín desde su cama—. Y con ese testigo a tu favor, ¿qué importa el mundo entero en contra tuya?

—Pos ni ese enemigo tiene, Miguel, porque aquí ha visto entrar la calle entera a condolerse de su mal y a poner a las causantes en el punto que merecen... Pero ¡válgame el Santísimo Nombre de Jesús!... ¿De qué mil diantres estarán hecas esas almas de Satanás?... ¿Por qué serán tan negras?... ¿Qué recreo sacarán de causar tantos males a criaturas que no los merecen? ¿Cómo pueden vivir una hora con una entraña tan corrompía?...

—¡Ésas, ésas! —exclamó Silda entonces, reanimándose un instante con el aguijón de sus punzantes recuerdos—. ¡Ésas son las que me han clavao un puñal aquí..., aquí, en metá del corazón!... ¿Ya no habrá justicia que las castigue en el mundo antes que Dios las dé allá lo que merecen?...

—Tamién se tratará de eso, hijuca; que por onde cogelas hay, según es cuenta —repuso tía Sidora—. Y si la nuestra mano no bastara pa ese fin, otras habrá de más alcance y bien interesás en ello. Ya se te ha dicho: alcuérdate de que no has sido tú sola la ofendía.

—¡Uva, uva! —dijo tío Mechelín.

—Porque me acuerdo de ello se me dobla la pena —replicó Silda con una intención que estaban muy lejos de conocer tía Sidora y su marido.

—Verdá es —dijo aquélla— que, respetive a ese otro particular, no pudo la mancha haber caído en paño que más estimáramos... ¡Cómo ha de ser hijuca!... Un mal nunca viene solo... Pero Dios está en los cielos y hará que esa persona no se ofenda con los que no están culpaos en su daño. Él vino por su pie, naide le llamó, y el recao que traía, bien pudo traerle en ocasión de menos riesgo... ¡Riesgo digo yo! ¿Cómo había de recelársele tan siquiera ese corazón de oro?... Y tocante a las gentes de su casa, tamién se pondrán en la razón pa no creer que los pagamos con afrentas los favores que han sembrao aquí. ¿No te haces tú este cargo, hijuca?...

Sotileza se mordió los labios y cerró los ojos, apretando mucho los párpados, como si la atormentaran internas visiones siniestras. Tío Mechelín lanzó un quejido angustioso y se revolvió en su lecho.

—¿Quieres que te cambie el reparo, Miguel? —preguntóle tía Sidora, acercándose presurosa a la cabecera de la cama.

—No hay pa que te canses en ello por ahora —respondió Mechelín tras un profundo suspiro; y añadió por lo bajo, aproximando lo más que pudo la cabeza a su mujer—: Trabaja por aliviar la pena a ese angeluco de Dios y no te alcuerdes de mí, que con la melecina de este descanso estoy tan guapamente.

Pero a Silda, aunque los agradecía mucho, la mortificaban ya los consuelos de aquella especie. ¡Había oído tantos desde el mediodía! Conociólo tía Sidora, calló y volvió a reinar el silencio en la bodega.

Así estaba el cuadro cuando se oyeron golpes a la puerta, que estaba trancada por dentro. Salió a abrir la marinera, después de secarse los ojos con el delantal, y se halló frente a frente con don Pedro Colindres, cuya actitud airada espantó a la pobre mujer. Temiéndose lo más malo, de buena gana le hubiera pedido un poco de caridad para el desconsuelo y los dolores de aquella casa, pero no se atrevió a tanto; y don Pedro, tras brevísimas y secas palabras, entró en la salita, precediendo a tía Sidora. Sotileza, al verle delante, con la sangre helada en sus venas, se levantó repentinamente, y tío Mechelín, al conocer la voz del capitán, se arrojó de la cama al suelo, pero le engañó la voluntad y sólo pudo llegar hasta la puerta de la alcoba, a cuyo marco se agarró para no desplomarse.

—¿Qué es eso, Miguel? —preguntó Colindres, sorprendido con la aparición del pobre marinero, tan pálido, desfallecido y desencajado.

—Poca cosa, señor don Pedro, poca cosa —respondió con angustia, aunque tratando de sonreír, el interrogado—. Quería yo recibirle a usté con los honores que aquí se le deben y me falló el aparejo...; vamos, que me equivoqué.

Y como el pobre hombre se desfalleciera más al hablar así, el mismo capitán le cogió en sus brazos y, ayudado de las dos mujeres, le volvió a la cama.

—Ya soy hombre otra vez, señor don Pedro —dijo Mechelín un momento después de hallarse tendido sobre el lecho—. Está visto que, en dándole al cuerpo esta melecina, no pide cosa mayor... por la presente.

Cuando se volvió el capitán hacia las dos mujeres, que habían salido de la alcoba, observó que lloraban en silencio. El corazón del viejo marino, aunque envuelto en corteza ruda, era, como se sabe, blando y compasivo. No hay, pues, que extrañar que el padre de Andrés, al llegar el momento de soltar aquellas tempestades que le batían el cerebro al salir de su casa, no supiera por dónde comenzar ni cómo arreglarse para exponer la razón de su presencia en medio de aquel triste cuadro.

Al fin, y queriendo mostrarse más entero de lo que estaba, dijo a las angustiadas mujeres:

—¿Qué mil demonios está pasando aquí?... Vamos a ver... Porque lo de Miguel no es para tanto moquiteo.

—¡Ay, señor! —respondió la marinera entre sollozos ahogados—. ¡Eso, después de lo otro!...

—¿Y cuál es lo otro, mujer?

—¡Lo otro!... Pos pensaba yo que por ello sólo venía usté.

—¡Uva! —dijo tío Miguel desde su cama.

Al capitán se le amontonaron en la cabeza todos los recuerdos de su reciente entrevista con Andrés; y la mala sangre que las imprudencias de éste le habían hecho le obligó, retoñando de pronto, a decir con mucha exaltación:

—Es verdad, Sidora, por ello sólo he venido aquí. ¿Te parece bastante motivo para el viaje?

—Y sobrao, con más de la mitá, señor —respondió la pobre mujer, acoquinada.

Silda, que no podía tenerse de pie, volvió a sentarse en el mismo rincón en que la vimos antes.

El capitán, encarándose a ella, la dijo con cierta sequedad:

—Es preciso que yo sepa de tu misma boca lo que ha pasado aquí esta mañana. ¿Tienes ánimos para referirlo, sin quitar un ápice de la verdad ni añadir una tilde que la desfigure?

—Sí, señor —respondió con entereza la interrogada.

—Por supuesto, Miguel —añadió Pedro Colindres, volviéndose hacia la alcoba—, en el supuesto de que el relato no sirva de cebo a tus males; porque, aunque el caso apura, no es puñalada de pícaro. Yo volveré a otra hora...

—No, señor don Pedro —se apresuró a responder Mechelín—, no hay pa qué molestarle a usté más; porque, apuramente, relato es ese que hasta me engorda el oírle. Y no se espante de ello, que consiste en que, cuando más me repiten el caso, más me voy hiciendo a él y menos me daña acá dentro... Cuenta, cuenta, saleruco de Dios, sin reparo de na, pa que se entere bien el señor don Pedro.

—Y bien puede usté creer al venturao —añadió tía Sidora—, que por gusto de él no se hablara de otra cosa en todo el santo día de Dios en esta casa.

Con estas manifestaciones y la buena y bien notoria voluntad de Silda, comenzó ésta a referir el suceso con los mismos pormenores que le había referido Andrés en su casa.

—Exactamente —dijo el capitán, apenas acabó Sotileza su relato—. Lo mismo que yo sabía hasta donde tú lo has dejado. Pero después acá, ¿qué más ha ocurrido?

—Señor..., yo a punto fijo no lo sé y no puedo responderle más.

—A lo que paece y por lo que cuentan los vecinos que aquí van entrando —dijo tía Sidora—, el mal enemigo que lo regolvió dende abajo se vio a pique de que la arrastraran las gentes por el moño. Porque antes de que esta venturá saliera de su cárcel, ya ellas habían contreminao * la calle entera con injurias y maldaes... ¡Si no medran de otra cosa, señor! Después, la de abajo subió y se encerró en casa con la otra, sin atreverse a abrir las puertas del balcón, porque habían sembrao muchos agravios y, por malas que sean, tenía que pesarles la obra en la conciencia..., siquiera por el miedo... Luego llegaron de la mar el padre y el hijo: aticuenta que la noche y el día; y rifieren que hubo en la casa una tempestá, porque al uno, arrimao a las pícaras con la mala intención, too le paecía poco; y al otro venturao se le partía el corazón y se le caía la cara de vergüenza. Creo que maltrató a la hermana y estuvo en poco que no le alcanzaran golpes a su madre. Aquí ha bajao... no sé cuántas veces; de aquella entrá no pasa y allí se está arrimao a la paré, con las manos en las faldriqueras, el ojo airao y la greña caída. No dice *jus* ni *muste* [177], por más que se le anima pa que vea que no se le cobran a él pecaos de su casta..., y se güelve como entró... Hay quien dice que se puede hacer bueno, con testigos, lo que esos demonios dijeron y traficaron pa perdición de esta casa, y que no deben quedar tantas maldaes sin castigo... Y esto es too lo que le podemos decir a usté, señor don Pedro, por lo que nos cuentan de lo que ha pasao en estas horas que llevamos arrinconaos en esta soledá tan triste... Tocante al probe Miguel, ya se puede usté hacer cargo: es viejo, está muy achacoso; encontróse con esto al llegar a casa..., ¡él, que había salido de ella hecho unas tarrañuelas!..., y cayó desplomao; vamos, desplomao como una paré vieja... De modo que no es asombrarse naide porque a esta esventurá y a mí se nos escape la glárima de tarde en cuando. ¡Han visto tan pocas las paredes de esta casa, señor don Pedro!

No le faltaba mucho a éste para contribuir con una más a las ya vertidas allí, cuando acabó su relato entre sollozos la atribulada marinera, porque bien tenía su hijo a quien salir en muchas de sus corazonadas de carácter; pero sorteó bien el apuro y, resuelto a cumplir su propósito de examinar bien aquel terreno, ya que estaba sobre él y podía con un poco de prudencia hacerlo sin molestar a nadie, continuó sus investigaciones así:

---

[177] *No dice jus ni muste:* ¿dial?, no dice oxte ni moxte. No habla palabra, no despliega los labios.

—No es eso, precisamente, de lo que yo trataba de averiguar, Sidora, aunque me alegre de saberlo.

—Usté dirá, señor.

—Quería yo que me dijerais qué impresión os ha causado el suceso...

—Pues bien a la vista está, señor...

—No es eso tampoco... No he hecho yo la pregunta bien. ¿Qué propósitos tenéis después de lo ocurrido? ¿A quién echáis la culpa?...

—¡La culpa!... ¿A quién se la hemos de echar? A quien la tiene: a esas pícaras de arriba... Bien claro lo ha dicho tamién esta desgraciá...

—Ya, ya; ya me he enterado. Pero suele suceder, cuando se examinan en familia casos como ése de que tratamos, que unos dicen que «si no hubiera sido por esto, no hubiera acontecido lo otro», y que «si tú», y que «si yo», y que «si el de más allá»...; en fin, ya me entiendes. Luego viene el ajuste de cuentas, digámoslo así; y lo que debe Juan y lo que debe Petra..., y lo que debiera suceder..., y lo que sucederá..., y lo que se espera..., y lo que se teme...

—¡Lo que se espera!..., lo que se teme! —repetía la pobre mujer, mirando de hito en hito al capitán.

—Díselo, Sidora, díselo, que ahora es la ocasión —voceó desde su cama Mechelín.

—¿Y qué es lo que ha de decirme? —preguntó don Pedro Colindres, volviéndose con fruncido ceño hacia la alcoba.

—Pus lo que ella sabe y ahora viene al caso —respondió el marinero—. ¡Anda, Sidora, ya que le tienes tan a mano! ¡Anímate, mujer, que él güeno es de por suyo!

—Sí, hijo, sí. ¿Por qué no he de decirlo? —contestó tía Sidora—. No es ello ningún pecao mortal.

El capitán estaba en ascuas y Sotileza como una escultura de hielo en su rincón de la cómoda.

—Sepa usté, señor don Pedro —dijo tía Sidora—, que juera de las amarguras del caso, por lo que es en sí, aquí no hay otro pío que nos atormente que el no saber lo que nos espera por lo relative a don Andrés.

—¡A ver, a ver! —murmuró el capitán, acomodándose mejor en la silla para redoblar su atención. Si la hubiera fijado un poco en la cara de Sotileza en aquel momento, ¡qué sonrisa de hieles hubiera visto en su boca y qué centella de ira en sus ojos!

—El señor don Andrés —continuó tía Sidora— entraba aquí como en su mesma casa, porque debíamos abrírsela de par en par. El merecía que se hiciera eso con él en los mismos palacios de la reina de España y, por merecerlo tanto, aquí no tenía más que corazones que se gozaban en verle tan parcialote y campechano con personas que no eran quién, ni siquiera pa limpiarle las suelas de los zapatos... Bien sabe usté, señor, que si hoy tenemos pan que llevar a la boca, al corazón de él y a la caridad de su familia lo debemos. Por no causarle una pesaúmbre y por no dársela a sus padre, ca uno de nosotros hubiera arrancao peñas con los dientes, si peñas con los dientes hubiera habido que arrancar pa ello... Pero hay almas de Satanás, señor, que enferman con la salú de su vecino..., y ya sabe usté lo acontecío esta mañana... El golpe iba a la honra de esta desdichá, pero alcanzó la metá de él a don Andrés, que estaba en casa entonces, como pudo estar otro cualquiera. Por lo que a nosotros nos duele, sacamos el dolor que tendrá él y la pena y los enojos de toda su familia... Justo y natural es que así sea; pero, por el amor de Dios, señor don Pedro, mire las cosas con buena entraña y quítenos la metá de la pesaúmbre que nos ahoga, perdonando la que le dimos, sin más parte en ello que la que tomó el demonio por nosotros.

—¡Uva, señor don Pedro, uva! —añadió Mechelín desde allá dentro—. ¡Eso pedimos, eso queremos..., que no es cosa mayor en ley de josticia y con güena voluntá!

—¿Y eso es todo cuanto se os ocurre? —preguntó el capitán, respirando con más desahogo que antes—. ¿Eso es todo cuanto deseáis, por lo que a mí toca..., por lo que pueda importarme ese suceso..., por la parte que de él ha alcanzado mi hijo?

—¿Y le parece a usté poco? —exclamaron casi al mismo tiempo tía Sidora y su marido

El capitán soltó, allá en los profundos de su pechazo, una interjección de las más gordas por ciertos amargores de conciencia que comenzaba a sentir enfrente del candoroso desinterés de aquel honrado matrimonio; y para disimularlos mejor, habló así:

—Eso se da por entendido, Sidora; en mi casa no hay nadie tan inconsiderado que, por mucho que le duela lo acontecido..., ¡y mira que nos duele bien!, trate de haceros responsables de daños que no habéis causado... Pero se me había figurado a mí que podríais desear, y sería muy natural que lo deseárais, otra cosa muy distinta: algo... como, por ejemplo, el castigo de esas dos bribonas por medio de la justicia humana, y que os ayudara yo en el empeño, por poder más que vosotros.

—¡Uva, uva! —sonó la voz de Mechelín dentro de la alcoba.

—Tamién se ha tratado algo de eso, señor —dijo tía Sidora, muy reanimada con la actitud que iba tomando èl capitán—, pero hubo sus mases y sus menos sobre el particular. Hay quien dice que es mejor dejarlo así, porque esas cosas tocantes a la honra no conviene manosearlas mucho; y hay quien piensa que castigando a las causantes se pone la verdá más a la vista.

—¡Uva, uva!...

—Por las trazas —dijo el capitán—, ¿tú estás porque eso se lleve adelante, Miguel?

—Sí, señor —respondió éste—, ¡y a toda vela!

—¿Y tú muchacha? —preguntó don Pedro a Sotileza—, ¿tú que eres la más interesada?...

—¡Tamién! —respondió con bravura la interpelada.

—Pos si creéis que eso conviene —añadió tía Sidora, antes que se consultara su voluntad—, que no quede por mí. No soy vengativa, señor, pero la verdá es que no se puede hacer vida con sosiego onde están esas mujeres; y que si ahora se quedan triunfantes con esa maldá, como se han quedao siempre, yo no sé lo que pasará mañana aquí.

—Pues se hará lo posible porque lleven esta vez su merecido —concluyó el capitán, a quien se le antojaba que el castigo de las hembras de Mocejón también desembarazaría de ciertos estorbos la situación de Andrés ante la opinión pública.

Pero después de esto se levantó para marcharse. Sotileza se levantó también y, venciendo con un visible esfuerzo de voluntad repugnancias que la combatían, le dijo así, sin apartarse de la cómoda, sobre cuya meseta se apoyaba con una mano:

—Señor don Pedro, por nada de lo que se ha tratado aquí ha venido usté a esta casa.

—¿Qué dices, muchacha? —exclamó el capitán, mirándola con asombro.

—La pura verdá —respondió Silda con valentía—. Y por ser la verdá la digo sin ánimo de ofender a naide con ella..., y porque quiero que vaya usté seguro de llevar por la paz lo que pensó llevarse de aquí por la guerra.

—¡Hijuca! —exclamó asustada tía Sidora.

Mechelín se incorporó sobre la cama y don Pedro Colindres no disimuló cosa mayor la zozobra en que le ponían aquellas terminantes afirmaciones de Sotileza. Ésta continuó:

—Quiero que usté sepa, oído de mi mesma boca, que nunca me dejé tentar de la cubicia ni me marearon los humos de señorío; que estimo a Andrés por lo que vale, pero no por lo que él pueda valerme a mí; y que si para poner ahora a salvo la buena fama no hubiera otro remedio que el que me diera llevándome a ser señora a su lado, con la honra en pleito me quedara antes que echarme encima una cruz de tanto peso.

—¡Por vida del mismo Pateta! —respondió el capitán, mirando a la valiente moza con un gesto que tanto tenía de agrio como de dulce—, que no sé a dónde quieres ir a parar por ese camino.

—Pensé que sobraba la mitá de lo dicho para ser bien entendida de usté —replicó Sotileza.

—Pues figúrate que no he comprendido pizca de tus intenciones y que quiero que me las pongas en la palma de la mano.

Sotileza continuó:

—Conozco bien a Andrés, porque le llevo tratao muchos años, y por eso y por algo que me dijo esta mañana al verme agonizando de vergüenza, y por el aire que usté traía al entrar en esta casa, bien puedo yo creer que haya repetido a su padre lo que yo no quise dejar sin la respuesta que cuadraba.

Don Pedro Colindres, interpretando las últimas palabras de Silda en un sentido bien poco honroso para Andrés, se picó del honorcillo y repuso con dureza:

—Pues si él te dijo lo que yo presumo, ¿qué más podías

desear tú? ¿En esas estamos ahora, después de tantos pujos
de humildad?

Con esto fue Sotileza quien se sintió herida en el amor
propio; y para acabar primero y a su gusto en aquella porfía que la molestaba, pero que debía sostener, porque la interesaba, concluyó así:

—Yo no he dicho ahora cosa que desmienta lo que dije
antes. Pensé que era sobrado hablar así para que usté solo
me entendiera; pero ya que me salió mal la cuenta, lo diré
más claro. De caridá vivo aquí y con estos cuatro trapucos
valgo lo poco en que me tienen las gentes. Vestida de sedas
y cargada de diamantes, sería una tarasca y se me irían los
pies en los suelos relucientes. Malo para los que tuvieran
que aguantarme y peor para mí, que me vería fuera de mis
quicios. A esta pobreza estoy hecha y en ella me encuentro
bien, sin desear otra cosa mejor. Esto no es virtú, señor
don Pedro, es que yo soy de esa madera. Por eso dije a Andrés lo que él bien sabe; y necesito que usté me conozca,
porque no quiero responder más que de mis faltas..., ni tampoco que se me gane la delantera en casos como el presente; que por humilde que una sea, no dejan de doler los go-
fetones que se le den por humos que nunca se tuvieron. Con
esto ya lleva usté más de lo que venía buscando y yo me
quedo con un cuidado de menos... Y perdóneme ahora la
libertá con que le hablo, siquiera porque el sosiego de todos
lo pide así.

Verdaderamente daba Sotileza a don Pedro Colindres mucho más de lo que éste había ido a buscar a la bodega de
la calle Alta, pero el capitán no debía confesarlo allí, porque entendía que la confesión no realzaría gran cosa la calidad de los pensamientos generadores de aquel paso. Por
eso dijo a Sotileza por todo comentario a sus declaraciones:

—Aunque aplaudo esa honrada modestia que tan bien está,
quiero que sepas que esta vez has pecado conmigo de maliciosa... Y no hablemos más del asunto, si os parece. Olvíde-
se todo; contad conmigo como siempre y aun mejor que
nunca..., y cuídate mucho, Miguel. Adiós, Sidora... Adiós, guapa moza.

Y salió de allí don Pedro Colindres, bien convencido de
que si en su casa continuaba agitándose la cola del escándalo de marras, no sería por obra de la familia de Meche-

lín. Esto simplificaba mucho el conflicto que le había lanzado a él a la calle y, por creerlo así, volvía al lado de la capitana bastante más tranquilo que cuando se había apartado de ella.

Entre tanto, Silda, acudiendo al hechizo que tenía su voz para el asombrado matrimonio, se despachaba a su gusto, dando a sus palabras dirigidas al capitán el sentido más apartado de su verdadera significación.

¿Se dejaron engañar los pobres viejos? Parecía que sí, pues no debió tomarse por señal de lo contrario la postración en que volvió a caer el dolorido marinero, apenas le dejaron solo las mujeres para disponer la una un nuevo reparo y prepararle la otra una escudilla de caldo, con vino de la Nava; ni la extraña expresión que había quedado estampada en la faz de la tía Sidora. Con las emociones de la inesperada escena se podían explicar ambas cosas sin tomarlas por señales de una nueva pesadumbre.

XXVI.   MÁS CONSECUENCIAS

Andrés salió de su casa porque necesitaba el aire y los ruidos y el movimiento de la calle para no ahogarse en la estrechez de su gabinete y no volverse loco con la batalla de sus cavilaciones. Además, su padre le había arrojado de ella y condenado a no volver a verle mientras en su cabeza germiraran los mismos pensamientos que habían producido aquella tempestad en el seno de la familia; y Andrés, que por gustar entonces los primeros amargores de las contrariedades de la vida tomaba los sucesos en el valor de todo su aparato, ni hallaba fuerzas en su voluntad para imprimir nuevo rumbo a sus ideas ni desparpajo bastante en su juvenil entusiasmo para desarmar la cólera de su padre con una mentira. Salió, pues, de casa para cambiar de ambiente y de lugares, para huir de lo que más de cerca le perseguía y para pedir al acaso de los ruidos, de las multitudes y de los misterios de la noche, un dictamen o, cuando menos, una tregua que no podían darle ni la soledad de su cuarto ni la pesadumbre de aquellos muros para él caldeados por la cólera de su familia.

Por eso andaba y andaba sin derrotero fijo y, para colmo de sus contrariedades, la noche, con cuyo rocío contaba para refrescar el horno de sus ideas, era de Sur en calma, negra y bochornosa. Pesaba el ambiente tibio y hasta en la luz de los faroles públicos hallaba el errabundo mozo la tortura del calor que enardecía la sangre de sus venas. ¡Y él, que iba anhelando los fríos hiperbóreos y el ruido de una tempestad! ¡Hasta los elementos parecían conjurados en su daño! Y lo creía de buena fe.

Dejó las calles del centro, porque se asfixiaba en ellas, y enderezó sus pasos hacia los suburbios.

Cuando llegó a los gigantes plátanos de Becedo, se acordó de que a dos pasos de allí vivía el padre Apoliar. Tuvo grandes tentaciones de subir a su casa para referirle cuanto le ocurría... Pero ¿qué adelantaría con ello? ¿Qué sabía el pobre fraile de las cosas que le pasaban a él? ¿Qué prestigio era el suyo ante un hombre como don Pedro Colindres para calmar sus arrebatos y reducirle a la razón?... ¡A la razón! Pero ¿sabía el mismo Andrés por dónde comenzar la defensa de su pleito, ni si el pleito era defendible, ni si era pleito siquiera? ¿De qué se trataba en sustancia? De un supuesto que él intentaba imponer a su familia como deber de la honra y de una tenaz resistencia de su padre a reconocerlo así. ¿Cabían mediadores serios en una porfía semejante? Y aunque cupieran, ¿era creíble que se prestara nadie a sostener la causa del hijo contra la autoridad de los padres irritados? Y aunque se prestara, ¿cómo habían de darse éstos por vencidos, si el declararlo así era la humillación y el desprestigio de los derechos indiscutibles que tenían como dueños y señores suyos? Además, bien considerada su actual situación, ni siquiera procedía directamente de este desacuerdo, sino del altercado que produjo, de su propia obstinación en no declarar lo que su padre pretendía y de las durezas con que éste le reprochó su rebeldía inusitada. Éste era el caso y, para su resolución definitiva, no veía otro agente que el tiempo, cuya marcha fatal e inalterable borra las grandes impresiones del ánimo, apacigua las batallas del cerebro, cambia la faz de las cosas y enquicia el humano

discurso. Por entonces no estaba el pobre mozo más que para
sentir y para padecer.

Rendido, al cabo, de dar vueltas en aquel paseo, sentóse
en el banco más retirado y sombrío. Pero allí le asaltaron,
con furia implacable, los recuerdos de la calle Alta. ¿Qué habría pasado en la pobre bodega desde que él había bajado
a la ciudad después del gran escándalo? ¿Qué efecto habría
causado éste en los honradísimos viejos, al volver cada cual
de sus quehaceres? ¡Qué pensarían de él! ¡Qué les habría
dicho Silda!... Y las palabras de ésta, respondiendo a su hidalgo ofrecimiento, tan desdeñosas, tan crudas, hallándose
los dos en lo más imponente del conflicto!...

Y eslabonando con este recuerdo el de todo cuanto le
había pasado desde entonces y la consideración de lo que
le estaba pasando, embraveció se más y más la tempestad
de su cabeza; pensó volverse loco bajo el fragor de aquella
lucha de ideas incongruentes y de conclusiones desesperan-
tes, y se levantó nervioso y agitado, y volvió a moverse de
un lado para otro, y anduvo y anduvo, sin saber por dónde;
hasta que al cabo de una hora bien corrida, notó que se
hallaba al otro extremo de la ciudad y a dos pasos de la
Zanguina. Bullían los mareantes de Abajo en derredor de
ella y por esta sola razón trató de apartarse de allí. Le es-
pantaban las gentes conocidas. Pero ¿a dónde iba ya? Miró
su saboneta de oro [178] y vio que marcaban las diez y media.
A las diez acostumbraba él a retirarse a casa todas las noches. Ya estaría su madre echándole en falta y quizá muerta de angustia, recordando de qué modo había salido a la
calle... ¡Pero volver a casa en la situación de ánimo en que
se hallaba él y tener que presentarse delante de su padre, que
le había arrojado de allí con prohibición terminante de no
acercársele mientras siguiera pensando del modo que pensaba...! ¡Y al día siguiente, vuelta a lo mismo; y, además, el
presidio del escritorio, donde ya se sabría todo lo que le
pasaba!... ¡Qué infernal complicación de contrariedades para
el fogoso y alucinado muchacho!

Mientras su discurso recorría vertiginosamente estos es-
pacios con grandes señales de optar por lo menos cuerdo,
sintió un golpecito en la espalda y una voz que le decía:

---

[178] *Reló de bolsillo*, en la primera edición.

—¡Varada en peña, don Andrés!

Volvióse éste sobrecogido, pensando que alguien se entretenía en leerle los pensamientos, si es que no había estado él pensando a gritos, y conoció al bueno de Reñales, patrón de lancha, de los más formales y sesudos del Cabildo de Abajo.

—¿Por qué me lo dice usté? —le preguntó Andrés.

—¿No ve cómo anda por aquí esta probe gente, como rebaño a la vista del lobo?

—¿Y por qué es eso?

—Pensé que usté lo sabía, don Andrés... Pos es motivao a la leva.

—Era de esperar ya... Y ¿qué tal es?

—Pos, hijo, una barredera... No la recuerdo mayor. Esta tarde se nos ha notificao por la Comendancia... No queda un mozo en los dos Cabildos... Del de Abajo, solamente, van cuatro de segunda campaña, por no haber número bastante de los de primera..., ¡conque fegúrese usté!

—Triste es eso, Reñales, pero son cargas del oficio.

—¡Güeno está el oficio, don Andrés!... Dos días hace que no vamos a la mar.

—Pues ¿cómo así?

—¿No ve usté el cariz del tiempo?

—Bien en calma está.

—Sí; pero calma traidora... ¿Quién se fía de ella, don Andrés?

—Tres días van así ya y nada ha sucedido.

—Ya lo veo... Pero eso es bueno pa sabido.

—El viento al Sur no tiene malicia ahora; es viento de la estación.

—Ya nos hacemos cargo; y algo por eso y mucho por lo que apura la necesidá pensamos salir mañana. ¡Buenos ánimos llevará esta probe gente con el galernazo* que les ha venío de arriba!...

Andrés se quedó pensativo unos intantes y preguntó en seguida al patrón:

—¿Dice usted que mañana irán las lanchas a la mar?

—Si Dios quiere y el tiempo no **empeora**.

—¿A qué va la de usted, tío Reñales?

—A merluza.

—Me alegro, porque voy a ir en ella.

—¡Usted, don Andrés!

—Yo, sí. ¿Qué tiene de particular?

—De particular, no es cosa mayor, que abonao es usté pa ello y la mar bien le conoce.

—Pues entonces...

—Decíalo yo porque podía usté aguardar a mejor ocasión.

—¿Qué mejor ocasión que ésta?

—Mejores las hay, don Andrés, mejores; siempre que está el tiempo al Nordeste.

—Pues yo le prefiero al Sur cuando es estacional, como ahora.

—Es un gusto como otro, don Andrés; aunque no verá usté un solo mareante que le tenga igual. Yo cumplo al respetive con decir lo que me paece.

—Y yo le agradezco por el buen deseo... Conque no hay más que hablar.

—¿Por supuesto, que querrá usté que le vayan a avisar a casa?

—¡De ningún modo! No hay necesidad de alborotar el barrio. Yo estaré aquí o en la Rampa a la hora conveniente; y si no estoy, se larga usted sin esperarme. Entre tanto, quédese esto entre los dos y no diga usted una palabra de los propósitos que tengo... Pudiera no ir y no hay necesidad de que se atribuya el caso a lo que no es.

—¡Je, je!... Vamos, eso es decir que no está usté muy seguro de que a última hora...

—Justamente... Pudiera no estar tan animoso entonces...

—Y recela que se le tenga por encogío...

—Eso es.

—Pus no lo creería quien le conozca, don Andrés.

—¡Quién sabe!... Por si acaso, punto en boca, y lo dicho.

—Nunca supo hablar la mía pa descubrir secretos.

—Hasta mañana, Reñales.

—Si Dios quiere, don Andrés.

No le había salido a éste muy errada la cuenta al discurrir que, para verse libre de cualquier modo de apuros como el suyo, no había otro remedio que entregarse a los secretos de la ciega casualidad. La que le llevó a la Zanguina y le acercó al prudente Reñales en el momento crítico de resolver, por su propio consejo, el único conflicto verda-

deramente serio en que se había visto aquella noche, po-
niéndole entre los labios la golosina de un envejecido y vehemente deseo, dio al traste con todas sus vacilaciones y le
arrojó en las marañas de un nuevo desatino.

¡Volver a casa después de haberle echado de ella su padre sin motivo ni razón! ¡Que penara, que penara un poco
por su dureza inoportuna! Eso le enseñaría a no ser tan injusto y tan violento otra vez. En cuanto a su madre... Pero
¿qué había hecho ella para defender al hijo atribulado? ¿No
había puesto su haz correspondiente en la hoguera de las
cóleras del padre, calumniando las generosas intenciones de
la inocente Silda? Pues que penara también un poco..., que
mucho más estaba penando él... Mas, aunque por ahorrar
esas penas a sus padres, se decidiera a tornar aquella noche
al abandonado hogar, ¿qué resolvería esta *abnegación* de su
parte, quedando la discordia en pie y recrudeciéndose de
nuevo al día siguiente, quizás entre el suplicio de insoportables mediadores?... Nada, nada; oído de piedra a las voces
de su corazón, que le aconsejaban cosa muy distinta..., ¡y
adelante con su proyecto! Éste lo resolvía todo a la vez. Una
mala noche pronto se pasaría y, en cambio, al día siguiente,
ni caras indigestas ni palabras impertinentes ni miradas bur-
lonas; y en vez del hormigueo de las calles y el tufo de las
muchedumbres y el polvo de las basuras y el tormento de
la conversación, la inmensidad del espacio, la grandeza de
la mar, el aire salino, el columpio de las ondas y el olvido
de la tierra infestada de la peste de los hombres. Entre
tanto, las horas correrían, cambiaríanse los pareceres..., y
el que pasa un punto, pasa un mundo.

De este modo iba afirmando Andrés en su voluntad la
resolución que le había inspirado su casual encuentro con
Reñales y hasta creyendo de buena fe que podía ser pro-
videncia lo que parecía casualidad, cuando lo cierto era que
se había agarrado a aquel asidero como pudo agarrarse a
las alas de una mosca, para caer del lado a que se inclinaba
en el momento de resolverse, o a volver a su casa, como era
lo cuerdo y conveniente, o a declararse en abierta rebelión
contra todos sus deberes, que era lo descabellado. Pero ya
sabemos lo que son apreturas de esa especie en cabezas juveniles como la de Andrés y no hay que maravillarse de

que optara por lo peor en la necesidad de elegir entre dos cosas que le parecían rematadamente malas.

Y tan firme llegó a ser su repentino propósito que, para evitar en lo posible todo riesgo de que se le malograra, apenas se despidió de Reñales, se alejó de las inmediaciones de la Zanguina, para discurrir a su gusto sin excitar la curiosidad de nadie. Porque le quedaba otro punto muy interesante para dilucidar. ¿Dónde y cómo iba a pasar las horas que faltaban hasta la madrugada del día siguiente? No había que pensar en fondas ni paradores, donde el menor de los riesgos era el ser él muy conocido de fondistas y mesoneros, ni tampoco en la casa de ningún amigo... Pasarse tantas horas recorriendo calles, tras de ser excesivamente penoso, era muy expuesto a llamar la atención más de lo conveniente... Sin dudas ni vacilaciones optó por la Zanguina.

En la Zanguina, dentro de muy poco rato, no quedaría un marinero; porque, aunque muchos de ellos acostumbraban a dormir allí, esto acontecía en lo más penoso de las costeras, y en aquella ocasión llevaban ya dos días sin salir a la mar. Estando sola la Zanguina, llegaría en el momento de ir a cerrarse sus puertas; y no antes, porque, echándole de menos en su casa, no sería extraño que alguien fuera allí a preguntar por él. Le diría al tabernero, muy conocido suyo, todo lo que había de decirle para que no le chocara su pretensión de pasar así la noche, tumbado sobre un banco, hasta la hora de salir a la mar en la lancha de Reñales... Y comenzó a ponerlo por obra antes de que se le enfriaran los propósitos.

Con grandes precauciones, porque el sitio era de los más poblados de la ciudad, observó, a la mayor distancia posible, cómo fueron retirándose poco a poco hasta los parroquianos más pegajosos del afamado establecimiento; y en cuanto vio señales de que iban a entornarse sus puertas, acercóse allá y expuso sus intenciones al tabernero. No le chocaron a éste cosa mayor, porque sabía hasta dónde llegaba la pasión del hijo del capitán Bitadura por las costumbres de la gente marinera.

—¡Pero no me diga, don Andrés, que se va a pasar aquí la noche encima de un banco duro! —le dijo el tabernero—. Le arreglaré un poco de mullida con la metá de la mi cama...

—Nada de eso —respondió Andrés—. Si me acuesto sobre mullida, no despertaré a la hora que necesito.

—Si de toas maneras he de abrir yo la taberna antes que
den el *apuya* [179].

—No importa, yo me entiendo. Ponme en la mesa del último cajón de allá un pedazo de queso, otro de pan, un vaso
de vino y una vela, y no te cuides de mí sino para desper-
tarme mañana a tiempo, si es que no me he despertado yo...

El tabernero empezó a complacerle encendiendo una vela
de sebo; la encajó después en una palmatoria de hoja de
lata y fuese con ella al departamento indicado por Andrés.
Caminando éste detrás de la luz, vio un bulto en la oscuridad del fondo de uno de los primeros cajones de la fila. El
bulto roncaba que era un espanto.

—¿Quién duerme ahí? —preguntó Andrés.

—Es Muergo —respondió el hombre de la vela—. Enten-
dimos que se volvía loco de rabia cuando supo que le alcanzaba la leva... Juraba y perjuraba que primero se echaba a
la mar que consentir en que le llevaran al servicio... Dimpués tomó una cafetera de aguardiente; pensamos que acababa aquí con medio Cabildo; rindióle al cabo el sueño y se
quedó como usté le ve ahora... Juera del alma, don Andrés,
es una pura bestia.

¡Y Andrés envidiaba en aquel instante hasta la suerte de
Muergo!

Minutos después, el aturdido mozo, en el rincón más oscuro del más apartado cuchitril [180] de la Zanguina, reponía
las fuerzas del cuerpo quebrantado con las míseras provisiones que el tabernero había puesto sobre la bisunta mesa,
mientras aspiraba oleadas de aquella atmósfera pestilente
y sentía en las profundidades de su cabeza el estruendo de
la batalla que estaban librando allí sus no domadas ideas.

Algo más tarde, cansado de meditar y de temer, estiró
las piernas sobre el banco en que se sentaba, apoyó el tronco contra la pared, cruzó los brazos sobre el pecho y quiso

---

[179] El *apuya*: «Grito intraducible que hasta hace pocos años
iba dando antes del amanecer por los barrios de los pescadores
de Santander un hombre, con el fin de avisar a los mercantes
que era hora de hacerse a la mar.» (G.-Lomas.)

[180] *Cubil*, en la primera edición.

facilitarle su conquista al sueño, que tanto necesitaba, apagando la luz, que es enemiga del reposo; pero desistió de su propósito, porque no se atrevía a quedarse a oscuras y solo con sus alborotados pensamientos.

XXVII. OTRA CONSECUENCIA QUE ERA DE TEMERSE

Por rara casualidad estaba don Venancio Liencres en casa cuando llegó a sus puertas la capitana preguntando por él, precisamente por él. Cierto que se hallaba ya con el sombrero puesto para salir a perorar un rato en el senado del *Círculo de Recreo*, donde a la sazón se agitaba entre los *senadores* no sé qué punto de trascendencia para las harinas castellanas, las obras del ferrocarril y los cueros de Buenos Aires; pero, en fin, estaba en casa y recibó a la madre de Andrés sin visible disguto y a solas como ella quería.

Allí, anegada en llanto, y en el secreto de la confesión, declaró Andrea a don Venancio todo lo que les estaba pasando con su hijo. Temía que en las respuestas dadas por éste a su padre se envolviera un propósito de casamiento con la tarasca callealtera. Y esto no podía suceder, porque sería la perdición de él, la vergüenza de toda su familia y el escándalo del pueblo. El capitán estaba ya dando los pasos necesarios para enterarse mejor de la magnitud del peligro, pero esto no bastaba: era preciso que don Venancio mismo, que tantos títulos reunía para merecer el respeto del desatinado mozo, le hablara al alma, le amonestara, se le impusiera; y que por Dios y que por los santos...; y lágrima va y sollozo viene. Y don Venancio no salía de su asombro sino para considerar lo mucho que debía valer la fuerza de su palabra, cuando a ella seguía acudiendo la capitana en los conflictos más graves de su vida.

Excusado es decir que la tranquilizó con un discurso, prometiéndola que todo se arreglaría del mejor modo posible. La capitana llegó a su casa antes que su marido y

don Venancio Liencres entró en el Senado con el talante
de los grandes hombres satisfechos de llevar entre los cascos el hervor de un gran problema.

Cuando volvió a cenar, rodeado de su familia, ni su señora pudo resistir un solo momento más la curiosidad de
saber a qué había ido la capitana a tales horas y de tal
modo a su casa, ni él dominar [181] el deseo de declararlo todo
en aquel instante solemne, con el santo fin de que se viera
lo que llegarían a ser jóvenes tan irreflexivos, como Andrés,
sin hombres de maduro seso y legítima autoridad que los
volvieran a la senda de sus deberes.

Y precisamente ocurrió el relato de lo más grave de la
aventura de la calle Alta en los momentos en que Luisa, dejando caer el tenedor desde la altura de su boca, declaraba
que no quería cenar más. Siguió la historia con comentarios
del mismo narrador, gestos y monosílabos de asco de [182] su
señora, y aspavientos de Tolín...; y Luisa, cuya inapetencia
continuaba y cuya alteración de semblante descubría una
violenta agitación nerviosa, rompió dos platos de una sola
puñada. En seguida se retiró a su cuarto, manifestando antes que, si no se contaran en la mesa historias tan indecoro-
sas como aquélla, no se trastornarían los nervios de nadie
ni se perderían por completo las ganas de cenar.

Convino su augusta madre en que no era del mejor tono
hablar de «lances tan apestosos» delante de señoras tan principales y mandó disponer una taza de salvia para su hija.
La cual, encerrada ya en su cuarto, dijo a su madre, después
de tomar dos sorbos de la pócima, que ya se sentía bien
y que no apetecía otra cosa que el descanso de la cama.

Alegróse mucho don Venancio de saberlo y, como ya llevaba un buen rato de perorar con Tolín, que no acababa
de asombrarse del suceso, túvosele por bastante ventilado
por entonces. Bostezó don Venancio, recogió su señora y
guardó en el aparador los postres sobrantes; y, con las «buenas noches» de costumbre, se encerró cada cual en su agujero.

Despojándose estaba Tolín de su tuina doméstica, tras de
haber dado largo recreo a sus ojos en la contemplación de

---

[181]   *Ni él pudo contener el deseo...*, en la primera edición.
[182]   *En,* en la primera edición.

los cuadros de la pared, cuando sintió un golpecito a la puerta y la voz muy queda de su hermana, que por la rendijilla le preguntaba:

—¿Se puede?

Apresuróse Tolín a abrir y entró Luisa de puntillas, con la palmatoria sin luz en una mano y el índice de la otra sobre los labios. Iba muy pálida, bastante ojerosa y no poco trémula de manos y de voz. Cerró cuidadosamente la puerta por dentro y dijo a su hermano, que la contemplaba atónito, señalándole una silla junto a la mesa sobre la cual continuaba la cartera atestada de dibujos y acuarelas:

—Siéntate ahí.

—Pero ¿qué pasa, mujer? —preguntóla Tolín, volviendo a vestirse la tuina y con los ojos muy azorados.

—Ya lo sabrás —respondió muy bajito la interpelada—. Pero no alces la voz ni hagas ruido, porque no hay necesidad de que sepa nadie que te he hecho yo esta visita.

Tolín se sentó y Luisa se quedó de pie delante de él, sin querer aprovechar la silla que su hermano puso a su lado, ofreciéndosela con insistencia

—No quiero sentarme —dijo Luisa—; hablo mejor así, de arriba abajo, tal como estamos... Cara a cara puede que no fuera yo tan valiente contigo como necesito serlo ahora... En fin, hombre, dejemos estas boberías... ¡Ay, Dios mío de mi alma!... Mira Tolín, si llego a meterme en la cama con este escozor que siento por acá dentro, si no me aventuro a desahogarme un poco contigo, creo que me da algo esta noche, que me muero, vamos, lo mismo que te lo digo..., ¡lo mismo, Tolín!

Tolín, cada vez más consumido por la curiosidad de saber qué le pasaba a su hermana, insistió de nuevo con ella para que acabara de explicarse.

—A eso voy —dijo Luisa con más deseos que valor para hacerlo—. ¿Tú has oído bien la historia que contó papá en la mesa?

—Sí que la he oído.

—¿La has oído?

—Te repito que sí.

—Me alegro, Tolín, me alegro de que la hayas oído bien. ¿Y qué te parece?

—¡Mire usté con qué coplas salimos! —exclamó Tolín muy contrariado.

—Pues ¿con qué coplas he de salirte, hombre? —preguntóle candorosamente su hermana.

—Pues con las tuyas, ¡canario!

—¡Pero si las mías empiezan por ahí, bobo!

Tolín se encogió de hombros y volvió un momento la cabeza hacia otra parte.

—Como siempre, Luisa, como siempre —añadió un instante después—. Maldito si se pueden atar dos cominos con todos los aspavientos tuyos. En fin, di lo que te dé la gana; ya veremos lo que sale.

Luisa miró a su hermano con un gesto que no era un himno a la perspicacia del mozo aquel y le dijo:

—Quiero saber lo que te parece a ti esa indecencia de historia.

—Pues me parece muy mal, Luisa, ¡muy mal!..., tan indecente como a ti... ¿Lo quieres más claro?

—Eso es lo que yo quería saber, Tolín, eso mismo...; precisamente eso mismo.

—Entonces ya estás servida...

—¡Un hombre que se viste de señor, que es hijo de buenos padres, que se tutea con nosotros, que está colocado en el escritorio de papá, manoseando sus caudales, que come en esta mesa tan a menudo!... ¡Un hombre así, encerrado en una bodega asquerosa con una sardinera tarasca y salir luego de allí los dos, corridos de vergüenza, entre la rechifla de las mujeronas y de los borrachos de toda la calle!... ¡Y a más, a más, cuando le apuran un poco, decir a su padre y a su madre que es muy capaz de casarse con ella!... ¿Tú has visto algo como esto en otra parte alguna, Tolín?... ¿Lo has oído siquiera en ningún libro, por muy descaradote y puerco que sea?... Vamos, hombre, dilo con franqueza.

—No, Luisa, no... No he visto nada como ello. ¿Y qué?

—Que eso no debe quedar así.

—Ya has oído que papá piensa tomar cartas en el asunto.

—No basta que papá las tome, tienes que tomarlas tú también.

—¡Yo!

—Sí, tú; y desde mañana, Tolín.

—Pero ¿qué diablos me va a mí ni qué...?

—¿Qué te va a ti? ¿No eres su amigo tú... y de la infancia, Tolín, que es todo lo amigo que se puede ser de una persona?... ¿No estás con él en el escritorio? ¿No estáis abocados a ser socios y jefes de la casa de papá el día menos pensado?...

—Lo menos veinte veces te he oído decir esas mismas cosas por pecadillos de Andrés de bien escasa importancia.

—Pero éstos son pecados gordos, hijo, ¡muy gordos! Y te lo vuelvo a repetir, porque ahora va de veras.

—Pues déjalo que vaya, que en buenas manos está el pandero.

—Es que yo quiero ponerle en las tuyas.

—¿Y sabes tú si yo sabría tocarle?

—Lo que no se sabe, se aprende, cuando el caso lo pide; y aquí lo pide..., ¡y mucho!

—Pero, trastuela del demonio..., ¡mira que cualquiera que te escuchara y te viera tan exigente y tan nerviosa por un asunto que, después de todo, no te importa media avellana!... ¿Eres procuradora de Andrés o qué?...

—A nadie le importa lo que yo soy, Tolín, pero quiero que esa... pingonada no se haga; y no se hará, ¿lo entiendes?

—Y si se hiciera, ¿qué?

—¡Virgen del Carmen!... ¡Ni en broma lo digas, Tolín!

Aquí le temblaban los labios, pálidos, a Luisa, y Tolín se la quedó mirando con una expresión muy distinta de la que hasta entonces se había visto en su cara.

—¿Sabes, Luisa —la dijo, sin dejar de mirarla así—, que con eso que te oigo y recordando lo que te tengo oído, bastante parecido a ello, voy entrando en aprensiones...?

—¿Aprensiones de qué, Tolín? —repuso Luisa, dispuesta no solamente a oír todo lo que quisiera decirle su hermano sobre la calidad de sus aprensiones, sino también a tirarle de la lengua para que hablara cuanto antes—. Vamos, con franqueza...

—Aprensiones —continuó Tolín— de que algo más que la amistad es lo que te mueve a interesarte tanto por Andrés.

—¡Bien has tardado en caer en ello, inocente de Dios! —exclamó Luisa, lanzando las palabras de su pecho con tal ansia que parecía que con ello le desahogaba de un peso insoportable.

—¡Y lo confiesas con esa frescura, Luisa! —dijo el otro, haciéndose cruces.

—¿Y por qué no he de confesarlo, Tolín? ¿A quién ofendo con ello? ¿Qué hay en Andrés que no merezca estos malos ratos que estoy pasando por él? ¿No es guapo? ¿No es un mozo como unas perlas? ¿No es bueno y noble como un pedazo de pan? ¿No es fuerte y valeroso como un Cid? ¿No tiene, por tener de todo, tan buena posición como el mejor de los mequetrefes que me pasean a mí la calle con tanto gusto tuyo? ¿No le tratamos y le estimamos de toda la vida?... Y siendo esto verdad, ¿por qué no he de... quererle yo; sí, señor, de quererle como le quiero, tantos años hace?...

—¿Pero es posible, Luisa, que tú, tan fría con todos los que te tratan, tan dura de corazón con todos los que te miran, seas capaz de querer a nadie con ese fuego?...

—Bajo la nieve hay volcanes, Tolín, no sé quién lo dijo por alguien como yo; pero dijo en ello una gran verdad, según lo que a mí me pasa ahora...

—Pues hija mía, para una vez que te quemaste..., ¡no hay duda que fue bien a tiempo!

—¿Por qué lo dices, Tolín?

—Bien a la vista lo tienes, Luisa. ¡Te quemas por quien ni siquiera repara en ello!

—Pues ahora reparará.

—¡Ahora!

—Ahora, sí..., porque hasta ahora no ha sido necesario.

—¡Luisa! ¡Tú no estás en tus cabales! ¡A un hombre, quizá mal entretenido con una pescadora soez, ir a...!

—No hay tal entretenimiento, si es verdad lo que se ha contado.

—¡Y se quiere casar con ella!... Tú misma lo temías...

—Pues lo dije... por oírte... Pero, aunque sea verdad y aunque también lo sea que está mal entretenido, por eso mismo hay que abrirle los ojos, para que vea lo que nunca se atrevió a mirar, porque es humilde...

—¿Serías capaz de intentar eso, Luisa, de perder la cabeza hasta ese extremo?

—Yo no sé, Tolín, de lo que sería capaz en el trance en que me veo... Pero de todos modos, como no he de ser yo quien dé ese paso... sino tú...

—¡Yo!... ¡Yo, ir a ofrecer a mi propia hermana!...

—¡Qué ofrecer ni qué calabaza, hombre! Con esa manera de llamar las cosas no hay decencia posible en nada. Pero si tú vas y, con la confianza que tienes con él, empiezas por afearle lo que ha hecho y lo que piensa hacer..., y le hablas de lo que él vale..., de la consideración que debe a su familia y a sus amigos..., de lo bien que le estaría una novia de entre lo principal del pueblo...; y poco a poco, poco a poco te vas cayendo, cayendo hacia acá; y, sin decir lo que yo pienso, le haces comprender que bien podría llegar a pensarlo..., y, en fin, todo lo que se te vaya ocurriendo...

—Luisa, ¡Luisilla de los demonios! Pero ¿cómo te estimas en tan poco... y por quién me tomas?

—¡Ah, grandísimo desalmado! ¡Ahí te quería esperar yo! ¿Por quién me tomabas tú a mí cuando me hacías la rosca para que le cantara esas mismas letanías del hijo de mi padre a mi amiga Angustias? Entonces, el papel que me dabas era de lo más honroso... «Una hermana mirando por el bien de su hermano..., ¡uf!, eso parte el corazón de puro gusto... Así como quien no quiere la cosa, la vas enterando de lo juicioso que soy..., del arte que tengo para el escritorio..., de lo tierno que soy de entraña..., de lo que yo me desvivo por cierta mujer..., de que me paso las noches en un suspiro...»

—¡Luisa, canario! —dijo entonces Tolín, revolviéndose en su asiento como si le estuvieran clavando un par de banderillas.

Pero Luisa, sin hacer caso maldito de la interrupción, antes bien, gozándose en el desasosiego de su hermano, continuó remedándole así:

—«...Pero como es tan corto de genio, antes se moriría de hipocondría que decir a esa mujer, cuando está delante de ella: por ahí te pudras.»

—¡Luisa!

—Y, por cierto, grandísimo desagradecido, que bien luego y con buen arte despaché tu comisión, y bien te allané el camino... y bien poco te costó después llegar hasta donde has llegado a la hora presente, que casi nada te falta ya para conseguir lo que deseabas porque hasta el erizo de su padre, don Silverio Trigueras, está hecho unas mieles contigo. ¡Y ahora resulta que he estado yo haciendo un papel de los más feos... y que...!

—¡Por vida del ocho de bastos, Luisa!... ¡Déjame hablar o te saco al carrejo... y grito para que nos oigan!...

—Eso te faltaba, ¡egoistón!..., ¡mal hermano!... ¿Y qué es lo que tú puedes responder a esto que yo te digo?

—Que aunque todo ello fuera la pura verdad...

—¡Y más de otro tanto que no he querido decir!...

—Que aunque todo ello y lo que te hayas callado fuera la pura verdad, son los dos casos muy diferentes.

—¡Diferentes! ¿Por dónde? ¿Por qué?

—Porque tú eres una señorita...

—Justo, y tú todo un caballero... Y es una mala vergüenza que un caballero como tú, porque las mujeres están obligadas, por el bien parecer, a tragarse todo cuanto sientan por un hombre y no dárselo a entender ni siquiera con una mala mirada, ayude a su propia hermana a salir del ahogo en que se ve, despertando un poco la atención con cuatro palabras al caso, de un hombre que es, además, un amigo de la mayor intimidad... ¡Bah! Pero que a un caballero que tiene obligación, por ser hombre, de ser valiente y arrojado y de ajustar todas sus cuentas por sí mismo le arregle una señorita un negocio de esa clase... no tiene nada de particular, es una hazaña de rechupete... y hasta obra de misericordia... ¿No le parece a usted el don escrúpulos de Mari?... ¡Caramba! ¡No sé lo que te diría ahora, si pudiera yo gritar todo lo que necesito!...

—Corriente. Pues lo doy por gritado y déjame en paz.

—Así, hijo, así... ¡Así se sale luego del paso! ¡Y tenga usted hermanos para eso y desvívase usted por ellos!... y... ¡Virgen de los Dolores!...

Aquí rompió a llorar la hermana de Tolín como si el alma se le saliera por la boca. Tolín trató de consolarla como mejor pudo; pero aquel antojo estaba a prueba de reflexiones más poderosas que las insulsas vaguedades que se le ocurrían al hijo de don Venancio Liencres. De pronto dejó Luisa de llorar y dijo resueltamente a su hermano:

—Pues ten entendido que, si no llegas a hacer lo que te encargo, voy a hacerlo yo...; ¡yo, por mí misma! Y seré capaz hasta de confesárselo a su madre y a su padre... y al cura de la parroquia, si me apuras... Y hasta sabrá la hija de don Silverio Trigueras el pago que tú das a lo que la tonta de tu hermana hizo por ti.

Tolín estaba en ascuas; creía a su hermana muy abonada para cumplir lo que ofrecía y al mismo tiempo le asustaba lo peliagudo de la empresa que le encomendaba. Sus deseos no eran malos, pero su irresolución le encogía. Habló a Luisa nuevamente en este sentido, suplicándola que le dejara buscar el modo y la ocasión a gusto de él, porque todo se arreglaría con el tiempo.

—No, no —insistió la otra—. No hay un instante que perder. Mañana mismo vas a dar el primer paso...

—Pero atiende a razones...

—Mira, en cuanto venga al escritorio, le llamas aparte y, solos allí los dos, comienzas a hablarle; y después..., ¡caramba!, si fuera yo, bien pronto se lo diría como deben decirse esas cosas...

—Y aunque todo saliera como deseas, tarambana del mismo diablo, ¿sabes tú la cara que pondría mamá?

—Eso corre de mi cuenta, Tolín. ¡Pues podría desaprobarlo! ¡Un partido tan hermoso para mí!... Tú no te apures por eso y cuídate de lo otro.

—En fin —dijo el abrumado mozo, acaso para verse libre por entonces de un asedio tan tenaz—, haré todo lo posible por complacerte.

—Es que hay que hacer —insistió Luisa, sin cejar un punto— no solamente lo posible, sino todo lo que sea necesario... Y si esto se hace o no se hace, he de saberlo yo mañana por la noche, cuando venga Andrés aquí... Porque tú harás discretamente que venga sin falta..., ¿lo entiendes bien? ¡Sin falta!

No había escape para Tolín, porque sabía muy bien que en un carácter como el de su hermana todo estruendo era creíble como se le metiera el antojo entre los cascos. Comprendió que hasta para evitar campanadas más ruidosas era de necesidad cumplir con empeño la peliaguda comisión, y a cumplirla así se obligó con su hermana.

Luego que ésta se convenció de que la promesa de Tolín no era un vano recurso para salir del paso, trocáronse sus denuestos en arrullos, encendió su bujía, se despidió con un fervientísimo «adiós», abrió la puerta con mucho cuidado y, de puntillas y más bien deslizándose que pisando, llegó en un instante a su dormitorio y se encerró en él, si no libre de inquietudes, con el ánimo más reposado después del desahogo que acababa de dar a su berrinche.

En cambio, Tolín, que se había levantado de la mesa con el espíritu hecho una balsa de aceite, no pudo atrapar el sueño hasta bien cerca de la madrugada. ¡El demonio de la chiquilla!... [183].

XXVIII. LA MÁS GRANDE DE TODAS LAS CONSECUENCIAS

Todavía resonaban hacia la calle de la Mar los gritos de *¡apuyáaa!, ¡apuyáaa!*, con que el *deputao* del Cabildo de Abajo despertaba a los mareantes recorriendo las calles en que habitaban y aún no habían llegado los más diligentes de ellos a la Zanguina para tomar la parva de aguardiente o el tazón de cascarilla, cuando ya Andrés, dolorido de huesos y harto desmayado de espíritu, salía de los Arcos de Hacha, atravesaba la bocacalle frontera y entraba en el Muelle, buscando la Rampa Larga. Eran apenas las cinco de la mañana y no había otra luz que la tenue claridad del horizonte, precursora del crepúsculo, ni se notaban otros ruidos que el de sus propios pasos, el de las voces de algún muchacho de lancha o el de los remos que éstos movían sobre los bancos. La negra silueta del aburrido sereno que se retiraba a su hogar, dando por terminado su penoso servicio, o el confuso perfil del encogido bracero a quien arrojaba del pobre lecho la dura necesidad de ganarse el incierto desayuno, eran los únicos objetos que la vista percibía en toda la extensión del Muelle, descollando sobre la blanca superficie de su empedrado.

---

[183]   Hay otras novelas contemporáneas donde la iniciativa amorosa corre también a cargo de la mujer. Por ejemplo, *Pepita Jiménez* y *Las ilusiones del doctor Faustino*, de Juan Valera; *El audaz*, de Galdós, y *Marta y María*, de Palacio Valdés.

Para los fines de Andrés aquella madrugada ofrecía mejor aspecto que la noche precedente. Estaba menos enrarecida la atmósfera, se aspiraba un ambiente casi fresco y, aunque en los celajes sobre la línea del horizonte por donde había de aparecer el sol se notaban ciertos matices rojos, este detalle, por sí solo, tenía escasísima importancia.

De la misma opinión fue Reñales, cuya lancha le esperaba ya a Andrés, muy impaciente, pues en cada bulto que distinguía sobre el Muelle creía ver un emisario de su casa que corría en busca suya. Porque es de advertir, aunque no sea necesario, que su corto sueño sobre el banco de la taberna fue una incesante pesadilla, en la cual vio con todos los detalles de la realidad las angustias de su madre, que clamaba por él y le esperaba sin un instante de sosiego; las inquietudes, los recelos y hasta la ira de su padre, que andaba buscándole inútilmente de calle en calle, de puerta en puerta, y, por último, las conjeturas, los consuelos, los amargos reproches... y hasta las lágrimas entre los dos. Este soñado cuadro no se borró de su imaginación después de despertar. Le atormentaba el espíritu y robaba las fuerzas a su cuerpo; pero el plan estaba trazado; era conveniente y había que realizarle a toda costa.

Al fin se oyó en el Muelle un rumor de voces ásperas y de pisadas recias; llegó a la Rampa un tropel de pescadores cargados con sus artes *, su comida, sus ropas de agua y muchos de ellos con una buena porción del aparejo de la lancha; y vio complacidísimo Andrés cómo la de Reñales quedó en breves momentos aparejada y completa de tripulantes.

Armáronse los remos, arrimóse al suyo, a popa y de pie, el patrón para gobernar, desatracóse la lancha, recibió el primer empuje de sus catorce remeros, púsose en rumbo hacia afuera y comenzó su quilla sutil a rasgar la estirada, quieta y brillante superficie de la bahía. Pero por diligente que anduvo, otras la precedían, del mismo Cabildo y del de Arriba; y cuando llegó a la altura de la Fuente Santa, dejaba por la popa la barquía de Mocejón, en la cual vio Andrés a Cleto, cuya triste mirada por único saludo agitó en su memoria los mal apaciguados recuerdos del suceso de la víspera, causa de aquella su descabellada aventura.

La luz del crepúsculo comenzaba entonces a dibujar los perfiles de todos los términos de lo que antes era, por la banda de estribor, confuso borrón, negra y prolongada masa, desde el cabo Quintres hasta el monte de Cabarga. Apreciábase el reflejo de la costa de San Martín en el cristal de las aguas que hendía la esbelta embarcación, y en las praderas y sembrados cercanos renacía el ordenado movimiento de la vida campestre, la más apartada de las batallas del mundo. A la derecha rojeaban los arenales de las Quebrantas, arrebujados en lo alto con el verdoso capuz del cerro que sostenían y hundiendo sus pies bajo las ondas mansísimas, con que el mar, su cómplice alevoso, se los besaba entre blandos arrullos, a la vez que los cubría. Parecían dos tigres jugueteando, en espera de una víctima de su insaciable voracidad.

No sé si Andrés, sentado a popa cerca del patrón, aunque miraba silencioso a todas partes, veía y apreciaba de semejante modo los detalles del panorama que iba desenvolviéndose ante él; pero está fuera de duda que no ponía los ojos en un cuadro de aquellos sin sentir enconadas las heridas de su corazón y recrudecida la batalla de sus pensamientos. Por eso anhelaba salir cuanto antes de aquellas costas tan conocidas y de aquellos sitios que le recordaban tantas horas de regocijo sin amargores en el espíritu ni espinas en la conciencia; y por ello vio con gusto que, para aprovechar el fresco terral que comenzaba a sentirse, se izaban las velas, con lo que se imprimía doblado impulso al andar de la lancha.

Con la cabeza entre las manos, cerrados los ojos y atento el oído al sordo rumor de la estela, llegó hasta la Punta del puerto y abocó a la garganta sombría que forman el peñasco de Mouro y la costa de acá; y, sin moverse de aquella postura, alabó a Dios desde lo más hondo de su corazón cuando Reñales, descubriéndose la cabeza, le ordenó así con fervoroso mandato; porque allí empezaba la tremenda región preñada de negros misterios, entre los cuales no hay instante seguro para la vida; y sólo cuando los balances y cabeceos de la lancha le hicieron comprender que estaba bien afuera de la barra, enderezó el cuerpo, abrió los ojos y se atrevió a mirar, no hacia la tierra, donde quedaban las raíces de su pesadumbre, sino al horizonte sin límites, al inmenso desierto en cuya inquieta superficie comenzaban a chisporrotear los primeros rayos del sol, que surgía de los

abismos entre una extensa aureola de arrebolados crespones.
Por allí, por allí se iba a la soledad y al silencio imponen-
tes de las grandes maravillas de Dios y al olvido absoluto de
las miserables rencillas de la tierra; y hacia allí quería él
alejarse volando; y por eso le parecía que la lancha andaba
poco y deseaba que la brisa, que henchía sus velas, se tro-
cara súbitamente en huracán desatado.

Pero la lancha, desdeñando las impaciencias del fogoso
muchacho, andaba su camino honradamente, corriendo lo
necesario para llegar a tiempo al punto adonde la dirigía su
patrón. El cual llamó de pronto la atención de Andrés para
decirle:

—Mire usté que *manjúa* de sardinas.

Y le apuntaba hacia una extensa mancha oscura, sobre
la cual revoloteaba una nube de gaviotas. Por estas señales
se conocía la manjúa. Después añadió:

—Buen negocio pa las barquías que hayan salido a eso.
Cuando yo venga a sardinas, me saltarán las merluzas a bordo. Suerte de los hombres.

Y la lancha siguió avanzando mar adentro, mientras la
mayor parte de sus ociosos tripulantes dormían sobre el
panel; y cuando Andrés se resolvió a mirar hacia la costa,
no pudo reconocer un solo punto de ella, porque sus ojos
inexpertos no veían más que una estrecha faja parduzca sobre la cual se alzaba un monigote blanquecino, que era el
faro de Cabo Mayor, por lo que el patrón le dijo.

Y aún seguía alejándose la lancha hacia el noroeste, sin
la menor sorpresa de Andrés; pues aunque nunca había salido tan afuera, sabía por demás que para la pesca de la merluza suelen alejarse las lanchas quince y dieciocho millas
del puerto; y cuando se trata del bonito, hasta doce o catorce leguas, por lo cual van provistas de compás para orien-
tarse a la vuelta.

A medida que la esbelta y frágil embarcación avanzaba
en su derrotero, iba Andrés esparciendo las brumas de su
imaginación y haciéndose más locuaz. Contadísimas fueron
las palabras que había cambiado con el patrón desde su salida de la Rampa Larga, pero en cuanto se vio tan alejado de
la costa, no callaba un momento. Preguntaba no sólo cuanto
deseaba saber, sino lo que, de puro sabido, tenía ya olvidado:
sobre los sitios, sobre los aparejos, sobre las épocas, sobre

las ventajas y sobre los riesgos. Averiguó también a cuántos y a quiénes de los pescadores que iban allí había alcanzado la leva, y supo que a tres, uno de ellos su amigo Cole, que era de los que a la sazón dormían bien descuidados. Y lamentó la suerte de aquellos mareantes: y hasta discurrió largo y tendido sobre si esa carga que pesaba sobre el gremio era más o menos arreglada a justicia y si se podía o no se podía imponer en otras condiciones menos duras, y hasta apuntó unas pocas por ejemplo. ¡Quién sabe de cuántas cosas habló!

Y hablando, hablando de todo lo imaginable, llegó el patrón a mandar que se arriaran las velas y la lancha a su paradero.

Mientras el aparejo de ella se arreglaba, se disponían los de pesca y se ataban las *lascas* sobre los careles, Andrés paseó una mirada en derredor y la detuvo largo rato sobre lo que había dejado atrás. Todo aquel extensísimo espacio estaba salpicado de puntitos negros, que aparecían y desaparecían a cada instante en los lomos o en los pliegues de las ondas. Los más cercanos a la costa eran las barquías, que nunca se alejaban del puerto más de tres o cuatro millas.

—Aquellas otras lanchas —le decía Reñales, respondiendo a algunas de sus preguntas y trazando en el aire con la mano, al propio tiempo, un arco bastante extenso— están a besugo; estas primeras, en el *Miguelito;* las de allí, en el *Betún,* y estas de acá, en el *Laurel.* Ya usté sabe que esos son los mejores *placeres* o sitios de pesca pa el besugo.

Andrés lo sabía muy bien por haber llegado una vez hasta uno de ellos, pero no por haber visto tan de lejos y tan bien marcados a los tres.

De las lanchas de merluza, con estar tan afuera, la de Reñales era la menos alejada de la costa. Apenas la distinguían los ojos de Andrés, pero los del patrón y los de todos los tripulantes hubieran visto volar una gaviota encima del Cabo Menor.

Al ver largar los cordeles por las dos bandas después de bien encarnados los anzuelos en sus respectivas sutilezas de alambre, Andrés se puso de codos sobre el carel de estribor, con los ojos fijos en el aparejo más próximo, que sostenía en su mano el pescador, después de haberle apoyado sobre la redondeada y fina superficie de la lasca, para no estropear la cuerda con el roce del áspero carel al ser

halada para adentro con la merluza trabada. Pasó un buen
rato, bastante rato, sin que en ninguno de los aparejos se
notara la más leve sacudida. De pronto gritó Cole desde
proa:

—¡Alabado sea Dios!

Ésta era la señal de la primera mordedura. En seguida,
halando Cole de la cuerda y recogiendo medias brazas precipitadamente, pero no sin verdaderos esfuerzos de puño,
embarcó en la lancha una merluza, que a Andrés, por no haberlas visto pescar nunca, le pareció un tiburón descomunal.
El impresionable mozo palmoteaba de entusiasmo. Momentos después veía embarcar otra y luego otra y en seguida otras
dos; y tanto le enardecía el espectáculo que solicitó la merced de que le cedieran una cuerda para probar fortuna con
ella. Y la tuvo cumplida pues no tardó medio minuto en
sentir trabada en su anzuelo una merluza. ¡Pero al embar-
carla fue ella! Hubiera jurado que tiraban de la cuerda hacia el fondo del mar cetáceos colosales y que le querían
hundir a él y a la lancha y a cuantos estaban dentro de
ella.

—¡Que se me va... y que nos lleva! —gritaba el iluso, tira
que tira del cordel.

Echóse a reír la gente al verle en tal apuro; acercósele un
marinero y, colocando el aparejo como era debido, demos-
tróle prácticamente que, sabiendo halar, se embarca sin dificultad un ballenato, cuanto más una merluza de las me-
dianas, como aquélla.

—Pues ahora lo veremos —dijo Andrés, nervioso de emoción, volviendo a largar su cordel.

¡Ni pizca se acordaba entonces de las negras aventuras
que a aquellas andanzas le habían arrastrado!

Indudablemente estaba dotado por la Naturaleza de excepcionales aptitudes para aquel oficio y cuanto con él se
relacionara. Desde la segunda vez que arrojó su cuerda a
los abismos del mar, ninguno de los compañeros de la lancha le aventajó en destreza para embarcar pronto y bien
una merluza.

Lo peor fue que dieron éstas de repente en la gracia de
no acudir al cebo que se les ofrecía en sus tranquilas profundidades o de largarse a merodear en otras más de su

gusto; y se perdieron las restantes horas de la mañana en
inútiles tentativas y sondeos.

Se habló, en vista de ello, de salir más afuera todavía o,
como se dice en la jerga del oficio, de hacer otra *impuesta.*

—No está hoy el jardín pa flores —dijo Reñales, reco-
nociendo los horizontes—. Vamos a comer en paz y en gracia de Dios.

Entonces cayó Andrés en la cuenta de que, al salir de
la Zanguina, no se había acordado de proveerse de un mal
zoquete de pan. Felizmente no le atormentaba el hambre;
y con algo de lo que le fueran ofreciendo de los fiambres
que llevaban en sus cestos los pescadores y un buen trago
de agua de la del barrilito que iba a bordo, entretuvo las
escasas necesidades de su estómago.

La brisa, entre tanto, iba encalmándose mucho; por el
horizonte del norte se extendía un celaje terso y plomizo,
que entre el este y el sur se descomponía en grandes fajas
irregulares de azul intenso, estampadas en un fondo anaran-
jado brillantísimo. Sobre los Urrieles, o Picos de Europa, se
amontonaban enormes cordilleras de nubarrones y el sol,
en lo más alto de su carrera, cuando no hallaba su luz estorbos en el espacio, calentaba con ella bastante más de lo
regular. Los celadores de las lanchas más internadas en la
mar tenían hecha la señal de «*precaución*» con el remo alzado en la bagra *, pero en ninguno de ellos ondeaba la bandera que indica «*recoger*».

Reñales estaba tan atento a aquellos celajes y estos signos como a las tajadas que con los dedos de su diestra se
llevaba a la boca de vez en cuando; pero sus compañeros,
aunque tampoco los perdían de vista, no parecían darles tanta importancia como él.

Andrés le preguntó qué opinaba de todo ello.

—Que me gusta muy poco cuando estoy lejos del puerto...

De pronto, señalando hacia Cabo Mayor, dijo, poniéndose
de pie:

—Mirad, muchachos, lo que nos cuenta Falagán.

Entonces, Andrés, fijándose mucho en lo que le indicaban los pescadores que estaban más cerca de él, vio tres
humaredas que se alzaban sobre el cabo. Era la señal de que
el Sur arreciaba mucho en bahía. Dos humaredas solas hubieran significado que la mar rompía en la costa.

Malo es el Sur desencadenado para tomarlo las lanchas a la vela, pero es más temible que por eso, por lo que suele traer de improviso: el galernazo, o sea, la virazón repentina al Noroeste.

De estos riesgos trataba de huir Reñales, tomando cuanto antes la vuelta al puerto. Mirando hacia él, vio que las barquías estaban embocándole ya y que las lanchas besugueras trataban de hacer lo mismo. Sin pérdida de un instante, mandó izar las velas; y como el viento era escaso, se armaron también los remos. Todas las lanchas de altura imitaron su ejemplo.

Andrés no era aprensivo en trances como aquel y, por no serlo, se admiraba no poco al observar que, según iban acercándose a la costa, se complacía tanto en ello como horas antes en alejarse. Y observaba más: observaba que ya no le parecían tan grandes, tan terribles, tan insuperables aquellas tormentas que le habían arrebatado de su casa y hecho pasar una noche de perros en un rincón de la Zanguina; que bien pudo haber sido un poco menos terco con su padre y con ello sólo se hubiera ahorrado la mala noche y todo lo que a ella siguió, incluso la aventura en que se encontraba, la cual, aunque le había recreado grandemente, le dejaba el amargor de su motivo...; y, por último, que le inquietaba bastante el poco andar de la lancha. Y con observar todo esto y con asombrarse de ello y con no apartar sus ojos de la nublada faz de Reñales sino para llevarlos a las no muy alegres de sus compañeros o hacia los peñascos, cada vez más perceptibles, de la costa, no caía en la cuenta de que todo aquel milagro era obra de un inconsciente apego a la propia pelleja, amenazada de un grave riesgo, que se leía bien claro en la actitud recelosa de aquellos hombres tan avezados a los peligros del mar.

Pasó así más de una hora, sin que en la lancha se oyeran otros rumores que el crujir de los estrobos, las acompasadas caídas de los remos en el agua y el ardiente respirar de los hombres, que ayudaban con su fatiga a las lonas a medio henchir. A ratos era el aire algo más fresco y entonces descansaban los remeros. En los celajes no se notaba alteración de importancia. Por la popa y por la proa se veían las lanchas que llevaban el mismo derrotero que la de Reñales.

Todo iba, pues, lo mejor de lo posible y así continuó durante otra media hora; y llegó Andrés a reconocer bien distintamente, sin el auxilio de ojos extraños, los Urros de Liencres, y luego, los acantilados de la Virgen del Mar.

De pronto percibieron sus oídos un pavoroso rumor lejano, como si trenes gigantescos de batalla [184] rodaran sobre suelos abovedados; sintió en su cara la impresión de una ráfaga húmeda y fría, y observó que el sol se oscurecía y que sobre la mar avanzaban, por el noroeste, grandes manchas rizadas, de un verde casi negro. Al mismo tiempo gritaba Reñales:

—¡Abajo esas mayores!... ¡El tallaviento [185] sólo!

Y Andrés, helado de espanto, vio a aquellos hombres tan valerosos abandonar los remos y lanzarse, descoloridos y acelerados, a cumplir los mandatos del patrón. Un solo instante de retardo en la maniobra hubiera ocasionado la pérdida de todos; porque, apenas quedó izado el tallaviento, una racha furiosa, cargada de lluvia, se estrelló contra la vela y con su empuje envolvió la lancha entre rugientes torbellinos. Una bruma densísima cubrió los horizontes, y la línea de la costa, mejor que verse, se adivinaba por el fragor de las mares que la batían y el hervor de la espuma, que la asaltaba por todas sus asperezas.

Cuanto podía abarcar entonces la vista en derredor era un espantoso resalsero * de olas que se perseguían en desalentada carrera y se azotaban con sus blancas crines sacudidas por el viento. Correr delante de aquella furia desatada, sin dejarse asaltar de ella, era el único medio, ya que no de salvarse, de intentarlo siquiera. Pero el intento no era fácil, porque solamente la vela podía dar el empuje necesario y la lancha no resistiría, sin zozobrar, ni la escasa lona que llevaba en el centro.

Andrés lo sabía muy bien; y al observar cómo crujía el palo en su carlinga y se ceñía como una vara de mimbre y crepitaba la vela y zambullía la lancha su cabeza y tumbaba después sobre un costado y la mar la embestía por todas partes, no preguntó siquiera por qué el patrón mandó arriar el tallaviento y armar *la unción* en el castillete

[184] Nótese la imagen, poco afortunada.
[185] *Tallaviento:* cataviento.

de proa. Más que lo que la maniobra significaba en aquel momento angustioso, heló la sangre en el corazón de Andrés el nombre terrible de aquel angosto lienzo desplegado a la mitad de un palo muy corto: *¡La unción!* Es decir, entre la vida y la muerte.

Por fortuna, la lancha resistió mejor que el tallaviento y con su ayuda volaba entre el bullir de las olas, pero éstas engrosaban a medida que el huracán las revolvía, y el peligro de que rompieran sobre la débil embarcación crecía por instantes. Para evitarle, se agotaban todos los medios humanos. Se arrojaron por la popa los hígados del pescado que iba a bordo y se extendió por el mismo lado el tallaviento flotante. Se conseguía algo, pero muy poco, con estos recursos... ¡Huir, huir por delante!... Esto sólo o resignarse a perecer.

Y la lancha seguía encaramándose en las crestas espumosas y cayendo en los abismos y volviendo a erguirse animosa, para caer en seguida en otra sima más profunda, y ganando siempre terreno y procurando, al huir, no presentar a los mares el costado.

De tiempo en tiempo, los pescadores clamaban fervorosos:

—¡Virgen del Mar, adelante!... ¡Adelante, Virgen del Mar! [186].

A Andrés le parecían siglos los minutos que llevaba corridos en aquel trance espantoso, tan nuevo para él; y comenzaba a aturdirse y a desorientarse entre el estruendo que le ensordecía, la furia del viento, que azotaba su rostro con manojos de espesa lluvia, los saltos vertiginosos de la lancha y la visión de su sepultura entre los pliegues de aquel abismo sin límites. Sus ropas estaban empapadas en el agua de la lluvia y la muy amarga [187] que descendía sobre él después de haber sido lanzada al espacio, como densa humareda, por el choque de las olas. Flotaban al aire sus cabellos goteando y comenzaba a tiritar de frío. Ni intentaba siquiera desplegar sus labios con una sola pregunta. ¿Para qué esta inútil tentativa? ¿No lo llenaban todo, no respondían

---

[186] El texto en cursiva falta en la primera edición.
[187] Sentido oscuro.

a todo cuanto pudiera preguntar allí la mísera voz humana, los bramidos de la galerna?

Así pasó largo rato, mirando maquinalmente cómo sus compañeros de martirio, con el ansia de la desesperación unas veces y otras con la serenidad de los corazones impávidos, desalojaban con cuantos útiles servían para ello el agua que embarcaba en la lancha algún maretazo que la alcanzaba por la popa o movían el aparejo a una señal del patrón en un instante de respiro.

El exceso mismo del horror, suspendiendo el ánimo de Andrés, fue predisponiendo su discurso a la actividad regularizada y a la coordinación de las ideas, aunque en una órbita algo extraña a las condiciones de un espíritu constituido como el suyo. Por ejemplo, no discurrió sobre las probabilidades que tenía de salvarse. Para él era ya cosa indiscutible y resuelta el morir allí. Pero le preocupó mucho la clase de muerte que le esperaba y analizó el fatal suceso momento por momento y detalle por detalle. Del minucioso análisis dedujo que su propio cuerpo, arrojado de pronto en aquel infierno rugiente, en la escala de una proporción rigurosa, representaba mucho menos que el átomo que cae en las fauces de un tigre con el aire que éste aspira en un bostezo. Pero ¿cabía imaginar un desamparo, una soledad, un desconsuelo más espantosos en derredor de un hombre para morir? En seguida pasaron por su memoria, en triste desfile, los mártires que él recordaba de la numerosa legión de héroes, a la cual pertenecían los desventurados que le rodeaban, destinados quizá a desaparecer también de un momento a otro en aquel horrible cementerio. Y los vio, uno a uno, luchar brevísimos instantes, con las fuerzas de la desesperación, contra el inmenso poder de los elementos desencadenados; hundirse en los abismos, reaparecer con el espanto en los ojos y la muerte en el corazón, y volver a sumergirse para no salir ya sino como informe despojo de un gran desastre, flotando entre los pliegues de las olas y arrastrados al capricho de la tempestad [188].

Y viéndolos a todos así, llegó a ver a Mules; y viendo a Mules, se acordó de su hija; y acordándose de su hija, por

---

[188] Otro comentario con fuerte preocupación social. Cf. nota 121.

una lógica asociación de ideas, llegó a pensar en todo lo que le había pasado y fue causa de que él se viera en el riesgo en que se veía. Y entonces, a la luz que sólo perciben los ojos humanos en las fronteras de la muerte, estimó en su verdadera importancia aquellos sucesos; y se avergonzó de sus ligerezas, de su insensatez, de sus ingratitudes, de su última locura, causa, quizá, de la desesperación de sus padres; y volvió su mortal naturaleza a reclamar sus derechos; y amó la vida; y le espantaron de nuevo los peligros que corría en aquel instante, y temió que Dios hubiera dispuesto arrancársela de aquel modo en castigo de su pecado.

Temblaba de horror; y cada crujido del fúnebre aparejo, cada estremecimiento de la lancha, cada maretazo que la alcanzaba, le parecía la señal del último desastre. Para colmo de angustias vio de pronto por su banda flotar un remo entre las espumas alborotadas, y en seguida otros dos. También lo vieron los contristados pescadores. Y vieron más a los pocos momentos: vieron una masa negra dando tumbos entre las olas. Era una lancha perdida. ¿De quién? ¿Y sus hombres? Estas preguntas leía Andrés en las caras lívidas de sus compañeros. Notó que, puestos de rodillas y elevando los ojos al cielo, hacían la promesa de ir al día siguiente, descalzos y cargados con los remos y las velas, a oír una misa a la Virgen, si Dios obraba el milagro de salvarles la vida en aquel riesgo terrible. Andrés elevó al cielo la misma oferta desde el fondo de su corazón cristiano.

Por obra de esta nueva impresión le asaltó otro pensamiento que impregnó de amargura su alma generosa. Si él salía vivo de allí, en su mano estaba no volver a exponerse a tales riesgos; pero los infelices que le acompañaban, aunque con él se salvaran entonces, ¿no sentirían amargado el placer de salvarse con los recelos de perecer a la hora menos pensada en otra convulsión de la mar, tan repentina y espantosa como aquélla? ¡Desdichado oficio que tales quiebras tenía! Y fue reparando, uno por uno, en todos los pescadores de la lancha. De todo había allí: desde el mozo imberbe hasta el viejo encanecido, y todos parecían más resignados que él; sin embargo, cada una de aquellas vidas era más necesaria en el mundo que la suya. Esta consideración, hiriéndole la fibra del amor propio, infundió algún calor a sus ánimos abatidos.

Y la tempestad seguía desenfrenada y la lancha corriendo, loca y medio anegada ya, delante de ella. En uno de sus bandazos, estuvo su carel a medio palmo de un bulto que se mecía entre dos aguas, dejando flotantes sobre ellas espesos manojos de una cabellera cerdosa.

—Muergo —gritó Reñales, queriendo, al mismo tiempo, apoderarse del cadáver con una de sus manos.

Andrés sintió que el frío de la muerte le invadía otra vez el corazón, que la vida iba a faltarle, y sólo un acontecimiento como el ocurrido allí en el mismo instante pudo rehacer sus fuerzas aniquiladas.

Y fue que Reñales, por coincidir su movimiento con un recio balance de la lancha, perdió el equilibrio y cayó sobre el costado derecho, dándose un golpe en la cabeza contra el carel. Sin gobierno la lancha atravesóse a la mar; saltó hecho astillas el palo y arrebató el viento la vela. Andrés, entonces, comprendiendo la gravedad del nuevo peligro:

—A los remos —gritó a los consternados pescadores, lanzándose él al de popa, abandonado por Reñales al caer, y poniendo la lancha en rumbo conveniente con una destreza y una agilidad tan oportunas que fueron la salvación de todos.

Pasaban entonces por delante de cabo Menor, sobre cuyas espaldas de roca avanzaban las mares para despeñarse al otro lado en bramadora cascada. Desde allí, o mejor dicho, desde cabo Mayor a la boca del puerto, y siguiendo por el islote de Mouro hasta el cabo Quintres y el de Ajo, toda la costa era una sola cenefa de mugidoras espumas que hervían y trepaban y se asían a los acantilados y volvían a caer para intentar de nuevo el asalto, el empuje inconcebible de aquellas montañas líquidas que iban a estrellarse furiosas, sin punto de sosiego, contra las inconmovibles barreras.

—*¡Adelante, Virgen del Mar!* —*repetían con voz firme los remeros al compás de su fatiga* [189].

Andrés, empuñando su remo, clavados sus pies, más que asentados, en el panel de la lancha, luchando y viendo luchar a sus valerosos compañeros con esfuerzo sobrehumano contra la muerte que los amenazaba por todas partes, comenza-

---

[189] El texto en cursiva falta en la primera edición.

ba a sentir la sublimidad de tantos horrores juntos y alababa a Dios delante de aquel pavoroso testimonio de su grandeza.

A todo esto, Reñales no movía pie ni mano; y Cole, que achicaba el agua sin cesar con otro compañero, a una señal de Andrés, que estaba en todo, suspendió su importantísimo trabajo y acudió a levantar el patrón, que había quedado aturdido con el golpe y sangraba copiosamente por la herida que se había causado en la cabeza. Atendiósele lo menos mal que se pudo en tan apurada situación y con ello fue reanimándose poco a poco, hasta que intentó volver a su puesto cuando la lancha, cruzando como un rayo por delante del Sardinero, llegaba enfrente de la Caleta del Caballo. Pero en aquellos instantes, además de la serenidad y de la inteligencia, se necesitaba fuerza no común para gobernar, y a Reñales le faltaba esta última condición tan importante, al paso que Andrés, en el punto en que se hallaba de la costa, las reunía todas sobradamente.

—Pues ¡adelante! —le dijo el patrón, acurrucándose en el panel, porque su cabeza dolorida no podía resistir los azotes de la tempestad—, ¡y que se cumpla la voluntá de Dios!

¡Adelante! Adelante era acometer al puerto, es decir, jugar la vida en el último y más imponente azar; porque el puerto estaba cerrado por una serie de murallas de olas enormes, que, al llegar al angosto boquete y sentirse oprimidas allí, parte de cada una de ellas asaltaba y envolvía el escueto peñasco de Mouro, y el resto se lanzaba a la oscura gola y la henchía y alzaba sus espaldas colosales para caber mejor; y a su paso retemblaban los ingentes muros de granito. Pero ¿cómo huir del puerto? ¿A dónde tirar en busca de un refugio? ¿No era un milagro cada instante que pasaba sin que la lancha zozobrase en el horrible camino que traía?

Lo menos malo de aquella situación era que iba a resolverse pronto; y esta convicción se leía bien claramente en las caras de los tripulantes, fijas en la de Andrés e inmóviles, como si de repente se hubieran petrificado todas a la vez por obra de un mismo pensamiento.

—Ya lo sabe usté, don Andrés —dijo Reñales a éste—, en-

filando por la proba el alto de Rubayo y el Codío de Solares
es la media barra justa.

—Cierto —respondió amargamente Andrés, sin apartar
los ojos de la boca del puerto ni sus manos del remo con
que gobernaba—. Pero cuando no se ven ni el Codío de Solares ni el alto de Rubayo, como ahora, ¿qué se hace, Reñales?

—*Ponerse en manos de Dios y* [190] entrar por onde se pueda —respondió el patrón, después de una breve pausa y devorando con los ojos el horrible atolladero, que no distaba
ya dos cables de la lancha.

Hasta entonces, todo lo que fuera correr delante del temporal era acercarse a la salvación, pero desde aquel momento podía ser tan peligroso el avance rápido como la detención involuntaria; porque la lancha se hallaba entre el huracán que la impelía y el boquete que debía asaltarse en
ocasión en que las mares no rompieran en él.

Andrés, que no lo ignoraba, parecía una estatua de piedra con ojos de fuego; los remeros, máquinas que se movían
al mandato de una mirada suya; Reñales no se atrevía a
respirar.

Sobre el monte de Hano había una multitud de personas
que contemplaban con espanto, y resistiendo mal los embates del furioso vendaval, la apuradísima situación de la lancha. Andrés, por fortuna suya y de cuantos iban con él, no
miró entonces hacia arriba. Le robaba toda la atención el
examen del horroroso campo en que iba a librarse la batalla decisiva.

De pronto gritó a sus remeros:

—¡Ahora!... ¡Bogar!... ¡Más!...

Y los remeros, sacando milagrosas fuerzas de sus largas
fatigas, se alzaron rígidos en el aire, estribando en los bancos con los pies y colgados del remo con las manos.

Una ola colosal se lanzaba entonces al boquete, hincha-
da, reluciente, mugidora, y en lo más alto de su lomo ca-
balgaba la lancha a toda fuerza de remo.

El lomo llegaba de costa a costa; mejor que lomo, anillo de reptil gigantesco, que se desenvolvía de la cola a la
cabeza. El anillo aquel siguió avanzando por el boquete aden-

---

[190] El texto en cursiva falta en la primera edición.

tro hacia las Quebrantas, *en cuyos arenales había de estre-llarse rebramando* [191], pasó bajo la quilla de la lancha y ésta comenzó a deslizarse de popa, como la cortina de una cascada, hasta el fondo de la sima que la ola fugitiva había dejado atrás. Allí se corría el riesgo de que la lancha *se durmiera* *, pero Andrés pensaba en todo y pidió otro esfuerzo heroico a sus remeros. Hiciéronle; y remando para vencer el reflujo de la mar pasada, otra mayor que entraba, sin romper el boquete, fue alzándola de popa y encaramándola en su lomo y empujándola hacia el puerto. La altura era espantosa y Andrés sentía el vértigo de los precipicios; pero no se arredraba ni su cuerpo perdía los aplomos en aquella posición inverosímil.

—¡Más!..., ¡más! —gritaba a los extenuados remeros, porque había llegado el momento decisivo.

Y los remos crujían y los hombres jadeaban y la lancha seguía encaramándose, pero ganando terreno. Cuando la popa tocaba la cima de la montaña rugiente y la débil embarcación iba a recibir de ella el último impulso favorable, Andrés, orzando brioso, gritó conmovido, poniendo en sus palabras cuando fuego quedaba en su corazón.

—¡Jesús, y adentro!...

Y la ola pasó también sin reventar [192] hacia las Quebrantas y la lancha comenzó a deslizarse por la pendiente de un nuevo abismo. Pero aquel abismo era la salvación de todos, porque habían doblado la punta de la Cerda y estaban en puerto seguro.

En el mismo instante, cuando Andrés, conmovido y anheloso, se echaba atrás los cabellos y se enjugaba el agua que corría por su rostro, una voz con un acento que no se puede describir, gritó desde lo alto de la Cerda:

—¡Hijo!... ¡Hijo!

Y Andrés, estremeciéndose, alzó la cabeza; y delante de una muchedumbre estupefacta vio a su padre con los brazos abiertos, el sombrero en la mano y la espesa y blanca cabellera revuelta por el aire de la tempestad.

Aquella emoción suprema acabó con las fuerzas de su espíritu; y el escarmentado mozo, plegando su cuerpo so-

---

[191] El texto en cursiva falta en la primera edición.
[192] *Sin reventar*, falta en la primera edición.

ble el tabladillo de la chopa * y escondiendo su cara entre
las manos trémulas, rompió a llorar como un niño, mientras
la lancha se columpiaba en las ampollas colosales de la resaca * y los fatigados remeros daban el necesario respiro a
sus pechos jadeantes [193].

... ...

Al mismo tiempo, en medio de las brumas de enfrente,
un pobre patache, abandonado ya, barrida su cubierta, desgarradas sus lonas, tremolando al viento su cordaje deshila-
do, entre tumbos espantosos y cabezadas locas, con el último balance echaba los palos por la banda; saltaban las
cadenas de las anclas con que se agarraba al fondo, en las
ansias de la desesperación; reventaba una mar contra la quilla descubierta, y lanzaba el mutilado casco en medio del
furor de las rompientes, cuyas espumas escupían, casi en
el acto, las astillas de su despedazado costillaje.

Aquellos tristes despojos flotantes eran lo único que quedaba del *Joven Antoñito de Ribadeo.*

XXIX. EN QUÉ PARÓ TODO ELLO

No merece el bondadísimo lector, que me ha seguido hasta aquí con evangélica paciencia, que yo se la atormente de
nuevo con el relato de sucesos que fácilmente se imaginan

---

[193] Capítulo comparable a la descripción del viento ábrego
en *El sabor de la tierruca* (cap. XXII). Para A. H. Clarke, la naturaleza asume, en esos momentos, el papel de protagonista con
su fuerza dramática y violenta (ob. cit., pp. 164-168 y 173 ss.). Se-
gun Sherman H. Eoff, el clímax de la galerna contribuye a res-
taurar el equilibrio social (ob. cit., p. 51). Jean Camp piensa, a su
vez, que es motivadora de matices psicológicos en el personaje
(José María de Pereda. Sa vie, son oeuvre et son temps, París,
1938, p. 343). Otras tempestades con parecidos efectos dramáticos
se encuentran en *Gloria* (I, caps. XVII y XXXV), de B. P. Galdós,
y *José* (cap. XV), de Palacio Valdés.

o son de escasísima importancia a la altura en que nos ha-
llamos del asunto principal..., si es que hay asunto principal en este libro [194]. Dejemos, pues, que pasen horas desde
las infaustas que se puntualizan en el capítulo precedente;
que rueden lágrimas de hiel, escaldando mejillas de afligidos
y otras harto más dulces entre abrazos de alegría y latidos
de corazones sin tortura; que las piadosas ofertas a Dios,
en momentos de grandes apuros, se cumplan, y que los fervorosos mareantes, y Andrés delante de todos ellos, descalzos y con los vestidos mojados aún por el agua de la tempestad, y con los remos y las velas al hombro, vayan al tem-
plo y salgan de él entre el respeto y la conmiseración de
las gentes de la ciudad; que corran días después y el sabor-
cillo de otros sucesos nuevos mate en la pública voracidad
el ansia por los pasados, por tristes o ruidosos que hayan
sido; que las lecciones recibidas aprovechen, en unos para
perdonar, en otros para corregirse; que Andrés normalice
su vida por los nuevos derroteros a que le arrastran una
repentina y cordial aversión a las ligerezas y entretenimientos de antes... y cierta entrevista con su amigo Tolín, solicitada por éste y celebrada en lo más secreto y apartado del
escritorio de don Venancio Liencres; que, en señal de lo
firme de sus propósitos y lo arraigado de sus aversiones,
queme sus naves, es decir, venda su *Céfiro* y sus útiles de
pesca y regale el dinero de su valor al viejo Mechelín, por
mano del padre Apolinar, pues él no debe poner más los
pies en la bodega; que aquella meritísima [195] familia se re-
gocije en la creencia de que sus oraciones, con una vela encendida ante la imagen de San Pedro, al saber que Andrés
estaba en la mar el día de la galerna, contribuyeran pode-

---

[194] Duda más que razonable que le permite a Eoff aventu-
rar que la trama argumental fue creada de mala gana (ob. cit.,
p. 49). De hecho, la premiosidad de la acción le confiere a su
novela un marcado carácter naturalista (cf. W. T. Pattison, ob.
cit., p. 129; S. Béser, *Leopoldo Alas, crítico literario,* Madrid, Ed
Gredos, p. 289). No hay que olvidar, empero, la tendencia de
Pereda a describir ambientes, siendo sólo las primeras novelas
de tesis las que ofrecen estructura completa (*Don Gonzalo...* y
De tal palo, tal astilla).
[195] *Apreciabilísima,* en la primera edición.

rosamente a su salvación; dejemos también que el hijo de don Pedro Colindres llame a Cleto y, a solas con él, le jure con la solemnidad con que lo hizo otra vez en lo alto del Paredón, pero con mayor confianza en sus fuerzas para llegar a cumplirlo, todo lo que el noblote hijo de Mocejón necesitaba creer para quedarse solamente con la carga de sus dudas de llegar a ser correspondido y la de la vergüenza de ser hijo de su madre, que no era carga ligera; dejemos, en fin, que pasen dos días más y Cleto vista la librea de los servidores de *barco de rey*, en vísperas de ser llevado al Departamento, y que la justicia humana encierre en la cárcel pública a las hembras del quinto piso para formarlas un proceso por difamadoras y escandalosas, y vamos a dar el último vistazo a la bodega de la calle Alta.

Está allí el padre Apolinar; y mientras tía Sidora y Sotileza trajinan afanosas y en silencio, él pasea por la salita conversando con Mechelín, que se calienta con los rayos del sol que penetran por la ventana, sentado en una silla, muy cargado de ropa, descolorido y descarnado. No apetece ya la pipa y sus ojos tristes lo miran todo sin curiosidad. Estuvo a pique de morir; confesóse con el fraile; le viaticó éste después y al día siguiente «ya había un poco de hombre». Fue reviviendo algo más y, en cuanto pudo tenerse derecho, saltó de la cama, que le entristecía mucho. Contaba con llegar a restablecerse lo necesario para volver a sus faenas de bahía. Cosas de viejos achacosos que parecen, como los niños, la flor de la maravilla. Sólo que en los viejos achacosos cada zarpazo de los achaques se lleva una buena tajada entre las uñas. El médico del Cabildo alentaba sus esperanzas, pero yo tengo para mí que otra le quedaba dentro al buen doctor.

La mañana había sido de prueba para el pobre viejo. Como no podía salir de casa, habían estado a despedirse de él todos los mareantes que se llevaba la leva y faltaba Cleto todavía. Colo había estado con Pachuca. Lloraba la infeliz que se deshacía. En la bodega eran todos a consolarla; pero cuantos más consuelos la daban, más angustiosos eran sus gemidos. Al mismo tiempo, la calle era un mar de llantos; y cada vez que tía Sidora y Sotileza salían hasta el portal para llorar con las que lloraban, Mechelín oía los tristes rumores y sentía también la necesidad de llorar un poco y

lloraba al cabo; porque sobre la pena de todos los que lloraban, él tenía la del temor de no volver a ver en el mundo
a aquellos camaradas que se iban.

Pero, en fin, esto había pasado y se había hablado mucho
sobre ello en la bodega; y se estaba hablando ya de otro
asunto, sobre el cual decía el padre Apolinar, al llegar nosotros a enterarnos de lo que allí sucedía:

—Eso no debe extrañarte a ti, Miguel. Después de lo ocurrido en esta casa, no cabe otra conducta en un hombre honrado. Ponte en los casos, Miguel, ponte en los casos.

—¿Pos no ve usté cómo me pongo, pae Polinar? —respondía el marinero—. Y porque me pongo, no me extraño
de na. Pero una cosa es no extrañarse y otra cosa el sentir
de la persona. Hace bien en no golver por aquí, por el bien
parecer suyo y de los demás... ¡Pero estaba uno tan hecho
a verle y le quería uno tanto!... ¡Y esto de que yo no haiga
podío darle un abrazo, uno tan siquiera, dempués de haberle
sacao Dios con vida de aquel apuro en que tantos enfelices
perecieron!... Cierto que se le di a su padre... ¡Me atreví
a ello, vamos! ¿Creerá usté, pae Polinar, que con ser quien
es el capitán, ¡el mesmo roble!..., lloraba como una criatura? ¡Buen señor es! Dende que pasó lo que pasó, él viene a menudo..., él mira por mí..., él mira por estas mujeres..., él tiene consuelos pa toos..., él quiere que no me
falte ná..., ¡ni el cuarto de gallina pa el puchero!... ¿Se pue
pedir cosa como ella? Too esto sobre aquellos intereses que
me mandó su hijo por mano de usté..., que ahí están, guar-
daos en el arca, sin saber uno qué hacer de ellos; porque
de unos días acá esto es anadar en posibles... ¡Hasta la manta doble, señor, y los rufajos nuevos y las libras de chacola-
te, de parte de la señora!... Vamos, que no se cansan. Y yo,
que lo veo, no acabo de entender por qué Dios me da esta
vejez tan regalona; quién soy yo pa acabar entre tantos
beneficios... Pero golviendo al caso, no puedo menos de
confesar que me cuesta mucho hacerme a no ver en esta
casa a esa criatura de los mesmos oros del Potosí... Es cosa
de la entraña de uno y no se puede remediar... Y a la que
más y a la que menos de esas mujeres, le pasa otro tanto
como a mí... ¡La entraña tamién, hombre... la entraña neta!

—Corriente, Miguel, corriente —repuso el padre Apolinar, paseándose delante del cariñoso marinero—. Todo eso

es la verdad pura y no se falta con ello a la ley de Dios, que quiere corazones agradecidos y lenguas sin ponzoña. Punto arreglado y materia concluida. Pero hay otro que no puede dejarse como está, Miguel, que te importa mucho a ti y a todos los de tu casa..., ¡mucho, cuerno!..., ¡pero mucho!... y ha de quedar arreglado hoy..., ahora mismo, porque dentro de poco ya será tarde... Y mira, Miguel, contando con ello y no fiando cosa mayor en mis propias fuerzas, porque, con ser muchas no alcanzan siempre contra las terquedades del jinojo, he hablado al señor don Pedro y me ha prometido darse por acá una vuelta para ayudarme en el empeño..., que es hasta obra de misericordia, ¡cuerno si lo es!, ¡y de las más gordas!... Lo malo es que tarda ¡y si se va antes el otro...! Bien lo sabes tú, Miguel, el mozo puede morir, pero el viejo no puede vivir... ¡Y si tú llegas a faltar!... ¡y tu mujer en seguida!... ¿Eh?... ¿Qué te parece?

—Ya me hago cargo, pae Polinar, y bien sabe usté cuál es la voluntá de uno; pero no es la de ella tan clara como conviene y ése es el mal...

—Pues ha de aclararse como se debe esa voluntad, Miguel, y sin tardanza, y en el sentido que conviene, porque la casa está libre de espantos; ya se puede entrar aquí a la luz del mediodía y toser recio en el portal, porque la carne corrompida está en su pudridero conveniente. Cierto que hay tres años de por medio hasta que ese venturao cumpla y que en ese tiempo pueden salir ellas de la cárcel, si es que no van a galeras, como se cree que sucederá; pero aunque no vayan, o el castigo no las mate, y se vuelvan a su casa y de nada les sirva el escarmiento, ¿qué se nos importa a nosotros, jinojo? Buenos valedores tenemos; y, en último caso, se muda de vecindad y hasta de barrio, si es preciso... ¡Que hay que llevarlo a cabo, Miguel, sin remedio ninguno, jinojo... y caiga quien caiga! El mozo es un pedazo de pan y ella no ha de quedarse para monja... ¡Cuerno, que no puede pasarse por otro camino!... ¡Silda! ¡Silda!... Ven acá. ¡Y ven tú también, Sidora!

Y las dos acudieron sin tardanza desde la cocina.

En Sotileza se notaba la huella de sus pasados sufrimientos: estaba más ojerosa y pálida, pero con todo ello adquiría mayor interés su natural hermosura.

Padre Apolinar la apremió valerosamente para que resolviera allí mismo el caso en cuestión y expuso las razones que había para que la resolución fuera ajustada a los deseos de sus cariñosos protectores.

—¿Tienes tú —la preguntó el fraile— algún propósito entre cejas que se oponga a ese proyecto?

—No, señor —respondió Silda con gran serenidad.

—¿Hallas en Cleto algo que te repugne, más que la pícara hebra de toda su casta?

—No, señor, Cleto, por sí es todo cuanto podría apetecer una pobre como yo. La verdá en su punto. Es bueno, es honrao... y hasta pienso que me tiene en más de lo que valgo...

—Pues entonces, jinojo, ¿qué más quieres? ¿A qué esperas, después de lo que se te ha dicho?... A veces, ¡cuerno!, parece que te empeñas en que se crea que te gozas en pagar con pesadumbres lo que por ti se desviven estos pobres viejos.

—¡Eso nunca lo pensaremos, hijuca! —exclamaron casi a un mismo tiempo los dos.

El fraile no se acobardó por eso y añadió en seguida:

—Pues lo pensaré yo solo... ¡y cualquiera que tenga los sentidos cabales!...

Silda se quedó unos momentos silenciosa; v como si le hubiera dolido la observación del padre Apolinar o se preparara a tomar una resolución heroica:

—¿Creen ustedes —preguntó sin altanería, pero con gran entereza— que eso que desean es lo que conviene a todos?

Y todos respondieron, unísonos, que sí.

—Pues que sea —concluyó Silda solemnemente.

—¡Pero sin que se te atragante, hijuca!

—¡Sin que te sirva de calvario, saleruco de Dios!

A estas exclamaciones de los conmovidos viejos replicó Sotileza:

—No hay cruz que pese, con buena volutá para llevarla.

En aquel instante entró en la bodega don Pedro Colindres. Padre Apolinar le contó lo que acababa de suceder allí y el capitán dijo:

—Me alegro con toda el alma. Cabalmente venía yo a ayudar con mi consejo, sabiendo lo que el tiempo apura. Que sea enhorabuena, muchacha... Y ya que no puedes creer que lo pongo por cebo para que te resuelvas, me brindo a ser padrino de la boda y quiero que tengas entendido que yo me encargo de que al día siguiente de ello sea Cleto patrón de su propia lancha. Y si el oficio no os gusta, tampoco ha de faltaros ni el taller ni la herramienta para otro que os guste más. ¿Sabéis lo que quiere decir esto en boca de un hombre como yo?

—¡Estas son almas, cuerno!... ¡Eso es alquitrán de lo fino, jinojo! —exclamó padre Apolinar, retorciéndose en tres dobleces debajo de su ropa—. ¿Lo ves, Silda?... ¿Lo ves, Miguel?... ¿Lo ves, Sidora? ¿Ves cómo Dios está en los cielos y tiene para todos los que lo merecen?...

Pero ni Silda ni Mechelín ni tía Sidora estaban para contestar; aquélla porque cayó en una especie de estupor difícil de definir; y los otros dos, porque comenzaron a lloriquear. El capitán añadió:

—Todo ello no vale dos cominos, padre Apolinar; pero aunque valiera, harto lo merecen aquí; y tú más que nadie, muchacha..., porque yo me entiendo. Conque, ¡ánimo!, que joven eres y tres años luego se pasan...

—¡Virgen del Mar!, dame vida no más que para verlo —exclamó tío Mechelín entre sollozos, casi al mismo tiempo que decía su mujer:

—¡Bendito sea el Señor, que pone la melecina tan cerca de la llaga!

En esto entró Cleto. Vestía camiseta blanca con ancho cuello azul sobre los hombros; cubría la mitad de su cabeza con una gorra azul, con largas cintas colgando por atrás, y llevaba al brazo un envoltorio, que era todo su equipaje. Estaba guapetón de veras. Entró con aire resuelto y, dirigiéndose en derechura a la moza, sin reparar cosa mayor en las personas que estaban con ella, la habló así:

—Un ratuco me queda no más, Sotileza. A aprovechale vengo pa saber el sí u el no; porque sin el uno u el otro no salgo de Santander anque me arrastren... Y mírame bien antes de hablar... Con el sí no habrá trabajos que allá me asusten, con el no me voy pa no golver... ¡Lo mesmo que la luz de Dios que nos alumbra!

Había entonces en la actitud de Cleto cierta ruda grandeza que le sentaba muy bien. Sotileza le respondió, envolviendo sus palabras sonoras en una hermosa mirada de consuelo:

—El sí quiero darte, porque bien merecido le tienes...
Mejor que yo el empeño con que le deseas.

Después, llevando sus manos alrededor de su blanquísi-
mo y redondo cuello, por debajo del pañuelo que se le guar-
necía, se quitó una cadenilla de la que pendía una medalla
de plata con la imagen de la Virgen y añadió, entregán-
dosela:

—Toma, pa que el camino de la vuelta se te allane mejor.
Y si alguna vez te quita el dormir una mala idea, pregúnta-
le a esa Señora si yo soy mujer de faltar a lo que ofrezco.

Cleto se abalanzó a la tibia medalla y la cubrió de besos
y se santiguó con ella y volvió a besarla; la arrimó a su corazón y, por último, la colgó de su cuello; y entre tanto,
soltando gruesos lagrimones de sus ojos, decía acelerado y
convulso:

—¡Bendita sea la bondá de Dios, que tiene tanta compasión de mí!... ¡Esto es más de lo que yo quería, paño!... ¡Que
vengan penas ahora!... ¡Ya tengo bandera!... ¿Quiere saber
anguno lo que Cleto es capaz de hacer? Pos que se me pida
que la arríe u que me aparte de ella... Tío Miguel..., tía Sidora..., señor don Pedro..., pae Polinar..., no llevo más que
una pesaúmbre ya... Aquel hombre, paño... ¡cómo se queda!... Tendío le dejo encima del jergón... No sé si es ma-
lenconía... u cafetera..., porque de días acá no tiene calo pa
el aguardiente. ¿Qué va a ser de él en aquella soledá?... Yo
hacía mucha falta en casa, ahora más que nunca; pero la
ley es la ley y no tiene entraña... Por caridá siquiera..., ¡que
no fenezca en el desamparo!... Yo bien sé que en esta casa
no hizo méritos pa tanto, pero es mi padre y es viejo... y se
ve solo... Una vez que otra..., ¡paño!..., hacer que tome cosa
caliente... Y, vamos, olvidar el agravio, por caridá de Dios...

Tranquilizaron todos a Cleto, prometiéndole que se mi-
raría con mucho interés por su padre; y en seguida comenzaron las despedidas. Cuando tocó su vez a tío Mechelín, pidió éste un abrazo a Cleto; y estando abrazados los dos, dijo
el enfermo marinero, arrimando la boca al oído del mozo:

—Yo no lo veré ya, Cleto, y por eso te quiero decir ahora lo que entonces no podré decirte. Te llevas una compañera que no merece ningún hombre nacío. Si allegas a hacerla venturosa, han de tenerte envidia hasta los reyes en sus

palacios; pero si la matas a pesaúmbres, no cuentes con el perdón de Dios.

Cleto, por toda respuesta, apretó al viejo entre sus brazos; y como ya no estaba su serenidad para muchas ceremonias, desprendióse de tío Mechelín y salió precipitadamente de la bodega.

Padre Apolinar se encasquetó su sombrero de teja y salió corriendo detrás de él.

—¡Aguárdate, hombre! —le gritaba—, que voy yo a despedirme de vosotros en la punta del Muelle. ¡Pues no faltaba más, cuerno, que os embarcarais sin la bendición de Dios por esta mano pecadora!

Y mientras don Pedro Colindres se quedaba un rato en la bodega animando a tío Mechelín a que echara una pipada, tratando de paso el punto de la soledad de Mocejón, pae Polinar salió a la calle y alcanzó a Cleto, que era ya el último que por ella andaba de los de su Cabildo comprendidos en la leva.

La pública curiosidad todo lo convierte en sustancia. Por eso los balcones del último tercio del Muelle estaban llenos de espectadores cuando el padre Apolinar y Cleto pasaban por allí caminando hacia el Merlón, cuajado, como su rampa del Este, de mareantes y de familias de mareantes de los dos Cabildos y de una muchedumbre de curiosos de todos linajes.

Si el padre Apolinar hubiera sido reparón y estado en autos, quizás habría dado alguna importancia maliciosa a la intimidad con que departían Luisa y Andrés en uno de los balcones de la habitación de don Venancio Liencres, sin hacer caso maldito de lo que pasaba en la calle ni en la cara que pondrían Tolín y su madre, que estaban detrás de ellos. Pero, por no reparar, el santo varón ni siquiera reparó en la capitana, que iba por la acera, hecha un brazo de mar y mirando de reojo al primer piso, bañándosele la faz de complacencia, quizá por ver tan bien entretenido a aquel diablo de muchacho.

De lo que ocurrió en la punta del Muelle con ocasión de embarcarse los mareantes de la leva para el servicio de la patria, no debo hablar yo aquí después de haber consagrado en otra parte [196] largas páginas a ese duro tributo impuesto por la ley de entonces al gremio de pescadores, en compensación de monopolio de un oficio que cuenta, entre sus riesgos más frecuentes, los horrores de la galerna. *Diré por decir algo y porque no quede el asunto sin los debidos honores, que fue tan imponente como sencillo el cuadro final de aquel triste espectáculo: dos lanchas atestadas de hombres, al este del Martillo, arrancando, a fuerza de remo, hacia San Martín; sobre el Martillo, una muchedumbre descubierta y encarada a las lanchas; descollando sobre todas las cabezas otra cabeza gris, medio oculta por unas espaldas encorvadas, y, unido a estas espaldas, un brazo negro que trazaba una cruz en el espacio* [197].

Y como no queda otro asunto que ventilar de los tocantes a este libro, dejémoslo aquí, lector pío y complaciente, que hora es ya de que lo dejemos; mas no sin declararte que, al dar reposo a mi cansada mano, siento en el corazón la pesadumbre que engendra un fundadísimo recelo de que no estuviera guardada para mí la descomunal empresa de cantar, en medio de estas generaciones descreídas e incoloras, las nobles virtudes, el mísero vivir, las grandes flaquezas, la fe incorruptible y los épicos trabajos del valeroso y pintoresco mareante santanderino.

Santander, noviembre, 1884.

---

[196] *Escenas montañesas.* (Nota del autor.)
[197] El texto en cursiva falta en la primera edición.

SIGNIFICACION

de algunas voces técnicas y locales usadas en este libro, para inteligencia de los lectores «profanos»

abarrotes. Fardos de poco bulto con que se llenan los huecos que quedan en la bodega de un buque después de cargado.

ala. Velita agregada a otra principal por uno o ambos lados en tiempos bonancibles.

aligote, *loc.* Pescado de bahía.

amayuela, *loc.* Almeja.

amura. Cada mitad de la anchura de la proa de un barco.

arrastraderas. Las alas correspondientes a las velas mayor y de trinquete.

artes de pescar. Conjunto de los aparejos que usa un pescador en su oficio.

bagra. Listón de madera que corre interiormente a lo largo de cada costado de la lancha y sobre el cual se apoyan las cabezas de los bancos.

bandazo. Tumbo o balance repentino que da una embarcación hacia cualquiera de sus dos lados.

barloventear. Navegar de bolina en vueltas continuadas.

barquía, *loc.* Embarcación capaz, a lo sumo, de cuatro remos por banda: la mitad, próximamente, de una lancha de pescar.

barquín-barcón, *loc.* Movimiento brusco y repetido, de un costado a otro, de cualquier cuerpo flotante.

batayola. Barandilla que corre sobre las bordas del buque, especialmente a popa y a proa.

bitadura. Vuelta con que se amarra el cable alrededor de la cruz de las bitas.

bolina. La posición inclinada de un buque ciñendo el viento.

borda. El canto superior del costado de un buque.

bordada. Extensión andada en el rumbo de bolina en cualquiera de las dos bandas.

bota arriba a la banda, *loc.* Volverse a tierra repentinamente. Dícese que tan pronto como estos pescadores descubren un ratón en la lancha, hacen bota arriba a la banda.

botabomba, *loc.* Droga muy barata que, desleída en agua, da el color amarillo claro.

boza. En general, todo pedazo de cuerda o tirante con que se sujeta un calabrote, una cadena, etc., en una posición determinada. En las lanchas de pesca, el zoquete de madera en que va sujeto el tolete y se apoya el remo para bogar.

branque. Tajamar.

burda. Cuerda con que se sujeta un mastelero a su correspondiente mesa de guarnición.

cable (unidad de medida). Ciento veinte brazas.

cacea. *A la cacea:* pescar mientras va andando la lancha.

cafetera, *loc.* Borrachera.

calada. La acción y efecto de calar.

calar. Arrojar al agua y sumergir en ella el aparejo de pescar.

calo, *loc.* Profundidad del agua.

cancaneado, -da; *loc.* La persona que tiene la cara marcada de viruelas.

capear. Disponer el aparejo de un barco de modo que éste no avance ni retroceda sensiblemente.

capón. Cabo grueso que sirve para tener suspendida el ancla por su argolla al costado del buque.

carel. Lo mismo que borda.

cargar. Recoger una vela tirando de la cuerda al efecto.

carlinga. La pieza en que va encajado el palo de una embarcación.

carnada. El cebo que se pone en los anzuelos para pescar.

carpancho, *loc.* Especie de banasta. Capacho.

carrejo, *loc.* Pasillo largo dentro de una habitación.

cazar. Tirar para sí de un cabo cualquiera.

ceñir el viento. Navegar contra la dirección de él.

ciar. Bogar al revés, es decir, como si se intentara hacer andar la embarcación hacia atrás.

cinglar. Hacer andar un bote con un solo remo colocado a popa y moviéndole alternativamente a un lado y a otro.

cobrar. Recoger un cabo o parte de él. Halar.

cofa. Especie de meseta formada en lo alto de los palos mayores.

cole, *loc. Echar un cole:* tirarse al agua de cabeza.

contreminar, *loc.* Indisponer a una persona con otra, enconar sus ánimos.

costera. La duración de cada pesca determinada, como la del besugo, la del bonito, etc.

cubijero, -era, *loc.* La persona que anda con cubijos.
cubijos, *loc.* Tapujo.

chopa. En las lanchas de pescar, el cajón que llevan a popa a modo de toldilla.
chumacera. Lo mismo que la boza de las lanchas. Especie de horquilla de metal, de espiga giratoria, que suple al tolete y al estrobo para bogar.
chumbao, *loc.* Peso de plomo que se pone a los aparejos de pescar, para que se vayan a pique.

deriva. La acción y efecto de derivar.
derivar. Declinar a impulso del viento o de las corrientes hacia la parte menos ventajosa.
desborregarse, *loc.* Caer deslizando.
desguarnir, *loc.* Desbaratar.
dormirse. Quedar una embarcación sin gobierno entre las fuerzas contrarias de dos olas.
driza. De bandera, la cuerda fina con que se iza o se baja.

empavesada. Faja de paño de colores con que se adornan las bordas y las cofas de los buques en ciertas solemnidades y también para cubrir los asientos de popa en botes y falúas.
empavesadura. Corrupción de empavesada y, por extensión, todo adorno de banderas y gallardetes.
encarnar. Poner la carnada en los anzuelos.
escalerón, *loc.* Peldaño.
escobén. Cualquiera de los agujeros de proa por donde salen los cables o cadenas para amarrar el buque.
escota. La cuerda que sirve para orientar la vela y sujetarla en la posición deseada.
eslora. La longitud de un barco.
estrobo. Aro de mimbres retorcidos o de cuerda, de un diámetro algo mayor que el del espesor del remo que se mete por él para bogar.
estropada, *loc.* Estrepada: el esfuerzo de todos los remeros a la vez y también el de uno solo, para bogar.

filar. Largar o soltar progresivamente un cable, cadena, etc.
filástica. El hilo de que están compuestos los cordones de los cables, cabos, etc.
foque. En general, todas las velas triangulares que se amuran en el bauprés.

galerna. Cambio repentino del viento al Noroeste huracanado.
galernazo. Galerna.

galope. La parte más alta del palo de un buque.

garete. *Ir o irse al garete:* estar un buque a merced del viento o de las corrientes. Pescar *al garete:* mantener la lancha en el sitio que se desea con la ayuda de algunos remos movidos oportunamente.

garrear. Arrastrar una embarcación las anclas después de fondeada con ellas.

guinda. Altura de los palos de un buque hasta los topes o puntas.

lasca, *loc.* Pedazo de madera de superficie redondeada y fina, que se ajusta al carel de la lancha, entre dos bozas, para arrastrar sobre él el aparejo de pescar.

limonaje, *loc.* Lemanaje: el derecho que se paga al piloto práctico por la dirección de entrada de un buque en el puerto o salida de él; también la operación misma. Es curiosa la etimología de esta palabra, según Larousse, en su gran Diccionario, y debe consignarse traducida aquí:

«*Lamanage:* Profesión de los pilotos *lamaneurs. Lamaneur* (del antiguo francés *Laman,* literalmente, *el hombre de plomo* —de *lot,* plomo, y *mann,* hombre—, en flamenco *lotman,* en alemán *lothsman,* porque los *lamaneurs* se sirven ordinariamente de sondas de plomo): *Mar.* Piloto que conoce particularmente un sitio de desembarco y está encargado de dirigir a él los buques.»

En algunos puertos de esta costa se llama todavía *lemán* el piloto práctico, de donde procede directamente la palabra *lemanaje;* y Capmani, en su *Glos. al Cod. en las costumb. marítimas de Barcelona,* dice que «asimismo se denomina (el práctico) *locman,* del latín *locomanens,* que es como decir *habitante del lugar».*

lumbres de agua. La línea que traza la superficie del agua en el casco de un buque en una posición cualquiera.

macizar, *loc.* Arrojar macizo al agua mientras se está pescando.

macizo, *loc.* Parrocha.

magano, *loc.* Calamar.

manjúa, *loc.* Majal; cardume: la multitud de peces que caminan juntos como en tropa.

mareante. Individuo del gremio de pescadores matriculados.

maretazo. Golpe de mar.

mastelero. El trozo superior y más delgado del palo de un barco.

medio-mundo. Bolsa de red sostenida por un aro de alambre grueso del cual parten cordeles que se unen y amarran al extremo de un palo que el pescador mete entre piernas por el otro extremo para suspender con las manos el medio-mundo cuando le quiere sacar del agua. Así se pescan las sulas en bahía.

mocejón, *loc.* Bivalvo de conchas casi negras, más largas que anchas. Vive adherido a las peñas de la costa.

muelle Anaos. Muelle de las Naos, primitivo Muelle de Santander.

muergo, *loc.* Molusco de conchas largas, angostas, convexas y amarillentas. Por el tamaño y la forma es idéntico al mango de un cuchillo de mesa. Se ocúlta verticalmente en las playas de arena y se pesca a la bajamar con un gancho de alambre.

orza. Tablón poco más largo que la altura de la lancha. Se cuelga al costado de ésta, sujeto al carel solamente, para evitar la deriva, cuando va ciñendo el viento.

orzar. Gobernar de modo que la embarcación disminuya el ángulo que forma su quilla con la dirección del viento.

pallete. Tejido áspero de cordones de cabo.

pañel. El suelo llano de piezas sueltas, pero muy bien avenidas, que tienen las lanchas.

pantoques. Las panzas de una embarcación que van sumergidas en el agua.

parcial, *loc.* Afable, comunicativo.

parrocha, *loc.* Sardina en salmuera conservada en barriles.

pejín, pejino, pejina. El hombre o la mujer del pueblo bajo de la ciudad de Santander y otras poblaciones marítimas de la provincia, y lo perteneciente a ellos. Supónese que esta voz es derivada de *peje*, pez.

pernal. Rainal: cordelillo muy fino y corto; en un extremo tiene un anzuelo y por el otro se añade el aparejo de pescar.

pico de cangreja. El extremo de la vara en que se enverga la vela cangreja en el palo trasero de un barco.

pinaza, *loc.* Embarcación sin cubierta, mucho mayor y más fuerte que una lancha de pesca, para cargar y descargar los buques que no pueden arrimarse al muelle.

piña, *loc.* Golpe dado con los nudillos a puño cerrado.

porreto, *loc.* Una variedad en las algas marinas.

pulir, *loc.* Vender o gastar.

raquero, *loc.* Muchacho que se dedica al merodeo entre los buques de la dársena, a la bajamar, en muelles, careneros, etc.

raseles. Las partes en que a los extremos de popa se estrecha el fondo de la nave.

rema. El acto de remar todos los remeros a la vez.

rendir la bordada. Llegar con ella a un punto donde hay que virar para dar otra.

renal. Rainal.

resaca. El movimiento de las aguas en la orilla después de haber avanzado o chocado en ella.

resalsero. Extensión de mar en que se agitan y rompen sin cesar las olas.

rizón. Ancla de tres brazos.

ropa de agua. Se compone de calzones, chaquetón y sombrero (sueste), todo ello de lona encerada.

santimperie, *loc.* Intemperie.

sargüeta, *loc.* Jargueta: pescado de bahía.

sotileza, *loc.* Sutileza: la parte más fina del aparejo de pescar donde va el anzuelo. Las hay de alambre, de cordelillo y de tanza. Por extensión, todo cordel muy fino.

sueste, *loc.* Sombrero de lona encerada, con el ala estrecha por delante y muy ancha por detrás.

sula, *loc.* Pescado de bahía, pequeñito y plateado de color.

surbia,, *loc.* Veneno.

tabal. Atabal: envase en que vienen de Galicia los arenques.

tanza. Hilo de capullo o de cerda.

tapa, *loc.* Una tapa: tirarse al agua de pie.

taparlas, *loc.* Tragar todo el humo de cada chupada al cigarro.

tolete. Palito redondo de madera fuerte que se afirma en un agujero hecho a propósito en el carel de la lancha, atravesando la boza, y en la cual se encapilla el estrobo para remar.

trincar. Amarrar. *Loc.* Ufar.

troncada. Embestida de una embarcación a otra o a cualquier objeto resistente.

ufar, *loc.* Robar.

ufía, *loc.* Vejiga inflada.

ujana, *loc.* Gusana: lombriz de la basa.

virar por avante. Cambiar de rumbo o de bordada, de modo que, viniendo el viento por un costado, después de cambiar venga por el otro.

zoncho, *loc.* Carpancho.